I dy munadau da
a chyfarchion orbennig
— Jon meirion
(Ionawr 2003)

Morwyr y Cilie

Jon Meirion Jones

Cyhoeddiadau Barddas

Argraffiad cyntaf—2002

ISBN 1 900437 54 6

ⓗ Jon Meirion Jones

Y mae Cyhoeddiadau Barddas yn gweithio gyda chefnogaeth ariannol Cyngor Celfyddydau Cymru, a chyhoeddwyd y gyfrol hon gyda chymorth y Cyngor.

Cyhoeddwyd gan Gyhoeddiadau Barddas
Argraffwyd gan Wasg Gomer, Llandysul, Ceredigion SA44 4QL

Cynnwys

Diolch

i'r Prifardd Alan Llwyd eto, am wahoddiad i ysgrifennu'r gyfrol a chydweithrediad hyfryd wrth ei pharatoi;

i berthnasau o fewn y 'Tyl' am eu cymorth a'u cydweithrediad;

i fy ngwraig, Aures, a Louise yn rhannol, am deipio'r gwaith;

i Wasg Gomer am gydweithrediad hwylus a chwrtais, a graen ei gwaith argraffu;

i'r Prifardd Donald Evans am gyfansoddi cywydd yn arbennig ar gyfer y gyfrol.

i'r Prifardd Dic Jones am ganiatâd i ddefnyddio'r englyn i'r Môr.

i'r beirdd am eu hynawsedd a'u caniatâd i gynnwys eu barddoniaeth;

i Amgueddfeydd ac Orielau Cenedlaethol Cymru;

i'r Dr David Jenkins, uwch-guradur yr Adran Ddiwydiant, am amryw o gymwynasau, awgrymiadau a phentwr o wybodaeth;

i'r Dr J. Geraint Jenkins (cyn-guradur Amgueddfa Werin Genedlaethol Cymru, San Ffagan, am roi caniatâd i ddyfynnu o'i waith;

i lawer o drigolion y bröydd y tu allan i'r 'Tyl' am wybodaeth a chymwynasau;

i'r Parchedig W. J. Edwards am luniau a gwybodaeth ynglŷn â J. R. Jones.

i Brian Jones, Treletert am luniau 'Cape Horners' Sir Gaerfyrddin, a'u hanesion.

i E. Lloyd Jones, Mynachlog, Talgarreg am gymorth a hanes Rhys Etna – beirdd dyffryn Cletwr.

i Colin a Joan Macaddie, Baglan, Nanternis am fanylion a hanes ffrwydrad Halifax.

i Jane Evans, Graig, Blaencelyn am ei gwaith arlunio.

i Bleddyn Rees am gymorth ynglŷn â chefndir amaethyddol Awstralia.

i Canon Seamus Cunnane, Dafydd Islwyn a Suzanne, Llyfrgell Treorci, Bet Davies, Cyril Jenkins, Sal Jenkins, Rayanne Jenkins, Nesta Walker, June Lloyd Jones, Enidwen Jones a'r Capten R. Ffoulkes – am luniau;

i Alun Eurig Davies am luniau o S.B., Elfed a'i dad, ac am gysylltu â Mrs Doreen Thomas, Caerdydd, am luniau o Idris Morgan a Chamlas Suez;

i Siân Lewis am lun a hanes ei thad (yr Athro Melville Richards);

i Ann Salisbury am waith cyfrifiadurol gyda rhai o'r lluniau;

i'm brawd Alun Wynne am ei sgetsiau o garchardai Siapaneaidd;

i Tony Bowen, hanesydd ac archifydd Llandudoch ac aber Afon Teifi, am luniau a gwybodaeth;

i Charles Heeks, am luniau a hanesion ffermio a choedwigaeth yng Nghanada;

i'r Capten David Cledlyn Jones am ei hynawsedd a'i ganiatâd i ddefnyddio hanes y *Laconia*;

i'r Capten J. Cyril Lewis am ei barodrwydd i gynghori ynglŷn â phob peth morwrol.

Y Môr

Diaros aros o hyd – y mae'r môr
A 'mynd' yn ddisymud;
Yn ei unfan o'r cynfyd,
Ac eto'n gyffro i gyd.

Dic Jones

CILIE'R MÔR

Ceredigion Frythonig
O'i baeau rhwth at ei brig:
Yr hen gyrion, a goror
Werdd ei maes ar ffyrdd y môr,
A'r cyfoes â'r cynoesau
Yn rhin y môr yn ymwáu
Trwy'i gilydd a'r trigolion
Yn eu dydd â dydd y don.

Ac roedd epil y Cilie
Uwch y lan yn rhan o'r we:
Ar y garn bob bore gwyn
Yn fyw o gynnwrf ewyn;
Ganol dydd hen gnul y don
Yn eirioli'r awelon,
Ac o'r twyn ei chytgord hi
Yn asio â phob nosi.

Taenai . . . taenai'i hatyniaeth
O'r glannau dros gaeau gwaith
Drwy'r amser . . . gan oferu
O'r top i'r buarth a'r tŷ:
Yr un acen halenog
Ar aea gwellt, yn ha'r gog.

Taer-gynnil ei hymbil hi
Ar ei hil wrth yr heli:
Roedd grwnan ei chynghanedd
Yn las, wahanol o wedd
A sŵn i'r gwndwn a'r gwŷdd –
Fel oenig, mor aflonydd . . .
Nes i'r galon Frythonig
Roi i mewn i'w chwarae mig
A'i dilyn efo'i dylif,
Cyrchu'r lle y cyrchai'r llif.
Dwyn ei llais, ymestyn llên
Ei daear, lledu awen
Yr aelwyd dros orwelion
Lle'r oedd pellteroedd y don
Ar antur werdd o'r un traeth
A'r un her yn ei hiraeth . . .

Mae'r un môr yn ymyrryd
O'r forfa yma o hyd:
Hwian y swel yn ei su
A'i orafiaith yn crefu
Hyd y bae, y bae di-ball,
Yn hir ar Frython arall.

Donald Evans

Y Môr

Oherwydd y clogwyni uchel a'r codiad tir tua'r arfordir nid yw'r môr yn weledig naill ai o glos y Cilie na Gaerwen. Er hynny, y môr oedd yr elfen bwysicaf ym mywydau preswylwyr y ddau le. Roedd yn rheoli'r tywydd – a phopeth arall; yr heulwen, glaw a thyfiant. Dôi ei rŵn i'r glust, ei burder hallt i'r ffroenau, a dôi ei rithm cyson a chynddaredd ei natur i aflonyddu'r enaid. Ar dywydd stormus chwythai cawodydd o ewyn gwyn dros lethrau Cwmbwrddwch i chwyrlïo oddeutu'r fferm – gryn filltir a rhagor i ffwrdd! I'r rhai sy'n clywed, arogli ac wynebu'r môr maent mewn cyflwr o ryfeddod, a braw ac arswyd hefyd, o flaen y grym annisgybledig sydd i'r tonnau a'i ymchwydd afrosgo. Mae iddo egni crai sydd yn rhan o iaith, cred a phatrymau pobloedd sydd yn byw o fewn ei gyrhaeddiad.

O fewn ieithwedd teulu'r Cilie defnyddid cyfeiriadau at y môr yn eu hiaith feunyddiol, idiomau, priod-ddulliau a chymariaethau.

'Byddai 'Nhad yn codi o'i wely i weld buwch oedd yn disgwyl llo . . . yn enwedig ar droad y teid.'

'Ni fyddwn byth yn halltu mochyn a'r lleuad yn ei gwendid.'

'Y trai yw'r amser gorau i ladd mochyn.'

'Ni threngodd yr un anifail ond ar y trai.'

'Lloi gwryw ar y llanw a lloi benyw ar y trai.'

'Tri, chwech neu naw diwrnod yw cyfnod storm.'

'Yn amal welen ni fuwch yn bwrw llo ar y llanw.'

'Morlo yn Llangrannog, tywydd ffein; morlo yng Nghwmtydu – tywydd garw.'

'Gwynt ma's sy'n torri'r môr.'

'Gwynt gwrec a ddaw o'r gogledd.'

'Gwrec ar y trai.'

'Gwynt y de-orllewin am deid mowr.'

'A'r dydd yn byrhau, teid mwya'n y nos.'

'A'r dydd yn 'mestyn, teid mwya'n y dydd.'

'Môr tir – a sebon ewyn ar hyd yr arfordir.'

'Aelodau mwyaf ffit y teulu sydd ag ofn mwyaf o'r môr.'

'Er bod gwyddoniaeth wedi'n haddysgu ynglŷn â natur y môr ni allwn ond dychwelyd at wreiddiau ein cyndeidiau a'u credoau am bersonoliaeth y cefnfor,' meddai Barry Cunliffe (*Facing the Ocean*).

Mae'r môr yn wrthwynebydd i'w barchu ac mae rhyferthwy trai a llanw yn rhoi agwedd arbennig ar amser, dydd a nos a'r tymhorau. Wrth sylwi arno'n ddyddiol mae'n rhoi ymwybyddiaeth wahanol i dreigl amser. Onid oedd y môr a'r elfennau yn rheoli amserlen feunyddiol Sioronwy y Cilie? Ni chariai oriawr na chydnabod cloc yn ei fywyd. Pendil goleuni haul, trai a llanw'r môr, a chân yr ehedydd a fesurai ei ddyddiau.

Onid hyn a roddodd y syniad i ddyn i gofnodi amser mewn llinellau a chylchoedd cerrig. Mae'r cefnfor yn llawn egni ac aflonyddwch a'i fodolaeth yn gymhelliad i deithio a fforio.

1

Wrth ddringo o'r Cilie tua'r gorllewin cyfyd y tir yn gyson tua'r gorwel agos a chlogwyni caerog, pum can troedfedd uwch y môr. Awn heibio i fferm y Gaerwen wedi ei hanwesu gan Barc Hadau, y Waun, Parc y Gaer a Pharc y Bariwns, cyn i'r tir godi eto tua Pharc y Big a Banc Llywelyn. I'r chwith o'r saser ddyfriog cyfyd Pen Foel Gilie i frathu'r ne', a'r gorwel cyn agosed ag a fu erioed; bron na allwn gyffwrdd ag ef. Ond yna'n sydyn, fe neidia i'r pellterau draw, ac o'n blaenau blaswn olygfa banoramig sy'n dal yr anadl, yn peri i'r llygaid befrio wrth edrych ar brydferthwch y tu hwnt i eiriau. Dim ond ffurfafen a môr a dwnshwn terfynol oddi tanom. Nid oes yma harbwr, na chei, na phentref cain. Dim ond natur amrwd a'r môr yn casglu ei doll feunyddiol wrth erydu'r creigiau safadwy, ronyn wrth ronyn. Canodd S.B. i Ben Foel Gilie yn Sandwich Bay, Swydd Caint, Medi 1917:

> Ac yn ôl dof ganol dydd
> I aros ar ei geyrydd –
> I mi ganwaith amgenach
> Arogl grug ar glegyr iach.
> > Yna egyr o flaen fy ngolygon
> > Anwastad wlad a'i hudol deleidion,
> > A threm hir tros dir ar don – o'r De i lawr
> > I fyny i ddirfawr fynyddau Arfon.

Golygfa gyffredin a ffynhonnell i ddefodau llên gwerin ac ofergoeliaeth yw ehediad gwylanod 'nôl i'w creigleoedd gyda'r machlud. Cofiaf un achlysur arbennig yn ystod diffyg yr haul ddwy flynedd yn ôl:

> Deuliw fel gwg dialydd,
> Y lloer deg yn dallu'r dydd. *(S.B.)*

Disgynnodd llwydni'r fall dros Foel Gilie, gorweddai'r defaid yn ddi-fref, distawodd cân yr ehedydd i'r grug ac ehedodd haid o wylanod penwaig yn ôl o'r tir tua'r môr. Eto nid oedd ond un ar ddeg o'r gloch y bore! Roedd greddf ac anian yn ymateb i alwad yr elfennau. Onid yw hanes dyn hefyd wedi ei blethu'n dynn i'r un cyfeiriad?

Ond mae olion trigleoedd dyn cyntefig i'w gweld oddeutu Pen Foel Gilie a Chwmtydu. Ar gopa Pen-y-badell, pentir Gwestfa Clychton (neu Lochtyn) mae olion Caerlighest – caer amddiffynnol o Oes yr Haearn. Gerllaw fferm Gaerwen ym Mharcy-Gaer gwelir olion anheddfa o'r un cyfnod mewn tomen a phentwr o gerrig. A thu draw i Gwmtydu uwchben traeth Silio adeiladwyd caer amddiffynnol Castell Bach. Yn ôl taflen Cyngor Ceredigion . . . 'am bedwar can mlynedd o'r drydedd ganrif Oed Crist ymlaen, credir i lwyth o tua 40 o Geltiaid gael eu lleoli yno. Roedd y gwersyll yn cynnwys dau ddarn o dir caeëdig wedi eu ffinio gan ffosydd a banciau pridd wedi eu hamddiffyn gan warchodfa bren. Yn y cylch mewnol lle bu'r bobl yn byw roedd cabanau crwn to gwellt a stordai wedi'u codi oddi ar y ddaear, tra defnyddid y cylch allanol fel lloc i'r anifeiliaid. Er mai cadw anifeiliaid oedd cynsail eu bywoliaeth, mae'n bosib eu bod yn pysgota ac yn tyfu cnydau gan ddefnyddio offer cyntefig iawn. Helwyr ceirw a baeddod gwylltion oedd y dynion a dwyn gwartheg o anheddau eraill. Datblygwyd nifer o grefftau arbenigol gan y gwragedd trwy wneud defnydd o wlân a llin . . . mewn lliwiau amrywiol a naturiol ar droellau a gwyddau syml'.

Caerlighest: caer amddiffynnol Oes yr Haearn ar gopa Pen-y-badell, pentir Clychton (Lochtyn) ger Llangrannog.

Safle caer amddiffynnol Castell Bach, uwchben traeth Silio ger Cwmtydu.

Ymhellach i'r de mae olion Tomen y Crug yn y Ferwig. Tua'r Ceinewydd mae ffermdy'r Pyrlip (Birdlip) yn uchel fry ar y clogwyni ac er nad oes olion cyntefig mae'r enw yn cyfleu hoffter y Celtiaid o 'Brigid' fel duwies. (Ceir yr un enw yn y Cotswolds.)

Yn ei erthygl ddiddorol yn y *Faner Newydd* (Rhifyn 19 – Hydref 2001) – 'Ffeithiau newydd am hanes cynnar y Cymry', mae Emyr Llywelyn yn dweud: 'Yn ôl y llyfrau hanes yn ein hysgolion rydyn ni'r Cymry yn newydd-ddyfodiaid i Brydain ac yn weddillion y Celtiaid hynny a sgubodd ar draws Ewrop ar ôl 1000 C.C. nes cyrraedd arfordiroedd gorllewinol Ffrainc, Sbaen, Cymru, Yr Alban, Cernyw ac Iwerddon . . . Celwydd arall y llyfrau hanes fu darlunio'r Cymry fel pobl gyntefig farbaraidd a wareiddiwyd gan goncwest y Rhufeiniaid. Ond mae ffeithiau yn profi bod y Cymry brodorol yn bobl wâr a datblygedig iawn, yn wir, yr un mor ddatblygedig a gwâr â'r bobloedd o gwmpas y Môr Canoldir yn yr un cyfnod . . . Mae Geneteg a phrofion D.N.A. wedi bod yn allweddol yn y broses o ddarganfod mai eich cyndeidiau chi a fi a adeiladodd y cerrig anferth, y megalithiau megis cromlech Pentre Ifan . . . Mae unrhyw un a ddarllenodd ein llên gynnar – Taliesin ac Aneirin a drama fydryddol 'Canu Llywarch Hen' – yn ymwybodol fod crefft a mynegiant y farddoniaeth gynnar yma mor gelfydd fel na fedrai ond pobl yn perthyn i hen wareiddiad datblygedig fod wedi ei chreu . . . Mae 'Celteiddio' ein hanes cynnar wedi bod yn gymaint cam i ni.'

Dywed yr Athro E. G. Bowen ymhellach: 'Mae prosesau technolegol modern, yn enwedig y defnydd o Carbon 14 i brosesu dyddiadau, yn sialens fawr i or-symleiddio'r darlun hanesyddol . . .'

Yn ei lyfr, *Britain and the Western Seaways* – dywed E. G. Bowen eto: 'Mae'r môr wedi bod yn ffordd naturiol i gysylltu ynys ag ynys a phentir â phentir ar hyd arfordir gorllewinol Ewrop. Symudiadau lleol oeddynt ar raddfa fechan o bobl a diwylliannau, llawer ohonynt eisoes yn meithrin syniadau uwchradd – wedi'u datblygu'n annibynnol. Byddai'r diwylliannau mewnlifol yn y ffordd yma yn cael eu cymathu â'r rhai a oedd yno'n barod. Gwir y gelwid y tiroedd gorllewinol yma yn "Diroedd Parhaol Traddodiad".'

Yn ôl E. G. Bowen mae'r patrwm yma yn ymestyn o'r Oes Epi-Palaeolithig drwy'r Neolithig ac Oes yr Efydd hyd at Oes yr Haearn. Â ymlaen wedyn yn ddi-dor drwy gyfnod y Saint Celtaidd a'r Llychlynwyr at bererinion yr Oesoedd Canol a'r Croesgadau ac yn y diwedd at forwyr Cymru'r Anghydffurfwyr.

Gofaint, crefftwyr ac amaethwyr oedd cyndeidiau teulu'r Cilie ond wrth symud i ardal fry uwchben clogwyni arfordir de-orllewin Cymru, yr oedd yn anochel i gyfaredd y môr, yn hwyr neu hwyrach, ymyrryd â bywydau beunyddiol y cenedlaethau dilynol.

Aeth deg o'r bechgyn i'r môr; tri ohonynt i ddringo'n gapteiniaid ac i dreulio oes yn morio cefnforoedd y byd.

Cerflun o Sant Tudy yn Llydaw. Yn ôl y goel, enwyd Cwmtydu ar ei ôl.

Simon Bartholomew Jones

(5-5-1894 – 27-7-1964)

'S.B.' oedd yr unig un o ail genhedlaeth teulu'r Cilie i fynd i'r môr. Er iddo dreulio llai o amser yn morio nag un o'r wyth arall o'r drydedd genhedlaeth a fu ar y môr, gellir dweud ar y llaw arall i ryw raddau mai ef yw'r enwocaf o holl forwyr y Cilie. A hynny am iddo lunio 'Rownd yr Horn' a chipio Coron yr Eisteddfod Genedlaethol, Wrecsam, 1933.

Dywed Isfoel am ei frawd Simon: 'Yr oedd yn getyn o rôg er yn ifanc iawn, a llwyddai i dwyllo'i dad â'i ymadroddion ffraeth, a châi ffafr a childwrn a phob mwyth, yn wahanol i'r hyn a gâi ei frodyr a'i chwiorydd . . . Nid oedd yn awyddus fel gweithiwr ar y fferm ond yr oedd yn abl i gymryd unrhyw orchwyl yn ei gategori – megis dilyn ceffylau yn aredig a llyfnu, a 'handlo' holl offer gwaith y fferm, chwynnu tato, mangls a swêts a phopeth felly.'

Câi ei gydnabod gan ei frodyr cyhyrog, a oedd yn hŷn ac yn fwy o faint nag ef yn gorfforol, fel tipyn bach o bwdryn. Gwnaed y gwaith trymaf gan Fred, cyn ei ddyddiau coleg, Isfoel a Thydu (y cryfaf ohonynt i gyd!). Siors ac Alun oedd agosaf at Simon

7

mewn oedran ac roeddynt ill dau yn feistr arno ar godi pwysau, nerth braich neu godwm tîn. Câi Simon ei anfon yn aml i gyrion y 'continent', lle gallai bladuro ysgall yn hamddenol yn ôl ei gyflymder ei hunan. Un o'i hoff fannau oedd Pen Foel Gilie ac fe'i gwelid yn pwyso mwy ar ei bladur ac yn tynnu ar ei getyn nac yn taro ergydion cyson ar ei led a'i ystod. Er prydferthwch patrymog y wlad tua'r dwyrain, y môr a'r gorwel a ddenai ei sylw a'i ddychymyg yn aml. Roedd aflonyddwch ei anianawd ac aflonyddwch y môr yn debyg iawn ac yn ymblethu i'w gilydd.

Nid oes cofnod nac atgof fod diwygiad 1904-05 wedi dylanwadu ar fechgyn a merched y Cilie. Âi Jeremiah Jones i'r eglwys cyn i'w deulu symud i'r Cilie ac ef yn bennaf a ddylanwadodd ar ei fab John Tydu a gonffyrmiwyd yn eglwyswr. Oherwydd i ddau fab y Cilie – Fred a Simon – fynd i'r weinidogaeth, bu bron i ddau arall gael eu rhwydo ond nid oherwydd y 'diwygiad'. Y dylanwad pennaf oedd gweinidog eglwys annibynnol Capel-y-Wig – y Parchedig Lewis Evans – gŵr o Sir Benfro a ffrind mynwesol i Jeremiah Jones. Ym 1904 roedd Fred yn 27 oed ac eisoes yn weinidog yn Rhymni, roedd Tom yn 24, Isfoel yn 23, Tydu yn 21, Siors yn 12, Simon yn 10 ac Alun Jeremiah, y cyw melyn ola', ond yn 7 oed. Nid oes gennym ddim tystiolaeth fod y diwygiad wedi dylanwadu yn ddiweddarach ar Simon a'i arwain i'r weinidogaeth. Ond mae disgrifiadau Isfoel o'r diwygiad yn ddiddorol iawn. Dywed mab awengar y Cilie: 'Dyma'r adeg yr ysgubodd awel sgafrwyth dros y wlad a phensyfrdanu dynion ymhob

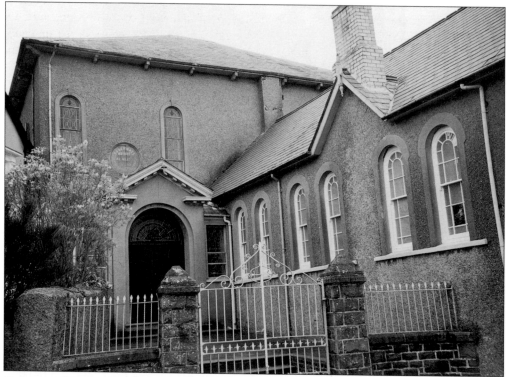

Eglwys y Tabernacl, Ceinewydd: yma y profodd Isfoel fflamau'r 'Diwygiad' ym 1904, dan arweiniad tanllyd Ifan Roberts. Ai ton o emosiwn ydoedd neu rywbeth mwy?

cwr o Gymru – sef diwygiad, yr hwn a elwid diwygiad Evan Roberts. Rwy'n cofio yn dda yng ngwanwyn 1904, pan ddaeth ton ddychrynllyd fel 'heat wave' a thynnu dynion oddi wrth eu gwaith i'r capeli i weddïo a moliannu nerth eu cegau. Dywedid mai yng Ngheinewydd y cychwynnodd y 'tornado' – trwy i dair neu bedair o fenywod a elwid yn 'pentecostals' deimlo eu cyflyrau a gweddïo yn fuddugoliaethus yng Nghapel y Tabernacl. Yr oedd Evan Roberts wedi gwneud Cwm Rhondda yn wenfflam ac yr oedd sôn amdano fel cyfrwng uniongyrchol rhwng y ddaear a'r nef. Tyrrai pobl wrth y miloedd i'w gyfarfod. Cofiaf yn dda fel y gyrrais innau ar gefn march i Geinewydd pan oedd efe yn perfformio yn y Tabernacl yno. Roedd y lle yn orlawn a channoedd ar yr heol tu allan yn methu mynd i mewn. Roedd menywod yn bloeddio – 'Arglwydd Mawr', 'Pendefig yr Anfeidrol' yn y côr mawr ac yn gwau trwy ei gilydd fel creaduriaid gwyllt wedi gwallgofi. Cefais gip ar Evan heibio cil y drws. Dyna lle'r oedd a'i ddwylo i fyny a rhyw ystum ofnadwy ar ei wynepryd fel petai mewn pwl dirdynnol o'r folwynt, a lliw ei wyneb yn borffor, a'i gorff yn crynu fel peiriant dyrnu yn rhedeg yn wag. Roedd y gynulleidfa yn bloeddio a llefain a'r dagrau yn treiglo dros eu hwynebau fel tae yn ddiwedd y byd. Dechreuai un ganu yng nghanol y dorf – 'Mae d'eisiau Di bob awr', neu 'Achub hen rebel fel fi'. Trawai un arall dôn y groes – 'Throw out the life-line'. Yr oedd y lle yn bedlam heb drefn na dim a phawb yn gweiddi â lleisiau croch ac aflafar fel torf o anifeiliaid. Aethai Evan Roberts ar hyd y wlad, o gapel i gapel, gan dynnu'r tyrfaoedd ar ei ôl, ac roedd ganddo weision i'w gynorthwyo. Cofiaf am un o'r cyrddau yng Nghapel-y-Wig, a chemydd o Landysul a ffermwr o Ffostrasol yn cynrychioli E.R. Aeth y lle ar dân eto. Cerddodd bachgen ifanc o'r Cei – Dai Waterlŵ – ymlaen i'r côr mawr gan weiddi, 'Mae gen i stori i ddweud wrthych, o'r nefoedd y ces i'r neges' – ac ar hynny syrthiodd ar ei liniau gan grochlefain allan i ambell ffanatig yn gweiddi – Amen! Amen!

. . . Cofiaf am fenywod yn y Wig yn parhau i weddïo yn gyhoeddus ac yn parablu fel llifeiriant gan gyfaddef eu pechodau ac yn moliannu a diolch am eu hachub. Disgwylient mewn rhes hir er mwyn cael cyfle. Aeth y gwasanaeth ymlaen am oriau . . . cawsai'r diaconiaid y clefyd hefyd ac aeth yn gystadleuaeth rhyngddynt – mewn brwdfrydedd a ffraethineb. Unwaith aeth Tomos Owen ymlaen ar ei liniau ac i 'adlonni'r gynulleidfa' gan gael gwell hwyl na'r rhagflaenydd, Owen Jones. Meddai yntau, 'Tawn i'n gwybod y buasai ef yn mynd ar fy ôl i byddai'r hen "Fadasgar" wedi cael dod allan' (sef un o'i weddïau a gyfrifai yn bennaf) . . . Aethai amaethwyr a gwragedd i'r cyfarfodydd gan esgeuluso'u gwaith a'u hanifeiliaid. Gofynnodd y gof unwaith i wraig o Lynarthen wrth iddi ddod adre o'r cwrdd gyda'r nos, 'Sdim cywilydd arnoch chi yn anghofio y gwartheg a'u gadael mewn dioddefaint?' . . . ''Machgen bach i, yr enaid yw'r cwbl heddiw. Mae Duw yn gofalu am y gwartheg.' Ond wedi iddi gyrraedd gartref roedd y fuwch wedi dod â llo a hwnnw wedi trigo yn ei gwdyn yn y sodren – a'r moch fel tyrfa yn cadw gŵyl yn disgwyl bwyd.'

Crynodeb Isfoel am y ffenomenon oedd: 'Aeth y wlad i lesmair ysbrydol yr adeg honno, ac fe wnaeth lawer o les yn ddiamau, a daeth â bendith a thangnefedd i lawer aelwyd yn y lleoedd poblog. Ond fel pob ystorom cafwyd adwaith digon annymunol ar y glannau wedi i'r llanw gilio yn ôl.'

Ond y dylanwad mwyaf arall ar deulu'r Cilie drwy gyfrwng y capel oedd y darlithiau cynhwysfawr a draddodwyd gan gewri Gomer, H. T. Jacob, Abergwaun,

Pedrog, Stanley Jones, Ben Davies (Panteg) ac Elfed. A phan ddaeth Hwfa Môn i Gapel-y-Wig ym 1897 i ddarlithio ar 'Gwilym Hiraethog' roedd y capel yn orlawn, dan ei sang, a thua 500 yn gwrando. Cofiai Isfoel am ei eiriau cyntaf: 'Yn Sir Ddinbych, ym mhlwy Llansannan yn y flwyddyn 1802 . . .' a pharhaodd am bedair awr a mwy. Taranai gan adrodd storïau di-ben-draw am ei arwr – fel 'Dysgu'r gath i ddal y gannwyll' – gan ddangos fod natur yn drech na dysg. 'Pan ddaeth llygoden fach i'r golwg gollyngodd y gath y gannwyll yn rhydd.' . . . 'Yr oedd yn amheuthun i glywed darlithiau yn yr amser hwnnw. Ymdyrrai pobl i'w clywed gan gredu eu bod yn wahanol i ddynion cyffredin ac onid oedd darlith ond rhywbeth anghyffredin yn ymddangos o'r glas fel diffyg ar yr haul.'

Roedd Isfoel a'i frodyr yn sychedu am wybodaeth ac am brofi athroniaeth deallusion y byd trwy enau'r darlithwyr dysgedig. Rhoddai awydd felly fantais fawr i'r siaradwyr, nid fel heddiw lle yn aml mae rhai aelodau o'r gynulleidfa un ai yn gwybod mwy na'r darlithydd neu yn dangos diffyg diddordeb, gyda neges y darlithydd neu'r pregethwr yn cwympo ar dir diffaith. Credaf fod bechgyn y Cilie, yn enwedig y rhai a aeth i'r Weinidogaeth, wedi derbyn eu dysg a'u hysbrydoliaeth nid yn gymaint oddi wrth ddarlithwyr, pregethwyr mawr a llyfrau ond hefyd o'r aelwyd ddiwylliedig a'r gymdogaeth dda oddeutu'r Cilie. Roedd y patriarch, Jeremiah Jones, yn 'apostol i chwarae teg', ac yn hawlio tegwch iddo ei hun ac i bawb arall, heb sôn am fod yn ddigyfaddawd ei gondemniad ar unrhyw un a dueddai at fod yn ormeswr. Roedd cymwynas, rhoi i'r llai ffodus, cyd-fyw â chymdogion yn heddychlon trwy barch a byw yn ôl egwyddorion Cristnogol, yn fwy derbyniol a synhwyrol na chwa ysbrydol fer fel y diwygiad. Nid oedd dim yn well na phrofiad ymarferol.

Fel y dywed Isfoel eto: . . . 'Rwy'n sicr fod pregethau yr hen wroniaid fel John Elias o Fôn a Christmas Evans wedi torri calonnau ugeiniau o hen bobl fach syml yr oesoedd o'r blaen trwy eu dychrynu am eu cyflyrau. Hwythau druain bach yn credu fod popeth a ddeuai o enau 'dyn mawr' mewn pulpud yn dod o enau Duw ei hun. Cawsant eu cyfareddu gymaint fel na cheisient gynnig barn ar ddim ohonynt eu hunain. Yr oedd gair i gennad yn orffenedig, ac nid oedd dim amdani ond ymollwng yn ddiymadferth i'w tynged – fel yr afr o flaen y 'python'. Mae pethau wedi newid heddiw. Petai John Elias yn dod yn ei ôl a phregethu'r un pethau fe gawsai ei ddirmygu a'i amau o'i bulpud; ni welai neb yn tywallt deigryn ond cawsai weld llawer o sgrechen ysgolheigaidd. Mae deddfau natur yn dyfod i'w hetifeddiaeth a thafodau anwybodusion yn gorfod llonyddu o dan drefn wastad y Cread Mawr'.

Dywedodd Y Parchedig H. T. Jacob, Abergwaun, unwaith, wedi i un o'r diaconiaid ei longyfarch am ei bregeth dda –

'Dewch 'nôl eto'n – gloi.'

'Ie, neis iawn, ond allwn i ddim rhoi hynny lawr yn fy nyddiadur.'

Nid oedd y sgrechen didor a oedd yn merwino clustiau gwrandawyr a stumiau dwylo fel petaent yn crafu sopyn â rhaca yn apelio at Isfoel. Gwell oedd ganddo'r 'floedd bert wybrennol' nad oedd wedi ei hebychu ar bapur gyntaf.

Yn sgîl y trai a ddilynodd y 'diwygiad' neu adfywiad 1904-5, y rheidrwydd i fechgyn o deulu mawr oedd chwilio am waith y tu allan i amaethyddiaeth ac i rywun fel S.B. â natur 'freuddwydiol', nid rhyfedd iddo droi ei lygaid a'i feddylfryd tua'r gorllewin.

Dywedodd Simon Bartholomew unwaith: 'Gofynnodd rhywun paham y megir cynifer o forwyr ar lan môr Bae Aberteifi, a chafodd ateb anfarwol mai oherwydd eu geni a'u magu ar lan y môr'. Aeth ymlaen i ddweud . . . 'Ond eisteddwch wrth fy ochr ar Fanc Llywelyn, uwch Cwmbwrddwch a Phwll Mwyn, am awr neu ddwy ar brynhawn hirfelyn, tesog, ac aros yn ddigon hir i olau Enlli ddod 'i sgubo'r bae' gyda'r hwyr, ac mi warantaf i chwi y byddwch yn chwilio am ddillad ac offer llongwr fore trannoeth'.

Ac fel hyn y canodd ei nai, Fred Williams, am hudoliaeth y môr i S.B.:

> Yn grwt yn brigo'r hytir
> Ei rŵn tal ar gorun tir.
> A chlir o'i uchel oror
> Ei drem o hyd ar y môr.
>
> I'w alw o Fanc Llywelyn
> Yn wefr gweld ei gyfrwy gwyn –
> Yn si y glas a'i sigl o
> Yn fore'r her i forio.
> O'r rigin uwch yr eigion
> Obry â'i dig berw y don –
> Ei hewyn ffrom a wnâi ffraeth
> Fôr deulu'n un frawdoliaeth.
> Hwyl a chur, haul a cherrynt –
> 'Rownd yr Horn' y dewr i'w hynt,
> I'w bŵer ef fel gwawn brau
> Grymuster gwŷr y mastiau –
> I hafan yn froc deufor
> Dwyn y mab o don y môr.

Canodd S.B. am y 'Tir Pell' mewn cywydd ac er bod ystyr arall i'w ganu mewn rhannau – dengys awydd Simon i ddarganfod rhamant a dirgelwch y tu hwnt i'r gorwel:

> Lle mae'r haf yn haf o hyd
> A'r gaeaf yn haf hefyd.

Cynyddodd ei awydd i fynd i'r môr, tyfodd ymchwydd o rwystredigaeth yn ei fron.

> Yntau â'r drem i'r tir draw
> Iddynt, yno mae addaw
> Rhyddid a mwyniant didor,
> Ac ystâd oludog stôr.
> Llawnder nerth a phob chwerthin
> Heb aeth na ffael byth, na ffin.
>
> Tros orwel mae trysorau
> Mawr y byd, yno mae'r bau
> Ragora'i bri y gyr bron
> Iddi o hyd freuddwydion.
> Gwlad y mêl, golud a moeth,
> Llawn a chyfiawn ei chyfoeth.

11

Un gweinidog a wnaeth argraff ddofn ar S.B. oedd y Parchedig Tom Davies, Horeb a Bwlch-y-groes. Ac S.B. yn llanc 15 oed clywodd ef yn pregethu yng Nghapel-y-Wig ym 1910. Dywed: 'Gwyddwn na welswn wyneb fel yr wyneb hwn erioed o'r blaen. Darllenai'r emynau a'r bennod yn y llais trwynol hyfryd hwnnw . . . Gweddïodd yn dawel a byr fel petai'n ymgomio â ffrind mawr'. Ei destun oedd Caniad Solomon, 2:15 – 'Deliwch i ni y llwynogod, y llwynogod bychain, y rhai a ddifwynant y gwinllannoedd; canys y mae i'n gwinllannoedd egin grawnwin'. Ac meddai, wedi cyfeirio at yr adnod flaenorol – 'ond llwynogod yw'r testun heddiw, nid colomennod, a'r gamp y bore 'ma fydd treio'u dal nhw'. Cynghorai Tom Davies weinidogion ieuanc oherwydd credai mai cyfnod i bregethwyr cymdeithasol ydoedd. 'Creodd dyfodiad y bardd-bregethwr gyfnod newydd yn y pulpud Annibynnol, eto, hanes ambell un oedd barddoni wrth bregethu a phregethu wrth farddoni'.

'Y mae byw gyda dynion yn fwy o gamp ar waith na byw gydag athrawon (coleg) . . . Cofiwch fod ganddynt eu barn am bethau fel chwithau . . . Duw a'ch cadwo rhag dadlau â dynion . . . Y mae ffordd bywyd yn ddigon llydan fel nad oes rhaid i chwi gerdded yr ymylon a'r cwteri . . . Peidiwch â phoeni am y dilyw, pregethwch am y Bwa.'

Cofir fod dylanwadau, fel y rhai uchod, wedi disgyn ar S.B. cyn iddo fynd i'r môr ac iddynt aros gydag ef a'i gorddi nes iddo sylweddoli fod ei lwybr yntau yn mynd i'r un cyfeiriad. Ond roedd rhwystr y môr i'w flasu gyntaf!

Yn ystod un o'i bregethau o bulpud capel Bwlch-y-corn cyffesodd S.B. iddo daflu ei bladur i ganol yr ysgall ar ben Foel Gilie mewn pwl o rwystredigaeth: 'Penderfynais yn y fan a'r lle – roeddwn am fynd i'r môr. Roedd galwad y gorwel yn gryfach. Am wn i mae'r hen bladur yno o hyd!' Erbyn trannoeth, heb ddweud wrth neb, roedd wedi cerdded draw i Fronant, Nanternis, i siarad â Chapten Williams o gwmni Lampart & Holt, Lerpwl, i ofyn am le fel *deck-hand* ar un o longau'r cwmni.

'Yr oedd erbyn hyn yn slasyn o gorff talgryf, cyhyrog a mentrus. Llong fasnach 4186 tunnell oedd yr *S.S. Tripoli*, yn eiddo i gwmni E. C. Thin Co. Ltd a'r Capten Charles Turner yn feistr arni pan ymunodd Simon â hi yn Llundain ar 5 Ebrill, 1911 . . . Dôi llythyrau i'r Cilie o borthladdoedd fel Las Palmas, Pernambuco, Rio de Janeiro a Buenos Aires. Cyrhaeddodd y *Tripoli* Montevideo (Uruguay) ar 10 Mai ac ymlaen i Buenos Aires lle bu'n dadlwytho a llwytho hyd 27 Mehefin. Ar 26 Mehefin digwyddodd y ddamwain erchyll pan ddisgynnodd Simon i howld y llong a thorri ei ddwy goes a chael dolur i'w ben. Trosglwyddwyd ef i'r 'Hospital Britanico de Buenos Aires' gyda'i eiddo a'r £3-7s-6d a oedd yn ddyledus iddo. Hwyliodd y *Tripoli* ymlaen i Santos, Rio de Janeiro, New Orleans a Galveston yn Texas.' (*Teulu'r Cilie*: Jon Meirion Jones)

Yn ystod misoedd cyntaf ei arhosiad yn yr ysbyty bu yn sâl iawn, a than y cadachau o gylch ei ben a'r plastar dros ei goesau wrth iddynt hongian yn ddiymadferth o'i flaen ar olwynion dyfeisgarwch – dechreuodd amau fod rhagluniaeth yn cosbi'r anianawd a'i tynnodd i'r gorllewin a'r môr! Yno yng nghaethiwed ei ddistawrwydd a'i rwystredigaeth, clywodd lais o ddyfnder ei isymwybod yn ei alw eto ond yn gryfach y tro hwn i gyhoeddi neges y Groes. Yma bu yn llunio pregethau a damhegion yn ei feddwl a phlannu hedyn neu ddau y 'gân' am ei anturiaethau morwrol.

Lluniodd bregeth yn ystod ei weinidogaeth ym Mheniel a Bwlch-y-corn am ei brofiadau yn yr ysbyty yn Buenos Aires ac yn arbennig am nerth a dylanwad gweddi. Digwyddodd ei ddamwain erchyll ar nos Lun rhwng 7 ac 8 o'r gloch yn ôl S.B., yn union yr un pryd â Chwrdd Gweddi Capel-y-Wig, 'nôl yng Ngheredigion bell, ond nid nepell o'r Cilie. Clywodd wedyn fod yr hen batriarchiaid wedi 'dweud gair drosto' yn ei antur fawr ar y môr ond heb wybod dim am ei ddamwain. Credai fod eu gweddïau wedi ei achub. Un o'r ymwelwyr cyson ar y ward oedd meddyg ieuanc croenddu na siaradai ond Sbaeneg a bratiaith frith iawn o Saesneg. Eto roeddent o'r un anian, o gefndir diwylliedig, yn grefyddol eu natur ac yn credu mewn gwerth a nerth gweddi. Caent sgwrs feunyddiol, ac un diwrnod tynnodd y meddyg ifanc bin dur o flaen coler ei got wen a brathodd groen cefn ei law gan dynnu gwaed. 'I am a black man. You are a white man. There is no difference, we're the same under our skins. Colour is only skin deep'.

Yn ystod y misoedd dilynol, tyfodd y cyfeillgarwch rhwng y ddau ac roedd y sgyrsiau beunyddiol a'r trafodaethau athronyddol yn gysur mawr i Simon. Dywedwyd iddo wneud cynnydd gwell na'r disgwyl ac nid anghofiodd am y pethau lawer a ddysgodd amdano ei hunan yn ystod yr oriau hirion o fyfyrdod a ddaeth i'w ran drwy gydol y misoedd. Ni chafodd dröedigaeth; ni welodd fellt a goleuni llachar, ni chlywodd daran yn clecian, ond eto dyma oedd ei ffordd i Ddamascus. Cynyddodd ei amheuon am ei addasrwydd i fod yn forwr am oes, a phwysodd y glorian i gyfeiriad arall gyda chymorth yr anweledig. Dyma sut y canodd ei nai Fred Williams:

Yn llais di-rus – llestr i'r Iôr
I'w fawrygu Ef rhagor;
At Dduw – hyd ffordd 'Tŷ Ddewi'
Taenu'i wawl, peilot i ni.

Mae'n iawn dweud fod yr hanner mordaith a'r profiadau dilynol wedi bod yn gyfrwng i ddod â Simon at ei alwedigaeth.

Dywed ei frawd, Isfoel: 'Bu llawenydd mawr wrth dderbyn y morwr undaith yn ôl i'w gynefin, a llawer o dynnu coes a fu wrth ddannod iddo ei fod wedi cysgu a hepian cyn ei gwymp . . . Ond roedd wedi byrhau tua thair modfedd yn ei daldra . . . Bu ar bwys ei ffon ac wrth ei fodd yn cyd-fyw, cyd-fwyta a chyd-chwarae â ni yn y dyddiau gynt yn y "pethe" i gyd, a chyd-brydyddu'.

Wedi cyfnod yn ysgol 'Tiwtorial y Cei' a llwyddiant yn y 'Matric' aeth i Goleg Bala-Bangor ym 1915. A chan na chymerai gledd i ladd ei frawd bwriodd gyfnod yn gweithio i'r YMCA yn Sandwich a Deal yn Swydd Caint. Dyma sut y canodd am y drin yn ei gerdd 'Enwau Oddi Cartref':

Weli di draw wastadeddau Ffrainc?
Weli di'r coed a'r nentydd?
Ac ar oleddau esmwyth y wlad,
Weli di'r llu mynwentydd? . . .

. . . Ac eto'n nes, gwylia ar dy droed,
Darllen yr enwau'n dawel,
Canys enwau dieithr ŷnt i gyd –
Dieithr i'r fro a'r awel . . .

Glywi di rywrai dawelwyd gynt
Ym mrad y rhyfel trymru,
Yn dweud yr hoffent ddod gyda thi
A'r enwau adre' i Gymru?

Disgyblion Ysgol Diwtorial Ceinewydd.
Ar y chwith yn y tu blaen, yn eistedd, y mae
S. B. Jones. Y tu ôl iddo, ar y chwith yn y
cefn, y mae Tom Evans, a ddringodd i fod yn
brifathro Ysgol Ramadeg Aberteifi.

Athrawon a myfyrwyr
Coleg Bala-Bangor,
1916–1917. Gwelir
llun S.B. ar y chwith
eithaf ar y gwaelod.

14

Wrth gerdded ar draethau Deal, clywai S.B. sŵn y gynnau mawrion yn tanio yn Fflandrys y tu hwnt i'r Sianel.

Dychwelodd i'r coleg ac enillodd Gadair Eisteddfod y Myfyrwyr ym 1920 gyda'i awdl, 'Trannoeth y Drin'. Graddiodd a chyn cwblhau ei B.D. derbyniodd alwad i Great Mersey Street, Lerpwl, ym 1923. Ond ym 1925 symudodd i Faldwyn yn weinidog ar gapeli Creigfryn, Carno, a Seion Llanwnog. Ac fel y cofnodwyd yn y llyfr *Teulu'r Cilie*: 'Yn ystod ei weinidogaeth ar gapel Creigfryn, yng Ngharno aeth S.B. ati i sefydlu 'penny readings' ac eisteddfodau, cynyrchiadau o ddramâu a pherfformio'r cantata *Joseph*, ac yn wir ef oedd yr unawdydd mewn un perfformiad o'r *Messiah* (Handel) pan aeth yr unawdydd gwreiddiol yn sâl'.

Cofnodir digwyddiad arall o S.B. yn defnyddio ei lais ar achlysur arbennig. Galwodd i weld un o'i

Yr S.B. ieuanc yn fyfyriwr yng Ngholeg Bala-Bangor.

aelodau a oedd yn wael iawn ac yn ffrydiau'r afon. Roedd ei theulu am gyflawni ei dymuniad olaf, sef canu emyn arbennig yn ei chwmni. Canodd S.B. yn dyner ac yn sicr ac ymunodd y teulu yn y datganiad. Cafodd y nodau a'r geiriau effaith drydanol wrth i'r claf eistedd i fyny yn ei gwely a'i hwyneb yn arddangos llonyddwch a gwên anorchfygol. Bu fyw yn llawer hwy na'r disgwyl!

Ymhen saith mlynedd symudodd eto yn weinidog ar gapeli a phreiddiau Peniel a Bwlch-y-corn, ger Caerfyrddin. Cofnodir stori am ddau o aelodau Llanwnog yn trafod bwriad S.B. ar y ffordd y tu allan i'r capel,

'I hear old Jones is leaving us!' meddai un.

'Sorry to hear that. Mind you, we could do with a cheaper one next time!' ebychodd y llall.

Ac yng nghwmni ei werin hoff, yn hapus a chyffordddus ei fyd, ac mewn prysurdeb a llonyddwch meddwl – daeth llanw ei Awen i gynhyrchu pryddest ac awdl fuddugol yn Eisteddfod Genedlaethol Cymru. Dyma benllanw S.B.

Pregethai S.B. ar ddigwyddiadau'r wythnos ac am brofiadau ar dir a môr. Medrai gyfleu naws o agosatrwydd, lliwiai ei arddull yn ffoto-eiriol, ac wedi sgwrsio yn hamddenol, codi ei bregethu i'r wybren mewn ysblander dramatig iawn. Creodd gynnwrf mawr, ym Mheniel a Bwlch-y-corn, pan gyflwynodd 'Ddameg y Ddau Grwt' am y tro cyntaf. Canmolai'r mab afradlon; dychwelodd mewn edifeirwch gan dderbyn cyflog y gweision. Ac am y mab hynaf: '. . . ac nid aeth ef i mewn . . . ma's â'r cythraul hwn!'

15

Y Parchedig S. B. Jones a diaconiaid Peniel, 1938.

Clywais ef yn pregethu yng Nghapel-y-Wig amryw droeon. Cofiaf y bregeth ar Sacheus, a thro arall bregeth oddeutu amser y 'summit' – Khrushchev, Kennedy a Macmillan. Roedd ganddo babell ar gopa Foel Gilie – fel Moses ac Elias gynt. Cafodd ddringo llethrau'r Foel drwy niwl y tystion a chael gweld yr ochr draw. Gwefreiddiol!

Wedi angladd Fred, ei frawd, dywedodd S.B. wrth ei 'chauffeur' – diacon a'r adroddwr digri D. J. Lloyd: 'Os ca' i fynd i'r nefoedd, rwy am weld Paul gyntaf. Mae 'da fi lawer o gwestiynau i ofyn iddo. Fe wedd y dyn mwyaf yn fy meddwl i.'

Wedi derbyn rhestr y testunau ar gyfer Eisteddfod Wrecsam, apeliodd testun y Goron ato yn syth. Penderfynodd ar yr amrant gyntaf y byddai'n cystadlu. Ac yn hytrach na dibynnu ar ei brofiadau personol, ei ddarllen a sgyrsiau a gafodd yn Lerpwl a Cheinewydd gyda chyn-forwyr yn unig, chwiliodd yn ogystal am ragor o hen forwyr, yn enwedig y 'Cape-Horners'. Yn eu plith ymwelodd â Melin Plasgwyn, Croesyceiliog, ger Caerfyrddin, lle cafodd groeso mawr a thrafodaeth fuddiol yng nghwmni Henry Jones, hen 'Cape-Horner' o'r iawn ryw a wisgai farf draddodiadol. (Roedd yn hen ddad-cu i Brian Jones, Tre-letert, a drosglwyddodd yr hanes i mi).

Rai wythnosau cyn Eisteddfod Genedlaethol Cymru, Wrecsam, ym 1933, digwyddodd rhywbeth difyr iawn i S.B. Roedd wedi cwympo i drwmgwsg ers oriau ym Mrynsiriol, Peniel, pan ddihunwyd ef gan daro ar ffenestr ei ystafell wely. Ac yntau rhwng deufyd pendrymodd am funud ond parhaodd yr ymyrraeth. Roedd graean yn cael ei daflu'n rheolaidd at y paneli gwydr. Cerddodd yn ansicr at y ffenest a gwelodd ffigwr dynol, llwydaidd ei ffurf yn gwneud 'stumiau arno. Agorodd S.B. y clo a thynnodd y rhan uchaf o'r ffenestr i lawr i'r canol. Nid oedd ei olwg yn arbennig o dda ar y gorau. Ymholodd ei wraig, Annie, beth oedd y mater, ond ni allai roi ateb. Yna holodd mewn llais cruglyd,

16

'Pwy sy 'na? Oes rhywbeth yn bod?'

'Prosser Rhys sy 'ma. Rwy eisiau gair gyda chi – ar fater pwysig iawn,' atebodd y llais gan sibrwd yn uchel o'r llwybr wrth flaen y tŷ.

'Fydda i lawr nawr.' ('Diawch, mae'n hanner awr wedi un,' – dan ei anadl.)

Wedi ymddiheuro am alw ar amser annaearol a dihuno S.B. a'i wraig yn y modd y gwnaeth, dechreuodd Prosser ar ei stori, mewn cadair freichiau esmwyth yn y stydi.

'Llongyfarchiadau mawr. Rwyt wedi ennill coron yr Eisteddfod Genedlaethol yn Wrecsam.' A chyn i S.B. gael ei wynt ato, oherwydd ni wyddai ef unrhyw beth ynglŷn â'r newyddion, dywedodd ymhellach: 'Hoffem gael cyfweliad gennyt i baratoi erthygl gaiff ei chyhoeddi yn syth wedi'r coroni yn *Y Faner* (Prosser Rhys oedd golygydd *Y Faner*). Ac felly y bu. Erbyn heddiw mae'r gyfrinach yn ddigoll ar y cyfan ond yn y tridegau a'r degawdau dilynol tueddai'r awdurdodau i ollwng y gath o'r cwd. Derbyniodd S.B. y wybodaeth swyddogol wythnos a rhagor yn ddiweddarach.

Wedi llwyddiant S.B. yn yr Eisteddfod Genedlaethol yn Wrecsam, roedd y papurau

E. Prosser Rhys, a drosglwyddodd y newyddion i S.B. yn oriau mân y bore ei fod wedi ennill Coron Eisteddfod Genedlaethol Wrecsam, 1933. Yr oedd yn wythnos a rhagor cyn i S.B. dderbyn y newyddion yn swyddogol.

dyddiol yn llawn o golofnau newyddion, clecs y Babell Lên a thrafodaethau am deilyngdod ac ati. Ysgrifennodd Crwys yn ei golofn, 'Lloffion o'r Eisteddfod': 'A dyna ddiwrnod mawr bywyd Seimon Jones wedi dod – ond heb fynd ychwaith, gobeithio. Cafodd dderbyniad teilwng iawn, ac yr oedd presenoldeb John Masefield yn ychwanegiad diddorol at y cyfan oll. Awgrymodd rhywun y dylasem fod wedi gofyn gan y ddau fardd ganu'r ddeuawd 'Y Ddau Forwr'. Canodd y beirdd fel arfer i'r buddugwyr'.

> Chwech ar hugain o longau'r un dydd
> Yn lledu hwyl yn yr awel rydd,
> Ond wedi tywydd gwell a gwaeth
> Dim ond un yn ôl a ddaeth;
> Paham mae y llongau eraill mor hwyr?
> Gruffydd a Chynan, a Gwili a ŵyr;
> Ond bloeddiwn y newydd hyd Fwlch-y-corn
> Cyrhaeddodd llong Seimon, 'Rownd yr Horn'.

A lluniodd Elfed englyn i Masefield:

Ein hen ŵyl, annwyl i lenor – trwy hon
Masefield droir yn Gymro;
Rhown gytgan yn gyfan gôr
Am ei weled ym Maelor.

Ysgrifennodd Wil Ifan dan benawdau Saesneg yn y *Western Mail* – 'Cilie's Happy
Family of Poets' . . . 'Rydym ni, Gardis, yn credu nad yn unig un o feibion a
anrhydeddwyd ond bod y Cilie ei hunan o'r diwedd dan goron genedlaetho . . . Rwyf
eisoes wedi ysgrifennu ers blynyddoedd am ramant di-ail y ffermdy fry uwchben
clogwyni Bae Aberteifi lle mae bechgyn lysti a merched yn anadlu mewn cynghanedd.
Deuddeng milltir o orsaf rheilffordd, maent yn seiri, gofaint, ffermwyr a morwyr, a digon
o amser i lunio englynion talentog . . . Mae llenyddiaeth, a llenyddiaeth athrylithgar,
wedi ymddangos fel graffiti ar sgiwiau, drysau a muriau gwyngalchog y Cilie ers deng
mlynedd ar hugain – dim ond i'w sgrwbio bant neu'u paentio'n ddigywilydd . . . Pan
glywais destun y buddugol meddyliais am funud mai'r morwr Gerallt, mab Fred, oedd
y bardd. Bydd dathlu yn y Cilie ond wedyn ni fydd hynny'n ddigwyddiad newydd. Mae
pob gorchwyl yn hwyl iddynt. Cofiaf weld ysgub o wenith ar ben sied uchel yr ydlan.
Roedd y bechgyn wedi treulio'r prynhawn mewn cystadleuaeth i weld pa un daflai'r ysgub
dros y sied gyda'r steil orau! O'm blaen mae gennyf ffoto – snap o Siôr – yr athronydd
fardd, Isfoel – brenin y llwyth, Alun – y bardd telynegol, Fred – yr ysgolhaig diwinyddol
a Seimon – y bardd coronog. Y fath lawenhau a wnâi Jeremiah a Mary heddiw!'

Dyma a ddywed Wil Ifan am y graffiti awenyddol a ymddangosai mewn mannau
hollol annisgwyl: 'Y tro diwethaf y bûm yng Nghilie aethom allan i'r sgubor i bwyso
ein gilydd ar yr hen dafol fawr. Holais y bechgyn wedyn am gwpwl o englynion. 'Wel,'
meddai Alun, 'pe baech yma awr ynghynt buasai gennych ugeiniau yn ddigon agos
atoch. Y bore yma y bu Ann yn sgrwbio'r ffwrwm yma; yr oedd yn fyw o englynion.' Pwy
feddyliai y gellid cymaint ddifrod gan ddŵr a sebon? Ond roedd un arall ar y palis.

ASYN Y FELIN

Henafol ful y felin, – tenau'i lun
Tan ei lwyth ar ddrycin;
Oer ei drymp, ca'n arw'i drin –
Bregethwr brigau eithin!

Yr oedd yn brynhawn cynnes ym mis Awst, ac wedi te euthum i eistedd wrth y drws
agored, a Fred yn eistedd ar waelod y stâr . . . 'Mae'n rhaid i mi gael pibed,' meddai
gan dynnu ei getyn allan o'i boced. A dyma Dai (Isfoel) yn gorffen y cwpled heb
hanner eiliad o aros –

Fred a'i bibed, fel babi
Ar y stâr wrth ddrws y tŷ.'

Dywed Wil Ifan ymhellach am ganu ffraeth, cartrefol, poblogaidd a digri y bechgyn:
'Deallais gyda gofid i Isfoel yn ddiweddar gynnig am gadair (a'i hennill). Gadawed y
cystadlu i feirdd sy'n gallu cadw yn barchus at rigolau y ffordd fawr, a mentred yntau
ar ei fotor-beic ar draws y caeau'.

Er bod John Masefield un mlynedd ar bymtheg yn hŷn nag S.B. roeddynt yn adar eu cyfnod a galwad yr heli wedi naddu tipyn ar eu cymeriadau yn yr arddegau cynnar. Ganwyd Masefield ar 1 Mehefin 1878 ymhell o'r môr, yn fab i gyfreithiwr yn Ledbury, Swydd Henffordd. Dioddefodd ei dad o afiechyd ar ei nerfau pan oedd Masefield yn chwech oed. Dihangodd John i'r môr, yn dair ar ddeg oed, lle trawyd ef yntau gan ddolur breuder y nerfau. Neidiodd y llong yn Efrog Newydd ym 1895 a bu'n byw fel cardotyn yn y ddinas ddieithr nes iddo ddychwelyd i Lundain ym 1897 i weithio fel clerc banc. Ym 1904 ymunodd â'r papur newydd y *Manchester Guardian* fel gohebydd. Ac yn y cyfnod hwnnw y dechreuodd ysgrifennu barddoniaeth, llawer o'i waith yn seiliedig ar ei brofiadau yn y Llynges Fasnach. A bu ei gyfeillgarwch â'r bardd W. B. Yeats yn ysbrydoliaeth fawr iddo. Wedi priodi ym 1902, symudodd Masefield i fyw i Lollingdon yn Nyffryn Tafwys.

Yn debyg iawn i S.B., a fu'n wrthwynebwr cydwybodol ac yn gweithio i'r YMCA yng Nghaint, bu Masefield yn gwasanaethu'r Groes Goch yn Gallipoli yn ystod y Rhyfel Byd Cyntaf.

Wrth i'r sôn amdano gynyddu, dilynodd Bridges fel 'Bardd y Brenin' ym 1930. Bum mlynedd yn ddiweddarach derbyniodd yr 'Order of Merit' ac yn y chwedegau, y 'Companion of Literature'. Bu farw ym 1967.

Mae'n ddifyr iawn fod y gŵr galluog – y bardd o Sais â'r heli yn gryf yn ei waed – wedi mynnu teithio i Wrecsam i gyfarfod â Bardd y Goron, Simon Bartholomew Jones, o'r Cilie. Roedd y ddau ohonynt wedi dianc dan alwad y môr yn ieuanc iawn, roedd y ddau yn heddychwyr, yn ddau fardd cenedlaethol a'r ddau wedi canu am y môr trwy eu gyrfaoedd.

Llun o Gymdeithas y 'Cape Horners', Sir Gaerfyrddin. Y trydydd o'r dde yn y rhes gefn yw Henry Jones. Bu S.B. yn sgwrsio ag ef wrth baratoi ei bryddest 'Rownd yr Horn'. Arferai aelodau'r Gymdeithas gyfarfod â'i gilydd yn rheolaidd.

Gallai S.B. ei uniaethu ei hun â'r llinellau canlynol – o ben Foel Gilie:

'I must down to the seas again, to the lonely sea and the sky,
And all I ask is a tall ship and a star to steer her by . . .

I must down to the seas again, for the call of the running tide
Is a wild call and a clear call that may not be denied . . .

I must down to the seas again, to the vagrant gypsy life . . .

('Sea Fever' – John Mansfield)

Tafarn yr 'Aleppo Merchant', Carno, nid nepell o'r Mans. Tynnai'r trysorydd goes S.B. trwy roi newid mân iddo pan gâi ei gyflog gweinidog. 'Rhywbeth bach i chwi ei wario yn Aleppo.'

Ac yn wir lluniodd Masefield faled enwog o'r enw 'Dauber' – sy'n llawn o freuddwydion rhamantus, profiadau ac yn hunan-gofiannol fel 'Rownd yr Horn' (S.B.). Mewn erthygl ddiddorol, 'Sea Poem that won the Crown', – â'r is-bennawd 'Romance and disillusion' – mae Caradog Prichard yn cyfeirio at y tebygiaethau yn y ddwy gân.

Yn naturiol roedd cymdeithas Capel-y-Wig am gyd-lawenhau wedi llwyddiant S.B. yn Wrecsam. Wedi'r cyfan fe'i codwyd yn eu plith. Dyma gyflwyniad y cyhoeddwr mewn oedfa foreol: 'Rwy'n siŵr ein bod yn falch iawn o lwyddiant y Parchedig S.B. Jones, gynt o'r Cilie. Rwy'n cynnig bod ysgrifennydd y capel yn anfon llythyr ato i 'gydymdeimlo' ag ef yn fawr.' Torrodd chwa o wenau a chwerthin dros wynebau'r aelodau.

Llencyn ieuanc oedd S.B. ar fin ei fordaith gyntaf. Ac fel 'Dauber' (arwr Masefield) roedd yn freuddwydiwr a gwaith llafurus fferm yn wrthun iddo. Nid oedd gan yr un ohonynt ddiddordeb mewn amaethyddiaeth. Dihangodd y ddau i'r môr yn ieuanc iawn; S.B. yn torri ei ddwy goes mewn damwain erchyll, a Masefield yn dioddef o anhwylder ar ei nerfau. Hanai 'Dauber' o fferm Spital, ger Silver Hill a phentref Pauntley, Sir Gaerloyw. Roedd ganddo ddawn gelfyddydol naturiol a chreodd fodel o long hwyliau. Ond daeth ei dad o hyd iddi a rhoddodd chwip-din i'w fab a rhedodd yntau i guddio yn y llofft, lle darganfu waith arlunio hardd ei fam fel memrwn yn y gwe pry cop, a oedd yn fath o therapi iddi wedi'r cweryla cyson â'i gŵr gormesol. Rhedodd i ffwrdd i'r môr fel ei grëwr:

> His work began at five; he worked all day,
> Keeping no watch and having all night in.
> His work was what the mate might care to say;
> He mixed red lead in many a bouilli tin;
> His dungarees were smeared with paraffin.
> 'Go drown himself' his round-house mates advised him,
> And all hands called him 'Dauber' and despised him.

Mae profiadau'r ddau forwr 'gwyrddlas' yn debyg iawn i'w gilydd:

> Os yw gwres y dydd a'r nos yn
> Gyrru'r bendro 'mhennau'r criw,
> A bod geiriau cras y bos'n,
> Bron yn waeth na'r hash a'r stiw –
> Mae gan longwr beraidd dant i
> Seinio 'mhell o'i fyd, oho!
> Ar gorfannau brwd y shantis
> Draw yng Nghal -i-for-ni-o!

A chyn y storm – tawelwch trymaidd a'r llong yn gorwedd fel ellyll dan lonyddwch marwol. Mae Seren y Gogledd yn ffarwelio â hwy, mae'r 'Southern Cross' (Sêr Croes y De) yn codi yn urddasol ac nid yw'r ynys bellennig ond dychymyg a rhith, pyrth y môr newynog i longau brau. Ac yn anterth y storom:

> Griddfanai *Tripolia*, gyrt ac ais,
> A gorwedd ar oleddf o dan y trais;
> Y *topsls* yn unig a gariai'n awr,
> A brwydro'n ddewr â'r ystorom fawr,
> A'r dec yn codi fel talcen tŷ.

Ac yntau 'Dauber' yn cael ei flagardio i ddringo'r 'rigin' mewn tywydd garw:

He struck a ringbolt in his haste and fell –
Rose, sick with pain, half-lamed in his left knee;
He reached the shrouds where clambering men pell-mell
Hustled each other up and cursed him; he
Hurried aloft with them – then from the sea
Came a cold sudden breath that made the hair
Stiff on the neck, as though Death whispered there.

Bu Dauber yn arlunio ar ei Sul rhydd – lluniau'r deciau gwlyb yn sychu yn yr haul, bwa'r hwyliau, fflachiadau'r don, a glesni môr a ffurfafen. Cuddiodd ei waith dan y 'long-boat' ar y 'deck-house' ond cyn hir fe'i dinistriwyd gan y criw. Ond wedi gweld a theimlo Cape Horn, a'i brofi'i hun, fe'i derbyniwyd yn forwr. Ac wrth iddo fagu hyder

O'r chwith i'r dde: S.B., Elfed ac Eurig Davies, tri gweinidog a bardd ar fordaith i Wlad Canaan, 1937.

a brasgamu ar y 'fore-top gallant yard' collodd ei afael a disgynnodd yn swp ar y dec. Gorweddai ei gorff ar fwrdd yr 'half-deck' dros nos ac yn y bore dan eiriau a phader y capten fe'i claddwyd yn nyfnder y môr.

It dwindled slowly down, slowly gyrating.

Dywed Cynan yn ei ragair i lyfr S.B., *Cerddi ac Ysgrifau S.B.*: 'Petai angen rhywbeth i'm hatgoffa o'r seiad anghyffredin honno, y mae gennyf yn fy llyfrgell gyfrol gyflawn o Gerddi John Masefield ac ar y tudalen flaen ddarlun pin-ac-inc o long hwyliau a wnaeth ef imi y dwthwn hwnnw, gan ysgrifennu tan y darlun linell o'r gerdd odidog, 'Biography' – 'The days that make us happy make us wise'.'

Eisteddodd John Masefield ar y llwyfan gyda'r osgordd o'r Orsedd yn ystod Seremoni'r Coroni – 'a chafodd y gynulleidfa weled peth na ddigwyddodd na chynt na chwedyn – "Bardd Coron" Lloegr yn llongyfarch Bardd Coron Eisteddfod Genedlaethol Cymru. Cafodd S.B., Masefield a Chynan seiad ddiddorol ar ôl y Seremoni. O! am fod yno!'

Llun prin o Jeremiah Jones, ar ddydd ei briodas â Mary George, 1876, yn un ar hugain oed. Y mae naill ai gyda'i chwaer fach neu berthynas i'w 'wraig newydd'. Darganfuwyd y llun bychan mewn gwddf-dlws gan Olwen Lloyd ar silff ben tân Marffo, Glynarthen, cartref S.B. wedi iddo ymddeol.

S.B., Annie (â nith) a'r forwyn y tu allan i Frynsiriol, Mans Peniel a Bwlch-y-corn. Dilynodd y forwyn y teulu o Garno, a gwasanaethodd nes ymddeoliad S.B. i Lynarthen.

Ymhlith y dwsinau o lythyron, cardiau, brysnegeseuon a galwadau ffôn a dderbyniodd i'w longyfarch ar ei 'strocen' yn Wrecsam roedd y llythyr canlynol oddi wrth gapten llong – Capten Tomi Owen, Clai Bach (gynt), ger Brynhoffnant:

S.S 'Eastborough',
Deutsche Werft No.3,
Reiherstieg,
Hamburg.

12-10-1933

Annwyl hen gyfaill,

I have followed with interest your creditable performance at the National Eisteddfod. Having now received a copy of your 'Pryddest' – 'Rownd yr Horn' – from my brother (Owen Tudor Owen, Celyn Park), I hasten to offer you my heartiest congratulations on the excellent work, and regret that my talent is lacking as regards sending you congratulations in a form-poetical! But as an old Pontgarreg-ite, who can perhaps claim slight knowledge of things appertaining to ships and the sea, I have never read anything so wonderful and thrilling as – 'Rownd yr Horn'.

I appreciate that you have had some experience of sea life because no one, without that experience, could define everything so magnificently, but in addition one must not forget that it takes a 'Cilie' to compose words so grand.

Your 'Pryddest' only reached me a few days ago and in between short spells of 'ship work' have spent many happy hours digesting the contents.

We tried to contact you by 'Radio' on Saturday but, unfortunately, the set is temporarily out of commission through run down batteries, but we hope to have the pleasure of listening to you again some other time.

My brother mentioned in one of his letters that you recently underwent an operation and I sincerely hope you have now fully recovered.

My ship has been laid up in Germany for some time and is now on the market to be sold. As you know, conditions over here are somewhat strained – 'a Hitler yn chwifio'i orchymynion!'

My wife, Carmen, joins in sending our very best wishes to Mrs Jones and your good self.

Hyn gyda chofion fyrdd a mwy –

Tommy – gynt o'r 'Smallclay'

Bu adrodd cyson ar ei bryddest mewn eisteddfodau pentref ac yn y Genedlaethol. Ac yn y bröydd oddeutu de Ceredigion, Dyfed, a thu hwnt, mae'r geiriau yn parhau ar gof a chadw.

Roedd holl freuddwydion, profiadau, gwybodaeth a gweledigaethau S.B. wedi eu casglu ynghyd yn ydlan y co' a phan ddaeth y testun ym 1933 roedd yn barod – ers blynyddoedd! 'Yr union berson, yn yr union fan am yr union reswm' – dyna oedd sylwadau Dic Jones am awdl arbennig Mererid Hopwood (Prifardd Dinbych 2001). Gellid dweud yr un peth am Cynan ('Mab y Bwthyn'), Wil Ifan ('Bro fy Mebyd'), Tilsli ('Y Glöwr') a Gerallt Lloyd Owen ('Cilmeri'). Ac felly hefyd S.B.

D. J. Lloyd a'r Capten Jac Alun ym Mhabell Lên Eisteddfod Genedlaethol Aberteifi, 1976, wedi i D.J. adrodd 'Y Cwrci'. Adroddai D.J. lawer o ddarnau digri S.B., a rhai wedi eu llunio'n arbennig ar ei gyfer.

Brigwe rigin mewn niwloedd oer,
A rhes o lampau fel rhithion lloer,
Yn wincio golau ar gangwe'r bad
I dderbyn breuddwydiwr diniwed o'r wlad.
Minnau a'm pwn ar f'ysgwydd bwerus
Yn dringo i'r dec, â chalon hyderus,
I ganol y nef a luniaswn mor glir
Tu hwnt i ffiniau a hualau'r tir
A'm cadwai rhagddi:
        O! awr y dadrithio,
Y second Mêt, wrth ei bleser, yn nithio
Breuddwydion fy nghalon ar wynt y nos,
A sôn am ddiddanwch y grug a'r rhos
A'r ffriddoedd o gwmpas ei gartref draw,
Ymhell o gaethiwed y môr a'i fraw;
Lle mae bywyd yn rhwyfo ar ddifyr li,
Yn rhywbeth amgenach na 'bywyd ci'!

Ffriddoedd! grug a rhos! Pa gonsuriaeth hell
A luniodd o'r rhain gadwyni a chell
Amdanaf, a minnau yn frwd fy nghoel
Y gwelwn ymwared o Ben y Foel?
Pa ddewin a guddiodd y ffriddoedd â ffug,
A diffodd y golau ym mlodau'r grug,
A'i gynnau eilwaith ar lathraid ddôr
Yng nghyntedd euraid paradwys y môr?

Yna, chwilio a rhythu ffenestri
Am wely i'r bwnc, ac ychydig lestri
Drwy siopau'r Cei. Ac eto dringo
Dros y gangwe hir, a gwrol ymwingo
Rhag torri o'r dagrau a gronnai'n llawn
Cyn cyrraedd y ffocsl, lle'r oedd ffraethder dawn
Yn disgwyl y *nipper*;
                Mi rown y byd
Pe cawn i fod heno ar Bont y Rhyd,
Ymysg yr hogiau sydd yn y caethiwed
A geidw rhagddynt bob newyn a niwed
Sy'n rhyddid y byd! Minnau a'm llwnc
Ar dorri yn treio trefnu fy mwnc,
Yng nghanol rhialtwch hen ddwylo'r môr –
A'u dadwrdd baldorddus fel tryblith gôr
Gwylanod anniwall pan fo'r llanw'n chwydu
Celain o'r dyfnder ar greigiau Cwmtydu.

Ystafell haearn a dim ar y mur
I guddio cadernid oeraidd y dur!
A'r lloer tros ymyl y warws fry
Yn edrych amdanaf yn fy newydd dŷ
Drwy dyllau'r *port*. Ac o bob bwnc,
Ystwyrian blin cyn cysgu, yna rhwnc
O bell ddyfnderoedd yr anfeidrol fôr
Sy'n rhan o gwsg di-gur yr hapus gôr.

Minnau yn effro ar fy ngwely pren,
A chamu rheolaidd y gwyliwr uwchben
Yn curo amser. Pryd mae Llundain yn cysgu?
Gan Dduw na châi Mam ddod yma i'w dysgu
Nad chwythu hwteri a gweiddi mawr
A ddylai fod heno cyn toriad gwawr!

Mae'r llanw odanaf yn cynnull ei nerth,
A rhygnu y rhaffau a'u cryndod certh
Yn gyrru angerdd drwy'r trawstiau dur,
Fel angerdd cariad pan brofo gur
Ysgaru creulon – pwy a dynnai'r pigin,
A'r awel yn gwatwar fry yn y rigin?

             *   *   *

Cyn deffro o'r ehedydd
    Yn eithin y Gaer Wen,
I roi ar fyd ei fedydd
    O las ffynhonnau'r nen;
Bydd angor gref yn llusgo
    O wely'r afon fawr,

A'r shanti 'Fwrdd i Ffrisco'
   Ar awel denau'r wawr.

A phan fo'r gwartheg blithion
   Drwy wlith y dolau glas
Yn tynnu llwybrau'n rhithlon
   At glwyd y Feidir Fas;
Bydd dan y bow ddau ruban,
   A'r afon yn ddau ddarn,
A'r gwynt yn dechrau chwiban
   Wrth estyn llwybr y starn.

Pan elo Mot ac Alun
   I edrych hynt yr ŵyn,
Sy'n pori ar Fanc Llywelyn
   Uwch dyfnder mawr Pwll Mwyn;
Bydd hwyliau gwyn *Tripolia*
   Yn agor dros ei gwar,
A minnau'n mynd o Walia
   I'r byd sy dros y bar.

A phan fo'r heulwen lachar
   Yn llathru aradr Siôr
(A swch f'un i ar dalar
   Yn rhwd uwchben y môr);
Bydd erwau glas y Sianel
   Yn rynnau ar bob llaw,
A thalar bell y gorwel
   Yn ffoi drwy'r gwynt a'r glaw.

Pan ddelo golau Enlli
   Ar gylch i sgubo'r bae,
Rhag mynd o longau'r cenlli
   Yn gandryll yn eu gwae;
Bydd llongwr-un-diwrnod
   Dan wybren faith yr Iôr,
Yn claddu ei freuddwydion dellt
   Yng ngolau mellt y môr.

II

Rywle ar ffo drwy Ogledd Iwerydd,
   Heb dir ar rimyn y don,
A'r môr dibreswyl heb un lladmerydd
   I adrodd ymchwydd ei fron.
Gostegai yntau pe cawsai luchio
   I'r lan ei gynddeiriog li;
Pa ryfedd, fôr, fod dy ael yn cuchio,
   Heb graig i eco dy gri?

Fel hydd yn ffroeni yr eangderau
    Ar flaen y bytheiaid croch,
Y gwanai *Tripolia*'r maith ddyfnderau
    Rhag brad gorllewinwynt broch.
Ar fin y gorwel mae corn y cynydd
    Yn galw'i helgwn i'r maes;
Hwythau'n cyfarth o fynydd i fynydd.
    A'r lli yn lafoerion llaes.

Yn gylch amdanom mae'r gwyllt unigrwydd,
    Ac ewyn ei ddicter yn fflŵr;
Ninnau'n gyrru drwy si ei ffyrnigrwydd
    Yng nghafnau dyfnion y dŵr.
Drwy dannau tynion gwe yr hwylbrennau,
    Mae lleisiau ellyllon coll,
Fel petaent ar hynt yn bwrw coelbrennau
    Ar rywun i dalu'r doll.

Cyfyd y mawrwynt ei gestyll beilchion
    A thonnau ewynfrig fyrdd,
Ac yna 'u hyrddio arnom yn deilchion,
    A gwae yn eu muriau gwyrdd.
Mae tabwrdd y storm yn yr hwyliau breision
    Fel eco taranau trwm
Yn cilio fry drwy gymylau gleision
    A fo'n cau ar hafnau cwm.

Un yn unig o'r osgordd wylanod
    Sy'n dilyn mor bell dros don;
'Tybed a oes dan dy gofl liw'r manod
    Freuddwyd yn ysu dy fron?
A flinaist tithau ar hedd y tiroedd,
    A dwndwr y dyfroedd bas;
A herio'r caethiwed a'r milltiroedd
    Ar nerth dy ddwy adain las?'

Eto yn uwch o helgorn y llywydd
    Daw bloedd tros yr erwau blwng,
I alw helgwn y Bisce i'r trywydd,
    A'r meirch yn ysgwyd eu mwng.
Yntau'r Bae nad adnabu drugaredd
    Yn agor ei draflwnc rhwth,
A phoeri arnom boer ei gynddaredd
    O gladd ei goluddion glwth.

Deuddeng niwrnod trwy Ogledd Iwerydd,
    Yng ngafael y môr a'r gwynt;
Dysgodd fy nghalon dan ddwrn y cerydd
    Fod lle i bob tywyll hynt.

Mae'r wybren glaf yn araf sirioli,
    A'r machlud yn oedi'n hir –
A'm calon innau yn dechrau holi:
    'Ai gau fy mreuddwyd, ai gwir?'

* * *

Â phob helgi wrth gynllyfan
    Draw dros ffiniau'r moroedd mud,
Llithrem dan yr asur gyfan
    Lle mae cartref hafau'r byd:
Dyddiau aur a nosau arian
    Yn nistawrwydd erwau'r Iôr,
Heb na chraig na sŵn y marian
    Byth i ddarfu cwsg y môr.

Dim ond esmwyth furmur awel
    Fry'n yr hwyliau mawr a'r gêr,
Sydd yn siglo'n araf dawel
    Heibio'r haul, a'r lloer, a'r sêr.
Dan y bow mae siffrwd grisial
    Lle mae'r llong yn torri'r lli,
Fel tae siswrn chwim yn sisial
    Drwy y sidan main ei si.

Diolch i Dduw am Fritz o'r Almaen
    Gyda'i ddwylo mawr, di-grŷn,
Ac am naddu o greigiau'r Alban
    Galon Mac o Aberdeen.
Pwy a wad drysorau Erin,
    Pan fo Pat yn tywallt stôr
Ffraethder parod, pert ei werin
    Ar frawdoliaeth gref y môr?

Fry, fel taem bob un ar frigyn
    Derwen deg ar ganol dôl,
Clywais ddod drwy ddannau'r rigin
    Gân fy mreuddwyd eto'n ôl.
Cryf yw gwead tynn y pwythau
    Wewyd yn yr hwyliau briw,
Cryfach yw breuddwydion, hwythau,
    Pan fo'u gwe yn cydio'r criw.

Gwir fod cargo dan yr hatsus
    I Ynysoedd Môr y De,
Ond bod difyr hwyl y watsus
    Gyda'r hwyr tan las y ne
Wedi ei guddio, – pwy sy'n cofio
    Elw'u marsiandïaeth fras,

A *Tripolia*'n araf nofio
 Dŵr di-glwy'r Trofannau glas?

Beth os oes awdurdod cleddau
 Ar y pŵp yn llaw'r Hen Ddyn,
Fel pe toddid holl orseddau
 Nef a daear iddo'n un?
Neu os cyfyd y croesleisiau
 Yn yr is-orseddau mân,
A gorchwylion fil dieisiau
 Gan y Mêt â'r genau tân?

Os yw gwres y dydd a'r nos yn
 Gyrru'r bendro 'mhennau'r criw,
A bod geiriau cras y bos'n
 Bron yn waeth na'r hash a'r stiw –
Mae gan longwr beraidd dant i
 Seinio 'mhell o'i fyd, oho!
Ar gorfannau brwd y shantis,
 Draw yng Nghal-i-ffor-ni-o!

Nid ar hynt rhwng dau gyfandir
 Yn mordwyo'r oeddem ni,
Ond rhyw ynys deg ei rhandir
 Wrth ei hangor ar y lli,
Gyda rhyfeddodau'r dyfnder
 Fyth yn torri ar ei glan;
Weithiau'n forfil ddarniai'r llyfnder,
 Weithiau'n bysg ar hediad gwan.

Yntau'r siarc â'i lygaid chwantus
 Dan ei adain driongl, gêl,
Yn rhyw sbïo yn ffuantus
 Ar ei raib dros farrau'r rêl.
A chaed difyr awr o hifio
 Rhaffau, ac ysgythru llwyr –
Roedd ei gynffon balch yn chwifio
 Ar y bolsbryd cyn yr hwyr!

Ond daeth gosteg hir fudandod
 Y Trofannau arnom ni,
Fel tae'r cread mawr yn gwrando
 Duw yn galw dros y lli!
Heulwen deg a'r glaw dirybudd,
 Heb yfory ar y plan;
A phan ddelo, pwy a wybydd
 Ddim ymhellach am ei ran?

O! ddistawrwydd maith, diawel,
    A'r hen long fel tae mewn llun
Ar ryw fôr tragywydd dawel
    Yn breuddwydio amdani ei hun!
Ac fel gwelswn gynt welleifiau'n
    Dymchwel cnu y preiddiau mawr
Roedd ei hwyliau llaes fel cneifiau'n
    Disgyn tros ei gwar i lawr.

Draw, fel tae bob un ddrychiolaeth,
    Wele hwythau, longau lu,
A llonyddwch trwm marwolaeth
    Drostynt oll yn dristyd du.
O! na ddeuai gwan awelig
    Rywle o'r pedryfan mud,
A chael eto wanu'r heli
    Gyda'r hwyliau'n tynnu i gyd.

*   *   *

Mae islais yn sibrwd ar lyfnder y lli,
    Ac araf chwibanu'n y tes,
Fel bugail o bellter yn annos ei gi –
    Ac yna'n uwch, ac yn nes:

''Rôl gorwedd yn llonydd yn glaf dan dy glwy,
    Myfi'r Gwynt Teg yw dy was,
I'th lithio yn esmwyth am wythnos a mwy
    Dros fôr y Trofannau glas.

'Pan fynnwyf y deuaf, pan fynnwyf yr af,
    A neb yn gwybod fy nhaith;
Myfi ydyw anadl pob gwanwyn a haf
    O gwmpas y ddaear faith.

'Dilynaf fel cawr tros y cefnfor mawr
    I'th hebrwng i dywydd y De,
Ac yna dychwelaf, paid â gofyn yn awr,
    Na pha beth a gei yn fy lle!'

III

Suddodd Seren y Gogledd i'r môr,
Gan wenu ffarwél yn Ecwadôr.
A Chroes y Deau a'i gosgordd-lu
Yn dringo'n araf i'w gorsedd fry.

Wybren lydan Deau y byd!
A sêr newyddion ynddi i gyd;

32

Ac ar ei thaith y brysia'r lloer
Drwy ganol llu'r dieithriaid oer.

Trigain niwrnod o olwg tir!
Ac amau wedyn ai gau ai gwir
Oedd gweled ynys yn swatio'n swil
Yn niwloedd tenau traethau Brasil.

'Land-ho!' medd Fritz, a chyda'r gair
Cododd cyffro fel cyffro ffair;
Gweiddi, chwifio, a phawb yn sbïo,
A chanu shanti i'r Ferch o Rio!

Ciliodd am ennyd ddiogi'r Dagos
Pan welsant fod y tir yn agos!

Ynys lonydd! Ond gwae dydi,
Wyt borthor teg wrth ddrysau lli
Sy'n disgwyl yn ei gartref broch
Am longau brau i'w gerrynt broch.

Chwalai *Tripolia*'r lluwchion can,
A dŵr y *lee* a godai i'r lan,
Wrth chwyrnu 'mlaen o gwm i gwm
Rhwng bryniau'r môr, dan wybren blwm.

Cadwai'r Hen Ddyn y tac yn faith
I'r *port*, heb ildio cerpyn chwaith,
(Gwyn fyd na chlywai araith Mac
Yn llys y ffocsl ar newid tac!)

'Brail in the spanker!' ganol nos,
A'r dwylo i gyd fel taem mewn ffos
Yn ymdrybaeddu o dan hwrdd
Y tonnau berw a sgubai'r bwrdd.

Torrodd gwawr ar y dec di-drefn,
A'r llong o dan ysgafnach cefn
Yn rhuthro cad y tonnau dreng,
A hollti ei llwybr trwy bob rheng.

(Dywedai Pat, wrth danio'i bib,
Fod hynt y llong drwy'r môr, fel crib
Trwy wallt rhyw forwyn o Killarney –
A hwnnw'n donnau mawrion arni!)

Ar flaen y gwynt fel tusw gwellt,
Drwy niwl a môr a glaw a mellt,
Y'n hyrddid ni i rywle ar ŵyr
(I'r De yn ddiogel? Duw a ŵyr).

Ac yna, fel tae'r cread maith
Yn tynnu ei anadl dros y paith,
Daeth arnom chwa'r Pampero poeth
Nes chwythu'r mastiau bron yn noeth.

Drwy'r muchudd trwm daeth cawod frith
O adar trystfawr, gan wau'n flith-
Draphlith a throsi yn y gwynt,
Fel dail mewn trowynt ar ei hynt.

Ac yn eu plith, yn sad fel saeth,
Yr Albatros, a'i fynwes laeth,
Yn tynnu llwybr yr Athronydd
Drwy'r tryblith, ar adenydd llonydd.

Fflach! dyna fellten las yn fforch,
Un arall draw fel petai torch
Neidr yn ymddatod rywle fry,
Ac ymgordeddu'n yr awyr ddu.

Rhuai'r taranau trwy'r nwy a'r sawyr
Fel eco daeargryn ar goll yn yr awyr!

Aeth ffiniau amser mwy ar ffo,
Y dydd a'r nos yn colli eu tro.
A chiliodd pob rhyw ffiniau mân
Mewn tragwyddoldeb diwahân.

Pan chwytho'r cread mawr ei gorn
I alw'i nerthoedd rownd yr Horn,
Fe gipir bywyd dyn i gyd
I mewn i'r rhiddm sy'n siglo'r byd.
Ugain niwrnod o fyw a morio
Yng nghylchoedd mawr yr Oratorio,
Oedd â'i chorfannau'n sgubo'i sgôr
Heibio i dulathau maith y môr.

Yn angerdd yr anghofrwydd mawr
Y torrodd arnaf olau gwawr,
A gweld na ofyn Duw fy Iôr
Wefusau mêl ym moesau'r môr;
Lle ni all ffasiwn guddio ffug,
A lle mae cred dan leisiau cryg,
A Byw yn fwy na gwan gysgodau,
A Duw yn fwy na mân ddefodau.

Nid herio'r moroedd er mwyn byw
A wnaem na dyblu nerth y llyw
Er mwyn cyrhaeddyd hafan glyd
Sy'n disgwyl ym mhellterau'r byd.

Na gweithio mwy wrth fympwy un;
Y Bos'n, neu'r Metiau, neu'r Hen Ddyn –
Ond tri ar ddeg fel un yn Byw,
A Chapten Turner wrth y llyw.

'Furl the royals!' ac ymhen bachigyn,
Roedd chwech ohonom fry yn y rigin
Yn dringo a chroesi fel brain ar goed
Yng nghanol gaeaf, ac yn ddi-oed
Roedd Mac a minnau ar y *Misn* praff
Yn datod a chlymu rhaff am raff.
Prysurai Fritz ar y *Main* yn chwim
(A'r dago yn edrych heb gyffro dim!)
Y Second Mêt a Pat ar y *Fore*
Rhyngom a'r nefoedd bob yn ail â'r môr.

'Leggo!' medd Mac, a dyna'r hwyl i lawr,
Minnau yn gorwedd arni yn awr,
Gan ymladd â'r cynfas uwchben yr aig,
A hwnnw'n torchi fel cynffon draig;
Cydiwn fel gele, ddwylo a thraed,
A Mac yn clymu; fe saethai gwaed
O dan fy ewinedd gan lifo'n ffrwd
Drwy rew y iard, a chronni'n y rhwd.
Ac i gyfeiliant y storm a'i sain,
Chwibanai Mac yr *Auld Lang Syne*.

35

O'r gorwel draw ar ymgyrch ddig,
A choron ewyn ar bob brig,
Dôi'r *Roaring Forties* wrth ein cefn,
Fel hynt byddinoedd yn eu trefn
Tros wastadeddau maith yn gyrru,
A'r meirch porthiannus yn gweryru.

Gweled gwaed, ond heb deimlo poen,
A'r iasai ingol yn ysu hoen;
Agorai amdanom banorama
Na fyddai marw'n ddim yn y ddrama.

Isod ymhell y mae pedwar gŵr,
Weithiau'n y golwg, weithiau'n y dŵr;
Tonnau yn cilio ac ail-grynhoi,
Rhaeadrau'n chwalu, chwyrlïo a throi,
Dau wrth y llyw â gewynnau tynion,
A Chapten Turner yn chwifio gorchmynion.

Disgynnem y we o raff i raff,
A Mac yn gwasgu pob gafael yn saff,
Nes cyrraedd eto y peiriau berw
A saethai atom eu trochion chwerw.

Griddfannai *Tripolia*, gyrt ac ais,
A gorwedd ar oleddf o dan y trais;
Y *topsls* yn unig a gariai'n awr,
A brwydro'n ddewr â'r ystorom fawr.
(A'r dec yn codi fel talcen tŷ,
Dywedai Fritz, mewn geiriau cry,
Yr hoffai ddangos nerth ei bîm
I 'forwyr' melfed y llongau stîm!)

Uwch sgrech y storm, daeth gwaedd 'Land-ho!'
(A neb yn cofio mwy ers tro
Am dir a dynion). Mae'r tonnau draw
Yn rhwygo'u bron ar greigiau braw,
Gan yrru'r ewyn ar ei hynt
Fel hisian nadredd drwy y gwynt.
Ac yn ymgyhwrdd môr a thir,
Mae hen ddialedd oesoedd hir
Yn ymladd brwydr y Pegynau
I chwalu'n chwilfriw y Penrhynau;
Tonnau'n ymryson fel teirw chwyrn,
A chilio eilwaith i roi eu cyrn
O dan y creigiau – ac eto ruthr,
Ac eco'r gyflafan fel taran uthr.

A'r Penrhyn, fel tasai rhyw Famoth o'r môr
Yn codi o'i gwsg i glywed y côr!

'Paham erioed, O! Dduw, paham
Gadawodd Schouten Amsterdam,
A tharo yma ar fath le
Â hwn ym moroedd pell y De?
Beth dynnodd Drake o'r Gogledd clyd
Yma i forio wrth draed y byd,
A hudo miloedd ar ei ôl
I ymlid eu breuddwydion ffôl?

'Pam nas gadewsid wrtho'i hun
Tu hwnt i derfyn gwybod dyn,
Ac arno 'nghlo gaeëdig ddôr
Yn nwfn ddirgelwch mawr y môr;
Lle ni châi greu ochenaid ddofn
Ym mynwes neb â'i fraw ac ofn.
Câi wedyn lanw'i hafnau gweigion
Â cherrynt deufor y ddau eigion,
A'r tonnau ddawnsio'n wyllt fel dreigiau,
A chwarae uffern ar ei greigiau.'

Ond teimlais gerydd dan fy ais,
Pan dorrodd arnaf rym y llais:

'Paham, ddywedaist? Ie, paham
Gadewaist tithau dŷ dy fam?
Oni wybuost di dy hun
Mai breuddwyd sydd yn symud dyn?
Breuddwydiaist gynt am hafau melyn,
A thithau'n llanc ar Fanc Llywelyn,
A thybiaist mai gaeafau moel
Oedd tegwch haf ar Ben y Foel.

'Torraist y gwawn sydd ar orwelion,
A llwyr ddifodaist bob dirgelion.
Collaist, ac adenillaist, do,
Freuddwydion lawer yn dy dro.
Ond gwybydd heddiw yn dy bryd,
Y'th enir yma'n un â'r byd –
Yn un â chân y cread oll,
Heb hiraeth mwy am freuddwyd coll.

'Cei eto des y dyddiau hirion,
A hedd di-stŵr y nosau tirion;
Cei weld yr Haf yn taenu ei ŵn
Ar dywod euraid y lagŵn.

Cei fwrw d'angor yn ddiddiffyg
I ddyfroedd tawel y Pasiffig,
A gwrando suon, hyfryd sain,
Garolau môr ar gwrel main.

'Ond byddaf fi yn rhan o'th hanfod,
Rhag iti gael, a methu â chanfod
Yr hafau sy'n dy aros draw,
Neu stormydd eto i beri it fraw;
Rho un ochenaid olaf, ddofn,
Ac yna rhagot! Nid erys ofn,
Pe chwythai Gabriel yn ei Gorn,
I'r neb a lwyddodd ddyblu'r Horn.'

TRI BRAWD

Yr Uwch-Gapten Dafydd Jeremiah Williams
(19-12-1903 – 19-9-1988)

Ef oedd y cyntaf o'r wyth o drydedd genhedlaeth y Cilie a aeth i'r môr.

Enwid melin Cwmtydu yn Felin Huw ar ôl y 'Gamaliel' lleol – Huw Davies. O Benrhiwrhedyn islaw'r Cilie mae muriau gwyngalchog Felin Huw megis llun ar garden bost – a'r adeiladau allanol – y sgubor, y beudy, y lladd-dy, y felin a'r odyn grasu – yn anwesu'r tŷ yn rhamantus yn nyfnder pell y cymoedd coediog. Er ei berffeithrwydd yng ngoleuni clir yr haf perthynai i'w safle, yn ôl Isfoel, 'awyrgylch hollol wrthnaws a tharth yr afonydd a chysgod y bryniau rhyngddo a'r haul'. Yn y cwm llwydrewog gafaelodd clefyd echrydus yng nghymalau'r fam ieuanc – sef Margaret (ail blentyn a merch hynaf y Cilie). Ac er iddi fynd amryw o droeon at ffynhonnau iachusol

Llanwrtyd, a oedd mor enwog â Llyn Bethesda y pryd hwnnw, i wella ei hesgeiriau, clafychu a wnaeth. Dyma a ddywed Isfoel mewn pennill i'w chwaer:

Does dim ar ddŵr sylffur Llanwrtyd
Am fagu a phuro y gwaed;
Mae'n golchi aflendid y galon,
Mae'n gyrru gymalwst o'r traed.

Cymerwyd hi o'r ddaear i'r bedd ar 28 Hydref 1910 a hithau ond yn 32 oed. Gadawodd bump o blant ieuanc yng ngofal ei gŵr – Rees Williams. Eu trydydd plentyn oedd Dafydd Jeremiah, wedi ei enwi ar ôl ei dad-cu enwog, Jeremiah Jones – patriarch y Cilie.

Fe'i ganwyd mewn bwthyn to gwellt cyfagos o'r enw Glandŵr, pan symudodd ei rieni iddo yn ystod adnewyddu tŷ'r Felin. Canodd Isfoel, yn ôl ei arfer, englyn ar ei ddyfodiad i'r byd:

I'm diwyd chwaer mae deuwr – wele, mab
Ar sgil merch i'r bwtshwr;
A phrydlon wnaiff yr odlwr
Englyn i Dai yng Nghlandŵr.

Roedd 'D.J.' yn hoff iawn o adrodd englynion Isfoel a Thydu i Gwmtydu. Dywedai: 'Yn fy llencyndod yn negawd cyntaf yr ugeinfed ganrif yr oedd bywyd y llannerch yn dangnefeddus dawel heb un rhuthr yn torri ar ei thraws. Credaf nad oes yr un cwm yn y byd wedi ysbrydoli cymaint o feirdd i ganu iddo yn Gymraeg a Saesneg'.

Hyd nes 1913, yr oedd yn byw yn y Felin Huw, lle mae Cwmtydu yn rhannu yn ddau gwm, sef y cwm y rhed afon Fothe a'r cwm y rhed afon Dewi trwyddynt o Lwyndafydd:

Yn fyw a thlos Fothe lân
Ar ei thor fel crwth arian.

Isfoel

Oddeutu ac uwchben y Felin mae'r llethrau serth wedi eu gorchuddio â choed sycamor ac ynn lle gynt y bu'r deri. A lle daw'r haul i wresogi'r tyfiant mae gorchudd yr eithin trwy rwd y rhedyn hydrefol. Fel hyn y canodd Tydfor i'r sofrins haf:

EITHIN

Llathr doreth y llethrdiroedd – a'i sofrins
Afrad o oludoedd.
Llawer haf o dw lle'r oedd
Grynnau grawn y gwerinoedd.

Tw miniog, mat y mynydd – a nythle
Cathlwr yr wybrennydd,
Yno 'ngardd eang hirddydd
Aur a sawr wrth grwydro sydd.

40

Mae'i aur byw bob Mai ar berth – hyd y rhos
Mae'n rhodresa'n goelcerth;
Ha' rodfa'n garped prydferth
O bêr sawr rhwng llwybrau serth.

Ac meddai S.B.:

Hafn a'i llechweddau dyfnion
O'r ael fry hyd wely'r don.

Ac mewn cywydd dyma weledigaeth Isfoel o ben Rhiw Gaerddu, a phob sill yn rhamant pur!

Gwelaf y cwm i'r gwaelod
Oll, yr ardd a phwll y rhod,
Glân law anian a luniodd
Ei wyrthiau mawr wrth 'y modd.
Dyrchafol dir a chyfoeth
Grug hen iawn ar greigiau noeth.
Coed derw ym mhob erw o'r bau,
Ni chaed amlach ei demlau.
Trimiwyd fel temlau tramor
Y derw mawr hyd erwau'r môr,
A di-rif byncwyr ifainc
O bibau cerdd ar bob cainc.
Rhugl emwaith a'r glamor
Warchae lys yr uchel Iôr.

Tyf deri preiffion a chnotiog o amgylch y dolydd patrymog ar wastadedd cul y dyffryn gan warchod carpedi o glychau'r gog, blodau'r gwynt a gellysg. Ac yn dilyn y mannau dyfriog mae clystyrau talsyth o gyll a helyg gwasgaredig. Ar hyd y cloddiau cerrig gwelir rhubanau o ddrain duon a gwynion a'u blawd o gonffeti yn cyfarch dyfodiad haf cyn dinoethi i dafodau oer-wyntoedd y cwm a thrawsnewid yn wrachod hyll.

Ni fedrwch weld y môr a'r traeth o'r Felin Huw oherwydd y tro coes-ôl ci sydd yng ngwneuthuriad y cwm. Fel y dywed Isfoel:

Cwm cul, cam, cartre' rhamant . . .

a

Llannerch ddwyfol ei lluniad, – ôl llaw Duw
Pell o dwrw gwareiddiad;
Ni ddaeth rhysedd i'w thrwsiad
Ond ffresni a glesni gwlad.

Dywedodd ei frawd, John Tydu: 'Diawch! Yn wir, rhaid fod angel o'r nef wedi disgyn ar ysgwydd Dai pan ysgrifennodd e'r englyn 'na!'

Yn ystod bachgendod Dafydd Jeremiah roedd y felin yn lle prysur iawn. Mantais fawr oedd cael cyflenwad o ddŵr i droi'r rhod o gronfeydd dau lyn – un gyferbyn â phont Pen-plas a'r llall yn yr allt uwchben y tŷ – a byddai'r malu yn gallu mynd ymlaen ddydd a nos pe bai galw am hynny. Defnyddid dŵr o'r un llyn tra byddai'r llall yn llanw. Roedd yno odyn hefyd i grasu'r llafur os byddai'n llaith, a gwaith y ffermwyr oedd ei grasu. Yr un ffermwyr a fyddai'n dod â llafur llaith bob blwyddyn a chofia D.J. amdanynt yn hel a chyrchu bonau eithin, onnen a deri o'r gelltydd cyfagos. Yr oedd yna wagr fawr wedi ei hadeiladu yn union uwchben y lle tân a gwasgarwyd y grawn ar ei hyd a'i led gan offeryn pwrpasol.

Unwaith y flwyddyn rhaid oedd codi'r maen ucha' i'w gogiddio oherwydd iddynt lyfnhau wrth falu'r grawn. Defnyddid morthwyl pwrpasol at y gwaith o lanhau'r rhychau. Cofiai D.J. am dri chrefftwr lleol yn gwneud y gwaith – y Mri. Ben Jones, Pant, Tom Jones, Frondeg, a John Jones, Penlôn Cilie – dau saer coed ac un saer maen. Codwyd y maen ucha' ar ei ogwydd a'i osod allan ar y llawr gyda chymorth rhaffau a phwlis, a thri darn pren pwrpasol. Dywedid yn lleol ei bod yn hawdd adnabod cogiddiwr oherwydd y creithiau a'r tyllau dyfnion oedd yn ei wyneb trwy i'r darnau miniog dasgu'n ôl yn ystod y weithred ddyfal o lanhau'r rhychau. O gyffiniau Paris, Ffrainc, y deuai'r cerrig malu gorau ond meini Môn oedd yng Nghwmtydu.

Gan fod Rees Williams, tad D.J., yn gigydd hefyd, âi'r malu ymlaen hyd oriau mân y bore. Oherwydd hyn roedd odyn y Felin yn un o'r mannau cynhesaf i gymdeithasu – ac i garu drwy'r nos.

Gyda'i ddawn beirianyddol a'i ddyfeisgarwch roedd Isfoel wedi adeiladu pwll rhod yn y Cilie ac wedi gosod piniwn deri a rhod ddŵr yn Felin Huw. Ond cyn iddo ddod i fyw i'r Felin wedi priodi, prynodd rod ddŵr (olwyn ddŵr) oddi wrth Enoch Williams (y Bardd Llwyd) Felin Cwmhyar, Tre-groes, a'i gosod yn y Cilie. Rhaid oedd selio'r fargen gyda phenillion (o gof D.J.):

OLWYN DDŴR Y BARDD LLWYD
(Enoch Williams, Felin Cwmhyar, Tre-groes)

Mae'r Cerdin yn tarddu yng nghrombil Rallt Ddu
Mae'n mynd fel y cythrel lawr heibio tŷ ni.

Enoch Williams

Mae'r Cerdin yn wylo wrth basio Cwmhyar,
Ai chri yn gwynfannus yng nghlustiau ei Bardd,
Am golli ohoni ei holwyn ddigymar,
Fu'n troi am ganrifoedd yn ddifyr a hardd.
Y felin a falai holl ŷd y gwastadoedd,
Sy'n bentwr llawr-gwastad ei thowlad a'i tho,
A'r ddau faen gorchestol rhagorol sy'n gorwedd
A chysgu'n nhawelwch heddychol y fro.

Daw'r Bardd yn ei elfen o'i wâl tua'r felin,
Lle treuliodd ei einioes yn uchel ei glod,
I weld fod y Pynfarch wedi colli ei Cherdin,
A'r pwll yn ddi-fri wedi colli ei rod.

42

Fe gyll ei feddylie ar ffiniau'r gorffennol,
Mae sŵn y cocasau yn glir yn ei glyw,
Ond llama ei ysbryd uwchben yr adfeilion,
Wrth nyddu englynion, mae'r Awen yn fyw.

Os yw y gaeafau yn dod ar ei gefen,
A gwasgu yn drwm ar ysgwyddau y Bardd,
Os gwynnodd ei flewyn yn naws yr hirnosau,
Ni rewodd yr Awen mor hoenus a hardd;
Os collwyd y meini'n anialwch y mwyar,
Os collodd y Cerdin ei melin a'i rhod,
Bydd hanes anorffen am Awen Cwmhyar,
Yn dilyn y Cerdin am oesau i ddod.

Isfoel

A dyma sut roedd John Tydu yn cofio am Felin Huw mewn soned o'i waith a anfonwyd o Montreal mewn llythyr ym 1936 at ei frawd Sioronwy, Hettie a Thydfor yng Nghaerwen:

Wyt ferch yr ardal, llawn o swyn y cwm,
'Run fel erioed yw'r ystafelloedd mud,
Un maen sydd wrth y mur ar ogwydd trwm
A'r llall yn malu amser yn ei grud.
Ni thry y rhod a'i phalfau'n rhwd, ddim mwy.
Ei gwerthyd fraisg sy'n cuddio yn y chwyn.
Yr hen felinydd sydd yn llan y plwy
'Rôl talu'i doll, mae'r lle yn deall hyn.
Gweriniaeth sydd yn gwadu oed y mur
A thyst gwasanaeth yw rhigolau'r llawr.
Dim llais na rhygnu peiriant i'r un cur
Na choflaid gref dros bwysau'r pwn a'i sawr.
Ond erys y gyfaredd yma byth
A theulu'r wennol ddaw yn ôl i'w nyth.

Ar lannau afonydd Dewi a Bothe roedd clystyrau o dyddynnod a bythynnod – rhai ohonynt yn adfeilion yng nghyfnod ieuenctid D.J. Roedd Nyth y Wynt, Trewynt (enwau addas gan fod tirwedd y cwm yn sianelu gwyntoedd cryfion yr Atlantig fel ffwnel i fyny'r cwm), Cwm Gwybed, Allt Dderw, Spiti a Ffos y Graig ar y ffordd i Lwyndafydd. Dywed D.J.: 'yn Spiti trigai hen ŵr dall o'r enw John Bunyan gyda'i ferch Ann, a chadwent fuwch a merlen. Cyfarfuem ag ef yn mynd i 'mofyn y creaduriaid o'r caeau cyfagos a phan oedd yn agosáu atom yr oedd fy mrodyr a minnau yn gwneud sŵn tebyg i garnau'r ferlen ac yn ceisio efelychu poni yn trotian. Estynnai ei ffon allan i geisio ei dal. Ofnaf ein bod wedi perffeithio'r dasg yn rhy dda, a chwith yw gennyf feddwl am hynny yn awr; mor anwar greulon y gall plant fod yn eu diniweidrwydd. Cofiaf glywed am John Bunyan yn ymffrostio am ei grefft fel sopynnwr neu helmwr ac nid oedd yr un deml o'i waith ef wedi ei dymchwel erioed. Ond un hydref yn yr 1890au cododd storom fawr a chwalu hyd yn oed rai o

Bwthyn Aberdauddwr, a'r fydwraig Mari Williams ar y trothwy. Trigai deiliaid y Cilie mewn clwstwr o fythynnod a adeiladwyd yng ngwaelodion y cwm.

Bwthyn Spiti, cartref John Bunyan a'i ferch Ann. Canodd Jeremiah Jones faled i'r deiliaid.

greadigaethau Bunyan. Aeth sôn ar hyd a lled y wlad a buan iawn y gwelodd fy nhad-cu (Jeremiah'r Cilie) ei gyfle i groniclo'r hanes ar gân. Byddai ef a'i gyfeillion yn ei chanu ar eu ffordd adref o'r 'Crown' yn Llwyndafydd a chyrraedd penllanw'r byrdwn wrth basio heibio i Spiti'. Wele bennill a chytgan:

Clywsoch am y storom ryfedd
A fu'n chwythu'n ddidrugaredd;
Gwnaeth alanas mawr oddeutu
A gwneud sbort o Bunyan Spiti.

Byrdwn:
Crynai'r tŷ hyd ei sail; (dwy waith)
Gweddïai Bunyan ar ei Arglwydd
Ac ar Nansi bob yn ail.

Drwy'r cwm arall – Cwm Bothe – roedd bythynnod Pen-plas (tŷ clom), Plas-bach, Glan-dŵr, Cwm-sgôg, Aberdauddwr, Dôl-fêl a Chwm-coch. Roedd y teuluoedd yn ddeiliaid i fferm y Cilie, ac iddynt hwy (y fedel) y canodd Isfoel ei gân enwog 'Fy Nymuniad':

. . . Mi fynnwn gribo'r Hirallt
A'i hannherfynol stôr,
Dros lwybyr Siams sy'n arwain
A gorffen yn y môr.
Yn ôl dros Fanc Llywelyn
At swper yn ei bryd,
Ac yn nedwyddwch blinder
I orffwys yn fy hyd . . .

. . . Y dorth o wenith euraid
A'r menyn yma'n cwrdd,
A'r cosyn mawr fel canlloer
Yn frenin ar y bwrdd.
Pob un â'i stori flasus,
Pob un â'i fola'n dynn
Am awr yn ymystwyrian
Ar ôl y gwledda hyn.

Yn y Pen-plas trigai Ann Jenkins a chadwai fuwch a gwerthai furem dirwest gan fod pawb yn pobi gartref, ac yn defnyddio burem Ann. Codai geiniog am botel laeth lawn:

Pen-plas, mae burm addasach? –
A blas bîr ddaw o Blas Bach.

Ac o fewn tafliad carreg i draeth Cwmtydu roedd tafarn Glanmorllyn. Yno ar ddiwedd y bedwaredd ganrif ar bymtheg a dechrau'r ugeinfed trigai Capten Enoch Davies a'i wraig.

Gelyn mawrlles yw Glanmorllyn, – tŷ hyll
Yn twyllo'r holl feddwyn;
Hen le ar' diawl – loria dyn
Yn ben dwp bob yn dipyn.

Dywed D. J. Williams: 'Roedd yn ddyn cadarn a gwisgai farf hir doreithiog fel y dylai hen 'Cape Horner' a meistr llongau a chofiaf amdano yn paradan 'nôl ac ymlaen ar y traeth a'i lygaid ar y gorwel pell fel pe buasai i'w long ddyfod i fewn i hafan Cwmtydu. Bu'n gysylltiedig â'r *Mount Stuart* – os nad yn feistr arni – llong fawr enwog ag iddi chwe pholyn (*mast*). Cofiaf hefyd am hanes marwolaeth ei wraig mewn amgylchiadau rhyfedd iawn. Yr oedd ar ei phengliniau yn golchi llawr y dafarn un bore pan lewygodd a chwympodd ei phen i'r bwced dwfr . . . a boddi. Bu'r Capten yn byw yng Nglan-nant, Cross Inn, wedi'r trychineb'.

Dau gymeriad lliwgar arall a gofiai D. J. Williams yn dda oedd Shaci Pant-yr-ynn a Shams Pendderw. Roeddynt yn ddau ŵr gwreiddiol ac mae llawer o'r straeon amdanynt yn aros ar gof a chadw gwerin . . . 'Un noson, wedi i'r ddau dreulio amser yn y dafarn, penderfynon nhw, gan fod eu cloch yn uchel, fynd i'r cyfarfodydd neilltuol yn eglwys Llandysiliogogo ac i ychwanegu eu harmonïau a'u hwyl i'r gân. Cyrhaeddont yn hwyr a galwodd yr offeiriad hwy yn bechaduriaid ac fe'u trowyd hwy allan gan y wardeniaid gyda'r geiriau – 'Cerwch ma's y ddou gythrel'. Ond fore trannoeth gofynnodd rhywun i Siaci sut gwrdd a gawsant y noson cynt. Ei ateb oedd – 'Cwrdd bendigedig. Yr oedd Idrisyn yn argyhoeddi pechaduriaid a Jones Pen-rallt yn bwrw allan gythreuliaid!' Roedd cryfder a nerth Shaci Pant-yr-ynn yn ddihareb yn y fro. Cofiai D.J. am Isfoel yn sôn am Shaci ac fel hyn yr ysgrifennodd amdano: 'Fe gariai'r aradr i'r efail ar ei gefn tra byddai'r ceffylau yn bwyta hanner dydd, cryn filltir o ffordd. Ni thrafferthai dynnu'r giwano allan bob yn damaid i lywanen wrth hau, ond gwisgai gadwyn siafft dros ei ysgwyddau, a chariai'r pwn yn gyfan, pwn o ddau cant o bwysau. Mewn ocsiwn pan oedd yn gadael Cwm Cynon gwelodd rywun yn y dorf yn teimlo ac yn archwilio'r hwrdd – ei ddannedd, ei gefn, a'i gyrn. Ond dywedodd Siencyn wrtho – "Bachgen, bachgen, pam wyt ti mor fanwl yn teimlo'i gefn, ac edrych ei ddannedd a'i gyrn – edrych ar y lle y mae'n cadw arian y rhent i ti!"'

Yna fry ar y llechwedd ar graig Caer-llan roedd bwthyn Ffynnon yr Hwch lle trigai Owen Bwtshwr. Eto o gof D. J. Williams: 'Cof crwtyn sydd gennyf amdano yn henwr gwargam, hirwallt a barfog a chlogyn am ei war, patriarchaidd yr olwg. Roedd llawer o grwyn geifr yn y tŷ yn relics o'i alwedigaeth gigyddol'. Gerllaw roedd ffynnon o ddŵr grisialaidd a ddaeth yn enwog iawn ac yn gysylltiedig â digwyddiad hanesyddol yn ystod cyfnod D. J. Williams ar y môr.

Ac islaw, drws nesa' i'r dafarn, roedd bwthyn Glan-don a'i ddeiliaid – Ifan Ifans, ei ail wraig Margaret a'i merch Rachel Maggie. Roedd Ifan yn smociwr pib trwm iawn ac roedd cymylau o fwg o'i amgylch bob amser. Nid âi'r clêr yn agos ato. Dywedodd Ifans Parc Hall unwaith, 'Bach'an, roeddwn yn dod lan yma i'r lladd ac roedd Ifan Glan-don yn mynd lan o 'mla'n i. Allech feddwl fod stemar yn mynd lan drwy'r cwm'.

Achlysur anarferol iawn oedd adeiladu tŷ mawr, tŷ 'double-breasted', chwedl Elfan Jones. Codwyd un nid nepell o'r traeth ar ddarn o dir yr ochr arall i'r afon o'r ffordd a arweiniai i'r morfa a'r odyn. Cofiai D. J. Williams am 'Mr Ifans', oriadurwr yn

Parc Hall, Cwmtydu.

Llambed, ar gyfyl ei ymddeoliad, yn codi'r tŷ ar dir Pen-parc trwy osod y dasg i'r crefftwr lleol, James Morgan, Penybont-ar-Fothe. Gan fod Mr Ifans yn berchen ar Lety Cymro a Phen-parc a'u gelltydd, adeiladwyd pont bren o drawstiau deri o'r coedydd cyfagos. Meddai D. J. Williams: 'Cofiaf yn ddisglair iawn am ddodrefn yn cyrraedd Parc Hall (fel y gelwid y tŷ newydd) o Lambed un prynhawn hwyr mewn 'gwagen' a dynnid gan bedwar ceffyl. Digwyddodd rhai ohonom eu gweld yn mynd heibio i ben ffordd Felin Huw, ac fel mae chwilfrydedd plentyn yn gweithio, rhaid oedd eu dilyn. Wedi croesi'r bont roedd y darn tir o'u blaen tua'r tŷ yn serth iawn ac er bod pedwar ceffyl yn tynnu'r wagen roedd y llwyth yn ormod iddynt. Benthyciwyd ceffyl arall – 'Lion' – eiddo Mr Owen Jones, Pen-parc – a'i roddi o flaen y ceffylau eraill cyn llwyddo i ddod â'r llwyth gerllaw'r tŷ . . . Cymeriad rhadlon a bonheddig oedd Mr Ifans a pharod iawn â'i gymwynas i drwsio clociau'r ardal. Cerddai filltiroedd weithiau pan nad oedd cludiad yn gyfleus'.

Roedd agwedd ac egwyddorion yr oriadurwr yn gweddu yn gwmws â deddfau a dealltwriaeth annysgrifenedig y 'gymdogaeth dda'. Cofiai D. J. Williams am ddigwyddiad a oedd yn amlinellu'r berthynas ddyngarol anweledig a oedd yn rhedeg trwy wythiennau'r gymdeithas. Cafodd air i gasglu cloc o eiddo gweddw oedrannus a oedd yn byw yn un o fythynnod y cwm. Gofynnwyd i'r crefftwr, 'Beth yw'r tâl, Mr Ifans?'

A'i ateb cwrtais, ond annealladwy i D. J. Williams ar y pryd, oedd, 'Dim byd, 'machgen bach i. Bydd rhywun arall yn talu am hwnna!'

Ac yn wir i chwi, dyna sut y gweithiai'r 'gymdogaeth dda'. Byddai dimai o ychwanegiad ar filiau cwsmeriaid mwy cefnog yn talu am y weithred, ac ni ddaeth neb i wybod dim am y 'Samariad trugarog'!

. . . Roedd Mr Ifans, Parc Hall, yn ymwelydd cyson â'r tŷ lladd yn Felin Huw a chariai gyllell fechan yn ei boced bob amser. Ac yn ddieithriad, os byddai carcas eidion yn hongian yno, tynnai'r gyllell allan a thorrai gwlff da ar bwys yr arennau a'i gnoi fel yr oedd heb ofyn dim i neb.'

Cofiai D. J. Williams am Isfoel yn adrodd hanesion trigolion y cwm. Pan ddaeth Jeremiah Jones i'r Cilie ym 1889 roedd y cyn-denant, John Owens, wedi mynd yn fethdalwr . . . 'Ef oedd y cynghorwr, y barnwr, y 'ship-owner', y banc, amddiffynnydd y Ffydd ac yn ddoctor cwac!' yn ôl Isfoel.

Yr oedd teulu Cwmgwybed yn dal rhyw gysylltiad â'r Cilie trwy fod darn o dir perthynol i'r stad yn cael ei ddal gan deulu Cwmgwybed. Yno y trigai Siân a'i brawd Owen – yntau yn brydydd 'hwylus a gwreiddiol'. Un diwrnod roedd Owen yn pwnio eithin i'r fuwch a gofynnodd rhywun wrth fynd heibio – sut yr oedd y gwaith yn dod ymlaen! A chafodd ateb mewn amrantiad:

> Wrth bwnio i eitha'r eithin
> Daw moethau i fy mwthyn,
> Sef bara gwyn a'r menyn mwyn
> Fel na bo cŵyn gan undyn.

Ac meddai Isfoel: 'Dyna i chwi berl o waith prydydd cefn gwlad. Nid oes gan brydydd siop yr oes hon ddim rhagorach, nac agos mor naturiol'.

Ar dir Plas y Neuadd yr oedd Cwmgwybed. Yr oedd Mr Evan Evans y Neuadd yn ŵr bonheddig a phan ddeuai ei frawd Stephen Evans i'w gartref ar dro o Lundain, rhan felys o'r gwyliau fyddai mynd i lawr am dro i Gwmgwybed. Creai'r ymweliad gynnwrf a phanic yn y tŷ – ond roedd y drefn yn barod i'w derbyn. Pan fyddai Mr Evan Evans yn dod wrtho'i hun câi eistedd ar yr ystôl – 'yr unig un yn y tŷ feddyliwn' (meddai D.J.). A châi Owen eistedd ar y blocyn torri coed tân. Ond pan ddeuai'r ddau i lawr gyda'i gilydd . . . Owen a gâi'r stôl, Siân ar erchwyn y gwely a'r ddau fonheddwr ar eu traed.

Cymeriad arall, un mor ddiniwed a diymhongar, a dreiddiodd mor annisgwyl i mewn i fywyd Dafydd Jeremiah, oedd Sarah Thomas, Cwmffynnon, Cwmtydu, chwaer i dad-cu Mrs Sally Rees, Pant-yr-ynn. Cariai'r post bob dydd o'r Swyddfa yn Nhancoed, Llwyndafydd. Câi ei chydnabod fel gwraig dawel, ddiwyd a pharod ei chymwynas ond hefyd un graff a geirwir ymhob gweithred a pharabl. Cyfarchai bawb yn serchog a byddai ei chlonc boreol diniwed yn ychwanegiad blasus dros riniogau bythynnod y cwm. Ond un diwrnod oddeutu 1913-14 wrth iddi ddringo'r llwybr troellog a chul o draeth Cwmtydu dros Fanc Caer-llan i gario'r post i fferm Pen-y-graig – gwelodd olygfa a oedd i'w syfrdanu hithau a'r fro gyfan. Clywodd leisiau ac iaith ddieithr dan y clogwyn ger Cafan Glas a gwelodd 'falwoden ddu fawr', yn ôl ei disgrifiad, yn llechu oddeutu hanner can llath allan yn y bae. Rhesymeg Dafi Glanmorllyn oedd iddo yntau weld rhyw ddigwyddiadau rhyfedd – ac mai 'sambarîn' y Kaiser yr oedd Sarah y wraig bost wedi'i weld. Ni choeliai llawer o'r ardalwyr ei stori ar y dechrau a buont yn ei gwatwar a'i gwawdio a chwerthin ar ei phen. Roedd yn syniad apelgar a gydiai mewn dychymyg ac un yn sicr a weddai'n naturiol â rhamant y cwm rhyfedd. Credai Dafi fod morwyr y 'sambarîn' wedi rhwyfo i'r traeth i chwilio am ddŵr ffres. Enynnodd digwyddiadau Cwmtydu lawer o ganu 'talcen slip' oddi wrth y prydyddion lleol. Lluniodd Isfoel y darn isod i'w adrodd yng nghyngerdd 'Christmas Tree' Capel-y-Wig (1916) gan Dan Lloyd, Troed-rhiw-fach:

> Os daw'r 'Kaiser' i Gwmtydu
> Dan y dŵr mewn 'sambarîn',
> Caiff ei glymu wrth yr odyn
> Megis gafar wrtho'i hun.
> Caiff fod yno am dair wythnos
> Heb ddim bwyd ger odyn galch,
> A bydd Ifan, gŵr Dolwylan,
> Yn gofalu am y gwalch.

Un tro arall, mewn cyngerdd croeso yn Ysgol Caerwedros i filwyr y fro yn ôl o faes y gad yng ngogledd Ffrainc ar ddiwedd y Rhyfel Mawr cofia D.J. am Dan Lloyd eto yn adrodd darn doniol arall o waith Isfoel. Cafodd gymaint o hwyl nes ailadrodd y darn, ac roedd ar ddechrau arno am y trydydd tro yng nghanol y gymeradwyaeth pan waeddodd ei fam arno o ganol y gynulleidfa, 'Dere lawr o fanna, y 'dragŵn' bach!'

Ac er na chafodd traeth Llangrannog yr un sylw â Chwmtydu gan y prydyddion lleol cyfeiriwyd ato mewn pennill tebyg – (eto gan Isfoel) ym 1939:

> Os daw Hitler i Langrannog
> Dylsai'r pentre fod yn falch;
> Cydiwch yn ei gorff llygredig,
> Teflwch ef i'r odyn galch.
> Er mwyn gwneud y 'job' yn berffaith
> Cludwch goed o Allt Tre-dŵr:
> Dyna'r uffern y mae Hitler
> Heddiw'n haeddu rwyf yn siŵr.

Ac roedd Dafydd Jeremiah yn cofio penillion o waith Sioronwy:

> Anghenfil mawr yw'r Kaiser
> A'i ddwylo fel dwy raw,
> A'i hen fwstásh yn tyfu
> Fel eithin ar ben claw'.
> Ei lygad sydd yn fflachio
> Fel llygaid fferet wen,
> A'i hat fel bwced godro
> Yn cwato copa'i ben.
>
> Ei sgidie sydd fel cychod,
> On'd ydyw yn beth syn?
> Pan mae ei gorff yn Awstria
> Mae'i dra'd e yn Berlin.

Mae cleddyf wrth ei ochor
Fel cambren aradr fawr,
Ac am fod coesau'r cnaf yn gam
Mae hwnnw'n cwrdd â'r llawr.

Ei fwyd yw 'German sausages'
O hen geffylau'r wlad,
A'r rheiny'n perarogli
Ymhell gan faw a gwa'd.
Dwy sosej fawr i frecwast
A dwy i ginio a the,
Ac wrth fynd lan i'w wely
Dwy sosej gaiff efe.

Roedd y Kaiser wedi meddwl
Rhoi crasfa i 'John Bull',
A dod yn frenin Lloegr
Wel, dyna idiot dwl;
Ond druan bach â'r Kaiser,
Ddaw hynny byth i ben
Tra bo sosej ar ei blât
Ac eryr ar ei ben.

Canodd Sioronwy ymhellach i fygythiad Yr Almaen a chofnodwyd y penillion eto o gof Dafydd Jeremiah:

BREUDDWYD Y KAISER

Gorweddai y Kaiser ar asgwrn ei gefen
A'r plu yn ymchwyddo amdano yn dynn,
A'r chwys oedd yn rhedeg yn ffrwd ar ei dalcen
A rhwng ocheneidiau breuddwydion fel hyn:

Rwyf heddiw yn frenin ar India a Rwsia,
Gwlad Belg, Salonica, yr Aifft, gyda Ffrainc,
A Chymru a Lloegr a gwlad Palesteina,
Minnau'n rheoli yr oll ar fy mainc.

Mae mawrion y gwledydd fel plant bach diniwed
Gan redeg mor ufudd pan glywant fy ngair.
Mae'r 'lord' a'r pendefig yn plygu yn isel
Gan daflu i'm llogell eu harian a'u haur.

Mae'r Unol Daleithiau a'i phyllau cyfoethog
Yn eiddo tragwyddol i mi a fy mhlant,
A chyfoeth Awstralia i gyd at fy angen
Daw'r byd i gyd ataf ond agor fy mant.

Ar hynny dihunodd y Kaiser dienaid
A bron â llewygu gan gymaint o siom,
Uwchben ei orweddle roedd nythod corynnod,
A chlywodd yn ffrwydro yn agos – *Welsh bomb*!

Darllenodd *Y Faner* a gwelodd yr hanes:
Buasai y Kaiser yn ddistaw tan len,
A'r pryfed a'r bryped yn chwalu ei gorpws
Cyn byth y câi sangu ar draed Gwalia Wen.

Yn ôl Isfoel, prif gymeriad pentre Cwmtydu oedd Ifan Harris a ddaeth i fyw i Ddolwylan – chwap wedi diwedd y Rhyfel Mawr Cyntaf. Doedd ei dad, teiliwr bach Dihewyd, ond tua dwy fodfedd yn fyr o lathen mewn taldra ond roedd ei wraig yn fenyw eithriadol o fawr (gweler *Hen Ŷd y Wlad*). Bu Ifan yn briod dair gwaith ac roedd ganddo saith o blant o'r wraig gyntaf a phump o'r drydedd. Dywedai ei fod wedi llygadu ei ail wraig yn angladd ei wraig gyntaf – 'Roeddwn yn ei hadnabod hi ers blynyddoedd, a phwy oedd yn aros ym mwlch y fynwent wrth 'y mod i'n dod allan ond hi, ac mi ddamsgennais ar 'i throed hi wrth basio, ac ni fu yn hir cyn ei bod hi ar yr aelwyd'.

Roedd Ifan yn gwasanaethu ar ffermydd cyfagos ac yn torri beddau ym mynwent Llansilio. Gofynnodd Isfoel iddo, wrth gerdded drwy'r llwybr cyhoeddus a âi drwy'r fynwent:

'Bachgen, 'sdim ofn arnat ti wrth dy hunan a dim ond y meirw o'th gylch ymhob man?'

'Ofan beth? Unwaith y rho' i nhw lawr o dan y pridd ma' nhw'n ddigon tawel a diniwed.'

Bu'n dorrwr beddau yn y Porth (Rhondda) ac yn Hen Fynyw ac yno daeth o hyd i fodrwy aur ar big ei bicas a'i gosod am fys ei ail wraig yn y briodas.

Cofiai D. J. Williams am Ifan Harris yn codi pabell ar y morfa uwchben y traeth lle gwerthai de, pop, losin a chacennau (gweler y llun). Yno byddai Ifan a'i deulu drwy fisoedd yr haf yn 'cadw pum tegil yn berwi'n ddi-stop' a thyfodd y busnes yn llewyrchus iawn, ond nid wrth fodd pawb. Oherwydd hiwbwb, dygwyd y babell un noson – a bu'r weithred ddieflig yn destun da i Isfoel i lunio cân (ym 1923). Er ei fod ar y môr, diolch i gof D. J. Williams cadwyd y faled pymtheg pennill ar glawr. Cenid y geiriau gan y 'Bois' ar ben yr odyn.

Y BABELL GOLL

Gosodwyd y babell i'r lan ar y *green*
Ac Ifan ei hunan yn fòs y *canteen*,
A *sign* uchel amlwg yn gwahodd y llu
I'r gwersyll i fwyta ac yfed yn hy.

   Cytgan:
   Pwy ddygodd y camp? (ddwy waith)
   Mae gwae a bygythion
   Wrth sodlau y sgamp.

Daeth loris o Fryste yn llawn hyd y top
O doffi a siocled i lanw y siop;
Roedd Evan yn pwyso a Mari yn gwc
A dilyn rheolau y *Cookery Book*.

Day-trippers ddylifent i'r traeth ar ôl hyn
O graig i graig arall fe'i llanwyd yn dynn,
A chadwent y babell yn llawn hyd y fyl,
A phob un yn taflu ei geiniog i'r *till*.

Roedd Ifan yn swynol a'i ddwylo mor lân
Yn pwyso y toffi a phwtio y tân,
A chadw pum tegil yn berwi'n ddi-stop
A lliw ei wynepryd ar degil a siop . . .

Fe lifai yr arian fel dyfroedd i'r pwrs
A phawb oedd yn clywed y tincian, wrth gwrs;
Roedd hynny fel gwenwyn ar glustiau rhyw sgamp
Ac yn ei wallgofrwydd fe ddygodd y camp . . .

Ifan Harris a'i deulu a oedd yn gwerthu bwyd a diod o babell ar y morfa ar lan traeth Cwmtydu. Lluniwyd penillion enwog wedi i rywun ddwyn y babell. Dysgodd Dafydd Jeremiah y faled ar ei gof.

Roedd cymhwyster cerddorol D. J. Williams i'w ddarganfod rywle rhwng pêr nodau baritôn a thenor. Pitshai yn gywir gan ddilyn yr alaw yn unig ac yn weddol agos at nodau'r cyfansoddwr – yr hyn ni ellid ei ddweud am ei gefnder, Jac Alun. Yr oedd yntau yn creu sefyllfa anghyfforddus ac amhersain i'w gyd-aelodau mewn oedfaon gan na wyddai pan oedd ma's o diwn. Gofynnodd D. J. unwaith i'w gefnder mewn cwrdd diolchgarwch yng Nghapel-y-Wig:

'Beth amdani, pam na bitshi di hi bach yn uwch,' gan sibrwd mor isel a cheisio bod mor ddi-awgrymog ag yr oedd modd. A'r ateb a gafodd – 'Os pitsha'i hi yn uwch mi fydda i ma's o diwn!' Aeth cyfraniad Jac Alun ymlaen drwy'r oedfa a phob oedfa arall – mor undonog ag erioed. Efallai fod ei feddwl ar Golofn Farddol *Y Tyst*, a ddarllenai yn aml yn ystod y weddi. Ond medrai'r 'cennad' weld y darllenwr cudd o uchder ei bulpud a chyfeiriodd at hyn unwaith mewn cwrdd. 'Nid wyf yn cymeradwyo aelodau sy'n darllen cyhoeddiadau'r 'Achos' yn ystod gwasanaeth. Rwy'n siŵr y gwnânt ufuddhau!'

Perthynai i D. J. Williams glust bersain i fydr, odl a chynghanedd. Lluniai linellau, cwpledi ac englynion yn achlysurol ond gwell oedd ganddo ddysgu ar gof waith athrylithgar ei ewythrod – yn enwedig Isfoel. Un o nodweddion pennaf ac amlycaf D. J. Williams (Wncwl Dai) oedd ei gof diwaelod. Hyd yn oed yn ei flynyddoedd cynnar iawn dysgai ar ei gof ddarnau hirion o lenyddiaeth ysgrythurol a phenillion y 'Tŷl' o'u clywed ar aelwyd, clos a maes y Cilie, ac oddi ar balis, drysau, trawstiau'r efail a thai ma's y fferm. Yn ei arddegau gwanwynol dysgodd ar ei gof Salm 119 – (186 adnod) – yr hwyaf yn y Beibl. Ond yr oedd ei dad-cu, Jeremiah Jones, patriarch y Cilie, yn enwocach yn y fro am strocen arall, sef darllen y Salm honno mewn cwrdd arbennig yng Nghapel-y-Wig. Erbyn iddo orffen, yn ôl y cofiant, roedd yn bryd i bawb fynd gartre! Bendithiwyd D. J. Williams â thalent a elwir yn Saesneg yn 'photographic mind'. Wrth edrych, darllen a chanolbwyntio ar gerdd, emyn, salm neu faled medrai eu hailadrodd mewn ychydig amser o'i gof.

Roedd yn fwy crefyddol na'i gefndryd morwrol a bu bron iddo fynd i'r weinidogaeth. Cadwai Feibl yn ei ystafell drwy gydol ei forwra a darllenai rannau ohono yn aml, nid yn gymaint i gadarnhau ei ffydd yn unig, ond i hogi ei gof. 'Os dysgu rhywbeth cofiadwy, gwell oedd dysgu'r darnau gorau o lenyddiaeth Gymraeg,' dywedai, gan gyfeirio at y Beibl. Dysgodd bryddest S.B., 'Rownd yr Horn', yn dilyn ei llwyddiant yn Eisteddfod Genedlaethol Wrecsam, 1933, a medrai ei hailadrodd ar amrantiad hyd yn oed yn ei ddyddiau hydrefol. Fe'i clywais sawl gwaith. Ac roedd y wefr yn un arbennig iawn oherwydd ei lais soniarus, a meddai ar ddawn adrodd y cyfarwydd. Ond un o'r campweithiau cofiadwy a ddeuai o gist ei gof oedd yr alareb o'r enw 'Hiraeth Tad' a luniwyd yn saithdegau'r bedwaredd ganrif ar bymtheg. Roedd saith pennill ar hugain, wyth llinell yr un, i'r gân, ac unwaith, yn y dyddiau pan oedd awch ar ei gof, medrai D.J. adrodd y cyfan. Cynnwys y penillion yw galareb Thomas Evans, Glandŵr, Llwyndafydd, am fab a foddwyd ar ororau'r Affrig, sef Capten Thomas Evans, Ceinewydd. Fe'i ganwyd mewn bwthyn bach to gwellt ym 1846 – a oedd ar y ffordd wrth i D.J. fynd i ysgol Caerwedros bob dydd. Prentisiwyd ef gyda Chapten Davies, yr *Hetty Ellen*, Ceinewydd, ym 1860. Yn ystod yr amser y bu gyda Chapten Davies aeth am fordaith ar hyd afon Zambesi ac aros am wythnosau gyda Doctor Livingstone. Enillodd ei diced mistir ym 1868 ond collodd ei fywyd trwy foddi ar ororau Affrica ar 6 Awst, 1876. Dyma bum pennill o'r hirgan a gofnodwyd o gof anhygoel D. J. Williams:

O! fy unig blentyn annwyl,
Pa fodd syrthiaist ti i'r môr?
Ai rhyw ddamwain neu ddigwyddiad
Ydoedd hyn, neu drefniad Iôr?
O! mor dywyll ydyw'r cwmwl,
A oes golau oddi fewn?
Boddi capten'n ddeg ar hugain
Yn yr eigion ger Cape Town.

A fyrhawyd dim o'th ddyddiau
Gan y tonnau mawr eu grym?
Ynte dyma drefn y Nefoedd
Nad yw byth yn gwyro dim?
Buost yn Zambesi River
Gyda Doctor Livingstone,
Mewn peryglon mwy feddyliwn,
Na phan oet ar fin y don.

Cest ddod 'nôl yn iach oddi yno
Atom ar dir Gwalia Wen;
Morio wedyn am flynyddau
A haul llwyddiant uwch dy ben.
Darfu it groesi Môr Iwerydd
Trwy beryglon lawer gwaith.
O! mor syn yw gorfod meddwl
Mai min y don fu pen y daith . . .

Mae dy gorff yn tawel orffwys
O fewn rhandir Affrig bell;
O! mae gobaith fod dy enaid
Fry yn ddedwydd mewn 'gwlad bell'.
Byth ni chaiff dy holl berthnasau
Ddim un cyfle i weld dy fedd,
I roi carreg neu flodeuyn
Arno i harddu peth o'i wedd.

Annwyl Thomas, huna'n dawel
Yn dy lwydaidd annedd laith;
Ebrwydd byddwn ninnau hefyd
Wedi cyrraedd pen ein taith.
Ti yn huno 'mhell yn Affrig,
Ninnau ym mynwent laith Pen-sarn;
Cawn ddihuno a chydgodi
Wrth sain utgorn mawr y Farn.

Roedd yn ddarllenwr ysglyfaethus, gyda chofiannau, hanes a barddoniaeth ar y brig.

Cerddai Dafydd Jeremiah yn foreol yn un o fintai gref o blant crynion y bythynnod a'r ffermdai ar hyd Cwm Dewi, trwy bentref Llwyndafydd, yr holl ffordd i Ysgol Caerwedros. Cofiai am ei brifathro cyntaf . . . 'Gŵr tal, cadarn ei gorffolaeth ydoedd ac aeliau trwchus dan gopa eithinog o wallt brith. Rheolai'r ysgol â disgyblaeth lem a chredwn wrth brofi cosb ei fod yn graswr greddfol. Cyfarchai aelodau ei ddosbarth drwy orchymynion awdurdodol a chlaer – 'Line up', 'Walk', 'Stand still', 'Sit', 'Feet flat', 'Straight backs' a 'Hands behind your back'. Rhaid oedd cadw'r traed a'r pengliniau gyda'i gilydd. Ni fedrwn symud cymal, i grafu pen, sychu trwyn neu grafu tin o bigiadau'r dillad brethyn. Clywsom wedyn – 'Good morning, pupils' bondigrybwyll i'w ateb yn yr iaith fain gyda'r ebychiad dieithr – 'Good morning, sir'. Cydadroddem Weddi'r Arglwydd yn Saesneg i'r gorchymyn 'Let us pray', cyn cyhoeddi ein presenoldeb gyda 'Present sir', wrth iddo fyseddu trwy'r cofrestr a'i farcio â chwilsen ag inc coch a du. Yn ystod y 'lessons' boreol caem 'mental arithmetic', sianto tablau a gwaith seiffro (arithmetic) ar ein 'slates'. Pe bai rhywun yn siarad neu yn poeri ar y slaten daethai popeth i 'pens down'.' Â ymlaen:

'Tynnai wialen hir iawn o wneuthuriad bambŵ – a fedrai ymestyn i gefn y dosbarth heb i'r sgwlyn symud o'r blaen. Safai fel pysgotwr, oherwydd ar flaen y wialen roedd hoelen wedi ei phlygu fel bachyn a cheisiai ddal coler neu lapel y troseddwr â'i blaen miniog. Yna gyda chryn sgil câi'r plentyn anffodus ei ddirwyn i flaen y dosbarth fel brithyll i'r rhwyd. Tynnai gansen arall allan o'r cwpwrdd, ac wedi ei phlygu'n ddeheuig a'i chwipio'n yr awyr, fe gurai law neu ben-ôl gydag arddeliad yn ddidrugaredd a grymus nes peri i'r plentyn wingo o flaen y dosbarth cyfan. Fe'i teimlais fwy nag unwaith. Cofiaf am ferched yn cael cosb slab hefyd. Ac os deuai 'nhad i wybod am y drosedd caem fonclust neu shiglad yn y fargen. Roedd fy mrawd direidus, John Etna (Nono), yn cael dwbwl dôs yn aml'.

Harbwr Ceinewydd, cyn i storom fawr 1937 ddinistrio'r goleudy ar flaen y pier. Cafodd traddodiad morwrol Ceinewydd ddylanwad mawr ar forwyr y Cilie.

55

Arhosodd yn ysgol Caerwedros nes roedd yn bedair ar ddeg cyn cael cyfnod o ddau dymor yn Ysgol Diwtorial y Cei ar gyfford Terrace Uchaf a Water Street. Câi wersi algebra a geometri, daearyddiaeth ac ychydig lenyddiaeth Saesneg a dinasyddiaeth. Medrai drafod 'logarithms' cyn gadael. Meddai D.J.: 'Roedd y Cei yn borthladd bach eithaf diwyd y pryd hwnnw, a stemar neu ddwy hwyrach weithiau yn dadlwytho cargo cyffredin yno ar gyfer ardal go eang. Y Storws Fawr oedd 'entrépot' y nwyddau a fewnforid. Cerbydau a pharau o geffylau porthiannus oedd yn cludo'r cargo o'r Cei i fyny'r rhipyn serth, a mynych y gwlychid pig yn y 'Gloch Las' er mwyn rhoi hwb i'r galon a hwyluso'r gwaith. Daw enwau rhai o'r llongau hwyliau a'r stemars i'r cof yn awr – sef y *Dolphin*, *Mary Jane*, *Pegwen* a *Megwen* . . . Roeddwn yn meddwl fod defnydd pregethwr ynof. Ac yn lle mynd i'r ysgol bob dydd fel y dylwn dechreuais fynd allan i bysgota gyda rhai o bysgotwyr y Cei a'r bywyd yn cael mwy o afael ynof gyda threiglad amser. Doedd dim a wnâi y tro ond mynd i'r môr a gwae neb a wnâi fy atal . . . Credai fy nhad fy mod wedi drysu ac y diflannai'r chwilen wallgof o 'mhen. Ond nid aeth. Ac ar haf 1919 ar ôl i mi ddathlu fy mhen-blwydd yn 15 oed cytunodd i'm cais. Bûm yn chwilio am le, gan ofyn i bob capten llong o gylch y lle. (Heddiw mae pethau wedi newid cryn dipyn a rhaid i bawb gael ei ethol ar y 'Shipping Federation Manning Pool' a mynd ar gwrs hyfforddiant). Euthum i weld Capten Jenkins, Bodwenog, Llangrannog wedi i fy nhad dorri'r garw a threfnu'r cyfweliad. Rhyw stwlffyn byr ond eithaf cadarn oeddwn, a thipyn yn wahanol i'r gŵr oedd yn fy holi. Roedd ef tua chwe throedfedd a hanner o daldra a chorff yn ateb i'r maint.

'Wel, mae dy dad yn dweud dy fod am fynd i'r môr,' ebychodd y capten.

'Ydwyf, syr,' atebais yn nerfus. Trowsus pen-glin oedd am fy mhen ôl ac ar ôl rhagor o holi ychwanegodd, 'Mi fydd raid i ti gael trowsus hir, cofia, ac mi fydd y llong yn hwylio ymhen tua phythefnos.'

Nid oedd dal yn ôl arnaf. Rhaid oedd mynd draw at deiliwr Gwynant, Rhydlewis, i fesur am siwt a fy nhrowsus hir cyntaf.'

> Caraf ei faith aceri
> A chymdeithas ei las li;
> Ei orawen a'i ruo,
> Ei wên a sglein ei sigl o;
> Ei rŵn cryg draw'n y creigiau
> A'i regfeydd drwy'r ogofâu,
> A rhwyfus ruthr ei hoywfeirch
> A chwyrn fâr dychryn ei feirch,
> Arswydus, garlamus lu
> Ar ei war yn gweryru.
> Ei wenyg erch yn eu gwyn
> Yn ymarllwys i'r Morllyn,
> A'i rym mawr yn chwarae mig
> Yn y cyrrau drwy'r cerrig.

Felly y canodd Alun y Cilie yn ei gywydd 'Y Bae', buddugol yn Eisteddfod Genedlaethol Caernarfon 1959, er iddo ganu a thystio ymhellach:

> Gan ei nwyd ni'm denwyd i
> Erioed ag ef briodi.

A dywed D. J. Williams yn sgîl cyfaddefiad Alun yn y cwpled uchod: 'Yn wahanol i'm hewythr Alun y bu fy hanes i, ei garu a'i briodi a derbyn ei anwes a'i ddyrnod ar hyd fy oes . . . Y tu draw i'r filltir sgwâr arferol cyfyngedig fu terfynau fy nghrwydradau, megis siwrnai yng ngofal rhywun cyfrifol i Landysul a chart dau geffyl i mofyn deunaw cant neu dunnell o gwlwm du bach. Fy nhasg ar yr achlysur hynny fyddai rhoi'r glocsen fach am gant yr olwyn i gloi'n gwmws yn y socedau, yn frêc effeithiol ar y cerbyd llwythog ac felly arbed y ceffyl siafft, blinderog ar y ffordd adre' ar Riw Tŷ Rhos. Buaswn hefyd yn Aberaeron unwaith neu ddwy pan oedd ceffyl a thrap yn foddion tramwyo cyffredinol, a chyn bod sôn am y 'Crossville' na'r 'Western Welsh'. Nid oedd yntau Henry Ford y pryd hynny ond megis dechrau cael ei draed dano, a'i olwynion i droi, a'r 'Tin Lizzie' gynoesol erbyn hyn yn rhyfeddod ar y ffordd. Ac onid oedd y proffwydi yn darogan hunan-ddistryw ped âi dyn fwy nag ugain milltir yr awr. Y Parchedig Dafydd Ifans, Ffynnon Henri, a ddywedodd y drefn ar weddi – "Arglwydd mawr, rhaid i ti dowlu dy got lawr neu mi fyddan nhw o dy flaen di".'

Nid oes gennym reswm i gredu fod John Owen, cyn-denant y Cilie, a pherchennog o leiaf bedair o longau, wedi cael dylanwad uniongyrchol ar wyrion Jeremiah Jones, ei olynydd. Ond roedd yn rhan o'r traddodiad morwrol. Dywed Dr J. Geraint Jenkins yn ei lyfryn *Llangrannog – Etifeddiaeth Pentref Glan Môr* (1998, Cyngor Cymuned Llangrannog): 'Roedd llawer o longau Ceredigion yn eiddo i feistri'r llongau eu hunain. Ambell dro, byddai'r rhan helaethaf o'r 64 siâr, a gysylltir yn draddodiadol â pherchnogi llongau, yn eiddo i'r meistr; dro arall efallai mai 4 siâr fyddai ganddo. Cyfeirid at hynny fel owns o long. Byddai 2 siâr yn hanner owns ac 8 siâr yn ddwy owns. Roedd ffermwyr yn enwedig yn awyddus i brynu siâr oherwydd roedd yn fantais iddyn nhw allu mewnforio cwlwm i'w tanau a chalch i wrteithio'r tir a llawn mor fanteisiol i allu allforio eu grawn a'u menyn hallt. Ambell waith, er mwyn cario balast, cludid dom da o Langrannog i wrteithio gerddi De Iwerddon'.

Llongau John Owen, y Cilie:

Ada Letitia: Brig, 158 tunnell. Adeiladwyd yn Sunderland 1858. Fe'i collwyd ym Môr Hafren 1858.

Ellen Owen: Sgwner 131 tunnell. Adeiladwyd yn Runcorn 1857. Drylliwyd oddi ar y Smalls Lighthouse 1876.

Ruth: Slŵp 16 tunnell. Adeiladwyd yn y Ceinewydd 1840.

Symmetry: Sgwner 129 tunnell. Adeiladwyd yn Aberdaugleddau 1842.

Ond adeiladwyd llongau yng Nghwmtydu. Roedd llawnder o goed deri yn tyfu o Lwyndafydd hyd y Felin Huw a bu can mlynedd o weithgarwch ar y glannau rhwng 1786 a 1896. Adeiladwyd y slŵp *Ledney* yng Nghwmtydu (i Evan Jones, Lerpwl a John ac Elias Thomas, Pwllheli). Roedd y llong yn 43' 3' o hyd, wrth 14' 6' o led a 7' 4' o ddyfnder. Cofrestrir ei *upper deck tonnage* yn 35 tunnell a'r *dead-weight* yn 87 tunnell a hanner.

Dywed D. J. ymhellach: '. . . Nid oeddwn wedi bod ymhellach na Chaerfyrddin yn fy mywyd a heb fod mewn trên erioed. Y bore tyngedfennol hwnnw – yr ugeinfed o Orffennaf, 1919 – aeth fy nhad â mi draw i Ben-y-graig, y Glyn, mewn car a cheffyl cyn mynd oddi yno i Henllan mewn car a cheffyl eto. Ni wyddwn ai gofyn i William Jones, Pen-y-graig droi'n ôl neu fentro i gered. Yr oedd ei fab, D. Lloyd Jones, yn mynd i ffwrdd i'r un llong â mi – sef yr *S.S. Zurichmoor* dan gapteiniaeth Ben Jenkins,

Y Capten Benjamin Jenkins, Bodwenog, Llangrannog (yn ei wisg Mêt). Ymunodd Dafydd Jeremiah â'r *S.S. Zurichmoor* yn 15 oed, dan gapteiniaeth Ben Jenkins.

Bodwenog, Llangrannog. Roedd y llong yn berchen i gwmni enwog Arglwydd Runciman a oedd yn Weinidog y Goron a phennaeth y Bwrdd Masnach am gyfnod hir'.

Arhosodd profiad y diwrnod hwnnw yn glir yn ei gof oherwydd roedd rhyfeddodau'r hirdaith yn ystod cyfnod pan oedd ffyrdd y wlad 'yn dangnefeddus dawel'. Roedd . . . 'cyn i'r *internal combustion* dienaid gymryd meddiant o'r ddaear a chyn i'r mwg mwll o dwll din y peiriant (chwedl Isfoel) halogi'r awyr'.

Oherwydd Streic Fawr y Rheilffordd cymerodd ei daith gyntaf erioed ar drên, gan gymryd pedwar diwrnod i gyrraedd South Shields, swydd Northumberland, a gwlad y Geordie. Cysgodd lle bynnag y gallai roi ei ben i lawr nes iddo gyrraedd y dociau, a phanorama rhyfedd a ysgogodd yr hir-a-thoddaid canlynol o'i gof:

O gyrchu y doc, goruwch y deciau
Fry'n ymestyn roedd fforest y mastiau;
I waered di-hap y glo a'r tipiau
A ollyngid yn gruglwyth i'r llongau;
O'r ucheldir uwch holdiau – i'w ceudod
Gweled ei osod, gwiw olud oesau.

Gan na chludid glo o'r pyllau nid oedd y llong yn barod i'w cymryd am wythnos gyfan. Rhaid oedd malu awyr oddeutu South Shields ond gofalodd Capten Jenkins ar eu hôl yn dda. A phan ddaeth yr amser i hwylio . . . 'Roeddwn yn fras iawn, yn bymtheg oed ac yn 'full blown cabin boy'. Fy ngwaith oedd gofalu ar ôl swyddogion y dec, glanhau eu hystafelloedd, gwneud eu gwelyau, eu tendo wrth y bwrdd a golchi'r llestri ar ôl pob pryd bwyd. Nid oedd llawer o lefelaeth am y gwaith ond cofiaf y bore cyntaf wedi hwylio. Rhaid oedd codi am chwarter i bedwar i fynd â the i'r *Officer on Watch*. Roedd dau Fêt ar y llong a hwythau yn newid amser eu gwyliadwriaeth bob pedair awr (*four on, four off*) gan newid gwyliadwriaeth bob nos rhwng pedwar ac wyth (*first and second dog-watch*; y cyntaf o 4 i 6 a'r ail o 6 i 8). Wrth newid amser roedd y ddau yn cael cadw'r *graveyard watch* – bob yn ail (canol nos i 4). dyna'r amser tawelaf a'r amser mwyaf tebyg i drychineb ddigwydd. A gwae unrhyw un ar *watch* a ddeuai ymlaen â thywydd garw. Ofergoeledd arall! . . . Ni ddioddefais oddi wrth salwch môr. Roeddwn wedi treulio amser yn pysgota yng nghychod y Cei. Dyna ryfeddodau a welais ar y fordaith gyntaf honno. Craig enfawr Gibraltar wedi ei phyllu a'i harfogi, bob modfedd. Ynysoedd culfor Messina a ffrwydron y llosgfynydd Stromboli yn goleuo'r nos, fel goleudy naturiol. Ymhlith y criw roedd chwech o fechgyn o ardal Llangrannog ac un o Aberporth . . . Briggs (tad Sam Briggs, Llangrannog); Dan Davies, Maesyfelin, Aberporth; Ben Lewis, Lochtyn; James Thomas, Brynhyfryd, Blaencelyn; Elias Davies, Bryneurin, Caerwedros; Jones, Tŷ Pwt, Capel Ffynnon, ac Evan Jones, Tŷ Capel, Pentregat'.

Ac yntau wedi ei fagu ar aelwyd ddiwylliedig y Felin, lle'r oedd llyfrau yn rhan o'i ddogn dyddiol o faeth heb sôn am gyfansoddiadau byrlymus a thalentog ei ewythrod yn y Cilie – mor foel oedd paredi dur ei gartref newydd: 'Yr unig ddogfen lenyddol ar y llong i bob golwg,' meddai D. J. Williams, 'ac mewn lle digamsyniol weledig, oedd y *Scale of Provisions*. Bu hon mewn grym er cyn dyddiau Capten James Cook tan yr Ail Ryfel Byd, ac fel hen Ddeddf y Mediaid a'r Persiaid yn anghyfnewidiol. Ni chaniatâi'r ddogfen honno inni wledd o basgedigion breision, ond i griw stumogus heb fod yn gyfarwydd â phrinder enllyn, rhaid oedd cynnal corff ac enaid gyda'i gilydd. Fel y dwedodd y cymeriad diarhebol o ardal Llwyndafydd, yr anfarwol Shincin Pendre – "Mi fytwn y mast petawn i'n cael jam arno".'

Dywed y Dr David Jenkins, uwch-guradur yr Amgueddfa Diwydiant a Môr, yn ei draethawd ar 'Cardiff Tramps, Cardi Crews': 'There was often, therefore, a closely-related Welsh speaking nucleus amongst the crews of many tramp steamers sailing from Cardiff in the early 1900s, men who took with them to sea the practices and traditions of Welsh Nonconformity, then at the pinnacle of its influence over the people of Wales. Amongst the 241 members of 'Yr Hen Gapel', one of the two Calvanistic Methodist chapels in Aberporth in 1902, there were 27 master mariners alone – in other words – over 10% of the members of the chapel were ships captains – and this figure

Doc y 'Frenhines Alexandria', Caerdydd, 1920.

Llun o Gymdeithas Gorfforedig Perchnogion Llongau Caerdydd a Sianel Bryste, 1917.

does not, of course, include the many other engineering and deck officers, as well as ordinary seamen, who attended the chapel when they were at home . . . Many master mariners from the area were deeply devout men who held Sunday School classes and 'ysgol gân' (hymn singing practices) aboard their vessels. Captain Benjamin Jenkins of Aberporth (a master with the Moor Line) – always took a harmonium with him to sea in the saloon of his quarters for this very purpose. However, it would be foolish to envisage the average Cardiff tramp steamer as some kind of floating 'Gymanfa Ganu' whose crew members spent what little time they had reading the Scriptures . . . A seafaring life took mariners far away from the strict moral influence of the minister, the chapel, the 'seiat' and the 'cwrdd gweddi' and many seamen who were respectable pillars of society in their native villages were far from averse to prodigious bouts of drinking in Butetown pubs such as the 'Mounstuart' or the 'Ship and Pilot' prior to rejoining their ships. For some, the teetotal pale extended only as far as the bar on the platform at Carmarthen station'.

Yn ystod pumdegau'r ganrif ddiwethaf trigai pymtheg o gapteiniaid llong oddeutu pentref Pontgarreg ac roedd naw ohonynt yn aelodau yng Nghapel-y-Wig. Erbyn heddiw dim ond un sydd ar ôl.

O'r deg o deulu'r Cilie a aeth i'r môr mae gennym gofnod fod amryw ohonynt yn ddirwestwyr yn eu hieuenctid ond nid yn llwyr-ymwrthodwyr. Nid oedd yr un ohonynt yn gaeth chwaith i John Barleycorn. Dywed David Jenkins eto: 'It is surprising that many more seamen did not take to the bottle. No Cardiff owners were renowned for over indulging their crews . . . Able bodied seamen generally worked up to ninety hours a week, four hours on and four hours off, regardless of weather conditions'.

Ac wrth i D.J. gofio amdano yn gorwedd yn anesmwyth ar y *donkey's breakfast*, dôi darnau o bryddest 'Rownd yr Horn' (S. B. Jones – ei Wncwl Seimon) i lanw'r cof:

> Minnau yn effro ar fy ngwely pren,
> A chamau rheolaidd y gwyliwr uwchben
> Yn curo amser.

Nid efe oedd yr unig grwtyn ifanc erioed i fynd i'r môr â hiraeth i'w boenydio, yn enwedig dros y diwrnodau cyntaf. Wedi iddo golli ei fam, ac yntau ond yn naw oed, daeth Miss Rachel Thomas, Llaindafydd yn warchodwraig i'r Felin a dysgodd hithau bennill i D.J. o eiddo ei brawd pan ymadawodd â'i gartref am y tro cyntaf am y môr.

HIRAETH

> Rhywbeth diflas iawn yw hiraeth,
> Gwn o'r gore am ei effaith;
> Fe ges arno lawn 'nabyddiaeth
> 'Rôl gadel gwlad fy ngenedigaeth.
>
> Pan wy'n cofio am draeth Cwmtydu
> Rwy'n ffaelu peidio â hiraethu,
> Ac am y wlad oddi yno i fyny
> Oddeutu pentre bach Llwyndafy'.

Cofiai am y pennill uchod yn dychwelyd o ddyfnder ei gof wrth i'r *Zurichmoor* hwylio ar fordaith ddeunaw mis. Yn gyntaf i Trieste yng ngogledd-ddwyrain Yr Eidal cyn dychwelyd i South Shields ac yna llwytho glo o'r Barri i Messina yn Sicilia. Yn Gibraltar derbyniodd Capten Ben Jenkins frysneges gyda'r newyddion llawen am enedigaeth ei fab, Lynford, yn Llangrannog. Aeth y llong ymlaen i'r Ariannin i lwytho llafur a dychwelyd i'r Tyne. Bedydd yn wir i'r morwr pymtheg oed o Felin Huw, Cwmtydu. Ac ar y *Continuous Certificate of Discharge* (llyfr pasport y morwr) gwelid y manylion canlynol : 'David Jeremiah Williams. D.O.B. 19-12-1903. Height: 5ft 7½ins. Eyes: Blue. Hair: Fair (ac ychwanegiad yn 22-10-1963) – Hair: White. Complexion: Fresh. No. 26228. Tattoo or other distinguishing marks: Lobe of left ear missing; tattoo of an anchor and lifebuoy on right forearm. Place of birth – Cwmtydu'.

Dywed Dafydd Jeremiah Williams yn ei nodiadau: 'Cyn i mi hwylio o'r Tyne prynais bâr o sgidiau ysgafn (*sandshoes*) fel y gallwn fod yn gymedrol ddistaw wrth fy ngwaith yn y caban ond y bore cyntaf tua phump o'r gloch rhoddais fy hun dros fy mhen a'm clustiau mewn helbul. Yn ail swyddog ar y llong roedd gŵr o Aberystwyth – Dai Jones – ac os bu 'Mêt â genau tân' erioed, dyma fe, hen law a 'Cape Horner'. Yr oeddwn wedi mynd â matiau ystafell y prif swyddog allan ac yn fy niniweidrwydd ac anwybodaeth yn eu hysgwyd a'u ffustio yn union uwchben lle gorweddai Dai Jones. Nid oeddwn ond prin wedi dechrau ar y gwaith pan ddaeth D.J. i fyny â'r olwg fwyaf bygythiol ar ei wyneb a'm cyfarch gyda'r geiriau hyn: "Tynn di'r blydi clocs na lawr y diawl bach neu mi hollta' i dy ben di â nhw." Credwn wedyn am ysbaid fod hyn yn rhan hanfodol o'r bywyd morwrol a bod rhaid dygymod ag ef yn dalog a difwstwr'.

Wedi iddo ymestyn y meniw awdurdodedig a phrynu gwely anhepgor (tipyn o fatras gwellt – y *donkey's breakfast*) am ddeunaw ceiniog roedd y morwr ifanc yn barod i farchogaeth y don er iddo deimlo mai coesau'r *land-lubber* oedd ganddo o hyd: 'Ac ar yr hen longau byddech yn sicr o gywely bach diawledig a phoenydiwr ffyrnig – sef y 'blydi byg'. Plannai ei sugn-grafangau yn y cnawd a llanw ei fol newynllyd â gwaed nes ei ddiwallu ei hun. I bob ymddangosiad gwyddai ar unwaith pan oedd gwaed crwt ifanc a ffres i'w gael ac ymosodai yn filain arno. Nid oedd modd rhoddi gwaharddiad ar y tenant cyndyn hwn a gwn am un enghraifft o long a oedd wedi bod dan y dŵr am ddwy flynedd ar ôl iddi gael ei suddo adeg y Rhyfel Byd Cyntaf a phan atgyfodwyd hi yr oedd yn fyw o'r creaduriaid hyn. Y dull mwyaf effeithiol o'u cadw o fewn terfynau dioddefadwy oedd eu darlosgi gyda *blow lamp* a'u lladd wrth y cannoedd. Creadur bach arall hollbresennol oedd y 'chwilen ddu' (*cockroach*) a gelyn anghymodlawn yn cenhedlu'n gyflym yn nirgel gilfachau'r ffocsl a'r gali. I wneud yn ddealladwy haerllugrwydd y trychfilyn hwn efallai y dylwn egluro mai un tun deuddeg owns o laeth *condensed* oedd y lwfans bob tair wythnos. Y dull mwyaf hwylus o gael diferyn allan ar y tro, ac felly ei dolio, oedd torri dau dwll bach ynddo, chwythu trwy un fel y dôi'r ddogn brin drwy'r llall. Wedyn roedd yn rhaid stwffio papur yn y tyllau hyn gan mai gorchwyl pleserus y lletywr bach a enwyd fyddai ymwthio trwyddynt a byw'n fras ar y cynnwys darfodedig. Ac nid anaml y byddai'n habit ganddo ymsefydlu'n gorfforol yn y twll a gwneud y dasg o gael diferyn allan yn amhosib'.

Ar ei fordaith gyntaf i'r Rio de la Plata yn Ne Amerig y digwyddiad mwyaf ar y daith oedd croesi'r cyhydedd, croesi'r lein, y ffigwr sero ar y map. Ac roedd yn rhaid i bob *nipper* gael ei gonfformio yn gyflawn aelod: 'Ar y dec roedd y twba dŵr a throchfa iwsffwl ynddo o dan arolygiaeth hen ddwylo'r môr wedi eu gwisgo fel y Brenin Neifion, y Barbwr, y Meddyg a'r Heddgeidwad. Pob un â'i waith a'r seremoni yn deilwng o Orsedd Beirdd Ynys Prydain a Chynan yn ei holl odidowgrwydd. Neifion â'i dryfer yn ein derbyn i'r frawdoliaeth, y barbwr yn ein heillio ar ôl rhoddi trwch o olew a'r saim mwyaf budr posib ar ein cyrff ac ellyn tua dwy droedfedd ganddo, wedi ei rhagbaratoi gan saer y llong at y gorchwyl. Gwaith y meddyg oedd ein cornio a gofalu nad oedd yr un haint arnom a gwneud i ni lyncu pilsen wedi ei gwneud o sôls a sebon i gadw draw bob afiechyd o hynny ymlaen. Byddai'r heddgeidwad yn ein cyrchu i'r allor bob yn un a gwae unrhyw un a fyddai yn ceisio cuddio o'i ŵydd gan feddwl osgoi'r seremoni canys byddai'r driniaeth lawer mwy garw wedyn. A than haul crasboeth y trofannau euthum innau trwy'r bedydd

Dafydd Jeremiah, y morwr ieuanc, ar un o'i fordeithiau cynnar.

tân a'r bedydd dŵr y diwrnod hwnnw a'm derbyn yn swyddogol i'r frawdoliaeth gosmopolitan a berthyn i ddau hemisffêr y byd'.

Dywed D. J. Williams fod rhegi'r tywydd yn rhan o fywyd bob dydd y morwr – megis bwyta, ac yfed ac ysgarthu. Cofiai am hogyn ifanc ar ei drip cyntaf, wedi dychryn am ei fywyd, yn mynd at y capten yn frawychus grynedig, a gofyn a oedd hi ar ben arnynt. Gofynnodd y capten iddo, 'Beth mae'r morwyr yn wneud?'

'Rhegi,' atebodd y bachgen.

'Dos di'n ôl i'r ffocsl a thra clywi di'r morwyr yn rhegi mae popeth yn olreit.'

Wedi i'r storm ostegu mewn dwy awr neu fwy aeth at y capten eto, gan ddweud, 'Diolch i Dduw, maen nhw'n para i regi.'

. . . 'Yn anad neb Padi yw'r mwyaf dawnus a glywais yn hyn o beth. Bydd wrthi'n hyfrydleisio'r 'Ave Maria' ac yn byseddu ei rosari ac ar yr un anadl bron yn gableddus huawdl yn melltithio nefoedd a daear. Ond bachan fel'na yw Pat, tân a brwmstan, a'i holl enaid ym mhopeth a wna.'

Wedi tair mordaith ar y *Zurichmoor* a dwy ar y *Brynmead* (gyda Capten William Lewis) cafodd ddyrchafiad yn 'forwr' profiadol o flaen y mast a chyflog o naw punt y mis . . . 'Ar y llong honno, *Kenmare*, roeddem yn griw oddi cartref, o'r un ardal bron i gyd, ar y dec a'r Capten E. J. Williams o Geinewydd.' Cyflawnodd bedair mordaith ar y *Kenmare*, a chyfnod llawen gyda'r cwmni digymar oedd arni. Cyfarchai'r capten hwy â'u henwau cyfeillgar (Dai, Jac neu Ianto) a'r rhagenw ysgrythurol 'ti' ar bob un ohonynt. Deuai llawer o straeon i gof D. J. Williams: 'Pwrcaswyd sgrechgi o fochyn yn Bahia Blanca, un a besgwyd ar gyfer y gyllell. A chan iddynt ddeall fy mod yn fab i fwtshwr, meddai'r 'Hen Ddyn': "Nawr fe ddylet ti, Dai, fod yn gwybod, a jobyn i ti yw hwn ac un neu ddau o'r rapsgaliwns hyn i roi help i ti".'

Ond oherwydd y ffwdan a gawsant i ddal y porcyn a defnyddio'r gyllell: 'Dydd a ddaw pan chwyth Gabriel ei Gorn, mingorn mawr a minnau yn fy nghael fy hun yn y doc am labyddio'r creadur i ateb fy nghamweddau yn y Goruchaf Lys; fy unig iachawdwriaeth fydd cael y ddedfryd wedi ei thymheru â thrugaredd. Ni ddaeth owns o gig y truan i'r ffocsl i ni gigyddion trwsgwl, er y byddai sbareb neu ddwy rhyngom yn dderbyniol iawn. Clywem oglau'r ffrei yn dod o ystafell yr etholedigion, gwŷr y *midships* a ninnau'n gorfod byw ar y *salt junk* tragwyddol. Meddyliwn am y bardd yn y carchar ar ei ddogn o fara dŵr pan ganodd yr englyn isod:

> Mae hiraeth am gig maharen – ynof,
> O! na chawn yn f'angen
> Ryw dipyn bach bach o'i ben
> Unwaith eto, a thaten.'

Dywed Dafydd Jeremiah (y morwr erbyn hyn): 'Heblaw bod mewn amryw wledydd a phorthladdoedd ar y cyfandir modrwyasom o amgylch y byd yn y *Kenmare*. Hen gragen o long gyda'r *chipping-hammer* wedi taro cymaint arni yng ngwres y blynyddoedd nes symud haen ar haen o rwd ar ei hwlc ac o'r diwedd nid oedd llawer o ddim rhagor na thrwch o baent yn ei chadw ar yr wyneb a rhyngom ninnau â dyfrllyd fedd'.

Ar un fordaith dros dde'r Pasiffig o Awstralia i arfordir gorllewinol De Amerig hwyliodd y *Kenmare* i mewn i storom ffyrnig tua dau gan milltir i'r gogledd o Seland Newydd. Holltwyd y platiau yn y *bows* ac ymddangosodd crac pum troedfedd o hyd. Ac fel hen geffylau'r Cilie ar Fanc Llywelyn gynt yn nannedd y ddrycin – trowyd pen ôl y llong (y *stern*) i wynebu'r tywydd tra oeddent yn adeiladu mur o goncrit y tu fewn ar ôl rhoddi cynfas dros y toriad i leihau'r llif a ddôi drwy'r agendor.

Llwythwyd *saltpetre* yn Antofagasta ac Iquique yng ngwlad Chile cyn troi trwyn y llong am La Pallice, porthladd Ffrengig ym Mae Biscay. Dywed D. J. fod yr enwau rhamantus yn creu hiraeth angerddol am amser a fu a dwyn i gof gân Seisnig:

Those faraway places with the sweet sounding names.

Dadlwythwyd y cargo ac fe'i harchebwyd i lwytho mwyn haearn yn Bilbao i'w gludo i Gaerdydd. Ond chwaraeodd y Bae enwog ei gwyrcs a chafwyd storm arw iawn wrth i'r môr berwedig daflu'r llong o don i don. . . . 'Yn sydyn iawn yng nghanol nos ymddangosodd llong bysgota yn union ar ein cwrs ac ofnid fod gwrthdrawiad yn anochel gan nad oedd gennym yr un rheolaeth ar ein llong, ond trwy ryfedd ras osgowyd hynny. Tebyg nad oedd y pysgotwyr yma wedi dangos golau o gwbl hyd nes roeddynt bron â'n taro. Mae hynny'n gyffredin iawn, gwaetha'r modd. Trannoeth, a thymer y môr wedi tawelu, cofiaf yn dda am yr 'Hen Ddyn' yn ei hwyliau mawr, yn troi i'r Saesneg ar adegau felly, yn dweud wrth y swyddog ar y *bridge* a minnau wrth yr olwyn lywio: 'What do you think saved those Frenchmen last night? Seamanship – No; Navigation – No; but merciful Providence!' Pan fyddai Capten E. J. Williams yn y mŵd yma, fe gaem ambell felodrama neu homili deilwng o Phylip Jones ganddo, a phethau felly a dorrai ar undonedd bywyd ar fordaith hir, er diddanwch a difyrrwch inni oll'.

Y llong *S.S. Flimston* (4674 tunnell gros). Bu Dafydd Jeremiah arni am dair blynedd fel Ail Fêt.

Nid oes yr un morwr heb gael profiad o fôr yn 'cnoi ei ddur mewn cynddaredd'. Ond hyd yn oed ar ôl oes yn morwra mae ambell storom yn aros yn y cof, fel y dywed Dafydd Jeremiah . . . 'Cofiaf un enghraifft o dywydd garw iawn pan oeddwn yn 'Fêt' dan Gapten Evan Jenkins, Y Ddôl, Aberporth, ar yr *S.S. Flimston* ac yn hwylio'n wag (balast o ddŵr) o Yokkaichi i Moji yn Siapan yn y flwyddyn 1935. Cawsom rybudd o dywydd garw ond cael ein dal mewn teiffŵn oedd y canlyniad. Mewn gwynt cryf ofnadwy aeth y llong allan o reolaeth ac ymhen tri diwrnod roedd y llong ymhellach 'nôl na phan ddechreuodd hwylio. Ar bont agored, fel yr oedd gan y llongau y pryd hynny, roedd sŵn y gwynt yn annioddefol ac yn ormod i glywed unrhyw siarad. Roedd ei nerth gymaint nes y codwyd wyneb y môr dros y llong. Roeddem yn teithio dan y môr i bob pwrpas . . .'

'. . . Ac eto ym Môr Siapan, ac yn gapten ar yr *S.S. Lodestone*, roeddem wedi dadlwytho *nickel ore* yn Mitsui ac yn hwylio am Hakodate am *bunkers*. Cododd teiffŵn (tebyg iawn i'r un ym 1935) a chwythwyd y llong ar greigiau oedd yn cuddio pedair i chwe throedfedd dan yr ewyn. Bu'r llong yn sownd am dri chwarter awr ac yna gwelsom fod gwaelod allanol y llong o'r *bows* i'r *No. 3 hold* yn yfflon. Aethom ymlaen, ling-di-long, i Hakodate heb gymorth *tug* i Shimanoseki i atgyweirio'r llong. Ond rhedasom i mewn i deiffŵn arall. Rhoddwyd pwmp diesel yn yr howld i gwblhau'r fordaith a llwyddasom i gyrraedd hafan . . .

. . . Ac er i mi gofnodi'r ddau ddigwyddiad uchod fel y tywydd garwaf i mi ei brofi, y môr gwaethaf oedd hwnnw i'r gogledd i Ynysoedd yr Azores'.

65

A dywed Capten J. H. O. (Bertie) Jones, Dyffryn Pontgarreg, a brawd-yng-nghyfraith D. J. Williams: 'Y tywydd gwaethaf a welais i erioed oedd yng Nghefnfor yr India oddi ar arfordir de-ddwyrain Awstralia ym 1942. Roeddwn newydd ddadlwytho olew yn Awstralia o'r 8,000 tunnell *British Chemist*. Roedd y môr fel llyn ddau ddiwrnod cyn y storm ond yna fe'm daliwyd mewn teiffŵn. Roedd tua 8–12 y bore a disgynnodd y merciwri yn y baromedr i lawr i'r siston. Sgrechiai'r gwynt gan wylofain yn ei gryfder, a deuai mwd i fyny o waelod y môr. Dyna'r tro cyntaf i mi weld hynny. Chwythai'r gwynt tua 140–180 milltir yr awr ac rwy'n siwr, pe buasem ar long hwyliau, y byddem wedi mynd i'r gwaelod'.

Mordwyodd D. J. Williams ar y *Penthaw*, y *Bedefell, Porthia, Trevaylor, Llanberis, York Minster* a'r *Vera Radcliffe*. Erbyn hyn roedd wedi dringo'r ysgol wedi cyfnodau yn y Coleg Morwrol yng Nghaerdydd ac wedi cyrraedd swydd Ail Fêt.

Ar ymweliad â Bremerhaven daeth wyneb yn wyneb eto â digwyddiad hanesyddol ar draeth Cwmtydu, bedair ar ddeg o flynyddoedd ynghynt pan nad oedd ond yn llefnyn o grwt deg oed . . . 'Ym mis Awst 1927, yr oeddem yn Bremen, un o borthladdoedd prysuraf Yr Almaen, yn dadlwytho llafur a minnau yn ail swyddog ar y llong *Vera Radcliffe*. Rhyw ddeuddydd neu dri ar ôl cyrraedd daeth Almaenwr talsyth a gosgeiddig tua chanol oed i fwrdd y llong. Roedd ei ymarweddiad yn nodweddiadol o'i dras ac wrth agosáu ataf, rhoddodd glic wrth gyffwrdd ei sodlau â'i gilydd. Teiliwr ydoedd wedi dod i fesur y capten am siwt newydd. Dywedodd iddo glywed mai Cymry oedd y mwyafrif o'r criw, a phan siaredais ag ef gyntaf gofynnodd, 'Vhich part of Vales are you from?'

Y llong *Vera Radcliffe,* a adeiladwyd ym 1925. Yn Bremerhaven, Awst 1927, y cyfarfu Dafydd Jeremiah ag Almaenwr a ddaeth i mewn i Gwmtydu mewn llong-danfor.

'West Wales,' atebais.

'But vhere exactly in Vest Vales?'

Dywedais innau mai rhwng Aberystwyth ac Aberteifi yr oedd y pentref lle trigwn. Wedi imi gyfeirio at Langrannog a Chei-newydd mynnodd fwy o fanylder.

'I come from a small village called Cwmtydu.'

'I know it very vell,' oedd ateb y dieithryn er syndod mawr i mi. Enynnodd hyn ragor o'm chwil-frydedd a holais ragor.

'I know Aberporth, Tresaith, New Quay, Caerwedros and Llwyndafydd,' meddai, gan fy synnu ymhellach. Fel ysbïwr teyrngar i'w Fawrhydi yr Ymerawdr Kaiser Wilhelm cyn Rhyfel 1914-18 roedd wedi bod yn aelod o seindorf bres a dramwyai drwy Gymru a gwledydd Prydain gan ffugio difyrru'r tyrfaoedd, ond, mewn

Savona, Yr Eidal, Mai 1927, yn Ail Fêt ar yr *York Minster*.

gwirionedd, eu gwaith oedd nodi amryw o gilfachoedd diarffordd a mannau lle'r oedd dŵr ffres yn tarddu.

. . . Roedd ei ymchwil daearyddol ar gyfer paratoi mapiau yn drwyadl fanwl ar hyd glannau cilfachog Ceredigion. Dywedodd ei fod ar long-danfor ar ddechrau'r Rhyfel a oedd yn llercian yn nyfnderau'r dyfroedd hyn ac iddo lanio mewn cwch rhwyfo ar draethell gysglyd Cwmtydu i chwilio am ddŵr ffres tra oedd 'Hen satanes y tonnau' yn llechu yng nghysgod y graig gerllaw. Yr oedd ffynnon bryd hynny tua'r fan y mae Craig-y-môr heddiw ac mae'n debyg i'r Almaenwyr gael gafael ynddi a chael cyflenwad o'r dŵr pur a darddai o'r graig. Yr enw ar y fangre gynt oedd Ffynnon-yr-hwch ac yn y bwthyn y trigai Owen Bwtshwr'. Mae'r ffynnon yn parhau i fyrlymu heddiw ond braidd yn anodd yw dilyn ei ffrydiau o'r traeth yn ôl i'w tharddle.

Câi Dafydd Jeremiah Williams ei gydnabod fel gŵr parchus, gonest a hollol eirwir, ac mae ei dystiolaeth syfrdanol wedi denu sylw awduron, y cyfryngau a haneswyr. (Roedd D.J. (Wncwl Dai) wedi llofnodi'r stori i mi a chyfaddef â'i law ar ei galon fod pob gair ohoni yn wir.)

Roedd yr ysbïwr o'r Almaen wedi astudio mapiau a siartiau o'r arfordir yn drylwyr ac wedi dysgu a chofio'r manylion pwysig am ffynhonnau dŵr mewn mannau diarffordd. Sut arall (heblaw iddo gael cymorth oddi wrth Gymry lleol o Gwmtydu ac mae hynny'n annhebygol iawn) y daeth y morwyr estron o hyd i Ffynnon 'Rhwch – sydd ar y trydydd tro ar heol igam-ogam uwchben y traeth. A pham fyddai'r Almaenwr

Dafydd Jeremiah ac Evan David Phillips (Gwynfryn, Plwmp) ar fordaith. Dringodd y ddau i swydd Capten.

am drosglwyddo'r hanes? Credai D.J. fod y stori yn hollol gredadwy; roedd cywirdeb ei ddisgrifiadau fel pe baent yn dod o enau un o frodorion y cwm.

A oedd gan yr Almaenwyr y gallu a'r dyfeisgarwch i adeiladu llong-danfor o amgylch Ynysoedd Prydain? Adeiladwyd yr *U–1* (*Unterseeboot*) tua diwedd 1906 ac ni chrewyd y model bychan nesaf, gydag un tiwb torpido, a'r gallu i forio 600 milltir, tan 1908. Erbyn 1909 adeiladwyd dwy long-danfor gyda phedwar tiwb a dryll yr un a fedrai gyrraedd 12 *knot* ar yr wyneb. A thua dechrau 1913 lansiwyd yr *U–19* a fedrai forio dros 5000 o filltiroedd heb danwydd ychwanegol ar gyflymder o 8 *knot*. Roedd ganddi'r perisgôp gorau yn y byd, peiriannau disel a radio gref. I'r Ganolfan U-Boat yn Cuxhaven, Yr Almaen, awdurdodau'r llywodraeth, arbenigwyr eraill a chapteiniaid y Cilie, roedd tystiolaeth Sarah Thomas ynglŷn â'r 'sambarîn' yn hollol gredadwy a phosibl. Onid oedd llongau-tanfor Almaenig eraill wedi eu gweld hefyd oddi ar arfordir Yr Alban ac Iwerddon?

Ar ddechrau'r Rhyfel (1914) roedd gan Yr Almaen 28 llong-danfor. Ac ar 9 Awst, 1914, suddodd yr *S.S. Birmingham* yr 'U-Boat' cyntaf (yr *U–15*) ger Ynysoedd Erch (*Orkneys*) gan foddi pob aelod o'r criw.

Ond ar gof a chadw llên gwerin bro Cwmtydu roedd rhagor o dystiolaeth i gadarnhau'r digwyddiadau rhyfedd oddeutu arfordir de-orllewin Sir Aberteifi.

Tua 1912–13 roedd Capten Jenkin Jones, Pentir, Pontgarreg, yn was bach gyda John Jenkin Jones yng Nglan-graig – fferm fechan lan môr nid nepell o safle Gwersyll yr Urdd heddiw. Oddi tani, dau led cae i ffwrdd, mae traeth unig a chilfachau di-ri sy'n cynnig cuddfannau naturiol a phwrpasol. A'r unig fynediad i draeth Glan-graig yw trwy glos y fferm ac ar hyd llwybr serth i'r tywod glân. Dywed y Capten: 'Daeth dau ddieithryn a siaradai Saesneg bratiog mewn acenion caled anarferol i wersyllu ar draeth Glan-graig. Deuai'r ddau i fyny yn ddyddiol i fegian am laeth, menyn a chaws. Fe ddwedon nhw mai adarwyr oeddynt â diddordeb yn yr hebog glas a'r frân goes-goch (adar lleol). Ond roedd 'na ryw gloffni ynglŷn â'u dyfodiad anweledig i le fel traeth Glan-graig. Rhoddwyd cyfrif amdanynt i'r heddlu lleol. Ceisiodd y ddau ddianc ond fe'u daliwyd ym mhorthladd Abergwaun a'u cwestiynu ymhellach! Y gred leol oedd mai ysbiwyr oeddynt a ollyngwyd ar y traeth gan long-danfor.

Digwyddiad diddorol arall ym 1914, eto o gof y Capteiniaid Jenkin Jones, Dafydd Jeremiah Williams a Jac Alun, oedd ymddangosiad llong hwyliau (*rigger*) 300 tunnell a angorodd ym mae Ynys Lochtyn dan faner las a melyn Sweden. Cododd dychryn mawr ymysg y ffermwyr cyfagos pan glywyd lleisiau iaith ddieithr yn diasbedain oddi ar fur serth clogwyn Traeth y Garclwyd gerllaw – a oedd fel amffitheatr naturiol. Symudodd teuluoedd ffermdai Glan-graig, Trecregin a Chefn-cwrt allan o'u tai. Llwythwyd dodrefn ar geirt gyda'r bwriad o fynd am gyfnod hir nes datrys dyfodiad y llong.

Ac i gadarnhau'r digwyddiad uchod cyflwynir dwy dystiolaeth ychwanegol. Un noson yn ystod ymweliad y llong ddieithr cofnododd Jâms Jones (Fferm y Plwmp, a brawd fy nhad-cu) i sgwâr y Plwmp ymddangos fel canol dydd – yn wir, yn ddigon golau i ddarllen papur. Ac nid nepell i ffwrdd wrth gerdded tuag at gwm Pen-lan, ger Plwmp, roedd Tom Dafis, 'Refel Fach, brawd i fam bois Glyn-coch a photshiwr nef-anedig, yn brysur yn gosod maglau i ddal cwningod neu ysgyfarnogod blasus. Roedd yn noson dywyll fel y fag-ddu . . . ond yn sydyn daeth goleuni llachar o'r nen gan droi'r wlad o gwmpas yn olau dydd. Ymsythodd Tom Dafis a gwelodd gapel Pantycrugiau yn sefyll yn wyn echrydus ar y gorwel. Cydiodd yn ei sach a'r fferet a brasgamodd â'i wynt yn ei ddwrn drwy'r rhedyn a'r mieri dros y caeau a'r tyrpeg a chuddiodd y tu ôl i un o'r cerrig beddau yn y fynwent. Y funud nesaf ehedodd gwdi-hw allan o iorwg y tŷ hers gan lanio ar garreg gyfagos ac agor ei hadenydd. Daeth fflach arall o olau ac yn ei gryndod teimlodd 'rhen Tom yn sicr fod Dydd y Farn wedi cyrraedd Plwmp. Rhoddodd y gorau i botsian am amser hir (yn ôl ei nai, Tomi Rees, Glyn-coch). A'r rheswm am y golau nefolaidd? Llifoleuadau oeddynt o long y Llynges Brydeinig allan ym Mae Aberteifi yn sgubo'r traethau a'r cilfachau wrth chwilio am y *rigger* – a oedd mewn gwirionedd yn llong Almaenig. Aethpwyd â hi i ffwrdd ac roedd ei chapten a'i chriw yn pledio na wyddent fod y Rhyfel Byd Cyntaf wedi dechrau.

Wrth gofnodi'r hanesion diddorol mae tystiolaeth wreiddiol Sara Thomas yn fwy geirwir a chredadwy. Ond nid dyna'r diwedd i'r saga barhaol.

Parhaodd gyrfa forwrol Dafydd Jeremiah yn llwyddiannus ac enillodd radd swyddog cyntaf cyn sefyll arholiadau pellach ac ennill ticed mistir llong yn 25 oed. Ond oherwydd yr awydd am brofiad a phrinder swyddi hwyliodd fel ail-swyddog, ar y *Vera Radcliffe* (5557 tunnell gros) am bedair mordaith (1927–29). Fe'u dilynwyd gan bedair mordaith fer (1929–30) ar y *British Councillor* (7045 tunnell gros).

Ac wrth i fall y dirwasgiad ddisgyn ar Gymru, Prydain a'r byd, collodd llawer swyddi ac eiddo ac roedd diweithdra yn rhemp ymhobman. Ond buddsoddodd D. J. Williams yn ei ddyfodol a chymerodd feinwen hardd o'i hen fro yn wraig. Priododd Gwenllian Morwen Jones, merch hynaf teulu'r siop, St. David's Villa, Pontgarreg, yng Nghapel-y-Wig ar 1 Medi, 1932. Ac fel yn achos ei gefnder, Jac Alun, fe'i cyfarchwyd yntau a'i wraig newydd gan ei ewythr Isfoel:

Dafydd Jeremiah a Gwenllian Morwen y tu allan i Landewi (lle bu'r brecwast)
ar ddydd eu priodas.

Bore hudol briodas,
Bore o hedd a bwrdd bras,
Bore gole dwy galon
Ar eu llw mewn asbri llon;
Bore gwyn y bargeinio,
Taranau ar fryniau'r fro.
Bore bun yn byrhau'r benwast
I'r ebol ffôl, a'i roi'n ffast.

Gwyn yw gwedd popeth heddiw,
Ne' a llawr sydd o'r un lliw,
A sidan gwyn Awst yn gwau
Ymylwaith i'r cymylau.
Ar gorun bryn yr haul bra'
Yn glaerwyn ymddisgleiria.
I Ddafydd mae'r dydd ar dân –
Gwyn yw lliwiau Gwenllian,
A phetalau'r lliwiau llon
A rannwyd i'r morynion.

Os euraid a chysurus
A miri fo'n llenwi'r llys;
Miri byw y morwyr bach
Wna'r aelwyd yn siriolach.
I'r hwyliau ar yr heli
Boed dawel dy awel di,
A Gwen lon fo'n hinon ha'
Ym mywyd Jeremiah.

Dydd priodas Dafydd Jeremiah a Gwenllian Morwen Jones. Cynhaliwyd y neithior yng Nglandewi, Pontgarreg – cartref y Capten John Davies a'i briod Mary.

Trawyd y diwydiant masnach yn galed gan y dirwasgiad ac roedd llawer o longau yn gorwedd lan fel morfilod coll ar draethau digofaint. Dychwelodd D. J. Williams adref, fel llawer o'i gyd-forwyr – allan o waith. Ond ni wastraffodd ei amser, a chan fod ei frodyr Fred a John Etna gartref hefyd, dychwelodd i'r Coleg Morwrol yng Nghaerdydd. Bu'n llwyddiannus i ennill tystysgrif Uwch-Feistr. Deuai pynciau mathemategol yn hawdd iddo, ac fe'i gelwid gan ei ffrindiau yn 'Dai Trig' – ar ôl ei loywder yn y pwnc *trigonometry*. Cymaint oedd ei barch, ac edmygedd y prifathro ohono fel y'i gwahoddwyd i ddarlithio mewn Morwriaeth a Mathemateg, ond penderfynodd ddychwelyd i freichiau'r heli. Dywed ei ferch, Margaret (o gof y teulu): 'Byddai wedi gwneud athro da. Rhoddai wersi ffurfiol i'r prentisiaid oedd ar ei longau gan ddangos amynedd a'r ddawn i ysbrydoli a rhannu o'i brofiad'.

A than dymheredd economaidd fwy ffafriol hwyliodd ar y *Llanishen* (3015 tunnell gros) gyda'r Capten R. Roberts gan ddal swydd Ail Fêt a Mêt. Ond nid oedd y fasnach mor llewyrchus ag y bu ac roedd cymylau duon Natsïaeth yn cronni dros Ewrop. A bu bron i D.J. dderbyn swydd arall. Cafodd gynnig i ymuno mewn partneriaeth â chapten llong a ffrind mewn busnes *shipping salvage*. Apeliai hyn yn fawr ato oherwydd hoffai Awstralia, yn enwedig ei thywydd a dinas ysblennydd Sydney. Gwelai ddyfodol addawol i'w deulu estynedig. Erbyn hyn ganwyd iddynt ferch – Margaret Elanwy – cannwyll llygaid yr holl deulu. Ac er bod ei wraig yn ffafriol roedd eu teuluoedd yn benderfynol na fyddai ecsodus i ben draw'r byd. Felly y bu, ac er i fusnes ei ffrind dyfu a'i wneud yn filiwnydd ni fu D.J. yn edifar.

Dywed D.J. am fordaith arbennig ar y *Llanishen*: 'Wedi llwytho gwenith ym mhorthladd bychan Kherson yn Rwsia ar lannau'r Môr Du, hwyliasom rai dyddiau cyn y Nadolig am Vladivostok (Siberia) – rhyw flwyddyn cyn i'm cefnder Jac Alun fod yno. Siwrnai faith oedd hon trwy'r Bosfforws, y Dardanelles, Camlas Swes, y Môr Coch, a chroesi Môr India ar gwrs deheuol neu dde-ddwyreiniol bron hyd y trofannau, yna trwy Gulfor Malaca a Singapôr ac wedyn trwy Fôr Tseina ac i'r gogledd am Rwsia. Roedd yn fis Chwefror erbyn cyrraedd yno, a'r brain hyd yn oed wedi sythu, mi gredaf. Y noson yr aethom i fewn i'r porthladd chwythai gwynt uchel o'r gogledd, yn groes i gwrs y llong, a oedd yn debycach i fynydd iâ yn nofio na dim arall. Roedd yr ewyn a hyrddid ar y bwrdd yn rhewi cyn disgyn ac erbyn y bore roedd yn olygfa ysgeler. Roedd y dec yn stania, y rheiliau yn anweledig dan bibonwy ac o'r dŵr i fyny hyd hanner y mast yn delpyn cyfan o rew. Gan fod y rhan uchaf o'r llong mor drwm o'r herwydd, y perygl oedd, yn ôl deddf cydbwysedd – dymchwel. Ond trwy fawr drugaredd ni farnodd Rhagluniaeth yn dda i hynny ddigwydd. Afraid gollwng angor gan fod y rhew wedi cau amdani bron cyn i'r peiriannau stopio troi. Cafwyd torrwr-iâ i glirio'r ffordd ac aethpwyd *alongside* i'r lanfa. Yn ystod y tair wythnos y buom yno'n dadlwytho, ein gorchwyl ni yn feunyddiol oedd malu'r rhew trwy amryfal foddau gan wneud iws defnyddiol o'r pibau stêm. Ac nid o 'wefusau mêl' y dôi'r iaith lachar a glywid yn aml gellwch ddychmygu . . .

. . . Yn y gerwinder ofnadwy aed ag amryw o forwyr i ysbyty yn dioddef o ewinrhew – i ddadmer rhannau o'r corff a oedd wedi rhewi fel lwmpyn o gig mewn rhewgell. Ond roedd temtasiynau eraill yn y dref – 'gwin a mwg a merched drwg' – a hwyliodd llong o Norwy gan adael rhai o'r criw ar y lan. Ond harneisiwyd *huskies* i'r sled a dilynwyd y llong dros yr iâ allan i'r bae, a'i dal gan drosglwyddo'r pechaduriaid 'nôl i'w cartref.

Mae'r ffaith ei bod yn bosibl trafaelu yn llwybr y llong yn dangos pa mor gyflym y caledai'r rhew eilwaith'.

Ar ei fordaith nesaf ar y *Flimston* daeth gwobr i'w ran fel y cofnodwyd – 'Sailed as Master in *Flimston* from 4 January 1935 to 11 April 1935 (Captain E O Jenkins – ill)'. Ond dychwelodd Captain Jenkins ar y fordaith nesaf. Ac wedi dwy fordaith arall ar yr *S.S. Llandaff* fel Mêt, fe'i dyrchafwyd yn 'Fistir' ar yr enwog *Llanberis*. A bu yn gapten arni am naw mlynedd a thri diwrnod . . . 'Llong lwcus iawn iawn. Aethom drwy'r Rhyfel gyda'n gilydd a theimlwn ryw berthynas arbennig rhyngom'.

Yn wir, wrth i gymylau Rhyfel ymgasglu uwchben derbyniodd pob capten amlen gyfrinachol wedi ei selio â chyfarwyddyd i'w hagor pe deuai'r Rhyfel. Dywed D. J. Williams: 'Cefais fy ngalw i fyny o flaen Awdurdodau'r Llynges yn Halifax, Nova Scotia, Canada. Teithiais mewn cerbyd arbennig o Lerpwl am ddau y bore. Dychwelais erbyn chwech y bore â'r *Secret Code Books* yn fy mhoced. Ond, bedwar diwrnod ar ôl hwylio derbyniais neges oddi wrth y Llynges – 'Open Envelope; we are now in a state of war with Germany'. Wel, dyna lyncu poeri. A dim ond hwnnw a lyncais am ddiwrnodau! Galwais y criw at ei gilydd a chyflwyno'r neges a'r rheolau newydd. Rhaid oedd hwylio mwyach heb ddangos yr un golau yn y nos, neb i danio matsys, a smocio mewn ystafelloedd yn unig. Rhaid oedd dilyn llwybrau môr arbennig mewn distawrwydd llwyr. Ni allwn ddefnyddio radio ac os gwelwn long arall ar y môr rhaid oedd troi oddi wrthi rhag ofn mai *raider* y gelyn ydoedd. Wrth groesi'r Iwerydd neu'r Môr Canoldir teithiwn mewn confoi – saith neu wyth ambell waith ond unwaith gwelais gymaint â 94. Ond ni chaem gonfois i groesi'r Môr Tawel (y Pasiffig). Dyna ffys a ffair oedd gan yr Americanwyr wrth hwylio drwy Gamlas Panama'.

Y *Llanberis* (5055 tunnell gros), llong enwog a 'lwcus' Dafydd Jeremiah am naw mlynedd a thri diwrnod.

Rheffyn hir o weithwyr fel morgrug yn cario sachau i'r llong *Llandaff* a oedd ynghlwm wrth bier Legaski. Roedd Dafydd Jeremiah yn Fêt, a'r capten oedd John Rees Jenkins, Aberporth.

Pan ddechreuodd yr Ail Ryfel Byd yr oedd y Capten Dafydd Jeremiah Williams yn feistr ar yr *S.S. Llanberis* ac wedi hwylio o Lerpwl am Nova Scotia i lwytho papur argraffu i Seland Newydd – i gyflenwi anghenion y gweisg yn y wlad honno. Yna, llwythwyd blawd gwenith o Awstralia i'w gludo i Brydain. Roedd llawer o longau-tanfor Almaenig eisoes wedi dianc cyn mis Medi nid yn unig i'r Atlantig ond i Gefnfor y Pasiffig a'r India. Cofnodir straeon am forwyr tanfor Almaenig yn glanio ym mherfeddion nos ar draethau unig Ynys Ddeheuol Seland Newydd i odro gwartheg mewn caeau cyfagos ac i ddwyn eu llaeth. Dywed D.J.: 'Yn fuan daeth yr amser helbulus a llongau'r gelyn yn ymguddio ac ymosod yn sydyn a dirybudd ar y saith môr. Ar yr wyneb roedd ganddo bob math o longau wedi eu haddasu ag arfau a gynnau ac, yn y dyfnderoedd – 'hen satanes y tonnau' yn herwa am ysglyfaeth'.

Suddwyd llawer o longau masnach y gorllewin oddi ar arfordir de-orllewinol India gan longau-tanfor Almaenig wedi iddynt dderbyn gwybodaeth gan sbiwyr, yn llechu yn Goa (talaith niwtral yng nghorllewin India dan gyfraith colonial Portiwgal). Ni chaniateid confois ar y Pasiffig a rhaid oedd dilyn llwybrau penodedig y Llynges. (Gwnaethpwyd ffilm ddiddorol am y digwyddiadau a nodwyd o'r enw *The Sea Wolves* – gyda Gregory Peck, David Niven, Trevor Howard a Kenneth Griffith.) Aeth deunaw o wŷr busnes yn Goa ati i ddifrodi llong Almaenig a oedd yn casglu ac yn dosbarthu gwybodaeth am symudiadau llongau masnach.

Ond ar gefnfor yr Atlantig roedd y drefn yn wahanol: 'Câi pob llong le priodol yn y confoi. Byddai pedair neu bump neu ddeg a rhagor o longau *in line abreast*. Yng nghanol y rhestr flaenaf byddai'r *Commodore Ship*. Nid oedd yn hawdd cadw *station* ac roedd rhegi a damnio rhwng un llong a'r llall weithiau. Roeddem yn mynd fel hyn, ddydd a nos, am bum niwrnod ar hugain heb fentro dangos golau o fachlud haul tan y wawr . . .

Gweithwyr brodorol ar fwrdd y *Llandaff*, Legaski, Tachwedd 1937.

. . . Unwaith roeddem yn dadlwytho glo yn Dakar, mewn rhan o orllewin yr Affrig, Senegal, a oedd yn perthyn i Ffrainc. Clywsom ar y radio fod Ffrainc wedi cwympo i'r Natsïaid a bod llywodraeth Senegal wedi ei thaflu ei hun i mewn gyda Marshall Petain a'r Vichy. Dim ond crafu allan a wnaethom. Daeth Dakar yn fangre gudd i longau-tanfor y gelyn a suddwyd llawer o longau oddi ar arfordir gorllewin yr Affrig. Collodd fy nghyd-bentrefwr, y Capten Jenkin Jones, Pantyronnen, ei long – *Portadock* – yn y modd yma. Rhwyfodd am Sierra Leone gyda'i griw wedi'r drylliad ond glaniodd ar dir y Ffrancwyr Vichy a'i garcharu. Ond dihangodd drwy'r jyngl i Sierra Leone . . .

. . . Roeddwn mewn confoi ar y *Llanberis* ac yn croesi'r Atlantig pan brofais yr ymosodiad cyntaf gan yr *U-Boats*. Hanner milltir i ffwrdd ar y *starboard side* (y dde) clywais ffrwydrad byddarol a gwelais gyfres o fflachiadau. Roedd y llong nesaf atom wedi ei tharo â thorpido a hithau'n llawn o arfau. Roedd ein calonnau yn ein gyddfau a phawb yn dyfalu 'Pwy sy' nesa?' Roedd y *Llanberis* yn rhwym â ffrwydron, a phe buasem wedi ein taro – wedi chwythu fel pledren ac wedi bwrstio i ebargofiant. Nid oedd fawr o obaith i neb gael ei achub ar noswaith mor arw. A'r geiriau a ddaeth i'n cof oedd:

O! Dduw, cofia'r morwr rhwng cyfnos a gwawr,
Mae'i long ef mor fechan a'th fôr Di mor fawr.

Parhaodd yr ymosodiadau drwy'r confoi. Un bore gwelais long-danfor o eiddo'r gelyn yn llechu dan gownter y llong nesaf atom. Yr oedd gennym ddryll neu ddau erbyn canol y pedwardegau – un dryll pedair modfedd mewn barel, un 'Boffors', dau 'Oerlikon', tri dryll Lewis a rhywbeth arall a alwem yn 'Chicago Piano'. Taniai hwn ddeg roced i ffwrdd gyda'i gilydd, yr arf gorau i'n hamddiffyn o'r awyr'.

75

Ac meddai D.J. wrth garfan o Ffermwyr Ieuainc yn Neuadd Pontgarreg yn y saithdegau wrth sôn am ei brofiadau ar y môr: 'Er yr holl anturiaethau a gefais, yn enwedig yn ystod y Rhyfel, rwy'n eitha' balch mai ar long ac nid mewn pulpud y treuliais fy nyddiau!' (Roedd wedi meddwl mynd i'r weinidogaeth yn ei arddegau cynnar!)

Bu'r *Llanberis* yn ffodus iawn i ddianc o grafangau'r gelyn wrth iddi hwylio heibio de India tuag at Gamlas Suez . . . 'Pan ddychwelsom i Brydain roedd 'blitzkrieg' Yr Almaen yn goresgyn Ewrop, a gwledydd bychain yn syrthio'n gyflym dan sowdl y gormeswr. Gorymdeithiai byddinoedd Hitler yn fuddugoliaethus a'r Swastika yn chwifio'n uchel'. Dywed D.J. ymhellach fod gorchymyn i'r *Llanberis* i hwylio am Norwy i gludo mwyn haearn yn ôl i Brydain . . . 'Hwyliasom o angorfa ar afon Clyde yng nghwmni rhai llongau eraill a llong bysgota (*armed trawler*) yn cadw gwyliadwriaeth ac mewn cyswllt parhaus â ni i'n rhybuddio o symudiadau'r gelyn. Ffurfiwyd confoi o ddeugain o longau oddi ar Ynysoedd Erch gyda gosgordd o bum llong rhyfel (*destroyers*). Cyfrifem ein hunain yn ffodus i gael cynifer o

Y Capten Dafydd Jeremiah, Gwenllian (ei briod), Gowan (brawd-yng-nghyfraith) a Mansel Jones (nai).

angylion gwarcheidiol. Edrychem ymlaen am siwrnai gymharol ddihelynt. Ond yr elfennau a droes yn bennaf gelyn ac ychydig wedi gadael Yr Alban cawsom un o'r stormydd ffyrnicaf y bûm yn ymladd â hi erioed. Gan mai gwag oedd y llongau chwythwyd hwy ar wasgar gan ryferthwy'r gwynt a bu raid i bob un ymdaro orau ag y medrai. Daethom, er yn anhrefnus, i loches y *fjords*. Cilfachau dyfnion naturiol yw'r rhain yn ymestyn i mewn i'r tir o'r môr am filltiroedd, a muriau'r clogwyni serth yn eu hamgylchu yn banorama dihafal. Daeth yr awdurdodau i'r bwrdd i roi *all clear* a chodwyd dau beilot yn unol â'r rheolau i'n dwyn i borthladd Narvik'.

Ar y pryd, gwlad niwtral oedd Norwy a'r bradwr Vidkun Quisling, arweinydd plaid Unol Genedlaethol Norwy (a chefnogaeth o 1.8% yn unig o'r boblogaeth) ar fin cael ei wneud yn Brif Weinidog Ffasgaidd. Roedd llynges Norwy yn fregus ac yn rhy wan i wrthsefyll Yr Almaen, a phan lochesodd y llong Almaenig yr *Altmark* ger Egersund a thri chant o forwyr Prydeinig yn garcharorion ar ei bwrdd, ymosodwyd arni gan y Llynges Brydeinig er gwaethaf y protestiadau o Oslo.

Gosodwyd mwynau môr ar hyd yr arfordir gan Brydain ac ar 8 Ebrill, 1940, pan gafwyd protest o du Norwy, roedd y Natsïaid eisoes yn ymosod ar rannau o'r wlad. Dywed D.J.: 'Gwnaeth yr Iscariot (Quisling) ei waith a gwelwyd gwlad arall dan rym y concwerwr. Fel ei gymydog y bu hanes y Norwywr hefyd:

Rhoes ei wlad i farus lu,
A'i genedl i'w gwahanu.

Y dwthwn hwnnw ymddangosai yn fwyfwy gwir nag erioed eiriau Napoleon Bonaparte – 'Fod Duw o blaid y byddinoedd mawrion'.

Porthladd Narvik (Norwy), wedi i Dafydd Jeremiah Williams ddianc ar ei long, Llanberis.

. . . Bu ein harhosiad yn Narvik yn hwy na'r disgwyl, oherwydd ymhlith rhwystrau eraill, roedd wythnos o wyliau yn y wlad a'r gwaith o allforio ar ben am y tro; cynyddu a wnâi rhif y llongau yn harbwr Narvik – a rhai'r Almaen yn lluosocach bob dydd. Gyda llaw, yr oedd cymydog i mi, Tom Williams, Delfryn, Pontgarreg, ar long yno ar y pryd er na wyddwn hynny tan yn ddiweddarach. Pan ddaeth yn amser i ffoi cafodd ef ei ddal a bu'n garcharor rhyfel am bum mlynedd hyd ddiwedd y Rhyfel, a chael dychwelyd gartref yn fyw.

. . . Aeth y lle yn gyfyng iawn gan nad oedd yr un llong yn ymadael ac fe arweiniodd hynny at ddigwyddiad a allai fod wedi peri inni golli ein bywydau i gyd. Yn y cyfamser deuai bad y Swyddfa Allforio heibio bob bore i'n tywys i'r lan ac yno yr oeddem yn ddau gwmni anghymodlawn – yr Almaenwyr yn un pen i'r cwch a ninnau yn y pen arall.

. . . Bore Sabath o aeaf clir ydoedd a'r tymheredd gryn fesur o dan y sero, yr haul ar ei gylch byrraf yn tywynnu'n braf a'r awel denau ysgafn yn grychau bychain ar wyneb y dŵr. Tua saith o'r gloch y bore cyrhaeddodd tair llong Almaenig yr harbwr, a oedd eisoes yn orlawn, ac anodd cael lle i fwrw angor ynddo. Daeth un ohonynt ar ein cyfyl ac angori yn rhy agos atom, gyda'r canlyniad, fel yr oeddynt yn troi ar eu hangor gyda'r awel oriog i'r ddwy long ddod i gyffyrddiad â'i gilydd, fel y gellid camu o un llong i'r llall, pe dewisem. Yn fuan daeth y ddau griw ar y dec, yn ddwy restr elyniaethus ger y *bulwarks*, a llai na hyd braich rhyngddynt. Fe â pwyll a rheswm i'r pedwar gwynt yn adeg Rhyfel ac ofnwn y gwaethaf erbyn hyn. Byddai gair neu weithred wedi bod yn ddigon i ryddhau ellyllon y fall a'r ddwy blaid yng ngyddfau ei gilydd. Trwy ryw ras ataliol a threfn rhagluniaeth bellach, ni ddigwyddodd dim trwy gydol y diwrnod hir hwnnw. Yr oeddwn i ar y *bridge* yn cadw gwyliadwriaeth – yn gobeithio'r gorau ac yn ofni'r gwaethaf. Roedd yntau, capten y llong Almaenig, yn yr un fan ar ei long yntau ac wrth yr un gorchwyl. Er ein bod o fewn rhai llathenni i'n gilydd nid ynganodd yr un ohonom yr un gair hyd nes iddi ddechrau nosi pan ddywedodd wrthyf yn Saesneg:

'Not a very pleasant situation to be like this overnight,' ac atebais innau:

'No, and I think it is your duty to move your ship, being that you were the late arrival.'

Ni ddywedodd ddim. Ac er mawr ryddhad i bawb daeth awel gref i fyny o'r môr i ymwahanu'r ddwy long gan orwedd wedyn yn wynebu'r gwynt. Osgowyd sefyllfa a allai fod wedi troi'n sgarmes waedlyd a diolchgar oeddwn am hynny'.

Roedd rhai o forwyr y *Llanberis* wedi gweld milwyr a'u helmedau ynghudd o dan y dec ar y llong honno. Fe'u rhoddwyd yn y llongau masnachol i fod yn y man a'r lle pan oedd lluoedd y Führer yn barod i ymosod ar Norwy. Yn ddiarwybod i D.J. roeddynt eisoes wedi croesi'r *skagerrak*, ac yn gorymdeithio o'r de.

Llwythwyd y *Llanberis* â mwyn haearn ac wedi boddio'r awdurdodau hwyliodd allan o Narvik i'r fan lle'r ymffurfiai'r confoi cyn croesi Môr y Gogledd. Ond daeth cyfarwyddiadau newydd mewn neges llusern o long y llynges Brydeinig, ar fore Llun, trannoeth iddynt adael Narvik.

Medd D. J. Williams: 'Rhaid oedd inni angori i'r gogledd gan fod mwynau môr wedi'u gosod ymhobman i'r de. A phan ddeallodd y ddau beilot Norwyaidd y neges roeddem wedi'i derbyn, troesant yn chwerw iawn gan haeru mai Llynges Prydain a oedd yn cychwyn yr helbul bob amser ac ym mhob man, ac y byddem yn sicr o gael ein bomio cyn nos. Cefais yr argraff y pryd hwnnw mai ffafriol i'r Almaen oedd rhai o drigolion Norwy yr adeg yma, ond hwyrach mai ofn a gyfrifai am hynny. Ni wyddai'r ddau beilot, mwy na minnau, fod y llengoedd eisoes wedi taro yn neheudir Norwy ac ar eu ffordd, yn gyflym iawn, ar hyd yr arfordir tuag at y lle yr oeddem ynddo. Mynnai'r ddau gael eu rhyddhau ar unwaith o'u gwaith ar y llong, a bu'n rhaid troi yn ôl ac i mewn i lagŵn y tu draw i borthladd Christiansund, lle yr aethant i'r lan ar fyrder. Prysurais innau i weld y Conswl Prydeinig, ond ni allai ef roddi yr un cynhorthwy i ni nac addewid am hynny. Dychwelais i'r *Llanberis* gan ddisgwyl am gyfarwyddiadau pellach a deall nad gwiw gwneud dim heb awdurdod y Llynges. Ymgynghorais â'm prif swyddogion, i gyd yn Gymry Cymraeg, a'r prif beiriannydd o'r un pentre â mi, a phenderfynwyd nad oedd dim i'w wneud ond aros yno dros y nos a byw mewn gobaith. Yn fore iawn, ar y trannoeth, clywsom ar y radio trwy'r BBC fod y Natsïaid wedi ymosod ar Trondheim a Narvik y noson honno, a'i llynges wedi hwylio heibio i'r lle y gorweddem ni. Yr oedd yn argyfwng arnom yn awr ac ni wyddem beth fyddai'r cam nesaf'.

Gŵr pwyllog ei dymer oedd Dafydd Jeremiah Williams a byddai ei lais soniarus a graeanog yn cyfleu esmwythyd i'r glust. Trwy ei lygaid craff a'i gyneddfau sensitif ni fyddai'n hir cyn pwyso a mesur cymeriad person neu sefyllfa. Ond oddi tan yr wyneb roedd wedi etifeddu mwy na'i siâr o allu penderfynol (ystyfnig, meddai rhai) o enynnau cynhenid y 'Tyl'. Nid oedd dim ar y ddaear yn fygythiad i'w benderfyniad di-droi'n-ôl. Ymgorfforai gadernid di-sigl. Ond nid er ei les ei hunan y gwnâi benderfyniad ond yn hytrach er mwyn ei deulu, ei griw, ei ffrind neu er lles y gymdeithas gyfan. Nid rhyfedd iddo wneud capten da; roedd ei gyd-forwyr yn ymddiried yn llwyr ynddo.

A sut fyddai'n ymateb i'r sefyllfa yn Christiansund a'i long y *Llanberis* a'i chriw yn garcharorion, mwy neu lai, rhwng mwynau môr y llynges Natsïaidd a'i milwyr a'r Norwywyr sur dideimlad ar y pryd. A oedd yn mynd i aros yn y fan a'r lle i ddisgwyl canlyniad y frwydr? A oedd yn mynd i weithredu yn ôl cyngor y Conswl Prydeinig? Neu a oedd yn mynd i wneud ei benderfyniad ei hunan ac i geisio dwyn ei long a'i griw i ddiogelwch?

Greddfol yw pob dewrder. Ac wedi ei asio â chyfrifoldeb a phenderfyniad i greu gweledigaeth glir er lles daioni a rhyddid – y mae'n weithred hollol naturiol. Yr oedd D. J. Williams wedi meddwl am ei deulu, yr oedd wedi ystyried diogelwch ei griw ac wedi dychmygu treulio pedair neu bum mlynedd mewn carchar rhyfel (fel y gwnaeth ei frawd John Etna). Fel pob morwr da roedd ei olwg tua'r gorwel. Gwelai y tu hwnt i gysgodion y ffiord amryw o ynysoedd creigiog a'r ffrwydron môr wedi eu dodwy yn frith o'i flaen i atal unrhyw fordeithio rhwng y porthladd a Môr y Gogledd. Yr oedd diogelwch a rhyddid ei griw a Chymru rydd yn ei law.

Dychwelodd drachefn i weld y Conswl, ond roedd yntau wedi ei garcharu yn ei ystafell. Daeth dwy long fasnach arall i mewn i Christiansund ac ar un ohonynt forwr o Aberaeron. A hefyd glaniodd awyren o *Coastal Command* wedi iddi ddihysbyddu ei holl danwydd. Cyfarfu'r ddau gapten a'i gilydd, y peilot a D. J. Williams, mewn cyfyng-gyngor bellach, y tu allan i swyddfa'r Conswl. Daeth awdurdodau o Norwy i gysylltiad â hwy a'u gorfodi i ymneilltuo i ystafell mewn gwesty cyfagos, eu cloi i mewn, a rhoi dau blismon arfog i'w gwarchod. Fe'u sicrhawyd na fyddai unrhyw rwystr i'w hatal rhag gadael y wlad ac ni fyddai unrhyw gymorth chwaith. Penderfynodd y ddau gapten arall angori ac aros yn Christiansund. Ac nid yn annisgwyl penderfynodd D. J. Williams hwylio a herio'r amddiffynfeydd a'r peryglon.

Cytunodd â'r peilot i gyfarfod mewn man dewisedig allan yn y môr, ychydig filltiroedd y tu hwnt i'r arfordir. Byddai yn suddo ei awyren yn agos i'r *Llanberis*, gan obeithio cael ei achub.

Dychwelodd D. J. Williams i'w long a chyflwynodd ei gynllun i'w swyddogion. Cytunodd pawb yn unfrydol. Gorweddai y *Llanberis* yn isel yn y dŵr oherwydd ei chargo trwm o fwyn haearn ond byddai hyn yn fantais iddynt. Nid oedd gan y capten siartiau o'r arfordir – felly roedd angen llygad da, arweiniad sicr, ffydd yn ei griw, penderfyniad a thamaid o lwc i lwyddo. Rhoddwyd y gorchymyn – *Slow Ahead* – wrth i'r *Llanberis* symud yn araf drwy'r ynysoedd creigiog a'r sianeli cyfun. Byddai'r wawr yn torri mewn awr neu ddwy, a'r gobaith oedd clirio'r arfordir cyn hynny. Gosodwyd aelod ieuanc â llygaid cath (chwedl D.J.W.) yn y *crow's nest* gyda'r cyfarwyddyd i ddefnyddio arwyddion semaffôr â'i freichiau yn unig (dim gweiddi) os gwelai greigiau tanddwr, mwynau môr neu longau eraill. Drwy hyder a dewrder y capten, moriodd y *Llanberis* trwy'r ynysoedd dan drwyn y gelyn a thrwy rwystrau o fwynau môr i ddiogelwch tywyll llwydni Môr y Gogledd.

Dywed D. J. Williams yn ei nodiadau: 'Clywais wedyn i'r peilot gael ei ddal cyn hedfan a'i garcharu drwy gyfnod y Rhyfel. Y mae'n flin gennyf ddweud i'r ddwy long arall gael eu suddo gan y gelyn ar eu ffordd adref. Hwyliasom hanner y dydd hwnnw a chyrraedd Ynysoedd Erch, yn ddiogel eto'n ôl lle cychwynasom y daith. Diwedd yr helynt am y tro oedd inni hwylio mewn confoi i ogledd Yr Alban a dadlwytho yno'.

Ni chafodd D. J. Williams unryw gydnabyddiaeth swyddogol am achub ei long a'i griw. Ond enillodd lawer mwy na darn o fetel ar ruban lliwgar – sef parch ac ymddiriedaeth bellach ei griw, ei gyd-forwyr a pherchnogion y llong, a chael dychwelyd mewn rhyddid i weld ei anwyliaid ym Mhontgarreg am bythefnos o leiaf! Ond nid oedd yn un i gyhoeddi i'r pedwar gwynt ei antur enbyd. Bu'n ymdrech lafurus ar fy rhan i'w gael i gofnodi'r hanes i mi. Hunan-glod a sylw yw'r nodweddion olaf y mae person dewr eisiau eu hamlygu! – ac roedd Dafydd Jeremiah yn un o'r dewrion.

Amlygodd y Rhyfel ddimensiwn o natur ddynol a oedd yn aml yn uwch ac yn is na'r safon disgwyliedig o ymddygiad. Ar ddechrau'r Rhyfel, o'r tri chwarter o'r morwyr a gollwyd wedi i'w llongau suddo, aethant i'r gwaelod mewn chwarter awr. Aeth llawer o ddewrder i ddifancoll. Er hynny anrhydeddwyd 9027 o longwyr y Llynges Fasnach a physgotwyr.

Crewyd cyfeillgarwch arbennig a chlòs rhwng y morwyr ac mewn argyfwng nid oedd dewrder yn anodd i'w ganfod. Roedd pawb yn dod o hyd i gryfder ac yn ddiddorol iawn amlygodd morwyr y cenhedloedd Celtaidd – a gorllewin Cymru ac Ynysoedd Heledd – ddewrder a brawdgarwch o'r radd flaenaf. Cerflun o forwr o Ynysoedd Heledd sydd i'w weld ar y gofgolofn fawr yn Tower Hill, Llundain, i gofio'r morwyr o'r Llynges Fasnach a gollwyd yn y ddau Ryfel Byd. Yn eu plith mae fy nhad-cu – John Owen (tad fy mam).

Bu blynyddoedd y Rhyfel yn gyfnod o bryder mawr, fel y cofia Margaret Elanwy, merch D. J. Williams: 'Nid oedd ffôn gennym a'r llythyron anaml oedd yr unig gysylltiad. Ni hoffem weld Mrs Briggs yn cyrraedd â'r 'telegram'. Ond roedd gan Mam a Dad gôd cyfrin (fel teuluoedd morwrol eraill) i goncro'r sensor bondigrybwyll. Defnyddiai enwau pobl leol ac enwau anifeiliaid, a phan ddaethai Dad i mewn i'r Alban, er enghraifft, cyfeiriwyd at ddefaid arbennig yn ei lythyr. Byddai Mam yn gwybod yn syth lle yr oedd a phryd y dylai ymuno ag ef. Cludai Tom Jones,

Dafydd
Jeremiah
a Gwenllian
Williams
yn eu
gwyrddlesni.

Pentre Arms, hi i'r orsaf naill ai yn Aberystwyth neu yng Nghaerfyrddin. Ac oherwydd y bomio cymerai'r daith bedwar i bum niwrnod i gyrraedd, dyweder, Glasgow a'r Clyde. Bonws fyddai cael Dad gartref. Wedi'r cyfan nid oedd meistri llongau yn cael llawer o wyliau. Onid yw pethau wedi newid; mordeithiau byr a phedwar mis bant, a phedwar o *leave*. Ac mae'r arian lawer yn well!'

A phan ddeuai ei thad gartref am ychydig ddyddiau roedd unigolion annisgwyl yn gwybod – ac ymledai'r newyddion trwy ddirgel ffyrdd fel petai rhywun yn taflu carreg i grychu wyneb llonydd llyn. Fel y dywed Margaret: 'Nid oedd Mathemateg yn un o'm hoff bynciau yn Ysgol Sir Aberteifi. Nid etifeddais ddawn fy nhad. Ond mewn un bwndel o waith cartref cefais farciau uchel iawn a symbylodd fy athro Mr Bruce ('Geordie' sych ei hiwmor a llym ei dafod) i ddweud:

"Father home on leave, Margaret?"
"Yes, sir!"

Cyfoethogwyd yr aelwyd drwy ddyfodiad
Margaret Elanwy.

81

"Thought so "gel", you've got all your Maths homework correct. Seems he can teach you more than I can. Ha! Ha! Ha!"'

Parhau i groesi'r Atlantig mewn confoi a wnâi'r *Llanberis* a'r angel gwarcheidiol yn ei hamddiffyn rhag pob distryw. 'Efallai gan fod cymaint o Gymry arni,' meddai D. J. Williams, 'heblaw'r perygl a ddeuai o 'Hen satanes y tonnau' hyd yn oed mewn confoi, a'r gofid a ddeuai yn sgîl hynny, gorchwyl trist ychydig wedi'r Rhyfel oedd claddu aelod o'r criw ar y môr . . . Roedd John Walter Thomas, 5 Glanrhaeadr (Ffatri Llangrannog), yn brif stiward ar y *Llanberis*. Gŵr addfwyn a hoffus iawn ydoedd, ond fe'i trawyd gan salwch'. A chyn dyddiau'r hofrennydd rhaid oedd i'r Capten D. J. Williams wneud ei orau i weini arno, ond bu farw ym mreichiau ei gapten a'i ffrind, ymhell o dir, ar 7 Chwefror, 1947. Profiad dirdynnol oedd claddu aelod o'r criw ar y môr – ond hefyd ffrind a chyd-bentrefwr.

Ymddengys fod ymweliadau y Capteiniaid Dafydd Jeremiah Williams a Jac Alun â Montreal, a chyfarfod â'u hewythr John Tydu yn ystod diwedd y tridegau, wedi ailgynnau awydd ynddo eto i gysylltu trwy lythyr â'r teulu yng Nghymru bell. Cyw o frîd oedd e ac er iddo geisio cuddio ei drallod roedd ei waed yn dewach na dŵr.

Derbynnid llythyron talentog oddi wrtho yn ystod blynyddoedd cyntaf ei alltudiaeth (1904-06). Dyma ddarn a ysgrifennodd at Frythonydd (31/7/04) o Scarborough Junction, Canada: 'Y mae cofion annwyl yn atgyfodi o feddrodau distaw y gorffennol fel yr ysgrifennaf, cofion cynnes ac annwyl ydynt. Mor rhyfedd fel y mae cyfeillgarwch

Carreg fedd John Walter Thomas, 5 Glanrhaeadr, Llangrannog. Fe'i claddwyd ar y môr gan y Capten Dafydd Jeremiah Williams. Mae merch Dafydd Jeremiah yn parhau i osod blodyn ar ei fedd.

yn ffynnu, ac fel yr eiddew yn gafaelyd yn dynn, dynn. Hefyd mor rymus yw caredigrwydd a haelioni, blodau Duw ydynt mewn gwirionedd, y maent yn dal hyd fyth yn felys a hudol. Gwelais y blodau hyn yn y Wenallt bob tro yr ymwelais â chartref y bardd a'r llenor Brythonydd'.

Ni chlywid llawer oddi wrtho yn ystod y blynyddoedd breision pan oedd yng nghwmni cyson y rhyw deg a bywyd yn bleser i gyd. Dychwelodd i'r Cilie am yr unig dro yn ystod haf 1921. Ac wedi iddo golli llawer o'i eiddo ariannol trwy effaith y dirwasgiad a chwmnïaeth ffrindiau tywydd teg y dauddegau a dechrau'r tridegau ni dderbynnid gair oddi wrtho yn ei brinder. Yn ei wendid o effaith dolur y galon, ei anallu i gael swydd barhaol a sefydlog, a'r hiraeth llethol a oedd yn ei fwyta'n fyw, gwnaeth ei gysylltiad â'i neiaint-gapteiniaid iddo ysgrifennu eto. Yr oedd yn falch iawn o weld neiaint y Cilie am y tro cyntaf ers 1921, a bu eu haelioni iddo ar fwrdd eu llongau yn gymorth i'w gynnal yn y cyfnod anodd.

Cyfarfu Dafydd Jeremiah â John Tydu ar 14 Gorffennaf, 1941. Llun o'r 'Tywodyn o Gwmtydu' y tu allan i adeilad Cwmni Yswiriant 'Sun Life', Montreal. Nodweddiadol o natur haelionus Dafydd Jeremiah oedd iddo estyn cymorth i Tydu i brynu siwt newydd.

Roedd fflamau Rhyfel Byd (1939-45) wedi cynnig llwyfan iddo fynegi ei ddaliadau heddychlon. A medrai ei dweud hi heb flewyn ar dafod. Cyfrannai yn gyson i'r papurau newydd yng Nghanada ac i'r 'Teifi Seid' yn Aberteifi. Ysgrifennodd hanner cant a rhagor o lythyron at ei frodyr Fred, Isfoel a Sioronwy, at ei hoff chwaer Esther ac at Tydfor a Gerallt (rhwng 1935 a 1947). Dywed Tydu mewn llythyr at Sioronwy a ysgrifennodd o 736, Lagauchetiere St. W. Montreal, ar 14 Gorffennaf, 1941 . . . 'Bythefnos yn ôl pwy oedd yn y porthladd yma ond y Capten Dafydd Jeremiah Williams, Cilwerydd, gyda'i long fawr (yr *S.S. Llanberis*). Galwodd Dafydd arnaf yn y tŷ yma a jawch nid oeddwn yn ei adnabod, ond o'r diwedd gwelais linellau wyneb Marged ei fam, a fy chwaer. Mae ugain mlynedd wedi mynd er pan welais ef ar draeth Cwmtydu. Yr oedd yn cofio amdanaf yn tynnu codwm tîn. Y mae yn foi solet, pwyllog a deallgar . . . Adroddodd lawer o englynion penigamp i mi nad oeddwn wedi eu clywed erioed o'r blaen. Yr oedd hynny fel ysgub o geirch i'r hen gaseg 'slawer dy' ar ôl dod i'r stabal . . . Dyma fy englyn i . . .

GOEBBELS

Inventor, author and atheist, – a raw
And a cruel sadist;
As a grand propagandist
He stars on the liars list.

. . . Wel, dyma iet Caerllan wedi dod a finnau wedi cyrraedd top rhiw Silio.

Gyda chofion cynnes,
John Tydu.'

Ac o'r un cyfnod – ar 19 Awst, 1941 – 'Bachgen siriol, doniol a da yw Dafydd Jeremiah ap Rhys ab Marged. Rhoddodd ef bictiwr o'i ferch Margaret i mi hefyd ac mae yn barchus gennyf gyda phictiwrau Tydfor, Pwyll, Jon Meirion a neiaint a nithoedd eraill a garaf yn fawr er nis gwelais hwy erioed yn y cnawd. Gobeithio y terfyna'r Rhyfel erch yn fuan. Gobeithio y daw dynolryw i'w phwyll a'i synnwyr cyn bo hir. Y mae eisiau Robert Burns, Williams Pantycelyn ac Abraham Lincoln ar y byd heddiw.
. . . Cofiwch fi at deulu'r Cilie ac at yr hen goeden fawr honno ger y pistyll.
Dymuniadau cynnes – Ewythr John'
Cribiniai John Tydu drwy'r papurau dyddiol am hanesion y Rhyfel gan obeithio na welai enwau llongau ei neiaint wedi eu suddo gan longau-tanfor y gelyn. Ond roedd enw unrhyw Gymro yn ddigon iddo ysgrifennu llythyr, fel y gwnaeth yn hanes y Capten Thomas Jones, Aberarth, Ceredigion:

736, Lagauchetiere St.
W. Montreal
8-2-1940
The Canadian Pacific
Steamship Company

Dear Sirs,
 I want to get in touch with Captain Thomas Jones, Commander of the ill-fated *Beaverburn* which was torpedoed a few days ago, but Captain Jones, the Cardi, is untorpedable. I was reading about the incident in the *Montreal Star* which also gave us a good picture of Capt. Jones. If at all possible I would like you to convey to Capt. Jones my heartfelt congratulations – they could sink the *Beaverburn* and another *Beaverburn* can be re-built, but another Capt. Jones couldn't be rebuilt. I have composed a Welsh englyn which I would like Capt. Jones to get if it is at all possible.

Peidied y gwynt torpedoes – a meddwl
　　Fod maddau'n eu haros;
　Twymo ei law mae Tomos,
　Yn ŵr glew yng Nghymru glòs.

Hitler had better stay away from Ceredigion. Good luck and I thank you for your courtesy –

Very truly yours,
J. Tydu Jones

(O.N. Derbyniais y llythyr isod oddi wrth Mrs Gwen Roberts, merch y diweddar Capt. Thomas Jones, a gweddw cyn-Esgob Tyddewi – y Gwir Barchedig Eric Roberts.)

Fel ei gefnder, Jac Alun, bu'r Capten Dafydd Jeremiah yn lwcus iawn trwy gyfnod y Rhyfel. Ond ni fu eraill – yn berthnasau, ffrindiau a chyfoedion – mor ffortunus. A phe byddent wedi gweld a darllen geiriau Tydu (mewn llythyr dyddiedig 25-8-1942 at Tydfor) byddai'r cynnwys wedi eu cysuro'n ddi-ben-draw.

Hyderaf eich bod un ac oll yn mwynhau iechyd taranllyd, a bod y Rhyfel yn arafu. Rhyw ddydd fe wna'r cenhedloedd flino ar ryfela, ac efallai y daw proffwydoliaeth Micah i ffrwyth: ac ni bydd Rhyfel mwyach. Brysied y dydd pan droir y cleddyfau'n sychau a'r gwaywffyn yn bladuriau –

Geiriau anfarwol John Tydu, 'All's well, for over there among his peers/A Happy Warrior sleeps', ar fwa'r Siambr Goffadwriaethol, Y Tŷ Cyffredin, Ottawa. Arlunwaith Mario Ferlito.

Gyda hwyl y morthwyl mawr
Esgud a nerth grymusgawr,
Fe'i cura nes â yn swch
Gywrain ei gwasnaethgarwch;
I aru'r ddaear iraidd
A thy' o hon wenith a haidd.
Gwilym Hiraethog

Cofiwch fi at deuluoedd y Cilie, Garthowen, Trecregin, Troedyrhiw, Cilwerydd, Cilygorwel, Cilfynydd, Pentre Arms, Helygnant, Talybont – ac yn y blaen.
Cadwch eich calonnau i fyny yn hyderus ac yn ffyddiog.

Ni phery dim yn hir,
Y ddu dymhestlog nos,
Rhyw ddydd bydd Hitler yn eich llaw
A rheffyn am ei go's.

Brysied y dydd hwnnw. Cofion cynnes a dymuniadau da fel glaw tyner Ebrill yn disgyn ar Barc y Bariwns.

Hyd byth
John Ceredigion Jones

. . . 'Fues i'n lwcus iawn drwy'r Rhyfel. Ac roedd y ffaith fod y *Llanberis* yn hen long lwcus yn cyfri llawer. Bu fy nghefnder Jac Alun hefyd yn lwcus, ond fy mrawd John – fe'i carcharwyd am bedair blynedd gan y 'Nippon',' meddai D. J. Williams ar fwy nag un achlysur.

Disgrifir capteiniaid y cyfnod yn y llyfr *The Fourth Service* fel a ganlyn: 'The Master Mariners of the 1920's and 30's were a special breed of men. Fearless and modest they were used to long voyages away from home, yet they invariably had a wife and children and were homeloving men. Their wives, too, were a breed of women with special qualities. In spite of battles with the cruel sea and all the conditions that wartime brought, merchant mariners were of a gentle nature . . . They were ordinary unpretentious people, self-contained, confident and calm. Their small talk is generally nil, their speech usually abrupt, confined to essentials, and very much to the point. They uphold discipline by sheer character and personality, for their powers of punishment under Board of Trade regulations are almost non-existent'.

Dywed D.J.: 'Bu fy nghefnder cyntaf – Danny Cefn-cwrt (y Capten Daniel Morley Williams) – yn uffern a 'nôl wedi i'w long, y *Chulmleigh*, ddryllio ar greigiau (*reef*) oddi ar arfordir de-ddwyrain Ynys Spitzbergen yng Nghefnfor yr Arctig. Roedd ei stori yn epig o arwriaeth a dewrder'.

Ychydig cyn Nadolig 1942, cynhaliwyd gwasanaeth coffa yng Nghapel-y-Wig i'r Capten 'Danny' Williams wedi iddo gael ei restru 'ar goll' yn ystod mordaith pan oedd ei long yn cario nwyddau o Nova Scotia (Canada) i Murmansk ac Archangel, yng Ngogledd Rwsia. Wyth wythnos yn ddiweddarach daeth galwad ffôn i'w frawd-yng-nghyfraith (Capten Frank Taylor), Golygfa, Pontgarreg, gyda'r newyddion syfrdanol fod 'Danny' yn fyw, yn ddiogel ac mewn ysbyty yn gwella o'i anafiadau. Yn Llundain

Y Capten Danny Morley Williams (cefnder Dafydd Jeremiah). Erys ei arwriaeth, efallai, fel yr epig fwyaf o holl anturiaethau morwyr y Llynges Fasnach yn ystod yr Ail Ryfel Byd.

roedd James (Jim) Williams, un o frodyr Danny, a'i wraig newydd sbon, Sal, yn treulio eu mis mêl pan dderbynion nhw'r newyddion syfrdanol fod y Capten yn fyw. Daeth gwahoddiad iddynt i fynd i bencadlys yr *Admiralty* i dderbyn y datganiad swyddogol. Dyna anrheg briodas na ellid rhagori arni.

Ar ei fordaith dyngedfennol, roedd Capten Danny Williams wedi cymryd cwrs igam-ogam 250 milltir o Ynys Jan Mayen a 30 milltir o Spitzbergen. Roedd y tywydd yn stormus iawn a phrin y medrai weld o'i flaen yn y niwl a'r eira. Ar brydiau cwympodd y tymheredd i −80 gradd F. Ychydig o offer oedd ganddo ac roedd y cwmpawd magnetig yn anwadal iawn yn y *latitudes* uchel gogleddol. 'Lead, log and look-out' oedd ei gyfrwng, ond wedi ymateb i orchymyn yr awdurdodau i newid cwrs – roedd e 20 milltir i'r gogledd o'r lle y dylai fod – a drylliwyd y *Chulmleigh* ar greigiau tanddwr i'r de o Ynys Spitzbergen.

Penderfynwyd gadael y llong ac aeth 30 o forwyr dan arweinyddiaeth y Mêt i'r cwch achub cyntaf a 28 i'r ail gwch dan y Capten. Heb wybod lle'r oedd y tir, a'r anallu i weld dim yn yr oerfel a'r niwl – gosodwyd y rheolau am fwyd, sef hanner peint o ddŵr, siocled pemican a thabledi *malt* bob dydd i bob aelod.

Ar y trydydd diwrnod cododd storm enbyd a thynnwyd yr hwyl i lawr cyn gollwng angor ac roedd yn waith cyson 'with all hands' i daflu'r dŵr allan o waelod y cwch. Wedi chwe diwrnod ar y môr agored, collwyd pedwar aelod o'r criw a diflannodd y cwch arall yn gyfan gwbl yn ddiarwybod i'r Capten Danny Williams. Ysgubwyd cwch y Capten dros y *reef*, ac fel petai'n wyrth, fe welson nhw hen gaban pren y *whalers* gynt. Roedd tuniau bwyd, ffa, coffi a matsys yno ac wedi cynnau tân o goed gwrec cafwyd y cwpanaid twym cyntaf ers amser hir. Bu farw naw aelod arall o'r criw ac fe'u claddwyd mewn holltau yn y graig dan orchudd o eira.

Wedi gorffen y bisgedi, y *corned beef* a'r tabledi Horlicks, daethpwyd o hyd i gaban arall ychydig o bellter i ffwrdd. Yno daganfuwyd sachaid o fflŵr, coco a chig morlo drewllyd mewn olew. Collwyd pum aelod arall o'r criw a'u traed yn grawn a gangrin. Rhaid oedd yfed yr olew seimllyd a byw ar dameidiau bychain o'r braster a grogai y tu allan i'r caban yn y meinwynt. Anfonwyd rhai aelodau o'r criw allan bob hyn a hyn i chwilio am bentref neu anheddfa, ond ofer fu'r holl ymdrech. Yna ymddangosodd angylion gwarcheidiol iddynt ar ffurf dau drapiwr o Norwy ac yn sicr byddent wedi marw oni bai amdanynt.

Rhannwyd sigarennau a bwyd, ac ymhen amser fe gludwyd y naw goroeswr gwan ar slediau i dref fechan Barentsburg, nad oedd ond rhai milltiroedd i ffwrdd. Bu'r capten a'r wyth morwr arall yn yr ysbyty am ddau fis cyn symud i Thurso yn Yr Alban ar 15 Mehefin, 1943, am gyfnod arall i wella. Anrhydeddwyd Capten Danny Williams â'r OBE. Dioddefodd y criw y tu hwnt i amgyffred dynol a bu dewrder anhunanol y capten yn esiampl a chymorth i'r holl forwyr.

Erys arwriaeth a dewrder Capten Daniel Morley Williams a'i griw efallai yr epig fwyaf o holl anturiaethau morwyr y Llynges Fasnach yn ystod blynyddoedd tywyll 1939-45.

Cyd-ddigwyddiad rhyfedd oedd i'r Parchedig D. J. Roberts, gweinidog Capel Mair, Aberteifi, weinyddu yn y gwasaneth coffa ym 1942 yng Nghapel-y-Wig ac yng ngwasanaeth angladdol y Capten D. M. Williams ym 1989 yng Nghapel Mair.

Wrth i'r Rhyfel barhau ar dir mawr Ewrop ac i gyfundrefn Hitler grebachu yng Ngogledd yr Affrig, Rwsia a'r Eidal, nid oedd arolygon y byddai'r ymladd yn dod i ben am rai blynyddoedd. Credai D. J. Williams fod gwrthsefyll y 'jack-boot' yn ddyletswydd foesol ar y gorllewin, a dywedai hynny heb flewyn ar ei dafod – hyd yn oed mewn trafodaeth Ysgol Sul. Yn ardal Llangrannog gwelwyd ambell *pill-box*, ffosydd dyfnion, yr *Home Guard*, y mygydau nwy ac roedd dogni ar fwyd, dillad a phetrol. Pell oedd realiti ac roedd diogelwch y teulu yn gymorth i'r gwŷr a'r meibion oddi cartref. Daeth gemau prawf criced, cystadleuaeth Cwpan yr F.A., a gemau rhyng-wladol rygbi a phêl-droed i ben. Darlledwyd Eisteddfod Genedlaethol 1940 dros y radio o stiwdio'r BBC ym Mangor. Cynhaliwyd yr eisteddfodau dilynol mewn neuaddau: 1941 (Hen Golwyn), 1942 (Aberteifi), 1943 (Bangor), 1944 (Llandybïe – neuadd a phabell). Yn Eisteddfod Genedlaethol Bangor ym 1943 enillodd Melville Richards y wobr gyntaf am ysgrifennu nofel *Y Gelyn Mewnol*. Stori gyffrous am ysbiwyr ydyw ac mae'n agor fel hyn:

'"Achtung! Langsam!" Daeth y geiriau'n dawel ond mewn llais awdurdodol o wefusau capten yr *U–364*. Yr oedd y llong-danfor Almaenaidd yn trwyno ei ffordd yn araf ac yn ofalus trwy ddyfroedd Bae Aberteifi, a dim ond ei pherisgôp i'w weld uwch y tonnau . . . Dywedodd y gŵr dieithr – "Wales, erwache! Capten von Reichmar wyf fi."

"Heil!" meddai'r llall a mynd rhagddo yn Almaeneg.

"GD–16 ydwyf fi. A gawsoch chi anhawster i gael gafael ar Gwmtydu?"'

Treuliodd Melville ac Ethyn Richards eu mis mêl yn Llangrannog, a thrwy ei chwilfrydedd ef daeth yn gyfarwydd â llên gwerin yr ardal. Dangosodd ddiddordeb mawr yn stori Sarah Thomas a'r 'sambarîn' yng Nghwmtydu a chysylltiad D. J. Williams â'r Almaenwr-sbïwr yn Bremerhaven. Addasodd y stori ar gyfer Rhyfel 1939–45 gan ychwanegu atynt wybodaeth a phrofiad personol, a bu yn trafod y digwyddiadau gyda D. J. Williams ar amryw droeon.

Brodor o Ffair Fach, Llandeilo, oedd Melville Richards ac fe'i haddysgwyd yng Nglyn-nedd, Coleg Prifysgol Abertawe – ac fel cymrawd yn y Sorbonne a Dulyn. Roedd yn ieithydd naturiol, a threuliodd gyfnod ym Mhrifysgol Bonn, yn Yr Almaen, cyn yr Ail Ryfel Byd. Siaradai Almaeneg rhugl ac astudiodd hanes, traddodiad a chwedloniaeth y wlad. Ar ddechrau'r Rhyfel, chwe mis ar ôl genedigaeth ei ferch, Siân, ymunodd â'r '7th Hussars'. Cofia Siân amdano'n sôn am ei brofiadau cynnar: 'Un o'i ddyletswyddau undonog oedd dysgu martsio i'r darpar-filwyr ifanc. Ond un diwrnod, â'i feddwl ar bethau eraill, anghofiodd y gorchymyn ar sut i ddod â'r trŵp i "HALT"!

Yr Athro Melville Richards.

Bu'r *platoon* yn martsio am oriau yn chwys drabŵd; rownd a rownd y sgwâr – "left turn", "right turn", "about turn" nes i swyddog arall estyn cymorth geiriol iddo'.

Ond cyn bo hir, oherwydd ei allu a'i ddawn amlieithog, fe'i symudwyd i 'Station X' yn Bletchley. Yno casglodd gannoedd o fyfyrwyr galluog, athrawon coleg, chwaraewyr gwyddbwyll, swyddogion y fyddin, actorion a *debutantes* mewn hen blas Fictorianaidd. Dywed broliant llyfr Michael Smith – *Station X*: 'Yno ffurfiwyd canolfan gyfrinachol i ddehongli negeseuon cyfrin y gelyn. Y dasg fwyaf oedd torri i mewn i'r 'ENIGMA' – seiffer cyfrinachol a ddefnyddid gan uchel-swyddogion milwrol Yr Almaen. Newidiwyd trefn yr 'ENIGMA' yn ddyddiol gan roi 159 triliwn o wahanol bosibiliadau. Ond hyd yn oed yn erbyn yr amhosib llwyddodd y grŵp athrylithgar i ddatrys a thorri 'SHARK' – sef ENIGMA y llongau-tanfor a 'FISH' – system a ddefnyddid gan Hitler a'i uwch-gadfridogion'.

Dywedir i'r gwaith cyfrinachol a wnaethpwyd yn Bletchley leihau'r Ail Ryfel Byd o ddwy flynedd ac achub miloedd ar filoedd o fywydau – yn enwedig y morwyr! Daeth buddugoliaeth yng Ngogledd Yr Affrig, Normandi ac yn yr Atlantig. Dyma oedd man geni cyfrifiadur rhaglenni cynta'r byd. Un o'r gwŷr galluog y tu ôl i'r llwyddiant oedd Alan Turing – tad y cyfrifiadur cyfoes.

. . . 'Rwy'n cofio ymweld â Bletchley a chyfarfod â 'nhad y tu allan i gatiau'r parc. Ni ddywedai lawer o ddim am ei waith oherwydd ei natur gyfrinachol,' meddai Siân.

Gweithiai Melville Richards ymhlith carfan ddawnus y 'think-tank' ac am gyfnod ym Mloc D. Dyma lle'r oedd llyfrgell yr holl wybodaeth a gasglwyd a chofnodwyd y cyfan ar gardiau gwynion (5″x4″) mewn bocsys cardbord brown. Tynnwyd llun pob carden ac anfonwyd copïau i Lyfrgell Bodleian, Rhydychen, ac i Fanceinion, er mwyn diogelwch. Unwaith, wedi i swyddog pwysig o'r UDA ymweld â'r ganolfan yn ystod y Rhyfel, dywedodd: "Goddam, if this were the Pentagon, there would be rows and rows of shiny filing cabinets with nothing in them and you do it all in goddam shoe boxes!"'

Cofiaf innau weld pocedi a waledi, sef system ffeilio Melville Richards, mewn droriau arbennig yn ei dŷ ym Maesycregin, Pontgarreg, lle bu'r teulu'n byw am gyfnod. Wedi diwedd y Rhyfel, trosglwyddwyd y cypyrddau i amgueddfa Coleg y Brifysgol, Bangor (gweler y llun). Cadwai wybodaeth drefnus am darddiadau enwau lleol a châi ei gydnabod yn arbenigwr yn y maes. (Cyhoeddwyd llyfr yn ddiweddar gyda chymorth yr Athro Bedwyr Lewis Jones – a gwblhaodd y gwaith.)

Gwyddai unigolion pwysicaf Station X am holl symudiadau a chynlluniau'r Natsïaid: 'Un o'r pethau anoddaf,' yn ôl Melville Richards, 'oedd casglu gwybodaeth, ei ddiseiffro, ac yna anfon milwyr i ymgyrch arbennig gan wybod na fyddai llawer yn dychwelyd'.

Dywed Siân, ei ferch, ymhellach: 'Ehedodd Rudolph Hess, is-lywydd y blaid Natsïaidd, a dirprwy i Goering a Hitler o fewn cyfundrefn y Reich, i'r Alban ar 10 Mai mewn Messerschmitt 110. Gŵr cymysglyd ei feddwl oedd Hess, ac yn dioddef o

Blychau yn cynnwys system cofnodi yr Athro Melville Richards yng Ngholeg y Brifysgol ym Mangor.

Tri llyfr sy'n cynnwys hanesion am ysbiwyr a llongau-tanfor yng Nghwmtydu.

afiechyd ar yr ymennydd, ond yn ôl eraill roedd wedi trefnu'r daith wedi cyfarfod â Dug Hamilton yn y Mabolgampau Olympaidd ym Merlin ym 1936. Glaniodd tua deuddeng milltir o gartref y Dug yn Yr Alban wedi neidio allan o'i awyren mewn parasiwt. Cludwyd ef i weld y Dug gan ffermwr lleol. Credai Hess y gallai gytuno yn bersonol ar gynllun heddwch rhwng Prydain a'r Almaen. Dyna oedd ei bedwerydd cynnig i hedfan i'r Alban. Beth sy'n hynod ddiddorol yw fod fy nhad Melville Richards yn gwybod fod Hess yn yr awyr a bod sgwadron o awyrennau o Wlad Pwyl wedi codi i'w saethu i lawr. Anfonwyd neges brys iddynt i ddychwelyd i'w maes awyr gan adael Hess i hedfan ymlaen yn ddidramgwydd i'r Alban . . . a byddai ei ddal yn fantais seicolegol dda i Brydain a'r gorllewin'. Gwyddai Churchill am y digwyddiadau ond nid oedd am roi cyhoeddusrwydd rhad i'r aelodau hynny o'r Sefydliad Prydeinig a oedd am sefydlu heddwch â'r Natsïaid. Felly gosodwyd y manylion o'r neilltu (ar gais y Prif Weinidog) a'u sgubo dan y mat gwleidyddol.

Daeth diwedd y Rhyfel â chadoediad a rhyddhad, llawenydd a dechrau cyfnod newydd ar y môr. Llongau newydd, gwell cyfleusterau, gwyliau a mwy o amser gydag anwyliaid y teulu – heb sôn am well cydnabyddiaeth. A daeth siawns i Gwenllian, gwraig D.J., fynd gydag ef ar fordaith – fel y gwnaeth ym 1947 i Halifax, Nova Scotia, Canada. Tra oeddynt allan yno, gwahoddwyd D. J. Williams gan Evan Thomas Radcliffe (y perchnogion o Gaerdydd) i arolygu tancyrs olew a oedd ar werth yn yr UDA. Hwyliodd Gwen yn ôl ar y *Llanberis* dan lywyddiaeth y Prif Swyddog, Ron McDarren. (Mae cysylltiad agos rhwng y McDarrens a theulu D.J. yn parhau hyd heddiw.) Ehedodd D.J. dros hyd a lled yr UDA a bu ar gyrsiau gwahanol a newydd – megis y 'gyro' a'i ddefnydd. Ar ôl prynu'r llongau ar ran y cwmni, hwyliodd yn ôl i Gymru ar y *Queen Mary* – moethusrwydd arallfydol – ond byddai'n llawer hapusach ar 'bont' ei long ei hun!

Y Capten Dafydd Jeremiah Williams a'i briod Gwenllian yn Halifax, Nova Scotia, Canada, ym Mehefin 1947.

Ac ar 19 Tachwedd, 1947, hwyliodd D.J. fel meistr y tancyr newydd i gwmni Radcliffe, y *Llanishen* (10,735 tunnell) o Gaerdydd i'r Eidal. Bu'n gapten arni am bedair blynedd, naw mis ac ugain niwrnod. Ond parhaodd yr anturiaethau talentog – er enghraifft trwy enau D.J.W.: 'Yr oeddem yn Piraeus, porthladd Athen, ac yn dadlwytho olew, a'r jeti mewn lle anghysbell, filltiroedd allan o'r ddinas anwar! A'r noson gyntaf, yn oriau mân y bore, bu cythrwfwl gan aelod o'r criw, gŵr ifanc o beiriannwr a oedd wedi bod ar y lan mewn gwesty cyfagos a chwrdd â Delila hudolus gan syrthio mewn cariad ofnadwy â hi – cariad di-flas fel *instant coffee*! Fy neffro a wnâi i ddweud ei fod am ei phriodi yn strêt a bûm mewn dadl hir a brwd ag ef yn ei ddarbwyllo nad oedd yn bosibl. Gofynnwyd imi droeon ynghylch gweinyddu'r seremoni hon, ac y mae'n debyg y cred rhai y gall capten llong wneud hynny. Ond os oes 'awdurdod cleddau ar y pŵp yn llaw'r Hen Ddyn' – ni roddwyd iddo hawl eglwysig yn hyn o beth. Bu raid i'r morwr adael ei Ddelila dan fantell Sëws i ddisgwyl y ffŵl nesa'.'

Ar y *Llanishen* ym 1950 cafodd teulu Cilwerydd fordaith i'w chofio. Hwyliodd Margaret a'i mam gyda D.J. i Aruba yn y 'Dutch East Indies' i gasglu olew o'r burfa yno ac yn Curacao. Deuai'r olew crai o ardal llynnoedd Maracaibo yn Venezuela. Meddai Margaret: 'Roedd y tywydd yn ardderchog a'r ynys yn werinol ei naws – a heb ddatblygu yn fan twristiaeth. Yno y trigai'r teulu Hind, a bu Mr Hind yn beiriannydd gyda 'nhad un amser – ond ymfudodd i Aruba, oherwydd iechyd ei fab, i weithio i Esso. Wedi dadlwytho peth o'r olew yn Fawley, ger Southampton, hwyliodd y *Llanishen* ymlaen i Lerpwl. A chan fod Mam a fi ar y llong penderfynodd Dad fynd â'r llong mor agos â phosibl at Langrannog. Ffoniodd aelodau'r teulu i fod mewn man penodedig ar amser penodedig. Os cofiaf yn iawn roedd traeth Llangrannog yn llawn o bobl yn chwifio eu dwylo arnom a charfan arall ar ben Banc Trecregin. Yna, oherwydd dŵr bas, creigiau a banciau tywod, rhaid oedd gwyro'r llong allan tua'r Bae ond mewn dŵr dwfn, oddi ar Geinewydd, daeth cwch pysgota at ochr y llong. Fe gyfarchwyd y pysgotwyr drwy gorn siarad ac er syndod mawr perchennog y cwch oedd cefnder

92

cyntaf Dad – Rhys Williams o'r Cei'. Teimlad rhyfedd i D.J., ac yntau bellach yn feistr ar ei long ei hunan, oedd hwylio heibio i draethell a chilfach Cwmtydu lle bu unwaith yn llefnyn o grwt yn breuddwydio am fynd i'r môr.

Bu'n gapten am saith mlynedd ar longau cwmni E. T. Radcliffe (Caerdydd) – chwech ar y *Llanishen* ac un ar y *Llandaff*. Yna newidodd gwmni gan dreulio chwe blynedd ar y *Lodestone*, *Coralstone*, *Starstone*, *Silverstone* (llong Jac Alun hefyd am gyfnod) a'r *Goldstone*. Un o longau 'Liberty' oedd y *Coralstone*, llongau a adeiladwyd yn y pedwardegau yn yr UDA, wrth y miloedd ac ar yr un cynllun. Fe'u bedyddiwyd gan yr Arlywydd Franklin Delano Roosevelt yn 'ugly ducklings – built by the mile and chopped off by the yard'. Adeiladwyd un mewn amser byr o bedwar diwrnod a phymtheg awr. Dywedwyd i'r llongau 'Liberty' achub, nid yn unig gwledydd Prydain ond y gorllewin cyfan. Roedd pob model

Gwenllian Williams a Margaret yn cymryd rhan mewn dril diogelwch ar eu mordaith ar y *Llanishen*.

o'r EC–2 yn 7,176 tunnell gros, 10,500 – pwysau marw, 441 troedfedd o hyd, gyda 5 hold cargo, bîm o 56′ 10″, drafft (wedi llwyth) o 27′ 7″, cyrhaeddiad o 17,000 milltir a chyflymder o 11 *knot*. Arnynt roedd criw o 62 gan gynnwys y swyddogion.

Yn raddol tua diwedd y pumdegau newidiodd cyflwr ac amodau bywyd morwr. Gwellhaodd y cyflogau, roedd mwy o wyliau, gellid dod adref yn amlach a symudodd perchnogaeth ac yswiriant o wledydd Prydain. Daeth Bermuda, Monrovia, Liberia a Phanama yn gysylltiedig â'r llongau a thorrwyd adenydd undeb y morwyr a chyflogwyd criwiau cyfan o Goa (India). Ac er i'r llongau newydd fod yn lanach, yn helaethach ac yn fwy cyffordus – digymeriad oeddynt i'r hen feistri a hwyliodd ar yr 'hen dramps' yn y dauddegau a'r tridegau.

Digwyddiad anghyffredin iawn oedd i ddau gefnder cyntaf, dau gapten, dau a oedd yn hyddysg yn y gynghanedd, gyd-deithio ar draws cefnfor y Pasiffig ac i gyfnewid englynion dros radio'r llongau. Wrth i'r naill hwylio o Awstralia i Panama a'r llall i'r cyfeiriad arall, cysylltid yn feunyddiol a throsglwyddwyd llwythi o englynion – rhai yn lliwgar iawn – er mawr ffwdan i'r 'sparks' (y swyddog radio). Cyfansoddwyd dau englyn yn arbennig:

Y llong *Llanishen* (10,735 tunnell gros).

Y Capten D. J. Williams a'i wraig Gwenllian ar ddiwrnod gwobrwyo'r ysgol 'St. John's on the Hill', Cas-gwent. Roedd yr ysgol a'r llong wedi gefeillio.

Y llong *Coralstone*. Bu Dafydd Jeremiah yn cyfarch ei gefnder Jac Alun oddi ar ei bwrdd wrth groesi'r Pasiffig.

> *Coralstone* alone to lee – on the track
> But the Trades are squally;
> Without fail gaining daily
> Bear it up you *Liberty*.
>
> (math ar long oedd y *Liberty*)   *J.A.J.*

A'r ateb:

> Oh! Eskglen, sail with brisk glee – the grey waves
> With grace and efficiency;
> So fair you'll beat its fury,
> Well manned you'll make land and lee.
>
> *D.J.W.*

A chyfarchion gwawr a machlud oddi wrth D.J.W. o waith Isfoel i'w gefnder Jac Alun:

BORE DA!

> Da canfod dy fod yn fyw, – bore da,
> Mae'n bur dywyll heddiw;
> Diwall a da yw dull Duw,
> Deued haul, deued dilyw.

NOS DA!

Oriau hud wedi eu rhedeg, – dunos
A syfrdanol osteg;
Y dydd ar ddibyn deuddeg –
Nos da, fy angyles deg!

Ym 1961, enillodd Awstralia gytundeb, a'r mwyaf erioed, gwerth £27 miliwn, i werthu dros filiwn o dunelli o wenith i Tseina. Yr *Alva Cape* dan gapteiniaeth D.J. oedd y llong gyntaf i'w glanhau (o gario olew) a'i haddasu i gludo'r grawn. Ni wyddai D.J. ble'r oedd pen y daith ond rhai diwrnodau cyn hwylio o Geelong. Ac wedi cyrraedd Whampoa (Canton) daeth swyddogion rhwysgfawr comiwnyddol ar fwrdd y llong i'w holi'n fanwl mewn Saesneg gloyw. Cawsant eu cludo i weld ysbytai, ysgolion ac adeiladau cyhoeddus newydd o bensaernïaeth drawiadol. 'Propaganda i gyd! Rwy'n falch nad wy'n byw 'no,' oedd sylwadau D.J.

Dychwelodd yr *Alva Cape* i gario olew o Aruba ac Abadan i Bombay ac yn ôl i Brydain, cyn i Dafydd symud fel meistr ar y llongau mawrion. Treuliodd gyfnod o ddwy flynedd a hanner yn Hambwrg yn goruchwylio paratoi'r *Alnair*, yr *Altanin* a'r *Almizar* ar gyfer eu mordeithiau cyntaf. D.J. oedd yn gyfrifol am drefnu lleoliad

Rhan o eiddo'r Capten Dafydd Jeremiah Williams ar ei longau. Roedd ganddo lyfrgell gyfoethog ac ynddi lyfrau fel *Gwaith Pantycelyn*, *Englynion Bodfan*, cyfrolau rhwymedig o'r *Frythones*, a chyfrolau o farddoniaeth y tylwyth, bathodyn a thystysgrif Uwch-gapten, llyfr Gweddi Gyffredin a ddefnyddiodd i gladdu ei stiward a'i ffrind ar y môr, a Thestament poced a gyflwynwyd iddo ym 1939 gan aelodau Capel-y-Wig.

Croesi'r llinell
(y cyhydedd)
ar yr *Alva
Cape*,
15 Gorffennaf,
1960. Y tad
'Neifion' yn
ymweld â'r
llong gyda'i
'lys'.

rhannau o'r dec, y dodrefn a'r holl offer, yn wir eu gwisgo o ffurf cragen i'w holl ogoniant fel llongau gosgeiddig yn barod i hwylio'r cefnforoedd. Âi D.J. ar y treialon gyda pheirianwyr y cwmni adeiladu ac ar fordaith gyntaf pob un yn eu tro cyn eu trosglwyddo i'w capteiniaid newydd. Roedd yr *S.S. Altanin* (44,935 tunnell gros) a'r *Alva Star* (113,932 tunnell gros) yn ddwy lefiathan o'u cymharu â'i longau blaenorol. Roeddynt cyhyd â chae pêl-droed ac roedd gan D.J. feic i seiclo o'r *stern* i'r *bows* ac o amgylch y dec! Dywedai ambell waith, 'Dyna drueni na fuasai hen foto-beic James y Cilie gennyf i chwyrnellu ar hyd y deciau!'

Hwyliai o Hambwrg, Abertawe, Avonmouth a Fawley yn yr *Alva Star* at ffynhonnau'r olew crai ger Abadan (Persia). Ac ef oedd y meistr arni pan y'i gwerthwyd i gwmni Almeda (Bermuda).

Llyncodd yr angor ym 1970, ond bu'n cymryd lle capteiniaid ar wyliau ar longau tancyr olew yn Aberdaugleddau, Avonmouth a Fawley, am flwyddyn neu ddwy.

Mae brawdoliaeth y môr yn safon hollol unigryw a greddfol. O'r *deck-hand* mwyaf distadl i'r uwch-gapten, mae'n rhwymo perthynas rhwng pob morwr ac yn arddangos brawdgarwch a thraddodiad ar eu gorau – mewn heddwch, argyfwng neu ryfel. Gwelir y geiriau canlynol ar golofn arbennig y tu allan i Archifdy Llongau-Tanfor Yr Almaen, Cuxhaven. Cyflwynwyd y garreg gan gymdeithas cyn-forwyr tanfor Glannau Merswy ym 1993: 'Men who served the seas were not enemies, but opponents'.

97

Y llong M.V. *Alnair*.

Y llong M.V. *Altanin*.

Y llong M.V. *Almizar*.

98

Y lefiathan olaf: yr *Alva Star*.

Dafydd Jeremiah Williams a'r Capten John Alun Jones yn ymweld â bwthyn Glandŵr, lle ganed Dafydd Jeremiah.

Rhoddai'r capteiniaid bwyslais arbennig ar feithrin ysbryd da a chyd-dynnu ymhlith eu criwiau. Wedi llyncu'r angor gwahoddwyd y capten Dafydd Jeremiah Williams yn aml i siarad â chymdeithasau'r fro – megis y Ffermwyr Ieuanc, Adran yr Urdd a'r Gymdeithas Ddiwylliadol. Heb eithriad cyfeiriai at ddigwyddiadau'r môr trwy'r person cyntaf lluosog – 'ni'. Dywedai: 'Arferiad ydyw am fy mod yn meddwl fel 'na yn hytrach na bod rhywbeth personol yn digwydd i mi yn unig. Yr oedd pawb ymhlith aelodau'r criw yn rhan ohonynt!' Nid rhyfedd iddo fod yn gapten llwyddiannus.

Gwnaeth dwy seremoni liwgar y bu D.J. a'i griw yn dyst iddynt argraff oesol a hoffai gyfeirio atynt yn ei sgyrsiau: 'Bob mis Mawrth, neu ddechrau'r gwanwyn, hwyliai cannoedd o longau pysgota o orllewin Ffrainc a gogledd Sbaen am y 'Grand Banks of Newfoundland'. Cefais y cyfle un tro i wylio'r seremoni fawr o fendithio'r llynges cyn hwylio o borthladd bychan gerllaw San Sebastian – o'r enw Passajes. Dim ond hollt yn y graig oedd y mynediad i'r harbwr ac uchafbwynt y ddefod liwgar oedd bendithio'r cyfan gan Esgob y dalaith. Byddent yn pysgota'n ddi-dor am benfras dros gyfnod o chwe mis oddi ar arfordir Newfoundland. Arferent gasglu llythyron y llynges ddwywaith yr wythnos a'u cadw ar y fam-long nes y deuai llong fasnach yn agos. Bûm yn eu casglu a'u cario ar ddau achlysur – ar ein ffordd i Baltimore a St. John's New Brunswick. Peth hollol gyffredin yn y rhannau yma oedd cael ein dal mewn niwl trwchus (yn ystod yr haf) – a'r funud nesaf, mewn sgap o heulwen, cael ein hunain yng nghanol y cychod pysgota. Trosglwyddid y penfras ar gychod bychain i'r fam-long lle'u helltid a'u storio cyn eu dychwelyd i'r gwledydd Catholig'.

. . . 'Seremoni arall liwgar a gofiaf yn dda oedd lansio llong newydd yn Yr Eidal. Cyn gwthio'r llong i'r môr, roedd dwsinau o offeiriaid Pabyddol ac Esgob blaenllaw yn eu gynau porffor a gwyn yn taflu dŵr sanctaidd dros rannau o'r llong cyn ei henwi. Yn wahanol i wledydd Prydain a gogledd Ewrop, mae'r seremoni yn digwydd bob amser ar y Sabath'. Lluniodd D. J. Williams soned i gofnodi'r achlysur:

MYFYRDODAU MORWR

Eneinio'r ffroen â gwinoedd drud y wlad,
A gwên barwnes dros ei bendith hi;
Ei geiriau'n llithrig ar i Dduw y Tad
Gysegru'i gyrfa'n helaeth ar y lli.
Anwesai'r môr â'i mynwes ddur yn llawn
A'r faner chwifiai'n falch ar frigyn main,
A minnau'n syllu ar ryfeddod dawn
Wrth weld ei gollwng o'i hualau cain.
Pa ffawd a ddaw i'w rhan? Ai melltith dyn
Rydd anamserol derfyn ar ei thaith?
Ai grym y storm a'i chwâl â'i chynnwrf syn
Ar daith fradwrus lawr i'w gwely llaith?
Amen! farwnes, maddau im fy chwiw:
Rwyf innau'n un o'i dewisedig griw.

Anfonodd D. J. Williams englynion o'i waith dros y radio at ei gefnder-gapten wrth groesi'r Pasiffig.

ODDI WRTH D.J.W. AR Y *CORALSTONE*

'Rôl gadael gwynt 'TRADE' mi gredaf – yn awr
    Fod nef oddi tanaf;
    Mae heulwen, a mwy hwyliaf
    O lid rhain i wlad yr haf.

D.J.W. YN 49 OED
(at gefnder Jac Alun, ar yr *Eskglen*)

Diglwy ddaw llawer blwyddyn – a'u golud
    Ac elw diderfyn;
    Miri a llwydd a môr llyn
    A hawdd stad heb wâd wedyn.

CYRRAEDD BILBAO

Wedi'r frwydr a'r hir grwydro – yr hafan,
    Mor hyfwyn, yw f'eiddo;
    Dig gerrynt wedi eu curo –
    Angor gref yng ngwar y gro.

Y Capteiniaid Dafydd Jeremiah a Jac Alun ar lethr Banc Caer-llan, Cwmtydu, yn ail-fyw hen atgofion.

Ac fel ei gefnder, Jac Alun, byddai'r Capten D. J. Williams yn cyflwyno anrheg o dybaco i'w ewythr Isfoel. Byddai'r bardd, heb eithriad, yn diolch mewn englynion.

DIOLCH AM DYBACO
(I'm nai y Capten Dafydd Jeremiah Williams)

Wele dyrcha chwil dorchau – y Bruno
I'r wybrennol nennau,
A meginaf o'm genau
Olosg o hwyl heb lesgáu.

Bruno yw baco'r brenin – a Bruno
Brynant yn Ariannin;
Yn ei stôl wele Stalin –
Tynnu'r un tân o'r un 'tin'!

Cysur, hwyl ac asur heulwen – gwynt teg
Hynt hir i'r *Llanishen*;
Rhydd harbwr i'r bardd hirben
Byth-na-chyffrwy' mwy, Amen.

Mae achub 'morwyr' a longddrylliwyd neu anturwyr mewn cwch bychan a oedd yn drifftio ar drugaredd y cerrynt oherwydd nam mecanyddol, neu hwyliwr amhrofiadol wedi mynd ar goll, yn rhan o anturiaeth a brofir mewn llyfr neu mewn ffilm ar sgrîn arian o Hollywood. Ond achubodd Capten D. J. Williams amryw o rai felly! . . . 'Roeddwn yn rhwym â nwyddau cymysg o Houston, Texas, i Singapôr. Ac wrth groesi Môr y Caribî, cefais wybod gan y trydydd swyddog, a oedd ar wyliadwriaeth ar y pryd, fod rhywun mewn helbul. Anfonwyd 'S.O.S.' ar lamp Morse. Anelwyd trwyn y llong tuag at y golau ac ymhen ugain munud roeddwn ar bwys cwch modur, ugain tunnell mewn mesur, a oedd wedi torri paladr ei sgriw. Gan nad oedd ganddynt hwyliau yr oeddent yn hollol ddiymadferth. Roedd pob llong arall wedi 'mynd o'r tu allan heibio', yr un fath â'r offeiriad a'r Lefiad yn Nameg y Samariad Trugarog. Yn y cwch roedd chwech o ddynion croenddu a oedd wedi hwylio o Galveston am Santiago Cuba (cyn yr ymrafael rhwng Fidel Castro a'r UDA). Trwy gyfrwng y di-wifr, cysylltwyd â Gwylwyr y Glannau yn Galveston gan roddi ein safle, lledred a hydred – a chyflwr y gwynt a'r cerrynt. Estynnwyd dŵr, bara, tatws, tuniau o gigoedd a photel o frandi iddynt. Roeddent yn ddiolchgar iawn a'u gwenau a'u dannedd gwynion yn siarad cyfrolau! Dymunwyd yn dda iddynt. Ymhen tridiau cefais neges oddi wrth Wylwyr y Glannau, a diolch i bawb am achub y chwech "Robinson Crusoe".'
 . . . 'Daeth digwyddiad arall tebyg i'n rhan oddi ar un o ynysoedd y 'Great Barrier Reef' yn Awstralia. Cwrel – esgyrn calchog creaduriaid y môr mewn dŵr is-drofannol – yw llawer o'r *reefs*. Maent yn ymestyn o gorun gogleddol Awstralia yn 'Cape York' am fil o filltiroedd i lawr arfordir Awstralia – a thua saith deg i gan milltir oddi ar yr arfordir. Roedd y llong yn rhwym â llwyth o wenith Brisbane ac yn anelu am Lundain. Eto daeth *distress signal* o ynys gyfagos, a thrwy gyfrwng y lamp Morse sefydlwyd cymundeb â'r colledig. Y neges oedd, "We are three castaways, can you please take us on board?" Croesawyd hwy ac wedi bwyd a gwresogi tipyn cawsom eu hanes. Un ohonynt oedd Harbwr-feistr Cairns (Queensland) a oedd yn ystod ei wyliau blynyddol

wedi cytuno, gyda'i frawd-yng-nghyfraith, i fynd ag *oil-barge* i Port Darwin. Cododd storm enbyd yn sydyn – un o'r 'Williwaws' fel y'i gelwir yn lleol. Roedd y *barge* wedi hollti yn ddwy ond roeddent wedi llwyddo i gyrraedd y tir mawr ger Cape Melville ar un o'r cychod achub – gyda chyflenwad o gig tun a dŵr. Buont yno am ddiwrnodau ond ni welsant yr un llong. Penderfynodd y ddau rwyfo i ynys fechan, allan yn y bae. Roedd y tywydd o'u plaid, a dymchwelwyd y cwch i gael cysgod dros nos oddi tano a rhag y glaw trofannol. Cymerwyd hwy ar fwrdd y llong ac wedi tri diwrnod o hwylio gosodwyd hwy i lawr ar 'Thursday Island' yng ngorsaf y peilotiaid ar Fôr Timor. Wedi iddynt ddychwelyd i Cairns anfonasant lythyr personol yn diolch i ni am eu hachub ac am y croeso a'r driniaeth'.

. . . 'Cofiaf dro arall hefyd! Hwyliasom o'r Môr Canoldir i Siapan ac yn gyntaf drwy Gamlas Suez'. Dyma englyn a luniodd D. J. Williams i'r rhyfeddod hwnnw o waith yr athrylith Ferdinand de Lesseps . . . a miloedd o weithwyr caib a rhaw!

Hwylio hir dan haul eirias – a niwlog
Anialwch o'n cwmpas;
Gemliw yw gwrid y Gamlas –
Ei daear boeth a'i dŵr bas.

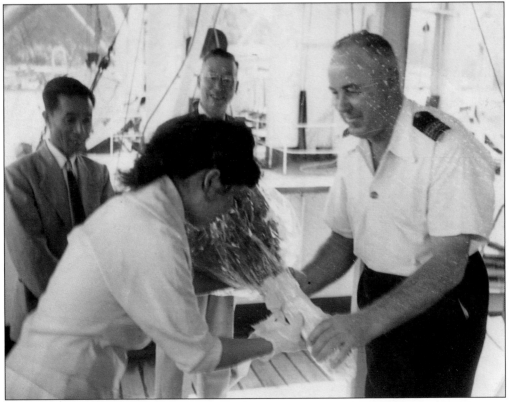

Mujaju, Siapan, 17 Medi, 1955: croeso dinesig i Dafydd Jeremiah ac ysgrifennydd y Maer yn cyflwyno blodau iddo ar y *lower bridge*.

. . . 'Wedi rowndio penrhyn deheuol Silon, sef 'Point de Galles' (enw diddorol) a 'Dendra Head' – hwyliasom ymlaen tuag at Gulfor Malacca. Yno daethom o hyd i gwch bychan a phedwar o ddynion ynddo. 'Malays' oeddent, wedi mynd allan i bysgota wythnos ynghynt. Fe'u sgubwyd allan i'r môr gan un o'r cylchwyntoedd annisgwyliadwy. Roedd eu bwyd wedi darfod a'u hwyliau yn chwilfriw a dim modd ganddynt roi gwybod am eu cyflwr na'u safle. Fe'u cymerwyd hwy ar fwrdd y llong a'u bwydo. Rhoddwyd rhaff am eu cwch a'i dynnu *astern*. Dau ddiwrnod allan gosodwyd hwy'n ôl yn eu cwch chwarter milltir o enau Port Swettenham – lle'r oedd y pedwar yn byw. Yn y llyfr log gwelir y sylwadau canlynol: "The towrope was cast off and <u>we</u> proceeded on our voyage".'

Ni ellir ond cofnodi fod magwraeth, natur a phryder D. J. Williams am ei gyd-ddyn a'i ymwybyddiaeth am frawdoliaeth y môr wedi chwarae rhan allweddol wrth achub y 'castaways' a nodwyd.

Gŵr byr o gorffolaeth a byr ei gamau oedd 'Wncwl Dai', fel y'i cyfarchwn ef. Roedd ganddo wyneb crwn, yr un tebygrwydd â'i fam a thalcen llydan ac uchel o flaen ei linell bell o wallt. Hoffai pawb 'Gapten Cilwerydd' oherwydd gwres ei groeso, ei foneddigeiddrwydd, ei natur garedig a hynaws a'i ddidwylledd. Medrai gadw cyfrinach fel gele a thyfodd ymddiriedaeth cymdeithas ynddo dros y blynyddoedd. Pan ddôi swydd gyfrifol gerbron, ef oedd y dewis cyntaf bob amser. Cadwodd swyddi trysorydd Capel-y-Wig, cadeirydd Cyngor Bro ac aelodaeth o Bwyllgor y Neuadd – ymhlith

Clos y Cilie: aduniad y teulu cyn arwerthiant y fferm. O'r chwith i'r dde: Beryl Jones, Mari Raw Rees, Mary Davies a'r Capten Dafydd Jeremiah Williams.

104

eraill. Ac fel y dychmygwch roedd cyfrifon y llong yn gywir ac fel pin mewn papur.

Fe deimlwn, fel pawb, yn hollol gysurus yn ei gwmni diddorol. Ymhen dim byddai'n dyfynnu englyn, soned, cywydd, dihareb, emyn neu adnod i liwio ei sgwrs gartrefol a diymffrost. A chyfrwng yr holl gyfoeth o'i gof diwaelod oedd ei lais soniarus. Gwefr oedd ei glywed yn darllen neu yn adrodd barddoniaeth – pob cytsain a llafariad yn eu lle gyda phwyslais deallus, ac efallai y gorau o holl aelodau'r 'Tyl' i wneud hynny. Fe wnâi lefarwr da ar y radio, mi gredwn i. Dan yr holl nodweddion allanol roedd yn ei fêr gadernid a phenderfyniad dibrin. Clywais lawer o'i gyd-forwyr yn ei ganmol, a mynegi mai D.J. fyddai'r cyntaf a'r olaf i fod yn gapten arnynt. Rhoddai hyder iddynt a thawelai bob elfen o ofn ac ansicrwydd. 'Ei air yn ddeddf – yr 'Hen Ddyn'!'

Ac ymhlith yr holl bwyll hunan-feddiannol roedd elfen wrthgyferbyniol ddiddorol iawn ynddo. Roedd yn fentrus ac yn anturus, ac yn un a hoffai

Dafydd Jeremiah Williams, y garddwr, y paentiwr a chymhennwr y stad yng Nghilwerydd, wedi iddo lyncu'r angor.

gyflymder. Cynigiodd hwylio *trimaran* (iot tair *hull*) foethus a drudfawr ei frawd John Etna – yn ôl i Gymru o Hong Kong. Roeddynt wedi cynllunio'r holl daith yn fanwl. Clywais am y manylion yn y 'Stag & Pheasant', Pont-ar-sais, yn ystod Eisteddfod Genedlaethol Caerfyrddin, 1974, pan gafwyd seiat y 'tyl' yno ar brynhawn Llun wedi i Tydfor feirniadu ar yr englyn digri. Ond daeth ei wraig, Gwenllian, i wybod am y cynllun a rhoddwyd 'diwedd ar sut ffwlbri'. Trueni hefyd!

Yn ystod ei fordeithio i Taranto yn Yr Eidal, rhwng 1957 ac 1960, apeliodd rhygnu soniarus peiriannau'r Ferrari, Masseratti a'r Alpha Romeo yn fawr iawn ato. Bu'n cystadlu mewn sawl rali foduron gan wneud argraff gofiadwy. Ar gwrs mynyddig arbennig ac addas medrai wasgu'r sbardunau i'r llawr a hyrddio'r gomed wyllt a chymylau o gerrig a llwch yn gynffon ysblennydd. Pwy a ŵyr, pe buasai wedi parhau, na chawsai le ym mhrif ras yr Eidal – y 'Mille Miglia'!

Wncwl Dai a'm dysgodd gydag amynedd diderfyn i yrru yn y Morris mawr – sef y modur a ddymchwelyd gan fy nhad ar ei ffordd i'r prawf gyrru (gweler yr hanes yn *Hen Ŷd y Wlad*, Isfoel.)

Yn amyneddgar, eisteddai yn y sedd chwith, ond y tu ôl i'r olwyn hoffai ambell waith godi'r mynegfys i gyflymder tiriogaeth y dychryn. Ond nid gyda'r teulu agos. Ni hoffai amhrydlondeb. Roedd fel tân ar ei groen. Ac ni hoffai ddilyn cerbyd araf ar y

Cilwerydd: cartref Dafydd Jeremiah a Gwenllian Williams. Credir i Isfoel helpu i enwi'r tŷ.

ffordd dyrpeg. Âi heibio fel llucheden. Cofiai ei gefnder, Jeremy, amdano yn gyrru modur yn y dauddegau gan sgrialu dros Barc y Bariwns a Pharc Sgubor fel Juan Fangio cyn gorffen yn y 'pits' ger ydlan Gaerwen a'i deithwyr yn chwys drabŵd. Bu raid i D.J. gario'r truan i'r clos ac yntau yn crynu fel deilen, ond ni chafodd unrhyw niwed. A phan ddychwelodd Jeremy o'r ysbyty wedi iddo golli rhan o'i goes mewn damwain yn y peiriant dyrnu yn y Cilie, aeth car D.J. yn sownd ar hewl arw Lôn Banc. Fe'i cariwyd eto, ar gefn D.J., yr holl ffordd draw i ffermdy unig Y Gaerwen! Credaf mai falf diogelwch oedd yr elfen a nodwyd. Wedi dyddiau cynnar yr 'Austin' a'r 'Morris' bychain cofiaf weld D.J. yn gyrru 'Singer Vogue' ac wrth gwrs ei 'Rover 2000' – o liw'r Pasiffig. Ac mewn man amlwg ynghlwm wrth ei ffender *chrome* roedd bathodyn cymdeithas y 'Master Mariners' – un a drysorai yn fawr.

Cludai Isfoel yn y march glas i stiwdio'r BBC yn Abertawe a Chaerdydd. Cludai'r beirdd i ymrysonau a thalyrnau a thrwy'i gof anhygoel roedd yn cofio'r rhan fwyaf o'r cynnyrch wedi dychwelyd.

Lluniodd Isfoel gân unwaith wrth ddychwelyd o Gaerdydd yng nghar D.J., ac wedi taith o dair awr a hanner roedd naw pennill wyth llinell ar gof a chadw ym manc ymennydd D.J. erbyn iddynt gyrraedd Cilygorwel – cartref Isfoel.

Oddeutu'r tŷ bu'n gymorth di-ail i'w wraig, Gwenllian, gan gymryd pwysau'r iau yn ddirwgnach gyda'r gorchwylion beunyddiol. Fel pob morwr roedd yn baentiwr gofalus a graenus. Disgleiriai Cilwerydd dan baent ffres cyson. Ac roedd yr ardd, y lawntiau a phopeth, yn lân a chymen. Defod feunyddiol a boreol i 'Wncwl Dai' oedd cerdded i Ffynnon-Ddewi ym Mhontgarreg, lle'r yfai wydried o'r dyfroedd grasusol a llanw stên i'w chyrchu adref. Pe baech yn galw ar yr aelwyd fe'ch croesewid yn dwymgalon – a bron heb eithriad â thracht o ddicanter dŵr y ffynnon. Dyma englyn a luniodd i Ffynnon Ddewi:

Dafydd Jeremiah a'i gefnder Jeremy (brawd lleiaf y Capten Jac Alun), yn Eglwys y Carcharorion, Henllan.

Y Capten Dafydd Jeremiah Williams yn ymweld ag Eglwys y Carcharorion, Henllan. O'r chwith i'r dde: Mary (ei chwaer), Margaret Enidwen (Mrs T. Llew Jones) a Rachel Elias (cyfnitherod), a Sarah Ellena Jones (gwraig y Capten Jac Alun).

Hen ddiod Ffynnon Ddewi – a'i hanes
 Hŷn na llynnoedd Teifi;
 Iach neu'n glaf mi fynnaf i
 Eneiniad ei daioni.

Roedd hiraeth mawr arnaf o'i golli; roedd yn un o 'dlysau'r' teulu. Model ydoedd o ewythr hoffus a oedd mor barchus gyda'r ardalwyr ag yr oedd o fewn y 'Tyl'. Wedi colli fy nhad efallai imi ei gydnabod fel un o'r dolenni cyswllt olaf â'r traddodiad morwrol ac wrth gwrs yn berthynas agos iawn.

WNCWL DAI
(Y Capten Dafydd Jeremiah Williams)

Diymhongar fu'r arwr – yn ei wedd
 A'i air fel storïwr;
 Rhannu'r ddawn er teyrn ar ddŵr
 Yn feunyddiol fonheddwr.

Jon Meirion

Y Capten Dafydd Jeremiah yn mwynhau dracht o Ffynnon Ddewi.

Mewn erthygl yn Rhifyn 11 o'r *Cardi*, dywed y Capten D. J. Williams: 'O'r cyd-longwyr cynnar hynny mewn tes a drycin dringodd dau neu dri yn gapteiniaid, wedi llyncu'r angor erbyn hyn fel ninnau. A phan ddown ar draws ein gilydd bydd llawen chwedl rhyngom am yr hen amser. Aeth eraill ar wasgar ac at orchwylion gwahanol a dringo i ben yr ysgol hefyd yn eu byd. Ciliodd eraill ohonynt tros y gorwel olaf ac ni chodant angor mwyach. I chwi fy hen gymrodyr a'r dyfroedd wedi cau amdanoch –

Dwysaf hun lle nid oes fynor – na neb
A gwyd gofeb, ond gwae y dygyfor.'

Ac yn rhifyn 8 o'r un cylchgrawn, dywed: 'Mae'r garw a'r teg yn ffawd anochel ym mywyd y morwr. Yr hin braf sy'n codi a llonni calon a'r frawdoliaeth gref a diddan. I mi sydd bellach yn edrych yn ôl ar fy mywyd y mae rhyw gyfaredd parhaus yn llinellau S.B.:

Dim ond esmwyth furmur awel
Fry'n yr hwyliau mawr a'r gêr
Sydd yn siglo'n araf dawel
Heibio i'r haul a'r lloer a'r sêr.
Tan y bow mae siffrwd sisial
Lle mae'r llong yn torri'r lli,
Fel tae siswrn chwim yn sisial
Trwy y sidan main ei si.

. . . Ymfodlonaf mwy a'm traed yn sych'

108

John Alun a Dafydd Jeremiah,
y ddau gefnder, yn chwilio am
darddle Ffynnon yr Hwch –
lle cafodd Almaenwyr y
llong-danfor ddŵr grisialaidd
ar ddechrau'r Rhyfel Mawr.

a dau englyn o waith ei hun:

> Ar fwyn gwr hafan a gaf – mawr ferw môr
> A'i furmuron glywaf;
> Hud i Sais, ecsodus haf
> Rhagor, yw'r fan lle trigaf.

> O hedd glan, anniddig li – ni'm tynn mwy
> Tonnau maith y cenlli;
> Siriolwedd, sawr ei heli
> A'i gilfach mwyach i mi.

Nid anrhydeddwyd y Capten yn swyddogol, ond enillodd edmygedd ei gyd-forwyr, ei fro a'i deulu – yr anrhydedd pennaf efallai. Ac er yr holl amser a dreuliwyd yn tramwyo'r moroedd ymhell o aelwyd, gweithred hiraethus oedd symud i dir am y tro olaf. Roedd 'Wncwl Dai' wrth ei fodd yng nghwmni ei wraig hawddgar, Gwen, yn ei hoff Gilwerydd a'r siawns y tro hwn i ddilyn tyfiant a magwraeth eu hwyresau. Roedd hen ardal Cwmtydu wedi newid hefyd a deuai llinellau Alun yn ôl yn hiraethus i'w wefusau yn aml o ddyfnder ei gof:

109

Lle unig yw'r draethell heno
A brych ei llewych a'i llun,
Ond hoff fel erioed ei pharwydydd
A'r gro a'r cerrig – yr un.
Ond nid oes bywyd a chelfyddyd falch
Na throed un gŵr wrth yr odyn galch.

Amaethwr nid oes yma weithian
Na throl na rhigol ar ro;
Mae rhamant y criw, a'r 'Atlanta'
O'r traeth wedi mynd ers tro.
Morwyr a'u miri, na chwmni ni chawn,
Nac oed ar y morfa dan leuad lawn.

Wele anniddig lonyddwch
Am hud y cwm wedi cau
Heb yno neb i'm hadnabod
O gyfoedion beilchion y bau.
Dim ond môr â'i dwrw, yn bwrw ei boer
Hyd yr ogo' wag gyda'i regi oer.

Wrth i bwysau tŷ mawr, gardd drom, lawntiau a chynteddau o lwyni a phamau blodau gynyddu, symudodd y ddau i dŷ ychydig bach yn llai, sef Glyn Marles, hefyd ym mhentref Pontgarreg. Ac yna wrth i'r iechyd a'r corff lesgáu symudodd y ddau i gartref eu merch Margaret, yn Llanelli, lle cawsont ofal tyner a chariadus.

Y Capten Dafydd Jeremiah a'i ferch Margaret ar y chwith a'i wraig Gwenllian ar y dde, Medi 1986, y tu allan i'w cartref, Glyn Marles.

Gorffwysle Dafydd Jeremiah a Gwenllian Williams ym Macpela'r Wig.

Bu farw'r Capten Dafydd Jeremiah Williams yno ar 19 Medi, 1988, yn 84 oed, a'i wraig Gwen, chwe mis yn ddiweddarach ar 8 Chwefror, 1989, a hithau hefyd yn 84 oed. Gwelir yr englyn isod, o waith T. Llew Jones, ar eu carreg fedd ym mynwent Capel-y-Wig:

> Er i'r môr mawr ymyrryd – un oeddynt
> Yn nyddiau eu bywyd;
> Ac eto'n un, un o hyd
> Yng nghafell Angau hefyd.

LLINACH DAVID JEREMIAH WILLIAMS

David Jeremiah
Gwenllian Morwen
|
Margaret Elanwy

David Douglas Evans (1)   Meurig Evans (2)
|
1. Anne Gwenllian
   (John Francis Langan)
   |
   Sophie Frances

2. Helen Mary
   (Simon Robin King)
   |
   Ieuan Lloyd
   Megan Emily

James Frederick Williams

(1905 – 6-12-19872)

James Frederick Williams (ar y dde), gyda'i dad Rhys (Rees) Williams, gŵr ail blentyn y Cilie, Marged, a fu farw'n ifanc iawn. Ar y chwith y mae Mary, merch Rhys Williams a chwaer Fred.

Cyhoeddwyd y gyfrol *Codi'r Wal* i goffáu gwaith a bywyd Fred Williams yng Ngorffennaf 1974. Golygwyd y gyfrol gan ei gefnder, Gerallt Jones, a gwelir y sylw hwn ganddo ar ei chychwyn: 'Crynhowyd y gweithiau ynghyd, eu trefnu a'u hargraffu, yn deyrnged i goffáu y mwyneiddiaf ohonom'. Ac yna yn y rhagair, dywed ei frawd, Dafydd Jeremiah: 'Gofynnais iddo droeon onid oedd peth chwant arno i gyhoeddi cyfrol o'i waith, a'r ateb pendant bob tro oedd, "Dim," yna ychwanegai, "Paham na chyhoeddi di gyfrol o'th hunangofiant, byddai'n llawer mwy diddorol na'r hyn wyf i wedi'i gyfansoddi erioed".' 'Fel y mae pawb a'i hadwaenai yn dda yn gwybod, ni hoffai efe amlygrwydd o unrhyw fath ond credaf y byddai yn golled pe byddai'r cyfansoddiadau yma yn mynd i ddifancoll,' ychwanegodd ei frawd.

Syndod a rhyfeddod a gefais wrth fyseddu'r gyfrol y dydd o'r blaen a gweld pris ei gwerthiant – dim ond hanner can ceiniog! Y mae goludoedd yr Awen oddi fewn ei chynteddau, rhai ohonynt, yn amhrisiadwy. Nid rhyfedd i Mathonwy Hughes ddweud am Fred Williams, wedi adolygu ei gyfrol farddoniaeth yn *Y Faner*: 'Mae'n debyg fod

113

drwy Gymru gyfan lawer o bobl fel finnau y mae Fred Williams yn ddieithr iddynt. Bardd, a bardd go dda hefyd. Buasai ef ei hun yn rhy wylaidd i gasglu ei farddoniaeth yn gyfrol a'i chyhoeddi. Gresyn na fuasai'r cefndryd hwythau wedi bod yn llai gwylaidd ac wedi cynnwys ychydig o wybodaeth am y bardd. Mae'n amlwg i mi fod y diweddar Fred Williams yn fardd digon da i'w genedl gael gwybod rhagor amdano . . . Mae cywreinrwydd ei gynganeddion yn rhyfeddol a hwnnw'n gywreinrwydd llyfn fel rheol. Dyma rai trawiadau cofiadwy:

'Refferî rhag chwerw ffraeo –
Yn arwydd hedd ei ffordd o.' (am y Parch T. Pugh Jarman)

'Teyrn ydlan yn trin odlau.' (am Alun Cilie)

'Trwy y dydd swatiwr diddos
Ond "Robin Hood" erbyn nos.' (am Siôn Cwilt)

'A llwybr serch lle bu'r sant.' (Cyfarchion priodas i Jon Meirion ac Aures)

'Hebryngwch ei lwch i'w le;
Pen-sarn yw pen y siwrne.' (am Dafydd Jones, Rhyd-fach)'

. . . 'Fel y gellid disgwyl,' meddai Mathonwy Hughes, 'roedd gan y môr afael gref ar un a fagwyd yn uchelderau Cwmtydu. Cymerth at lenydda a bu fwy nag unwaith ymhlith y goreuon yng nghystadleuaeth yr englyn yn y Brifwyl. Hawdd coelio hyn wedi darllen ei waith yn y gyfrol hon . . . Englynion yw'r rhan fwyaf o gynnwys y llyfr, er bod ynddo hefyd ganu ar fesur cywydd a hir-a-thoddaid a pheth canu rhydd heblaw cyfieithiad i'r Saesneg o gerdd arbennig. Dychymyg y golygydd sy'n gyfrifol am raniadau trawiadol y gyfrol – Meini'r Brig, Meini'r Fro, Meini'r Môr, Meini Aur, Meini Coffa, Meini Rhydd a Meini Newydd. Fel yna y bu 'Codi'r Wal' . . . Mae'n amlwg i mi mai cynganeddwr yn anad dim oedd y bardd ifanc hwn, a pherygl parod cynganeddwr rhugl bob amser yw cynganeddu yn hytrach na barddoni. Dim ond bardd a fedr osgoi'r perygl hwn, ac fe lwyddodd awdur *Codi'r Wal* i wneud hynny'.

Mary Davies, ail blentyn Rees Williams a Marged. Bu'n brifathrawes yn Abaty Cwmhir, Bryn-mawr a Chefn-coed, Merthyr.

Fe'i ganwyd – James Frederick (ar ôl ei hen dad-cu) – yn Felin Huw, Cwmtydu, ac yn bedwerydd plentyn i Rees a Margaret Williams. Roedd yn frawd i Rhys Thomas (ŵyr cyntaf y Cilie), Mary Jane, Dafydd Jeremiah a John Etna. Trwy linach ei fam, roedd yn ŵyr i Jeremiah Jones, y Cilie, ac yn or-ŵyr i'r gof o Ben-y-bryn, sir Benfro. Amlygodd Rhys Tom ei hun fel actor dawnus iawn ac ef oedd arweinydd naturiol nosweithiau llawen ar aelwyd y Cilie. Dringodd Dafydd a John i swydd capten a threulio'u hoes ar y môr. Bu Mary yn brifathrawes lwyddiannus ym Mryn-mawr ac yng Nghefn Coed, Merthyr. Ond breuddwydiwr oedd Fred, gŵr swil iawn ond cymeriad hoffus. Ac ef – o linach Margaret – a fendithiwyd â phelydrau Duwies yr Awen. Ymddiddorai yn ei fraint a medrai lunio pennill ac ambell linell gynganeddol yn fore iawn. Roedd fel ei gefnder Tydfor – yn siarad mewn cynghanedd! Roedd dawn y bardd yn ei enynnau! Nid oedd aelwyd y Cilie yn bell i ffwrdd a threuliai lawer o amser yng nghwmni ei ewythrod enwog gan ddysgu rhigymau drygionus Isfoel ar ei gof! Ac yntau ond yn bump oed a'i frawd lleiaf John Etna (Nono) yn bedair a phum niwrnod, bu farw eu mam, a bu raid i'r teulu gyda chymorth morynion a charedigrwydd teulu cyfagos y Cilie a theulu Rees Williams ymgiprys â gwaith y felin, y fferm a'r busnes cigydda. Roedd gwaith caled a miri ieuenctid yn brofiad beunyddiol – ac nid oedd y môr ond tafliad carreg i ffwrdd. Fel y canodd Fred ei hun yn ei aeddfedrwydd:

> Ei draeth f'etifeddiaeth fu –
> Gwenyg yn suoganu
> Uwch fy nghrud i'w rŵn hudol,
> Ac awn i gwsg yn ei gôl.

Yn ystod blynyddoedd prin y dauddegau ym myd amaethyddiaeth – (a gyd-redai â'r dirwasgiad) – chwaraeai Rees Williams (tad Fred) ran allweddol fel gŵr busnes yng

Felin Huw, Cwmtydu, yn y pellter, a bwthyn Glandŵr yn rhan flaen y llun. Rhed afon Fothe drwy'r cwm cyn troi i'r chwith heibio i'r Felin, ac ymuno ag afon Ddewi cyn llifo am Gwmtydu a'r môr.

115

Felin Huw, Cwmtydu, cartref Margaret a Rhys Williams. Gwelir (o'r chwith) y felin, yr odyn (lle sychid y llafur), y tŷ a'r lladd-dy a oedd ynghlwm wrth y beudy a'r 'sgubor.

nghefn gwlad drwy estyn cymorth i'r ffermwyr lleol. Cofiai Eleanor Brace (gynt Rees) o Bwllychwil, Blaencelyn, amdano yn dod i'r fferm i ladd eidon. Rhoddai ei wasanaeth am ddim. Yna deuai'r cyhoedd i'r fferm arbennig honno i brynu'r cig yn ystod yr wythnos. Rhaid oedd ei werthu o fewn dyddiau cyn dyfodiad rhewgelloedd. Yr wythnos ganlynol gwnâi'r cigydd yr un ddyletswydd garedig mewn fferm arall gyfagos, dyweder Ffynnonlefrith neu Garnwythog. A sut y gwnâi Rees Williams elw ei hunan yng nghanol yr holl ddaioni cymwynasgar? Wel – gwerthai ei gig ei hunan dros y penwythnos. Parhaodd y cymorth am bedair blynedd – er mawr ddiolchgarwch ac edmygedd y ffermwyr. Ambell waith prynai ffermwr (fel Tom Rees, Pwllychwil eto) lwyth o 'basic slag' mewn cytundeb cyfnewid â llwyth o dato. Ond, unwaith, dychwelwyd y tato a bu raid i'r ffermwr eu derbyn yn ôl a bu'n rhaid i'r llall fenthyg arian i dalu am y 'basic slag'.

Addysgwyd Fred yn Ysgol Caerwedros ac Ysgol Uwchradd Aberaeron. Yno daeth o dan ddylanwad athro arbennig iawn, Evan Owen James, athro dawnus a bardd cydnabyddedig a oedd yn hyddysg mewn cerdd dafod. Cynhaliai wersi arbennig yn ystod yr awr ginio i ddysgu'r cynganeddion a disgleiriodd Fred a'i ffrind John Lloyd Jones dan ei fantell athrylithgar.

> Cofio'r llanc a'i firi llon,
> Bore aur Aberaeron. (*J. Lloyd Jones*)

116

Ymhlith y bechgyn galluog eraill a ddangosai ddiddordeb a phresenoldeb gwirfoddol llawn-amser oedd J. M. Edwards a Seymour Rees. Yr oedd Fred a John Lloyd yn prydyddu yn ifanc iawn. Deuai Fred o dan ddylanwad ei ewythrod talentog o'r Cilie ac roedd gwythïen lenyddol a barddol gref yn rhedeg trwy achau John Lloyd. (Roedd yn ewythr i'r Prifardd Idris Reynolds, yn frawd i'w fam, ac yn frawd i'r awdures Mary Jones, Pennant.) Yn fuan iawn roedd dysgeidiaeth effeithiol E. O. James yn dwyn ffrwyth a llawer o'r dosbarth yn prydyddu ac yn llunio llinellau cynganeddol, ac yna englynion a chywyddau syml yn eu harddegau cynnar. Dylanwadodd E. O. James ar Fred i ddarllen llyfrau clasurol a gwaith beirdd a gyfrifid yn feistri yn eu meysydd. Dysgodd seiliau cadarn yng ngramadeg yr iaith Gymraeg – rhywbeth na chafodd ei frodyr na'i gefndryd oherwydd fe'u galwyd i'r môr heb fawr o addysg.

Sgwâr pentref Caerwedros a phlant yr ysgol. Ar y chwith: efail y Castell.

Ysgol Sir Aberaeron yng nghyfnod Fred Williams.

117

E. O. James, athro Cymraeg Ysgol Sir Aberaeron ac athro barddol Fred Williams.

Ganwyd Evan Owen James, ei athro barddol, ym Mhil Uchaf, rhwng Glynarthen a Betws Ifan, yng ngodre Ceredigion, yr hynaf o bump o blant. Roedd ganddo dri brawd ac un chwaer ac ymhlith ei frodyr roedd David James, tad y teulu James, ac o'u plith ymddangosodd chwech o'r brodyr fel tîm ar raglen BBC Cymru, *Talwrn y Beirdd*. A changen awenyddol arall oedd ei berthynas â 'Bois y Colej Mowr' – sy'n cwmpasu traddodiad barddol ac enwau fel Megan Lloyd Ellis, Llangian, ac Ifor Owen Ifans, Sarnau. Roedd mam E.O. a thad-cu Ifor Owen yn gyfnither a chefnder. Fe addysgwyd E.O. yn ysgol bentref Glynarthen ac Ysgol Sir Aberteifi cyn ennill ei radd B.A. ym Mhrifysgol Cymru, Aberystwyth. Enillodd radd M.A. am ei waith ymchwil i fywyd a gwaith Lewis Glyn Cothi (1447-1486). Yna, ymunodd â staff Ysgol Sirol Aberaeron fel athro Cymraeg a Lladin ac enillodd barch ac edmygedd disgyblion, rhieni a chymdeithas am ei waith cydwybodol. Gwnaeth gais am swydd prifathro yn yr ysgol ond bu yn aflwyddiannus. Ymhen ychydig ymunodd ag ysgol Mynwent y Crynwyr, ger Treharris, yn Ne Cymru, yn ddirprwy-brifathro ac yn athro Cymraeg, lle'r oedd Sarnicol yn brifathro – a fu'n ddylanwad ac yn gyfrwng i'w ddenu i'r de. Wedi ymddeol, symudodd i Bella Vista, Ceinewydd, Ceredigion, ac am gyfnod bu'n Glerc y Cyngor ac yn un o'r ychydig a dderbyniodd hyfforddiant mewn llaw fer. Bu farw ar 27 Mehefin, 1947, yn 62 oed, gan adael gweddw, Margaretta, a dwy ferch, Eirwen a Llinos. Gwelir y beddargraff isod ar ei garreg fedd ym Mynwent y Cei: 'Nid y byd yw nod y byw'. Gadawodd gasgliad o ddwsinau ar ddwsinau o englynion ac mae llawer ar gof a chadw gwerin de Ceredigion. Gwelir cwpled trawiadol ar faen coffa Neuadd Bentre Sarnau, ger Llangrannog, sy'n cofnodi cwymp bechgyn ieuanc y fro yn y Rhyfel Mawr 1914-18. Yn eu plith roedd ei frawd, Samuel James, Pil-bach a chefnder iddo, Johnny Evans, Brynarthen.

Dolen serch ardal yn sôn
Am aberth mawr ei meibion.

Lle bychan oedd Felin Huw, fel llawer o ffermydd bychain cefn gwlad Sir Aberteifi, ac ni fedrai gynnal teulu o bedwar gŵr ifanc deallus ac awyddus i wella'u byd. Aeth yr hynaf, Rhys Tom, i weithio ym Manc Lloyds, Mary i fyd addysg a Dafydd i'r môr. Anfonwyd John Etna, ei frawd iau, i ysgol enwog Diwtorial Ceinewydd am ddau dymor i baratoi ar gyfer morwriaeth. Ond symudodd Fred i mewn yn lle ei frawd dros y trydydd tymor i gael blas ar yr addysg newydd o fewn cyraeddiadau'r teulu. Mathemateg (gan gynnwys *algebra* a *trigonometry*), Lladin a Dinasyddiaeth eto oedd prif bynciau'r cwricwlwm. Dyma sut y canodd ei gyfaill John Lloyd Jones (Penparce, Llwyndafydd):

O'i ddesg ciliodd y sgolor – hael ei ddawn,
    Clywodd wŷs y cefnfor;
Daw i gof y dygyfor –
Pob ystum yn mynnu môr.

Roedd hanesion a rhamant mordaith ei ewythr, S.B., yn ei ddihoeni ac yn ennyn ei ddychymyg fel tân eithin ar graig Pen-parc. Roedd ei frawd, Dafydd, wedi cwblhau wyth mordaith – ar y *Zurichmoor, Brynmead* a'r *Kenmare* (gyda chapteiniaid lleol), ac wedi dringo o swydd *cabin boy, ordinary seaman* i forwr. Deuai gartref dan liw llosg yr haul trofannol a'i leferydd yn dafodrydd o saga'r moroedd. Yn sgîl hyn cynyddodd awydd Fred i'w ddilyn ac ufuddhaodd i alwad y môr. Gweler rhan o awdl o'i waith:

Yn ei gorn anniddig o
Yn fore wŷs i forio
Glywais i, yn y glas hedd
Oedd ddyhead diddiwedd;
Yn tynnu – grym y tonnau
Oedd eres i'r fynwes fau,
Yn fyw hylif ei heli
I'm gwaed aeth lle'm magwyd i.

Y Capten John Davies ar ddydd ei briodas. Ef oedd Capten Fred a John Etna Williams ar eu mordeithiau cyntaf.

Yn grwtyn deunaw oed derbyniodd Fred ei swydd gyntaf fel *galley boy* ar y *Llangorse* (4703 tunnell) dan gapteiniaeth John Davies, Glandewi, Pontgarreg. Hwyliodd o'r Barri ar 19 Ionawr, 1923, â chargo o lo i borthladdoedd Afon de la Plata yn yr Ariannin a chanodd am ei brofiadau cynnar yn y cwpledi isod:

O dre'n gawr cyn oedran gŵr
Cyfeiria llanc o forwr.

a

Hoywlanc iach – tynn ei lwnc o,
Hel mae poen yn lwmp yno.

Parhaodd y fordaith gyntaf am naw mis, a chwblhaodd ail fordaith dri mis gyda'r un capten. Yna ymunodd â'r *County of Cardigan* (2286 tunnell) ac eiddo i gwmni Evan Owen (gynt o'r Foel a chymydog i'r Cilie). Fe'i dyrchafwyd i swydd – *Mess Room Boy* – gan ei gapten, Evan Lewis Taylor, Maesycregin, Llangrannog. Cymeriad gwydn a dewr oedd Capten Taylor ac mae hanesyn diddorol amdano yng nghyffiniau Kinsale, Iwerddon, ym Mai 1915, pan suddwyd llong bleser Cunard, y *Lusitania*, gan long-danfor Almaenig. Collwyd 1459 o fywydau. I achub ei griw a'i long tynnodd Capten Taylor yr hen *blood and guts* (y *red ensign*) i lawr a chododd faner Gwlad Groeg yn ei lle. Suddwyd tair llong arall yn y cyffiniau – *Aboukir, Hogue* a'r *Gressy*. Anfonwyd y llong-ryfel *Juno* yn ôl i borthladd er mwyn diogelwch. Cyrhaeddodd un *lugger* fechan,

S.S. Deddington, a brynwyd gan gwmni David Owen, Y Foel, Blaencelyn.
Newidiwyd ei henw i *County of Cardigan* (2286 tunnell gros).

Y llong *County of Cardigan*, ynghlwm wrth y cei yn Bordeaux, Ffrainc.

Model o'r *barquentine* tri mast *Barbara*, o waith Capten Lewis Taylor, Maesycregin.

y *Wanderer* o Ynys Manaw, ac achubodd Capten L. Taylor 52 o fywydau o'r môr i'w long y *Westborough*. Llwyddodd i gyrraedd Belfast yn ddiogel ond bu o flaen ei well am ei weithred 'gywilyddus' . . . "Beth sy' bwysicach?" gofynnodd, "protocol a baner ar ddarn o lin neu achub bywydau hanner cant o forwyr?" Ni chlywodd ragor am y busnes. Ymunodd Fred wedyn â'r *Maid of Syra* (3451 tunnell) yn Y Barri am fordaith dri mis dan gapteiniaeth J. W. Nelson.

A oedd bywyd morwr mor rhamantus i Fred wedi'r cyfan? Cyfaddefodd i'w chwaer Mary – 'Byddai'n well gennyf fod yn alltud yn Siberia nag aros ar y môr'. A deuai'r geiriau yn ôl yn aml i boeni Mary wedi digwyddiadau cyffrous mordaith olaf Fred ar y *Rochdale*. Hwyliodd Fred am bedair mordaith ar yr *S.S. Rochdale* (4745 tunnell).

Ymunodd Dafydd Jeremiah, ei frawd, fel A.B. (*able-bodied seaman*) â'r *S.S. Trevaylor* – 'y rhacsen llong fwyaf fues i arni erioed'. Hwyliodd o St. Ives, Cernyw, am y Dwyrain Pell ar 28 Mawrth 1925, ac ar y fordaith daeth cyd-ddigwyddiad rhyfedd iawn i'w ran. Dywed D.J.: 'Yr oeddem ar ein ffordd o Laurenco Marques, porthladd yn Nwyrain Yr Affrig a oedd yn perthyn i Bortiwgal ac yn rhwym am Singapôr. Galwasom yn Colombo, prifddinas Ceylon (ar y pryd) i ymofyn *bunkers* (glo)'. Ond yn ddiarwybod i D.J. roedd Fred hefyd wedi cyrraedd Colombo yn forwr ar yr *S.S. Rochdale* dan gapteiniaeth C. Biault. Gwyddai Fred enw llong ei frawd a gwelodd hi ynghlwm wrth y cei yn yr adran ddeheuol o'r porthladd lle dadlwythid glo. Ac un prynhawn penderfynodd Fred nofio allan ati yn groes i ddyfroedd y bae. Yr oedd gryn bellter i ffwrdd ond roedd y dŵr fel llyn hwyaid i Fred. Onid oedd wedi ymaflyd â meirch porthiannus tonnau Cwmtydu lawer gwaith ac ysgythru'i enw ar Graig yr Enwau?

Dafydd Jeremiah, brawd Fred, yn cael hoe rhag y gwynt a'r tonnau.

Roedd yn nofiwr cryf a hyderus. Wrth agosáu gwaeddodd o'r dŵr, "Ladder! Ladder!" Taflwyd ysgol raff Jacob iddo a dringodd yn ofalus i fyny dros ochr serth y llong yn wlyb fel sgadennyn i freichiau'r morwyr oedd yn disgwyl amdano: "My brother is on board. I would like to see him – with the captain's permission," plediodd Fred â'i wynt yn ei ddwrn. Fe'i sychwyd i raddau cyn ei ddwyn o flaen Capten E. Thomas – Cymro â chydymdeimlad yn ei galon!

Wedi clywed ei stori, trefnodd y capten iddo weld ei frawd mewn ystafell arbennig. Roedd yn aduniad twymgalon iawn a thair blynedd ers iddynt gyfarfod ddiwethaf. Roedd Fred yn teimlo'n rhwystredig iawn. Roedd yn casáu bywyd y môr ac roedd hiraeth mawr arno am fywyd cymdogaeth dda Cwmtydu a'i rhagoriaethau. Gofynnodd am ddychwelyd i Gymru gyda'i frawd ond oherwydd rhesymau cyfreithiol a materion yswiriant nid oedd yn bosibl. Rhoddodd D.J. gildwrn, yn ôl ei natur, i'w frawd gan ddweud: "Efallai y byddi'n

Suddiad y *Lusitania*.

teimlo'n wahanol pan gyrhaeddi di adre! Beth am newid llong?" Ond wedi dychwelyd i Gymru hwyliodd Fred eto ar yr *S.S. Rochdale*, y tro hwn i Awstralia, ar 1 Rhagfyr, 1925. Roedd ei rwystredigaeth wedi lliniaru rhywfaint ond ar fordaith hir tueddai hen deimladau i ddychwelyd a'i gorddi eto.

Wrth agosáu at Ynysoedd Neptune a Gambier roedd Fred eisoes wedi gwneud ei benderfyniadau wrth i'r llong hwylio i fyny Gwlff Spencer ar y 120 milltir i borthladd Port Pirie yn nhalaith De Awstralia. Roedd llawer o forwyr yn cael swydd ar longau a oedd yn hwylio i'r Antipodes gyda'r unig fwriad o 'neidio'r llong' ac aros mewn gwlad gynnes, ifanc a oedd, yn ôl yr hanesion, 'yn llifeirio o laeth, mêl ac AUR'. Oherwydd hynny roedd *squads* neu *posses* yn gwarchod ardal yr harbwr ac yn dal morwyr a oedd yn ceisio dianc a'u dychwelyd i'w llongau. Ond roedd Fred un cam o'u blaen ac arian ganddo. Aeth i fyny i'r dre ar ddau ddiwrnod yn olynol wedi gorffen y dadlwytho a dychwelyd yn gyfreithlon bob tro. Ond y trydydd tro prynodd 'foto-beic' mewn siop a oedd wedi ei lygad-dynnu o'r blaen a gyrrodd fel llucheden neu gath i gythraul allan tua'r *outback* llychlyd i gyfeiriad Broken Hill. Roedd wedi 'jwmpo'r llong' – trosedd yn ôl y gyfraith ond aeth rhwystredigaeth byw bywyd anniddorol morwr cyffredin yn ormod i ŵr deallus fel Fred.

Nid oes gennym gofnodion ysgrifenedig ar glawr am anturiaethau Fred *down below*. Dim ond hanesion ei gyfeillion agosaf dros dreigl amser. Yn eu plith ac mewn hwyliau da cofir am y 'sagas' yn y 'Crown' Llwyndafydd o flaen tanllwyth o dân. Hefyd mewn cae gwair ar de pentalar, ar y bont ar hwyrnosau haf, gweithdy'r Gwyndy neu yn yr odyn yn nyddiau'r *Home Guard*. Roedd Evan Edwards yn cofio tipyn: ''We ti *upside down*, 'te, Fred, yn Awstralia?' gofynnai un o'r criw . . . 'Ble est ti gynta'?' 'Pyh! Pyh!', ac wedi'r ebychiadau arferol, tipyn o gocso, dracht o'r medd lleol – âi yn ei flaen – 'Y lle gore i gael swydd yn weddol gyflym oedd gweithfeydd arian sinc a phlwm yn Broken Hill. Weles i'r un enaid byw ar y ffordd am oriau. Roedd y tir cras yn goch iawn ac yn sych. Lle hyll iawn oedd Broken Hill. Tomennydd ymhobman a thwlle dyfnion. Ac roedd y rheilffordd o Adelaide i Sydney yn mynd trwyddo. Ges i swydd yn swyddfa'r rheilffordd. Cysgu mewn hostel a chaban pren, yng nghanol cymysgeth fowr o ddynion – o bedwar ban byd'.

Ac ar ei foto-beic, fe'i tynnwyd drwy straeon y mwyngloddwyr a'u breuddwydion i ardal Wilpena Pound – 120 o filltiroedd i'r gogledd-orllewin yng nghanol cribau mynyddoedd Flinders. Yno gyda thrwydded arbennig roedd llawer yn cloddio am *opals* du – gemau symudliw a gydnabyddir yn *semi-precious* . . . 'Meddyliwch bois, 'tasen i wedi ffindio rhai gallwn brynu'r 'Crown' ac fe geithech beintio am ddim bob nos am oes!'

Un o'r seiadwyr ffyddlon oedd Tom Jenkins a'i weithdy cynnes lle gweithredai fel oriadurwr oedd y man cyfarfod. Fe'i coffawyd gan Fred:

> Dôi hogiau y gymdogaeth – i'w gyntedd
> Ac yntau yn bennaeth;
> Ei chwerthin ffri'n iach a ffraeth
> Yma'n hoywi'r gwmnïaeth.

Ac meddai Tom: 'Fe gwrddest â sawl Matilda, siŵr o fod?'

'Nid menyw *belle of the ball* wedd Matilda a fues i ddim yn dawnsio gyda hi. Er imi gydio mewn sawl Matilda arall. Cân werin o waith Andrew 'Banjo' Paterson ym 1895 yw'r gân enwog Waltzing Matilda.'

'Rho dro arni, Fred,' gwaeddai rhyw wag o'r cefn.

'Cyfeirio mae e at sach-gefn crwydryn. Bu'r gân yma, fel rhai eraill, yn gyfrifol am greu arwyr chwedlonol o'r gwŷr caled – y porthmyn a oedd yn tramwyo'r *outback*. Mae dwy ran o dair o'r boblogaeth yn byw mewn wyth dinas. Meddyliwch, bois, buase pawb yn byw yng Nghaerdydd. Dim Llwyndafydd; dim Cwmtydu; dim . . . 'Crown'!'

'Fuest ti'n ffarmo o gwbwl? Wedi'r cyfan na beth wet ti?' gofynnai Orwel Jenkins, Pendderw.

'Ddweda i wrthoch chi. Peint arall gynta'.'

'Defed, da, moch . . . neu gangarŵs, beth we 'da ti Fred?' meddai llais arall.

'Fues i'n gweithio ar fferm ddefed fowr ar ffin Victoria a New South Wales, can erw a rhagor. We ni'n un o 'gang' oedd yn cneifio. We ni'n mynd â cwc gyda ni ac yn cysgu a chysgodi mewn tre gyfagos. Mis Hydre' wedd hi, gwanwyn iddyn nhw. Roedd llawer o goed *gum* ac *eucalyptus* i roi cysgod rownd y tŷ ffarm – a hwnnw fel byngalo mowr pren. Doedd dim clos, dim ond sied gneifio a llociau i'r defed – filltir i ffwrdd. Sinc oedd ar bob to i ddal dŵr glaw, a hyd yn oed y gwlith a'r anwedd. Roedd dŵr yn brin iawn. Ac os fydde 'na ffynnon artesian roedd gormod o swlffwr yn y dŵr i'w yfed. Dim ond yn addas i anifeiliaid. Casglai'r teulu ddŵr glaw mewn llyn cyfagos a'i bwmpio i'r tŷ. Doedd dim tŷ bach, dim ond twll yn y ddaear, a bydde'r morgrug yn cael gwared o'r carthion – whap. Nid oedd cloddiau i'w gweld yn unman, dim ond ffensys diddiwedd. Ac er i'r borfa lasu yn y gwanwyn, crino a melynu a wnâi yn y gwres llethol. Ar ganol haf roedd mor boeth â ffwrn – 115 F. Uffernol! Ond roedd yn wres sych! Dyna pryd roedd tanau yn beryglus iawn. Rwy'n cofio gweld tân yn dechrau wedi i beiriant beinder daro yn erbyn carreg a chreu sparcs.'

'Welest ti gangarŵ, Fred?' – gofynnai rhywun.

'Digon o rheiny, *koalas*, *dingos* a nadredd di-ri,' atebai Fred, heb ymhelaethu gormod.

Hyd yn oed yn y dauddegau heidiai miloedd o dwristiaid o Brisbane a dinasoedd tebyg i'r Arfordir Heulog oddeutu lle o'r enw Gold Coast. Yno roedd bola-heulwyr yn chwennych y gwres a'r tywod gwyn ar y traethau cysefin. Ac ym mhentrefi glan môr roedd galw mawr am weision i weini mewn tai bwyta, clybiau a gwestai.

Gŵr heb wastraff geiriau oedd Fred ond mewn amryw o sefyllfaoedd medrai hynny fod yn fantais fawr. Trwy ei Saesneg graenus a chywir medrai gyfleu awdurdod a phresenoldeb. Gwnâi argraff gyntaf dda ar ei gyflogwyr, ac yn wahanol i'r system gaeëdig ar fwrdd llong, fe'i dyrchafwyd droeon yn arweinydd.

'Jawch, alla' i ddim dy ddychmygu mewn siwt pengwin yn rhedeg *restaurant*, heb sôn am fod yn fanijer ar gerddorion,' ebychodd Ifan Cwmcynon.

'Edrychwch ar y ffoto 'ma, bois!' atebodd Fred. Ac o'r gornel dôi cwestiwn arall, 'A welest ti ddynion du ma's 'na?' Er na fentrodd Fred i mewn i anialwch llychlyd yr *outback*, roedd ganddo ddiddordeb mawr yn niwylliant yr Aborijini. Sylwodd fod eu hanes yn debyg iawn i ni'r Cymry. Darllenodd lawer am Kata Tjuta ac Uluru (Craig Ayres). Cyn i'r Prydeinwyr gytrefu'r is-gyfandir roedd yno gannoedd ar filoedd o frodorion yn siarad 400 o ieithoedd. Gwelodd enghreifftiau o'u hetifeddiaeth trwy ddawns ac arlunwaith celf ar greigiau. Credai'r Aborijini mai ei gyndeidiau a greodd y nodau tir, a'u harweinyddion ysbrydol a fu'n gwau'r fytholeg gyfoethog a elwir yn 'Freuddwydion' (rhywbeth tebyg i'n Mabinogi ni ar un ystyr).

. . . 'Maen nhw'n dweud fod yr Aborijini wedi ymfudo o Asia, trwy hongian ar rafftiau cyntefig. Roeddent yn helwyr crefftus, yn rhoi'r *bush* ar dân i yrru'r anifeiliaid allan. Ac nid oedd dim yn well i gymell tyfiant newydd! 'Run peth â ni'n rhoi'r graig ar dân dan y Foel a Chwmbwrddwch,' meddai Fred . . . 'Fe weles sawl un ohonyn nhw pan oeddwn yn casglu ffrwythau ger tre Shepparton – *pears* a *peaches* fwya'. Roedd yn rhaid cael nac arbennig i gael y ffrwyth o'r pren. Rhoi twist fach syden gan adel tamaid o'r goes ar ôl. Rhai main, tenau oedd yr Aborijinis o groen tywyll iawn – a gwallt du cyrliog a thrwynau fflat. We nhw'n ddynion a menywod yn dewis y ffrwyth yn ôl y lliw a'u cario'n ofalus draw i wagen fawr a oedd yn cario hanner tunnell. We'n ni'n cysgu mewn hen dŷ

Fred Williams gyda thri arall a fu'n gweini wrth y bordydd ar yr Arfordir Aur yn Awstralia, un o Sbaen, un o Wlad Groeg ac un o'r Eidal.

pren, ar fatras ar y llawr – o Ionawr i fis Mawrth. Ond roedd yr Aborijinis ar wahân. Roedd e'n waith blinedig iawn ond yn llawer o hwyl. A digon o ffrwythau i'w bwyta.'

Oherwydd natur dymhorol y gwaith fel gwas fferm, casglwr ffrwythau, gwas mewn gwesty a rheolwr y cerddorion – ar brydiau bu cyflwr Fred yn isel iawn o ran enillion materol a chyflwr meddwl. Roedd mor dlawd â llygoden eglwys weithiau, yn enwedig ar ôl i'r Dirwasgiad gyrraedd Awstralia ac effeithio ar yr economi yno.

Wedi bron i bum mlynedd yn Awstralia, nid oedd swyn 'Waltzing Matilda' mor felys â chynt, nid oedd y symud tragwyddol mor gysurus ac anturus ag y bu ac roedd hiraeth a galwad ei annwyl ardal oddeutu Cwmtydu yn ennill y dydd. Yn ei waith beunyddiol o gofnodi dadlwytho a llwytho llongau cadwai olwg fanylach ar yr hysbysfwrdd. O! na fyddai llongau ei frodyr John Etna a Dafydd Jeremiah, neu ei gefnder Jac Alun, yn galw yn harbwr Port Kembla (Porthladd masnach i Sydney, N.S.W.). Roedd enwau'r llongau ganddo trwy lythyru â'i dad. Roedd anghenion bwyd a llety (a'r moto-beic y bu raid iddo'i werthu) wedi tyllu ei bocedi ac nid oedd ei swyddi tymhorol a'r cyfnodau o ddiweithdra mor bleserus ag amaethu Troed-y-rhiw. Yn sicr nid oedd brawdoliaeth y môr, er mor gyfeillgar oedd ambell Gymro, Jock a Paddy a thrigolion Tiger Bay, yn ddim i'w gymharu â chyfeillgarwch a chwmnïaeth ei ffrindiau gartref oddeutu

Cwmtydu. Nid oedd y cyfleusterau caeëdig, a'r pellter o gerdd, sain ac englyn y Cilie a'r fro yn fodd i hyrwyddo'r Awen!

Ymhen y flwyddyn, ar ôl gweithio mewn swyddi brwnt yn y dociau ac ar y rheilffyrdd, dychwelodd Fred fel morwr ar yr *S.S. Antinous* o Fort Kembla dan gapteiniaeth Capten E. Thomas a chyrraedd Lerpwl ar 20 Rhagfyr, 1930. Cawsai Nadolig gyda'r teulu wedi'r cyfan. Roedd ei frawd Dafydd allan yn Abadan, a'i forwr-frawd arall, John Etna, yn y Dwyrain Pell. Yn sicr roedd ei dad, ei frawd Rhys Tom a'i chwaer Mary yn falch o'i weld unwaith eto.

Ailgydiodd ym musnes cigydda'r teulu, a bu'n amaethu yn Nhroed-y-rhiw, Llwyn-dafydd. Dyma sut y cofnododd ei gyfaill, John Lloyd Jones, Penparcau, anturiaethau Fred a'i benderfyniad i ddychwelyd i'w fro anedig:

> Her ddirfawr oedd ei yrfa, – amliw hynt,
> A chaem wledd o ddrama,
> O'i lywio i ddweud, ar hwyl dda,
> Stori helynt Awstralia.
>
> Troes ei herw tros Iwerydd, – eto daeth
> At ei dad yn gigydd;
> Cofio'i fynd ar dywyn dydd
> Hyd ei wlad a'i haelwydydd.
>
> Rhan o'i werin ei oror, – carai'i wlad,
> Cariai lith y llenor;
> Ac o'i wylfa yn Gwelfor
> Yn gweld mwy na gweld y môr.

Nid oedd Fred yn ddyn busnes naturiol ond roedd yn cynnig gwasanaeth da fel cigydd. Roedd ganddo galon ddidwyll, natur gwrtais a gonest iawn. Gwell oedd ganddo wneud colled na chodi crocbris neu dwyllo a chymryd mantais ar rywun arall. Dywed Rachel Eleanor (Nellie) Brace eto: 'Cofiaf am Fred fel gŵr golygus a chwrtais ac roedd ganddo hiwmor ergydiol a thinc athronyddol yn aml. Unwaith, ar ôl i fy nheulu adael am draeth Gwmtydu ar ddydd Iau Mawr, gadawyd y pennill canlynol ar ddrws y fferm:

> Bûm yma'n mo'yn y defaid
> A hynny am saith o'r gloch;
> Doedd yma neb i'w weled
> Ond gwyddau, cŵn a moch.
>
> Down eto bore 'fory
> Os byddwn iach a byw,
> Gan obaith cael cynhorthwy
> I'w dwyn i Droed-y-rhiw.

. . . Roedd ei frawd, Rhys Tom, yn *film star* o olygus. Cofiaf ei weld lawr yn Llangrannog. Y gymdogaeth oedd y man gwyliau bryd hynny a hoffai ddod i alw i weld ei deulu yn y Pentre Arms'.

Grŵp priodas John
Alun a Sarah Ellena.
Fred Williams, yr ail
o'r chwith, oedd y
gwas priodas.

Lôn Banc Gaerwen
ar ddiwrnod priodas Jac
Alun. O'r chwith: Fred
Williams (gwas),
D. J. Williams (gyrrwr)
a Jac Alun (priodfab).

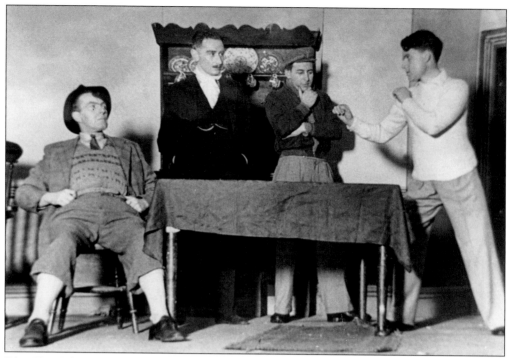
Rhys Tom Williams (ar y chwith) fel aelod o gwmni Theatr Fach, Abertawe, ar lwyfan St. Gabriel's Hall, Abertawe.

Arferai ffenestr llawr uchaf (i'r chwith) Pentre Arms fod yn ddrws tu fewn, roedd ystafell fechan a ddefnyddid yn ystafell fwtseria a meddygfa bob yn ail (wedi ei sgrwbio'n dda – wrth gwrs!) Pan alwai Fred yn y Pentre Arms cariai sach o lysiau i lawr i'r teulu a oedd yn rhodd oddi wrth deulu Brynderwen, i fyny'r cwm. Un tro taflodd y sach i mewn i gornel y beudy – ond ar ben Fflei, ci anwes y teulu. Byth ers hynny dechreuai Fflei chwyrnu wrth i fan Fred ymdroelli i lawr o ben y cwm ger Siop Ganol. Ni fu hi a Fred ar delerau da ers hynny – er iddo gynnig sgraps o gig iddi. Maen nhw'n dweud fod cof ci yn well na chof eliffant. Cafodd P.C. Moses Lloyd achos i roi pryd o dafod i Beryl (merch y 'Pentre') am gamwedd a oedd yn eiddo i'w brodyr. Wylodd, ac o'r herwydd chwyrnai a chyfarthai Fflei ar yr heddgeidwad bob tro y deuai'n agos i'r dafarn. Felly, os oedd un neu ddau yn araf yn yfed eu cwrw coch, y dacteg oedd gosod Fflei i orwedd ger y 'shanti' – hanner canllath i ffwrdd o'r dafarn – ac unwaith y dechreuai gyfarth, gwyddai pawb bod P.C. Moses Lloyd yn y cyffiniau ac arllwysid cynnwys y gwydrau i mewn i'r 'siston' ar y pentan.

Ond hamdden i Fred, er ei swildod, oedd nofio yn noethlymun yng Nghwmtydu. Plymiai i'r môr oddi ar drwyn banc Caer-llan a bu llawer o'r brodorion yn dystion i'r 'Tarzan' gosgeiddig. Unwaith nofiodd ei frawd Rhys yn borcyn allan i'r Graig Wastad a chysgu arni nes i'r llanw ei ddihuno. Dywedwyd i forloi'r Bae archwilio'r aelod newydd o'r *harem*.

Yn y blynyddoedd dilynol ailymwelodd â phyrth yr Awen a disgynnodd diferynion breision i'w ffiol. Er nad oes gennym enghreifftiau o'i waith wedi eu llunio yn Awstralia

128

– yn sicr bu'n casglu meddyliau ac yn cofnodi llinellau. Onid yw'r Awen yn ymweld â'r bardd ymhobman! Cofnododd ei brofiadau mewn awdl i'r 'Môr' (awdl a gymerwyd o log morwr) ond credir yn weddol sicr mai o log ei gof ei hunan y daw'r profiadau. Wrth adael Caerdydd:

> O'n holau'n fuan cilio – Lundy sydd,
>   Â Land's End ffarwelio;
> Am y starn nudd yn cuddio
> Tyrau a braich pentir bro.

> Yn farus try'r llifeiriant, – argoelus
>   Draw yw golau Ushant;
> Ewynfor egr ei soriant –
> Her yn ei ddwrn o a'i ddant.

Ac wrth fynd trwy Gamlas Suez:

> Llewyrch têr y crinder cras
> Yn rhoi gemliw i'r Gamlas.

> Draw henfaes y dwyreinfyd – yng nghyfrol
> Llwch anghofrwydd mebyd
> A chyfrin we bore'r byd.

A phellach i'r dwyrain, hudoliaeth a rhamant yr is-gyfandir:

> Ym Môr India mireinder – ynysoedd
> Aneision eu mwynder,
> Y gwinwydd a'r palmwydd pêr . . .

> Araul gwrel a garaf – eto hud
> Tiroedd teg a geisiaf,
> A'r lagŵn yn berl a gaf . . .

> Profais ddicter Iwerydd – â helgwn
> Y weilgi ar drywydd,
> Uthr eu gwae a thragywydd.

> Yn saffir y Pasiffig – hudoliaeth
> Dwfn dawelwch diddig,
> Ond oedd ddiawl hefyd ei ddig.

> O ddybryd donnau'n ddibris – rhu a her
> Grym y *Roaring Forties*,
> Wynebu'r Horn – gwn ei bris.

Ac wedi llyncu'r angor mae Fred yn edrych 'nôl a thros y gorwel pell:

Yn flin ar ei gyfyl heno – oedi'r wyf
A draw tremiaf drosto;
Yn ei utgorn hen atgo'
Am her a ffydd, mwy, ar ffo.

Efe a roes im ei friw, – rhoes hefyd
Eres hafau clodwiw;
Yn y cof eiddof heddiw,
Fel gwin, solas ei las liw.

Er iddo gyfaddef mai profiadau anghysurus fu ei fordeithio ac iddo golli hudoliaeth bro ei febyd, bu'r môr yn ddiweddarach yn ysbrydoliaeth gyson. Edmygai arwyr y don a chanodd i'w ewythr S.B., i gapteiniaid lleol ac i Syr Francis Chichester (yn ei gwch – *Gipsy Moth IV*):

Rownd yr Horn, du awr yw hi – yn wyfyn
Deufor y mae'r Sipsi;
Yn ei llam, mae'n ffrom y lli,
Yn gwerylgar y weilgi.

Yn sbort i'r *Roaring Forties* – dan ei chwip
Dyn â chwch yn ddibris;
Yn her y daith, fel bwrw dis,
A'r duwiau biau'r dewis.

I'r marchog grym a erchwn – i drechu'r
Mawr drochion a'u helgwn;
Hwrê iddo a roddwn
A buan hafan i hwn.

Yn ystod blynyddoedd yr Ail Ryfel Byd bu Fred yn aelod gwerthfawr o'r *Home Guard* lleol oddeutu Caerwedros a Chwmtydu. Os daeth 'sambarîn' y Kaiser i fewn i Gwmtydu ar ddechrau'r Rhyfel Byd Cyntaf, os oedd byddinoedd y gorllewin yn cael ffwdan i osod hualau ar gynlluniau'r Natsïaid a'u cymrodyr ffasgaidd mewn brwydrau gwaedlyd ar hyd a lled y byd, doedd dim perygl i hynny ddigwydd oddeutu Cwmtydu, oherwydd roedd yr *Home Guard* yn barod amdanynt. Ffurfiwyd yr L.D.V. lleol (*Local Defence Volunteers*) gan Captain Morgans, Werfil Grange, gan gasglu criw lliwgar a fyddai'n rhoi 'Dad's Army' yn ail orau o ran cymeriadau a storïau am eu hanturiaethau. Sefydlwyd Mr Bunty, Cwmcynon (Cyrnol yn y Rhyfel Byd Cyntaf) yn is-gapten, Tom Jenkins, Gwyndy (siopwr, barbwr, gyrrwr tacsi ac oriadurwr) yn sarjant, ac ymhlith y 'rhengoedd' roedd Evan Edwards (gwas yng Nghwmcynon), Orwel Jenkins, Pendderw, Tomi Owen, Tŷ Capel, Ieuan Davies, Hafod, Islwyn Hughes, Gyffionos, Iwan a Dai Jones, Rhyd-fach (hewlwr), John Lloyd Jones, Penparce a Fred Williams (bwtshwr, ffermwr a bardd gwlad). . . . 'We ni ddim yn lot fowr; cwaliti ch'weld!' medde Evan Edwards.

Dôi'r criw cytûn i'r Pencadlys – ysgol y pentre, Caerwedros – i dderbyn darlithiau am wedd, lliw, lifrai, ffurf awyrennau, llongau a thanciau'r gelyn – ynghyd â *manoeuvres*. Wedi dod o hyd i ddillad a oedd yn ffitio – sgidie hoelion, *gaters*, blows *khaki*, trowser, straps, *pouches ammunition*, capan a dryll 'Enfield' a adawyd yn un bwndel mawr gan lori'r Fyddin – golygfa gyffredin oedd eu gweld yn martsio o gylch y pentre . . . 'Left, right, left, right! . . . 'We ni 'da'n gilydd fel pendiwlwm o dan Tom Gwyndy,' meddai Evan . . . 'Wedd e, Capten Morgan, yn bips i gyd ac yn reit Cock o' the North. Capten Mainwaring arall, myn uffern i . . . We ni'n cadw'r drylliau a'r bwlets yn y tŷ – gyda'r bag ysgwydd, helmet, a'r *gas-mask*! Jawch wedd dan stâr yn llawn o drugaredde! . . . We ni'n mynd lawr i gwm Cwmcynon i ddysgu saethu – ar brynhawn Sul. Pan fydde'r saint yn addoli yn Pen-sarn, Neuadd, capel Llwyndafydd ac eglwys Llandysilio – we ni'n tano at 'dargets' yr ochr draw i'r cwm. Deg yr un. A John Lloyd oedd y taniwr gorau. Roedd ganddo lygaid curyll ac ysgwydd mor gadarn â helem Alun Cilie. 'Na sŵn we 'da ni. Roedd yn rhaid dysgu tanio *Molotov bombs* (bomiau tân) ar gae agored gan anelu'r *mortars* at hen goeden. We Capten Morgan yn cadw'r rheiny yn y 'Grange'.'

Tom Jenkins, Gwyndy, Llwyndafydd, a sarjant yr *Home Guard* lleol. Ffrind mynwesol i Fred Williams.

Odyn galch Cwmtydu, cartref yr *Home Guard* lleol yn ystod yr Ail Ryfel Byd.

Ond gwaith pwysicaf 'Home Guard Caerwedros' oedd gwarchod traeth Cwmtydu a'r arfordir dros Graig Caer-llan i Gastell Bach a thraeth Llansilio. Meddai Evan Edwards eto: 'Roedd pedwar ohonom yn gwarchod bob nos – dau yn mynd ar batrôl dros y clogwyni, a diawch, roedd hynny'n beryglus yn y tywyllwch uwchben Craig yr Enwau a Chafan Glas – a dau yn aros ar ôl dan yr odyn. Wedd drysau arno pryd hynny a fan'ny o'n ni o flaen tân coed mewn hen ddrwm a arferai ddala tar, yn smoco 'Players' a 'Woodbines' – o saith y nos tan chwech y bore. Digon o de yn y fflasg a *sandwiches*. 'Na dalent we ni'n gael! A wedd hynny bob nos, bob tywydd. 'Sdim rhyfedd bod 'Jerry' heb ddod i Gwmtydu . . . Roedd John Lloyd a Fred yn barddoni ffwl pelt. Penillion ac englynion am bopeth ar y ddaear. Roedd sylwadau rhai o'r bois yn dalent o ffraethineb a hiwmor cefn gwlad'.

. . . 'Fentran nhw ddim dod i fewn i Gwmtydu â ni 'ma, Fred!'

. . . 'Mae 'da ni bedwar dryll – a dwrne. Ody Churchill yn gw'bod am y gwaith da y'n ni'n wneud, Tom?'

. . . 'Mae Cymru yn ein gofal ni, bois. Wyt ti'n meddwl cewn ni bobo fedal ar ddiwedd y Rhyfel?'

. . . 'Mae'n well i ni roi bach o dropas (huddug) ar ein hwynebe nos yfory. Mae'n loiad llawn. Os dôn nhw o gwbwl, nos yfory fydd hi.'

. . . 'Dere â dy helmet 'da ti nos yfory, 'falle fydd hi'n handi.'

. . . 'Os dôn nhw i'r tra'th mi fyddwn ni'n barod amdanynt. Oes matsen 'da ti, Orwel? Fe gwatwn ni ar ben yr odyn. Beth wedodd e, Capten Morgan, os gwelen ni nhw? Ffo a rhywbeth. Beth wedd e, Fred?'

. . . 'Friend or foe. Advance and be recognized.'

. . . 'Na fe. Hwnna wedd e. Ond diawl y'chan, fydd y 'Germans' ddim yn deall iaith fel'na.'

. . . 'Ond mi fydd yn deall hwn.' (Medde Dai Rhyd-fach gan roi bys dros flaen ei fidog).

. . . 'Beth mae Hitler yn mo'yn â Chwmtydu. Mae e'n haerllug ar y jiawl.'

Un o'r anturiaethau oedd darganfod mwyn môr (*mine*) yn arnofio ym Mae Ceredigion yn agos at y traeth. Aeth Tom Gwyndy ar y ffôn â'r awdurdodau yng Nglandon a daeth y 'Bomb Disposal Unit' i lawr a dilyn y mwyn nes iddo ddod i waered ar draeth y Borth. Daeth mwyn arall i mewn wedi i'r Atlantig ei ddodwy ar y graean ger Llyn y Morllyn. Aeth sôn am yr ymwelydd dieithr ac yn fuan iawn daeth torfeydd i'w weld, a bu'r chwilfrydedd gymaint fel i Magi Thomas, Glanant, roi pocrad nerthol i'r ŵy mawr pigog â'i ffon. Cofnodir i fwyn arall ffrwydro wedi iddo daro yn erbyn y creigiau cyfagos.

Un noson dywyll saethodd Orwel Jenkins, Pendderw, at y winsh cychod ar y traeth gan feddwl mai Almaenwr ydoedd. Nid oedd wedi ateb i'w gwestiwn, 'Friend or Foe'! Rhwygwyd tawelwch y gilfach gan saethu a rhuthrodd Evan, Fred a Tom ma's o'r odyn . . . 'We nhw'n lwcus ar y jiawl. "Shoot first" a gofyn cwestiynau wedyn,' gwaeddodd Orwel yn gyffrous.

A phryd arall, pan oedd y pedwar ar ddyletswydd a braidd yn 'trigger happy', daeth rhywun i lawr y ffordd wedi treulio orig neu ddwy yn y 'Crown'. Y tu ôl i'r morfa, ar eu boliau â helmedau ar eu pennau, roedd *ambush* yn disgwyl amdano. Ac eto, nid oeddynt yn deall pam roedd y 'gelyn' yn dod o gyfeiriad y tir. 'Stop. Friend or foe.

Advance and be recognized!'. . . 'Friend – with bottle,' oedd yr ateb ofnus. 'Friend – pass. Bottle – wait,' gwaeddodd Dai Rhyd-fach yn awdurdodol. Dosbarthwyd posteri gan y Llywodraeth i atgoffa pobl fod tafod rhydd, annisgybledig yn arwain at golli bywydau a rhoi gwybodaeth i'r gelyn. Er enghraifft, gwelwyd . . . 'A few careless words – may end in this [llun llong yn suddo]. Many lives were lost in the last war through careless talk. Someone talked. Someone listened. Someone acted. A ship was sunk. DON'T GOSSIP'. Ar y llaw arall, adroddai Fred englyn Isfoel wrth ei blatŵn:

CLODDIAU

Trefnus, twt, derfynau stad – o gadarn
  Gysgodol wneuthuriad;
Ond cymrwch gâr wrth siarad –
Mae clustiau gan gloddiau gwlad!

Dihangodd carcharor o 'jael' Abertawe a bu *Home Guard* Cwmtydu yn gyfrifol am ei gornelu a'i ddal. Roedd un o heddgeidwaid enwog fferm y 'Mock' Ffostrasol yn tywys y symudiadau gan ebychu: 'Licen i gael pum munud yn yr un cae ag e. Eithe fe ddim yn bellach'. Digwyddiadau cyffredin fyddai clywed awyrennau 'Heinkels' a 'Dornier' y gelyn yn bwhwman uwchben ar eu ffordd 'nôl o fomio Lerpwl, yn oriau mân y bore, a byddent yn gollwng *flares* i'r ddaear wrth chwilio am wersyll Aberporth a'i gyfrinachau gan oleuo'r wlad fel golau dydd. Dôi *Home Guard* Cwmtydu o hyd i lawer o'r *flares* gwag yn y bore yn hongian yn ysgerbydau ar frigau'r coed wedi llosgi'n ulw.

Ac efallai fod englynion Saesneg Fred Williams yn crisialu'r cyfeillgarwch, yr hwyl (er mai amser Rhyfel ydoedd), a phenderfyniad anorchfygol hyd yn oed ffermwyr a bois yr hewl na châi Adolph Hitler roi ei grafangau ar dir cysegredig Cwmtydu.

YR *HOME GUARD* AR GWMTYDU
(Fred Troed-y-rhiw, Tom Gwyndy a Dai Rhyd-fach)

Sunday night the three mighty – are on guard
  Renegades in bravery;
And I bet these men would be
Injurious to the Jerry.

United in our duty, – here we are
  The pride of the party;
And tonight – we'd fight if we
Met Adolph at Cwmtydu.

'This guttersnipe wipe we will – like a rat
  Into Hell', cried Churchill;
Of our prestige on vigil
Now take heed, we're out to kill.

Ac wedi i Fred ddarllen ei englynion i'w gyd-warchodwyr dan gysgod yr odyn, medde Dai Rhyd-fach, . . . ''Se Hitler yn clywed rheina, sa i'n credu ddethe fe'n agos i Gwmtydu. Hala gopi iddo fe, Fred'.

133

Fred oedd cofnodwr 'llyfr boncyff' (*log book*) yr *Home Guard*, ac mi gredaf nad oedd un tebyg iddo trwy holl Ynysoedd Prydain. Yn lle y 'jargon' arferol, megis 'nil return', 'nothing to report' neu 'all quiet' – gwell oedd gan Fred gadw cofnod ar ffurf englynion Saesneg:

> To report of importance – no event
> In vain our vigilance;
> And a foe in defiance
> Come ye dare – we'd make him dance!

Daw'r uchod o gof Beryl Jones (merch Pentre Arms, Llangrannog) a gofiai am Rhys Tom (brawd Fred) yn dangos *journal* Fred i'r teulu yn ystod blynyddoedd y Rhyfel.

Yr oedd Fred yn gymeriad gwreiddiol, annibynnol ei farn ac yn ŵr pwyllog ei ffordd. Wedi ail-ymwreiddio yn ei fro dechreuodd farddoni o ddifrif a chyn bo hir roedd yn ennill cystadlaethau mewn eisteddfodau lleol. Gŵr swil yn caru'r encilion ydoedd ac roedd yn syndod mawr i bawb pan dderbyniodd y gwahoddiad i fod yn was priodas i'w gefnder John Alun yn ei briodas â Sarah Ellena Owen. Darllen llyfrau, yn enwedig rhai Cymraeg, oedd ei brif hobi ar hyd ei oes. Yr oedd yn awdurdod ar orgraff yr iaith Gymraeg a'r Saesneg a byddai ei farn yn ddi-ffael ar bwynt gramadeg bob tro.

Ymhyfrydai yn ei dras ac roedd yn edmygydd mawr o ddawn farddonol S.B., Isfoel ac Alun. Dysgai lawer o'u gwaith ar ei gof. Yr oedd ei frawd, Dafydd, yn feirniadol iawn ohono am losgi llawer o'i gyfansoddiadau am na ddaethant, yn ôl Fred, i'w safon ddisgwyliadwy ef. Credir inni golli llawer o'i waith drwy'r ymarfer hwn.

Ond yn rhyfedd iawn enillodd Fred mo'i gadair gyntaf hyd nes iddo gyrraedd dwy flynedd dros yr hanner cant. Ac yn Eisteddfod Gadeiriol Rhydlewis ar Nos Galan ym 1957 y derbyniodd ei lawryf am lunio cyfres o englynion beddargraff i'r Arwerthwr, Sgwlyn, Sipsi, Hen Lanc, Aelod Seneddol, Comedïwr, Heddgeidwad a Gwesteiwraig Awyr. Roedd un bardd ar ddeg arall i mewn (gan gynnwys Dic Jones a'i englynion Saesneg talentog). Meddai Lynn Owen Rees yn *Y Cymro*: 'Roedd T. Llew yn ei ogoniant. Cafodd hwyl ar draethu'i feirniadaeth a chofio talu diolch i Waldo Williams am gynorthwyo gyda'r tafoli. Eiddo 'Pen yr Herber' oedd y gorau. Ac iddo ef y disgynnodd anrhydeddau'r gadair a'i brenhiniaeth eleni. Safai ar ei ben ei hunan yn y gystadleuaeth'. Dywedodd T. Llew: 'Yr oedd yn rhaid iddo fod yn fardd da i ennill cadair Rhydlewis!' Gwnaethpwyd Fred yn frenin y fro – nid am noson ond am flwyddyn gyfan. Dyma ddau o englynion buddugol Fred yn y gystadleuaeth:

Y SIPSI

> Ar gomin hen erw gymwys – a hawliodd
> Ddihelynt baradwys,
> O dwrw byd hefyd ar bwys
> Yn ddiarffordd ca'dd orffwys.

AELOD SENEDDOL

> Ar lwyfan clir ei lafar, – tros ei blaid
> Rhoes ei ble yn eiddgar;
> Daweled yw'n y dalar,
> Heb eisiau gwin, heb sigâr.

Eisteddfod Caerwedros. Fred Williams yn cyfarch y bardd buddugol, y Parch. W. J. Gruffydd. Ar y chwith, ychydig allan o'r darlun, y mae Tydfor, ac ar y dde John Lloyd Jones a'r Prifardd John Roderick Rees.

Daw atgof am Alun y Cilie yn beirniadu ar gystadleuaeth y gadair yn eisteddfod 'fowr' Rhydlewis. Ac wedi pwyso a mesur roedd gwaith un cystadleuydd yn sefyll ben ac ysgwydd uwchben y cyfansoddiadau eraill. Ond roedd un broblem! Nid oedd y bardd buddugol wedi cynnwys ei ffug-enw – ar bwrpas, siŵr o fod. Efallai nad oedd yn falch o'i waith, gan resymu na fyddai'n deilwng. Ond i Alun roedd yr englynion beddargraff yn rhai arbennig iawn ac roedd bron yn siŵr oherwydd crefft, arddull a chywreinrwydd y gynghanedd mai Fred Williams oedd y bardd. Ymgynghorodd â T. Llew Jones ac aeth y ddau draw i fferm Troed-y-rhiw – amser godro – er mwyn dal Fred i mewn. Yno roedd yn brysur yn godro ar ei stôl fach deircoes ac yn cario'r llaeth bob hyn a hyn i'r *separator*. Wedi ychydig eiriau gofynnwyd iddo: 'Ai dy englynion di yw'r rhain, sy' wedi dod i'r brig yn Eisteddfod Rhydlewis?' 'Hy! Pyh! Pyh!' ebychodd fel arfer. Rhoddwyd cryn berswâd arno i gyfaddef dan bwysau'r holi cynyddol. Ac yn groes i'r graen dringodd y llwyfan yn Neuadd Rhydlewis i dderbyn y gadair. Dyma ddau o'r wyth a anfonwyd:

NYRS

Y llaw addfwyn fu'n lleddfu – ein harcholl,
Tan orchudd yn braenu,
I dirionder rhoi hundy,
Y rudd wen i'r ddaear ddu.

135

PLISMAN

Â dwrn a braich bu'n deyrn bro – ac urddas
　　Pan gerddai'n ei osgo;
　　Gawr y ddeddf, lle gorwedd o
　　'Ddaw'r un troseddwr heno.

Credaf mai Fred Williams oedd y cyntaf os nad yr unig un i ganu cywydd yn yr iaith fain i Gwmtydu. Yn ôl y Parchedig W. R. Nicholas yn y 'Teifi-Seid': 'Gwyddwn y byddai rhywun yn ei wneud. Cywydd Saesneg, a hwnnw'n grefftus iawn ei wedd. Mentraf broffwydo y bydd cyhoeddi'r cywydd hwn yn ddigwyddiad o bwys i rywrai a fydd yn olrhain datblygiadau llenyddol'.

THE OLD VALLEY
(A cruise back where I was born)

Where the little stream is gleaming
All is serene and bells ring;
I stroll, its course I follow:
In flood where memories flow
Tough indeed to find a way,
Hawthorn has claimed the pathway.
No homestead and green meadow,
Below I ken, no blue cow.
Old Anne, church lady away,
Is sound asleep this Sunday.

Yonder where is the window?
It shows no light at night now.
Repairing, fitting footwear
The hand so skilful not there.
At the spot sad the cottage
Now indeed with time and age
Rifling, and workshop roofless
Underneath the wilderness.
Gone the crafts and the craftsman:
At his work no artisan.

The pond so fond where I fished
And mill ere long demolished.
No old dog – Faithful Tiger,
On the yard awaiting there
To wag his tail, and gaily
Lick my hand and welcome me.
From a hillside farm wholesome
As of yore no corn to come;
In her the miller no more,
No session by the seashore.

Where I swam all through summer
In the host no friends now there,
Jolly sexy on the sands
A medley from the Midlands.
Parading thin bikinis
Head to stern a modern Miss.
Willing to cast her nylon –
Shed away what she had on,
She's no prude, almost nude now
Her colour a dark yellow;
Ready ignoring prudence
For an affair, no offence.
Alien to the old valley
Before and its shore was she.

Below the bank so tranquil
To a remote country mill
Oft I come – a welcome home
Ready, eternal freedom;
But of the joy of boyhood
Now bereft the neighbourhood.

Roedd Fred yn aelod cyson o wahanol dimau mewn cystadlaethau Ymryson y Beirdd ar hyd a lled de Ceredigion. Ymhlith yr aelodau roedd Y Parchedig Rhys Nicholas, T. Llew Jones, Tim Davies, Jeremy Jones, y Parchedig Alun Williams, John Lloyd Jones, Tydfor, Edwin Jones, T. Llew Stephens, Owie Lloyd, Isfoel, Alun y Cilie, James Morris James, Dic Jones a Dai Morris. Gwahoddwyd 'S.B.' i dafoli'r cynnyrch a dôi D. J. Lloyd, Bwlch-y-corn, i adrodd, ac Eunice James a Ray Jones i ganu wrth gynnig adloniant a 'hwe' o chwys yr Awen. Gosodai S.B. amrywiaeth o dasgau – gorffen cwpled, gorffen llinell, cwpled i odlau arbennig, gorffen englyn, englyn cywaith ac englyn unigol. Wele enghraifft o gwpled yn cynnwys y gair 'cenhinen':

1. O eni'r ail Genhinen
   Rhoes i'r llu drysorau llên.

2. I'n gwerin y Genhinen
   Yw gorau llais ein gwŷr llên.

Cwpled:

Bwgan brain ar begwn bro
A daw'r adar i'w wawdio.

Cymhares i 'Un bert hefyd yw Sir Aberteifi':

1. Os teg yw Meirion, eto 'rwy'n honni
   Un bert hefyd yw Sir Aberteifi.

2. Pert yw ban yr Aran a'r Eryri
   Un bert hefyd yw Sir Aberteifi.

Englyn: Maen Pencader

Llandysul (buddugol):

> A'r hen ŵr yn ei weryd – yn huno
> Eto'r maen a sieryd:
> Her ei neges a esyd
> Walia Wen uwchben y byd.

Llangrannog (anfuddugol):

> Codwyd ef ym Mhencader, – i'r hen ŵr
> Ein nawdd rhag trahauster
> A ddywedodd, fydd hyder
> Ein hiaith, ac i'r Sais yn her.

Gorffen cwpled:

> 1. O bob gwên ar wyneb gŵr
>   Yn ei hiraeth, mae'n arwr.
>
> 2. O bob gwên ar wyneb gŵr
>   Y waethaf, gwên rhagrithiwr.

Gorffen llinell 'Nid oes neb . . .':

> 1. Nid oes neb glân heb sebon.
> 2. Nid oes neb a'n dewis ni.

Gorffen llinell 'Myn dy le':

> 1. Myn dy le yn y cread.
> 2. Myn dy le er mwyn dy lwc.

Rhwng y pumdegau diweddar a 1972 pan fu farw, roedd Fred yn gystadleuydd brwd a chyson mewn eisteddfodau bychain (yng Ngheredigion fynychaf) a'r Genedlaethol. Dyma sut canodd J. Lloyd Jones iddo:

> Prydydd swil yr encilion – yn wampio
> Ei gampus englynion;
> Ymhob gŵyl neu Brifwyl bron
> Un o griw y goreuon.

A diolch i 'Nhad (y Capten Jac Alun) a hoffai ysgrifennu ar bopeth, roedd ei graffiti eisteddfodol ar y cyfansoddiadau yn ffynhonnell werthfawr am bwy oedd 'mewn' a phle'r oeddent yn yr *Order of Merit*.
    Yn Eisteddfod Genedlaethol Ystradgynlais ym 1954, Meuryn oedd yn cloriannu'r 169 o englynion i'r testun 'Y Dyn Dwad'. Ac am yr englynion ar y brig, dywed

Meuryn: 'Y maent hwy bob un yn fwy o feistri ar eu gwaith a cheir ynddynt gywirach portread o'r 'Dyn Dwad' nag a geir gan y lleill'. Roedd Alun y Cilie yn y tri gorau, ac roedd gan y Capten Jac Alun dri englyn yn y dosbarth cyntaf – *Mab y Ddrycin*, *Wrth Angor* a *Gochelgar*. Dyma englyn Alun:

Dyn braf wedi dod i'n bro – ond rhyfedd
　　Y trafod fu arno;
　　Araf dreth ar ei fedr o
　　Fu ennill ei blwyf yno.

(Dôl Wylan)

ac englyn Fred, a oedd yn ail agos iawn:

Un yw heb wraidd yn ein bro – a damwain
　　Ei ddod yma i dario;
　　Mae'n darged bwled lle bo
　　I lid ardal a'i dwrdio.

(Cnwc y Glep)

Y Parchedig Cadfan Jones, Blaenau Ffestiniog, oedd yr englynwr buddugol.

Yn y Genedlaethol yn Aberdâr ym 1956, Brinley Richards oedd y beirniad ar y 236 o englynion a anfonwyd i'r gystadleuaeth, englyn ar y testun 'Craith'. T. Llew Jones oedd *Emyr*, Jac Alun oedd *O'r Anialwch* a Fred

Eisteddfod Genedlaethol Llambed, 1984. Ar y dde y mae John Lloyd Jones, bardd a ffrind agos i Fred, a chyn-ddisgybl yn Aberaeron. Gydag ef yn y llun y mae'r Capten Dewi Davies a'i wraig Dela.

Williams oedd *Hwntw* – eto yn ail agos. Yn ôl y feirniadaeth: 'Cyfyngir y darlun i'r torrwr glo ac ae gan *Hwntw* berffaith hawl i wneud hynny. Yn yr ail linell hawliai'r gair 'amlwg' y pwyslais, ac nid oes ateb iddo yn y gair cyrch. Hoffaf yn fawr yr englyn syml a chartrefol hwn'. Dyma englyn Fred i'r 'Graith':

Rhigol las y torrwr glo – a gwrym hagr
　　Ei marc amlwg arno;
　　Y garreg wedi sgorio
　　Nod ei waith yn ei gnawd o.

Ac am y buddugol, Emlyn Aman, Brynaman, meddai'r beirniad: 'Y mae'n deg ar y testun ac yn haeddu y lle blaen yn y gystadleuaeth. Nid hawdd eu beirniadu'.

Ac eto yn Eisteddfod Genedlaethol Caerdydd ym 1960 a phrin 200 wedi cystadlu, yn ôl y beirniad, W. D. Williams, ar y testun 'Lludw'. Yn y dosbarth cyntaf, Ithel Davies (gŵr Enid Jones Davies) oedd *Mabli*, Alun y Cilie oedd *Adda* a Fred Williams oedd *Y Llain Lwyd*. Meddai W.D. am ei gynnig: 'Mae'n debyg mai llais croyw y proffwyd wnaeth i'r englyn hwn gyrraedd dosbarth 1'.

> Wedi ennyd llid anwar – hen olion
> Ulw'r belen niwclar,
> Dinas gain heb stryd na sgwâr
> Heddiw'n llwch, ond ddoe'n llachar.

Parhaodd y saga yn Eisteddfod Llandudno ym 1963. Y testun oedd 'Llusern'; y beirniad oedd Alun y Cilie ac roedd y 'gynnau mawr' lleol i gyd wedi tanio. Roedd englynion gan Gerallt, T. Llew a Fred yn Nosbarth B, ac yn y dosbarth cyntaf roedd Dafydd Jones, Ffair Rhos, y Parchedigion Roger Jones a Rhys Nicholas, y Capten Jac Alun, ac, wrth gwrs, Fred Williams. Meddai Alun am un o englynion Fred: 'Englyn â thipyn o hud yn perthyn iddo yw eiddo 'Hon biau deupen bywyd' – ond mae'n amheus gennyf a yw'n ychwanegu yn y cyrch at yr hyn a ddywed yn ei linell gyntaf,

> Ynghyn yn awr fy ngheni – bu wrth borth
> Byd ei golau imi . . .'

Ond am ei englyn arall (*Sawr Oleu*) dywed Alun: 'Englyn cywrain iawn ond bu raid dyfalu'n hir cyn deall ei ergyd'.

> Gwyliais a'r fflam yn gwelwi – hwyr olau'n
> Difa'r olew ynddi;
> Mwyn gymun, a gwae imi
> O golli cwsg, ei llog hi.

Roedd gan ei gyfaill John Lloyd Jones (*Llais Profiad*) englyn yn y dosbarth cyntaf ond Gwilym Rhys Roberts, Llangurig, a orfu.

Ymlaen i 'Steddfod Hwlffordd ym 1972, T. Llew Jones yn beirniadu, 130 wedi cystadlu ar y testun 'Olew', a beirdd y fro 'i mewn' eto yn drwch. Roedd Jac Alun (*Hwsmon*), Alun y Cilie (*Irac*) a Fred (*Ifans y Tryc*) yn y pump gorau. Meddai T. Llew am englyn Fred: 'Englyn pur dda i'r "peiriant" yn fwy na'r olew. Da yw'r llinell olaf'. Ond atal y wobr a wnaeth. Ac mewn graffiti ar y cyfansoddiadau dywed y Capten Jac Alun: 'Roedd Ithel Davies yn grac iawn nad oedd gwobrwyo'. Dyma englyn Fred:

> O'i ffwrn ddu, uffern ddi-hedd – y peiriant
> Yn peri ei fudredd;
> Gwlad, ei fwg a'i lid a fedd,
> A'r môr mawr ei amhuredd.

Ond y beirniad biau'r gair olaf: 'Am englyn teilwng trawiadol fe ddylai fod yn em bach di-fai o ran ei grefftwaith, heb unrhyw wastraff ynddo. Fe ddylai fod yn gofiadwy nes bod pobl yn cael blas ar ei adrodd a'i ailadrodd wrth eu ffrindiau a'u cydnabod o hyd ac o hyd'.

Yn Eisteddfod Genedlaethol Y Barri ym 1968 roedd Fred yn bumed o'r deuddeg cystadleuydd am y Gadair. Anfonodd awdl foliant i'r 'Morwr' i'r gystadleuaeth. Y beirniaid oedd Eirian Davies, Tilsli ac Emrys Edwards.

Dywed Tilsli yn ei feirniadaeth: 'O'r deuddeg awdl a dderbyniwyd yr oedd rhyw bump yn dal i apelio ar ôl y darlleniad cyntaf, a bu'n rhaid eu hail-ddarllen a'u trydydd-ddarllen, a mynych-ddarllen rhai ohonynt cyn eu didoli a'u lleoli yn y gystadleuaeth. Un o'r rhain oedd awdl *Dylan* [ffug-enw Fred Williams] – yn bennaf ar gyfrif amrywiaeth ei deunydd a'i mesurau. Dyma'r arbrofwr mwyaf mentrus, yr unig arbrofwr, yn wir, gyda'i ddarnau byr-a-thoddaid di-odl a di-fesur tri thrawiad afreolaidd . . .'

Cyflawnai ddyletswyddau'r bardd gwlad, a chyhoeddid cyfarchion ar achlysur genedigaeth, bedydd a phriodas, yn ogystal â theyrngedau marwolaeth, yn y papurau lleol. Roedd Fred yn bresennol ym mhriodas ei gyfaill John Lloyd Jones (Pantlleine, ger Synod Inn) a Bessie Griffiths, Penparcau, Llwyndafydd, ym 1937 yn eglwys Llandysiliogogo. Ac yn y brecwast dilynol, fel roedd yn ddisgwyliedig i fardd gwlad, cyfarchwyd y 'pâr ifanc' gan Fred:

Y llenor o Bantlleine – a'i ramant
 A rwymwyd ben bore;
 Gŵr â'i farc ym Mhenparce
 Nes ei ddal gan Bess oedd e.

Wel, bois, ffarwél i Bessie, – mwy ofer
 Ymofyn amdani;
 Boed i Lloyd, heb dylodi
 Iechyd a hoen i'w chadw hi.

Ond roedd Fred ei hunan yn destun englyn ambell waith. Er enghraifft, derbyniodd englynion cysur oddi wrth Ithel Davies a'i wraig Enid (ei gyfnither) ac yntau yn gorwedd ar ei gefn yn ward Owain Glyndŵr yn Ysbyty Bron-glais, Aberystwyth:

I FFRED YN EI WELY

O'r cur dadlwytho'r cerrig – wele di
 dan law deg forwynig;
 yn gorwedd yn fonheddig
 mewn maldod 'rôl darnio dig.

Ar dy fustl garwed y farn, – a'i dryllio
 drwy allu'r llafn haearn;
 wedi hyn yn gryf bob darn
 i godi eto'n gadarn.

O fardd cyfod a rhodia
allan, ddyn, a'th gylla'n dda!

Ithel Davies, bar-gyfreithiwr, llenor, bardd, heddychwr a chenedlaetholwr pybyr, ac ymwelydd cyson ag aelwyd Fred Williams. Bu'n ymgeisydd seneddol mewn dau etholiad, fel Cymro gweriniaethol ac fel aelod o'r Blaid Lafur. Fe'i carcharwyd am dair blynedd yn ystod y Rhyfel Byd Cyntaf, wedi ei safiad heddychol.

Gosododd Gerallt Jones, ei gefnder a golygydd cyfrol Fred Williams o farddoniaeth, *Codi'r Wal*, yr englynion canlynol yn yr adran 'Meini'r Brig'. Eisoes mae'r englynion i 'Olew', 'Llusern', 'Lludw', 'Craith' a'r 'Dyn Dwad' wedi eu dyfynnu wrth sôn am Fred yn cystadlu yn y Genedlaethol. Dyma englynion eraill:

YR HEN GEFFYL

Ei hir oes yn y tresi – a dreuliodd
　　Hyd yr olaf egni;
　　A lle bo'r wedd a'i llwybr hi
　　Ni wêl Wanwyn eleni.

YR ATOM

Rhyw anwel gyflawn ronyn – o fanwl
　　Elfennau diderfyn;
　　A hanfod gwae neu fyd gwyn
　　Yma'n llechu mewn llychyn.

DOCTOR BEECHING

I relwe gwlad, ai marwol glwy – moddion
　　Y meddyg at dramwy?
　　Mae'r stad yn rhy ofnadwy
　　A'i arian mawr i hwn mwy.

Rhyw feddyg na fu'i ryfeddach, – gwaith hwn
　　Cau gwythiennau masnach;
　　Rhy anodd tramwy mwyach
　　A blin fydd heb y lein fach.

HEN BIBELL

Ffeinach pob chwiff ohoni – a mwy hoff
　　Im o hyd ei chwmni;
　　Fel ei pherchen, hen yw hi,
　　Cyn hir, ein dau, cawn oeri.

Mae 'Meini'r Fro' yn englynion a chywyddau i Gwmtydu, Banc Siôn Cwilt, 'Yr Hen Gwm' a'r 'Hen Efail'. Ynddynt mae naws a hiraeth am y gymdogaeth y bu Fred yn rhan ohoni, cymdeithas hunan-gynhaliol i raddau o safbwynt cynhyrchu bwyd a darparu ymborth ieithyddol a diwylliannol uniaith Gymraeg.

CWMTYDU

Lle uthr wrth droed y llethrau, – enwog fan
　　Ogofeydd a chafnau;
　　A thywyn llwm mewn cwm cau
　　Caregog yw rhwng creigiau.

Anniddig donnau brigwyn – Iwerydd
I'w gwr a ymestyn;
A lle bu'r golch yn llwybr gwyn
Hyd ei ro, oeda'r ewyn.

Ar ei heli mae'r wylan – yn nofio,
Cynefin y forfran;
A'i chwerw li a ylch i'r lan
O'r môr y broc i'r marian.

Ymwelwyr at ymylon – ei donnau
A dynn pan ddêl hinon;
A mwyned yw min y don
A'r iechyd sy'n ei drochion.

Y DYRNWR MEDI

Heb seibiant, peiriant parod – a modern
Yn medi'n ddislafdod;
A mwy ei fudd am ei fod
Yn dyrnu'r un diwrnod.

CLOCH YR YSGOL

Ei gwŷs a eilw yn gyson – y dysgwr
At ei dasg yn brydlon;
Mae hanes storm a hinon
Ein hieuanc oed yn nhinc hon.

CAWL

Hen faeth magwraeth gwerin – brith o sêr,
Ymborth sawrus cegin;
Yn ferw drwyth ar ford ei rin –
Cinio hen wlad y cennin.

HA' BACH MIHANGEL

Daw hwn cyn gwae y gaeaf – â naws gwell
Yn sgîl y cynhaeaf;
Tecaf egwyl, arwyl haf
A gwin haul – rhyw ddogn olaf.

CI DEFAID

Un chwimwth ar orchymyn – bugail yw;
Byw ei glust a'i dremyn;
I'w wŷs efo, gwas a fyn
Ddidoli'r praidd a'i dilyn.

Fred Williams yn estyn cymorth i deulu Brynowen adeg y cynhaeaf gwair.

Fel llawer o'i ewythrod o'r Cilie mae elfen hiraethus yn rhedeg trwy lawer o waith
Fred. Mae'n crefu am ragoriaethau'r gymdeithas werinol a fu; y cwlwm a roddodd iddo
ei fagwraeth yn nhlysni cymoedd Cwmtydu:

YR HEN GWM

Drwy y cwm ar droeog hynt – ni welaf
    Ond olion lle'r oeddynt;
    Anheddau â'u pen iddynt
    Lle bu'r crydd a'r gwehydd gynt.

Labrinth lle bu ymlwybro, – yn ddi-ffin
    Clawdd a pherth yn cydio;
    Hyd y sail ei deios o,
    Dyfalwch y dadfeilio.

Hen gwmwd gynt oedd gymen, – dŷ a gardd
    Yn dw' gwyllt i'w deupen;
    I'w ddolydd ni thraidd heulwen,
    Yn ei byrth y drain sy'n ben.

Yn golofn dan Foel Gilie – nawr i maes
    Ni ddaw'r mwg ben bore;
    Aeth i'r Llan dylwythau'r lle,
    Hir ddiwydrwydd o'i odre.

Canodd Fred gadwyn o ddwsin o englynion i Fae Ceredigion:

Tir hygar lle tyr eigion – yma'n befr,
Min Bae Ceredigion
A gerfia greigiau Arfon –
Hyd odre Dyfed ei don.

Canodd yn nhraddodiad gorau'r bardd gwlad. Ceir teyrngedau, cyfarchion, bedd-
argraffiadau a chyfieithiadau yn ei gyfrol werthfawr. Cymeriadau'r fro oedd ei destun
gan amlaf, er iddo ganu i Gwenallt a T. E. Nicholas:

T. E. NICHOLAS

Copa teyrn tan y cap twîd, – ar y tŵr
T. E. – gwron rhyddid
Ac o sylwedd go solid –
Iemeima braff mam y brîd.

Heb wyro, mab y werin – hwn o hyd
A chenhadwr diflin;
Gŵr â'i farn yn groyw o'i fin –
Dilynwr, proffwyd Lenin.

Gwerinwr mewn gwirionedd – ac nid ffug
Ond ffagl ei frwdfrydedd;
Yn athroniaeth a rhinwedd
Dawn fawr y Cristion a fedd.

Un o'i ddarnau mwyaf poblogaidd, a ddefnyddir o hyd yn aml yn y bröydd hyn, yw ei
gyfieithiad o ddarn a ymddangosodd yn y *Western Mail*:

GWERTH DYN

Nid, sut y bu farw? Ond patrwm ei oes,
Nid, beth fu yr elw? Ond pa beth a roes?
Dyna sy'n mesur a rhoi gwerth ar rawd
Dyn fel dyn beth bynnag ei ffawd.
Nid, eiddo pa swydd? Oedd ei galon yn iawn?
Yn nhrefn Duw a wnaeth ei ran yn llawn?
Nid p'un oedd ei eglwys neu ei gredo ef
Ond, a'i frawd mewn angen – a glybu ei lef?
Nid fel y cofnodwyd ar bapur y ffaith
Ond amled y deigryn ar derfyn y daith.

Wedi marwolaeth ei dad, parhaodd Fred i amaethu Troed-y-rhiw am gyfnod ynghyd â
rhedeg rownd gigydda. Yna ar ei ymddeoliad gwerthodd y fferm mewn arwerthiant
cyhoeddus a phrynodd un o ddau dŷ (Gwelfor) ar gyrion pentref Caerwedros. A phan
fu farw Fred ar 6 Rhagfyr, 1972, mewn amgylchiadau trist, symudodd ei chwaer Mary
Davies i fyw yno. Dyma'r deyrnged a luniodd Gerallt i'w gefnder Fred, ar ddechrau'r
gyfrol *Codi'r Wal*:

Y WAL (ER COF AM FRED)

Heb ffrwst nac ymffrost adeiledaist hi
A chael mwynhad wrth drin anhylaw faen;
Swil oeddit rhag i neb dy ganmol di
A bodlon oeddit ar gadarnfur plaen.

Ni wyddom ni ddim, yr addfwynaf gâr
Paham y neidiaist, yn sydyn ac yn syth
I'w phen a'i chwalu, heb fod maen yn sgwâr,
Yn dwr di-lun, ac ni chawn wybod byth.

Ond weithian ceisiwn godi hon drachefn
Gan weithio bellach heb d'athrylith wiw;
Eto canfyddwn hwyrach dy hen drefn
Heb fawr amhariad ar ei lun a'i lliw.
Ailgodwn wal yr adeiladydd swil
Na 'mffrostiai ddigon yn ei gamp a'i sgil.

Canodd amryw o feirdd y fro englynion coffa i Fred:

Draw hwyliodd am Awstralia – ond o'i chael
   Dychwelodd i'w Walia;
    Y Gwelfor fu'r angorfa
   Nes rhwyfo'n ddwys i'r hafn dda.

I Gaerwedros o'i grwydro – ni ddaw Fred,
   Ein bardd ffraeth sy'n huno;
    Y meudwy wedi mudo,
   Gyda braw y gwagiwyd bro.

Jac Alun Jones

Hynod wag yw cymdogaeth – Derw Stores,
   O'i dŷ ni ddaw'r pennaeth;
    Ni welwn Fred, eilun ffraeth
   Na mwynhau ei gwmnïaeth . . .

Noddai'r oed â'i ddireidi – a beichiai'r
   Gair bachog â'i asbri;
    Ond daeth nos, a'n hartaith ni
   'Na wêl Wanwyn eleni'.

John Lloyd Jones
(Penparce, Llwyndafydd)

O Gwelfor aeth i'w gulfedd – a thalent
   Aeth i'w olaf annedd;
    Mae'r iaith lân? Mae'r gynghanedd
   Beraidd mwy, a'r Bardd ym medd?

T. Llew Jones

Y Capten John Etna Williams

(23-10-1906 – 17-7-1998)

'Mae esgid fawr Yr Eidal yn cicio 'Sicilia' fach i mewn i fôr glas, glas, dwfn y Canoldir'. Dyna rigwm a ddysgwyd i lawer o blant 'slawer dydd mewn gwers ddaearyddiaeth. Ac ar ochr ddwyreiniol yr ynys fechan wrth flaen y droed ac yn 3340 metr uwchben tref Catania mae'r llosgfynydd byw, tanllyd ac enwog Monte Etna:

Un o bentan Fwlcano
A'i nwyd a'i ias ydyw o. (*J.M.*)

Ond tybed pam yr enwyd mab ieuengaf Rees a Margaret Williams, Felin Huw, Cwmtydu, ar ôl llosgfynydd oddi ar arfordir yr Eidal? Nid oedd ei dad a'i fam na'i frodyr na'i chwaer wedi arddangos natur ffrwydrol, ac nid oedd gwaed Eidalaidd yn eu llinach.

Ceir yr esboniad ar yr enw bedydd anghyffredin yng nghanol llinach Rees Williams. Roedd un o feirdd enwog dyffryn Clettwr – Rhys Jones – yn perthyn iddo. Ganwyd Rhys yn Felin Crug yr Eryr, Talgarreg, ym 1845, yn fab i Griffith a Sarah Jones. Gwelwn ar ddogfennau hanes fod y felin unwaith yn felin flawd ar *grange* y Fynachlog. Addysgwyd y Rhys ifanc yn ysgol leol Pantycetris ac ysgol John Thomas Pontsiân. Aeth i chwilio am waith yn Aberdâr, lle cadwai siop am gyfnod, cyn priodi â merch o Gwm Cynon. Ac yn y cyfnod yma, daeth yn gyfeillgar â llawer o lenorion lleol. Mynychodd ddosbarthiadau cynganeddu a datblygodd yn fardd telynegol addawol iawn. Yn ôl E. Lloyd Jones (hanesydd bro Talgarreg): 'Ychwanegodd yr enw 'Etna' at ei enw gwreiddiol, oherwydd, meddai rhai, i'w dalent ffrwydro mor amlwg a sydyn a chreu argraff arbennig. Bu un o'i chwiorydd, Mary, yn byw yn Mount Hill, Cwm Glowon a Brynderwen, Cross Inn, ac un arall, Hannah, yn ffermio ym Mhantycetris. Ond wedi i Rhys Etna etifeddu tyddyn ei rieni aeth yn fethdalwr a chollodd y cwbl. Ymfudodd i'r Unol Daleithiau i anghofio ei broblemau ac i chwilio am fyd gwell. Trigodd am gyfnod yn Franklin, Pennsylvania, ac wedyn yn Utica. Yno yn Franklin ym 1884 enillodd gadair Eisteddfod y Gorllewin gyda'i gerdd foliant (130 llinell) i'w 'Fam'. Dywedodd y beirniad, Gwalchmai, ei bod yn gerdd dlos a theimladwy iawn a'i tharddle o galon y bardd. Er gagendor cefnfor yr Iwerydd, yr oedd atgofion Rhys yn parhau'n agos iawn at ei fam'. A dyma bennill o'r gerdd:

> Er bod môr cynddeiriog rhyngom
> Nis gall ein gwahanu ni,
> Gwn dy fod yn aml yma
> Minnau yna gyda thi.
> Nid yw pellter ddim i'r meddwl
> Gall yn hawdd dros fôr roi llam,
> Pwyntai'r cwmpawd fyth i'r gogledd
> Felly'm serch fyth at fy mam.

Mae'n mynegi hefyd rhai o'i brofiadau chwerw:

> Pan ddaeth gwyntoedd croes i'm gyrru
> I'r Amerig fawr eu bri,
> Trwm oedd gadael gwlad fy nhadau
> Trymach fyth dy adael di.

Cyfeiria yn ogystal at ei fam yn ei gario i'r gwasanaeth i'r capel:

> Byddet yn ymdrechu 'nghario
> Ar dy gefn ac ar dy fraich,
> Ac rwy'n beiddio dweud na chlywodd
> Neb di'n achwyn ar dy faich.

Ym 1893 daeth yn ôl ar wyliau i'w fro enedigol ac yn arbennig i weld bedd ei fam ym mynwent Pisga. Ac i'r swyddogion cyfeiriodd at fan wrth ymyl y beddrod lle dymunai gael ei gladdu. Ond ni chafodd ei ddymuniad oherwydd bu farw yn Utica ym 1895 ac yno y gorwedd ei weddillion.

Bu ei fywyd yn U.D.A. yn galed ac yn unig a chroniclodd ei brofiadau mewn emyn a welir yng Nghaniedydd yr Annibynwyr 1895 (Rhif 921). Dyma'r pennill cyntaf:

Rhodio'r wyf ar lan yr afon
Mewn unigedd, Iesu mawr,
Mae cyfeillion goreu'r ddaear
Arna i'n cefnu i gyd yn awr.
Chlywa'i ddim ond sŵn y tonnau,
Wela'i ddim ond llwybrau'r bedd,
Saif pechodau duon bywyd
Rhyngof fi a gweld Dy wedd.
O! dywyllwch dua 'rioed –
B'le caf yma roi fy nhroed . . .

Credir i Rhys Etna lunio'r englyn isod yn ystod ei daith yn ôl i America gan gyfleu ei hiraeth alaethus:

Llyn hiraeth am y llenorion – ynof
Sydd yn cronni'n gyson;
Glawia y dagrau gloywon
Yn lli o'r llygaid fu'n llon.

Roedd tad Sarnicol yn gefnder iddo ac mae cyfeiriadau caredig ato gan Sarnicol mewn rhai o'i ysgrifau. A dyma sut y canodd Gwernogle i Rhys Etna:

Pan gollais fy Etna, y collais fwynhau
Per awen a chalon a wnaeth fy lleshau,
A chollais dynerwch, na chwrddais ei well
Mewn dyn ar y ddaear yn agos a phell.

Bedyddiwyd perthynas a chefnder arall i John Etna Williams â'r un enw Cristnogol anarferol – sef hewlwr enwog bro Llangrannog – Rhys Etna Jones. Roedd ef yn gwmws yr un enw â'i ewythr-fardd enwog. Fe'i ganwyd yn y Cymer a daeth i fyw i fferm Tredwr, Pontgarreg, pan oedd yn wyth oed. Canodd Alun Cilie englyn enwog i'r hewlwr – a allai fod yn deyrnged i Rhys Etna neu i gymeriad lliwgar arall o hewlwr, a chymydog i Alun o'r enw Hathren Rees, Parc-y-pwll:

Un â'i rym yn ei gryman – yn cadw'r ffyrdd,
Codi'r ffos heb loetran;
A thrwy'i oes gwaith yw ei ran,
Gŵr wyth awr gwerth ei arian.

Roedd Rhys yr hewlwr yn gyfeillgar â chapteiniaid y fro oherwydd gorffennai ei *length* dyddiol yn nhŷ un ohonynt a châi ambell floc a faco ac ambell ddracht o 'ddŵr y bywyd' oddeutu'r flwyddyn newydd.

Ganwyd John Etna Williams yn bumed plentyn a'r ieuengaf i Rees a Margaret Williams yn Felin Huw, Cwmtydu. Enwyd y lle ar ôl yr hen Gamaliel, Huw Davies, yr ysgolfeistr. Gŵr amlochrog ei dalentau ydoedd ef ac yn adnabyddus drwy'r holl wlad.

Patriarch y Felin: Rhys (Rees) Williams – amaethwr, cigydd, melinydd, henadur, diacon, trysorydd (yng nghapel Nanternis), tad Dafydd Jeremiah, Fred a John Etna.

Er nad oedd John Etna na'i rieni yn cofio amdano, roedd ei ddylanwad yn drwm yn y cwm, ac mae ei enw wedi aros ar y felin hyd heddiw. Gwelir ei garreg fedd ym mynwent Capel y Bedyddwyr yn Llwyndafydd:

> Er coffadwriaeth am Hugh Davies
> Melin Cwmtydu, (Ysgolfeistr), a hunodd
> Tach 15ed. 1870 yn 70 mlwydd oed.
> Hefyd – ei ferch Anne, Pilot Place, Ceinewydd,
> Ganwyd 1836. Hunodd 1916. A'i phriod Evan Davies,
> ganwyd 1835. Boddodd ar y Cape Horn 1870.
> Ai huno ai effro
> Boed Hedd.

Un o'i ddisgyblion enwocaf oedd Sarah Jane Rees (Cranogwen). Fel hyn y dywed am ei diwrnod cyntaf yn ysgol Huw Dafis (*Y Frythones*, Rhagfyr 1883): 'Mor dda ei cofiwn! Ysgubor (Penrallt) ffermdy ar bwys yma, fel yr awgrymasom o'r blaen, oedd adeilad y coleg syml hwnnw, ond nid yw yr ysgubor hono i fyny yn awr. Nid oedd ffenestr, boed siwr; yr holl oleuni ar yr achos a ddeuai drwy y lowsedi – agoriadau wedi eu gadael yn y muriau i bwrpas ysgubor, yn ôl ffasiwn yr adeg honno ar ysguboriau a thrwy y drws. Y plant yn eistedd ar feinciau culion oddiamgylch y tŷ, ar bwys y muriau, a'r hen athraw ar gadair yn agos i un pen, ac oddeutu canol y llawr'. Dywed Cranogwen eto: 'Buwyd am flynyddau rai yn yr hen gapel. Cafwyd 'ysgoldy' o'r diwedd yng nghanol y gymdogaeth . . . muriau plaen, meinciau culion, oddeutu wyth modfedd o led, oddi amgylch y tŷ gyda'r muriau, a dwy ddesg sigledig ddwbl ochr yn rhedeg drwy ganol y tŷ ar ei hyd; cadair yr athraw wrth y tân, a desg ysgrifennu fechan ar ben 'frame' wrth ei ochr; congl y defnydd tân, cwlwm (culm), wedi ei gymysgu â chlai y tuhwnt i hyny.' (*Y Frythones*, Chwefror ac Ebrill 1884)

Dywedodd Isfoel amdano: 'Rhyw chwarter gaeaf roedd y plant yn ei gael o ysgol ar y tro, oherwydd bod galw arnynt i fynd allan i fugeilio'r defaid a'r gwartheg yn y ffermydd pan ddeuai'r gwanwyn a'r haf, er ennill ychydig geiniogau at gynhaliaeth y teulu, ond caent wersi gan eu meistr i'w hymarfer yn y cyfamser, a dysgai llawer i sillebu wrth fugeilio. Byddai Ysgol Huw yn costio hanner coron y chwarter, ac os byddai disgybl am ddysgu 'seiffro', sef ymarfer trin ffigurau a symio i fyny, byddai raid talu coron . . . Yr oedd Huw Dafis yn enwog fel darllenwr pennau hefyd . . . Gelwid arno allan i leoedd lle'r oedd teuluoedd mawr, ac âi yntau ar gefn ei asyn yno. Aeth i un lle ac yno hanner dwsin o blant, a dyna lle byddai yn trin un ar ôl y llall, ac yn dweud ei farn arno, ac ar ôl mynd drostynt i gyd yn galw am hwn a hwn eto i'w ailarchwilio . . . "Mae yn hwn dalent neilltuol," meddai, "ac os caiff chwarae teg fe ddaw yn enwog iawn ym mha gylch bynnag y bydd." Ac wedi iddynt oll dyfu i fyny, fe drodd ei broffwydoliaeth yn wir, ac fe ddisgleiriodd y bachgen hwnnw yn amlwg iawn fel meddyg. Yn ddi-ddadl yr oedd yn deall ei waith'. (*Hen Ŷd y Wlad*, Isfoel, 1966)

Addysgwyd John Etna yn ysgol gynradd Caerwedros. Yr oedd nifer o deuluoedd yn byw yng nghartrefi'r cwm, a byddai plant yn cerdded y ddwy filltir a hanner i'r ysgol yng Nghaerwedros haf a gaeaf, glaw neu hindda, yn fintai gref. Deuai rhyw dri o Ben-parc, dau o Droedrhiwgaerddu, pump o'r Felin, un o Lan-don, pump o Gaer-llan, pump o Bant-yr-ynn a rhif mawr o Ddolwylan, a'r rheiny yn Gymry Cymraeg naturiol i gyd. Galwai ei hun yn 'Nono' – enw a arhosodd ar wefusau'r fro drwy gydol ei oes.

Roedd prysurdeb y felin yn gosod gofynion ar y plant ac roedd yn rhaid i John Etna, fel ei frodyr a'i chwaer i raddau, osod ei ysgwydd dan yr iau. Â'i dad yn gigydd, melinydd a ffermwr a'i fam wedi'i chymryd i fedd cynnar, daeth cyfrifoldebau a thrwm lwythau bywyd yn gynnar ac yn amlwg a phendant i'w plith. Cofia John Etna am brysurdeb adeg y Nadolig wrth i'r ffermwyr ddod â'u 'ffowls' i'r Felin i'w plufio a'u trwsio.

Yn nyddiau cynnar y fasnach gig, teithiai Rees Williams ar gefn ceffyl ar hyd a lled plwyfi Llandysiliogogo a Llangrannog yn ystod diwrnodau canol wythnos i dderbyn archebion cig oddi wrth deuluoedd a oedd yn adnabyddus iawn iddo. Yna, ar y Sadwrn, gorchwyl John Etna a'i frawd Fred fyddai cario basgedaid lawn o gig a'r darnau briw wedi eu torri a'u rhwymo yn barod i'r cartrefi. Ar un cyfnod roedd dwy siop gig ganddo yng Ngheinewydd a'r llall mewn ystafell dros-dro ym Mhentre Arms, Llangrannog – lle trigai ei frawd-yng-nghyfraith. A hefyd ar un cyfnod bu'n gwerthu cig mewn fen arbennig, a oedd yn debyg o ran ei chynllun a'i maint i garafán sipsi ond ei bod yn pwyso ar ffrâm ddwy olwyn. Eisteddai Rees yn y blaen dan ganopi bychan gan ddal awenau'r ceffyl ond pan werthai'r cig agorai ddrws bychan yn y cefn. Roedd yn debyg i ffenest ar ddrws cell carchar a disgynnai silff hefyd o'i blaen i ddal y dafol. Gosodai ddarnau o gig a grogai ar fachau yng nghorff y cerbyd ar y silff er mwyn cynnig dewis i wraig y tŷ. Ond arhosai Rees yn y cerbyd nes i'r fargen gael ei tharo, yna caeai'r drws a disgyn o'r blaen i gael sgwrs â'r cwsmeriaid am bethau'r fro a'r byd.

Unwaith, aeth dau o fechgyn ieuanc direidus pentref Blaencelyn – Dewi a Verdun, Ffynnonwen – â Tudoria, merch bedair oed y siop, am dro yn ei phram arbennig. I ddychymyg y bechgyn roedd canopi'r pram yn debyg i fen Rees y bwtshwr. Torrwyd twll yn y canfas drudfawr a gosodwyd cerrig yn y pram. Yn y ddrama ddilynol prynai'r bechgyn y darnau cig (neu'r cerrig) drwy'r twll yn y canopi fel Rees a'i fen. Ond nid oedd Mary Owen, mam Tudoria, yn hapus iawn o weld y difrod ar y pram; o leiaf ni thyfodd y busnes 'cerrig' yn gystadleuaeth i'r cigydd iawn! Ac ni welwyd y bechgyn yn agos at y siop am gyfnod go hir!

Yr adeg honno yr oedd y gwaith o ladd yr anifeiliaid yn cael ei wneud gartref mewn adeilad pwrpasol. Bu teulu Rees Williams yn byw yn Felin Huw am flynyddoedd a'i frodyr yn cyflawni'r un gwaith ag a wnâi John Etna a'i frodyr genhedlaeth ar eu hôl, sef mynd â blawd o'r felin i'r gwahanol fannau mewn cart asyn. Gerllaw, yn fferm Pen-parc, trigai gŵr bychan o gorffolaeth ond cecrus o ran ei natur, ac roedd yn dadlau yn aml gyda John Etna, Fred a D.J. ynglŷn â gorlwytho'r asyn. Ond yr oedd Tom (brawd eu tad) yn barod iawn â'i ateb bob amser a thwymodd y ddadl un tro yn uffernol gyda gŵr Pen-parc yn dweud wrtho:

'Y crwt, paid â dadle, llai o bwyse neu mi laddi di fe. Wyt ti'n meddwl mai broga fu'n gori arna' i?' Ac meddai Twm ar amrantiad: 'Ta beth fu yn gori arnat, broga ddaeth i lawr!'

Cedwid dau neu dri asyn yn Felin Huw ar gyfer gorchwylion felly – ac fe'u gyrrid allan i bori i'r dolydd gerllaw. Ond bob hyn a hyn, efallai unwaith bob pymtheng mlynedd, ceid glaw trwm iawn am gyfnodau hirion yn y gaeaf gan achosi i afon Dewi ac afon Bothe orlifo eu glannau. Sgubwyd y 'bombren' i ffwrdd yn gyfan gwbl un flwyddyn ym mreichiau'r llif a hefyd asyn a dau fochyn. Fe'u gwelwyd yn arnofio'n afreolus heibio i Parc Hall a thrwy argae'r morllyn ar drugaredd rhyferthwy'r llif. Boddwyd yr asyn a daethpwyd o hyd i'w gorff ar drwyn Cafan Glas ond nofiodd y moch anturus yn ôl i geulan y morfa: 'Gwyddem fod y mochyn yn nofiwr da, a dywedir y deil i nofio hyd onis tyr dwll yn ei wddf â'i draed blaen,' meddai Isfoel. Unwaith dihangodd asyn arall a thrwy ryfedd wyrth cerddodd i fyny hyd at dafarn y 'Crown', Llwyndafydd. Yn ei newyn (a'i syched efallai) gwthiodd drwy ddrws ucha'r storws ac yn ei wanc am wair ffres cwympodd i lawr i'r rhastal. Clywyd ei frefiadau cyson ac fe'i tynnwyd allan o'i garchar gan rai o'r cwsmeriaid syn ond yn ei anffawd gwnaeth ddolur parhaol i linynnau ei goesau. Trwy ei fywyd ni allai blygu ei goesau, a cherddai yn araf, ling-di-long, fel asyn pren. Pe cwympai ni allai ailgodi ac estynnid cymorth iddo'n aml a'i osod 'nôl ar ei bedair troed. Gadewid iddo grwydro'r ardal fel anifail anwes a châi ei fwyd gan y gwahanol gartrefi a chloddiau'r fro. Cysgai ar ei draed yn aml yn erbyn y clawdd, fel meddwyn nos Sadwrn, a thriliai 'nôl ambell waith i'w bedair coes yn rhyfeddol o effeithiol. Wedi blynyddoedd o grwydro'r fro yn ei gyflwr truenus fe'i gwelwyd ar draeth Cwmtydu gan Rees Williams a chymerodd drueni mawr dros yr hen greadur musgrell. Fe'i cludodd i'r ddôl ger y Felin ond trigodd ymhen diwrnodau.

Ond roedd Felin Huw yn gysylltiedig ag asynnod eraill – rhai ohonynt yn enwog iawn. Dywed Isfoel, yn ei gyfrol *Hen Ŷd y Wlad*, am Huw Davies, yr ysgolfeistr teithiol: 'Teithiai ar gefn asyn gwyn o un lle i'r llall. A chan ei fod yn ddyn tal coeshir, fe safai ar ei draed pan gwrddai â chyfaill, a'r asyn yn aros rhwng ei goesau'. A chanodd S.B. i 'Asyn' arall:

> Cref ei wisg, araf ei osgo – a'i fyd
>   Ar y foel a'r tyno;
>   Y ddyrnod beunydd arno
>   A'i fref yn dychrynu'r fro.

Cedwid gwartheg godro yn y Felin a gwaith beunyddiol crwtyn ifanc fyddai'u 'mofyn a'u hebrwng o'r meysydd. Medrent oglais brithyllod yn y llyn, gwylio'r malu a threulio oriau difyr yn yr odyn gyda'r ffermwyr wrth iddynt grasu eu llafur. Ac roedd traeth 'rhamantus' Cwmtydu dafliad carreg i ffwrdd a rhithm parhaol y tonnau yn galw! Fel hyn y canodd S.B. i'r cwm cysgodol a oedd yn llawn o ryferthwy Natur ac yn cynnwys elfennau grymus a oedd yn peri syndod i'r ieuenctid chwilfrydig, ond a oedd hefyd un diwrnod i dynnu John Etna oddi wrtho i bellafoedd byd:

> Ba waeth? Mae hedd mewn bwthyn
> A golud gwlad gwaelod glyn.
> Olwyn hen y Felin Huw
> Dry'n delyn dan y dilyw;
> Ac ofn nos yn ysgafnhau
> Yn si'r lli ar y llwyau.

Ac am y cartref cysgodol a'i awyrgylch arbennig – yr oedd tymhorau'r plentyn a'r gŵr ieuanc yn bleser a difyrrwch parhaol – ac yn llawn rhamant:

> Mae yng ngwae dyfnder gaeaf,
> Ddiddanwch a heddwch haf.

Yr oedd y Felin a'r fro o'i hamgylch yn meddu ar olygfeydd a phrofiadau a oedd wedi cynhyrfu dychymyg ac awen ac edmygedd drwy gydol y blynyddoedd. Fel y canodd S.B. eto:

> . . . O'r ddôl wair i enweirio
> Pellter hon hyd y Pwll Tro.
> Gwylanod liw'r goleuni
> Yn rhoi llef i groesi'r lli.
> Hwyrddydd haf yn yr hafan,
> A chael y teg fachlud tân
> Eto â'i hud ar gwm Tydu
> A'i fôr, megis gynt a fu.

Ymhlith y penillion, englynion a chwpledi a gedwid yng nghyfrol cof John Etna mae'r faled isod i Gwmtydu. Roedd yn hoff iawn ohoni ac wedi ei hadrodd yn ei feddwl ddwsinau o weithiau wrth forio'r byd. Daeth Gerallt ar ei thraws hefyd yn nyddiadur Miss Mattie Thomas (Mati'r Ddôl):

Mae stori ramantus Cwmtydu'n un hir –
Lle gorffwysodd y Crëwr mewn bwlch yn y tir,
Y traeth bach cysgodol fel cilcyn o'r lloer
A dyfroedd Iwerydd bob amser yn oer.

'Bydded y morlo,' ebe Duw, ger Pwll Mwyn.
Ac fe'u gwelir hwy eto o gwmpas y trwyn.
A daeth y Behemoth i eistedd yn swat
'Rôl treiglo'n y dyfnder, ar sedd 'Garreg Fflat'.

Gwylanod a morfrain ymgasglodd i'r fan
A chodi eu nythod yn uchel i'r lan,
Lle na allai dynion fyth ddringo'n eu rhaib
Pan oeddynt yn dechrau troi'r tiroedd â chaib . . .

Cyn hir fe ddaeth galw am galch ar y tir
A hwylio wnaeth llongau am Filffwrd, daith hir.
Ac eraill ymhellach i helcyd glo mân
O dre Abertawe, i gael digon o dân.

Dwy odyn a godwyd wrth godiad Pant'rynn,
Nid nepell o'r traeth uwch Tangoylyn oedd hyn,
Ac wedyn un arall ar dalcen y traeth
Ac er pob ystorom nid ydyw yn waeth . . .

Cyn i undyn freuddwydio am lori na thrên
Dygai llongau Bae Ceredig ein nwyddau a'n llên,
Yr awel a chwythai'r 'George Evans' yn bowld,
Neu falle'r 'Ann Dafis' a'r calch yn ei howld.

Ond hithau yr 'Antilope', smac fawr hanner cant,
A'i llond o'r Cwlwm Du Bach ddaeth o bant,
Hi rowliai yn llawen a'r gwynt yn cryfhau –
Ond methodd wrth dacio, a'r t'wyllwch yn cau.

A'r 'Antilope' druan, hi laniodd nes ma's
A'i chwythu'n garlibwns i'r hen Gafan Glas,
A Griffiths, Brynrarian, ei Chapten a'i 'boss',
A roes yn ei 'log-book' – 'my ship – total loss!'

Dôi llanciau a merched o ffermydd 'rholl fro
I gario y cerrig ac i rofio'r llwyth glo,
A'u rhoi nhw'n ystode'n yr odyn ar dân
I'w puro a'u malu i'r tir yn galch glân.

A phan oedd y gwaith yn galedwaith a phoeth
Rhagluniaeth fel arfer a drefnai yn ddoeth,
Tafarnwr Glanmorllyn 'ddôi â'r gaseg yn nes
A gweld fod y dablen yn difa pob gwres.

Ac yna'n yr hafau, teuluoedd y fro
Ac eraill, rai ffodus, ar wyliau'n eu tro
A ddoent i Gwmtydu â'u straeon a'u cân
A'r beirdd a'u penillion i'r merched mwyn glân.

Ond heddiw mae'r odyn yn oerllyd ei gwedd
A thybiech yn hawdd fod pob Cymro'n ei fedd,
Ond heidiau anghyfiaith o Saeson reit hy
Sydd wedi meddiannu'r holl draeth a phob tŷ.

Ond wedi cael cefen y lluoedd bob un
Dof innau i'r draethell – ac wrthyf fy hun,
Mi nofiaf yn iachus heb ofni'r un sharc
O greigiau Caer-llan draw at bentir Pen-parc.

Credaf mai arddull Sioronwy sydd yn y faled ond gan mai cynnyrch byrfyfyr oedd ta beth, byddai cyfraniadau llawer o'r 'bois' yn ei phatrwm. Ys canai Isfoel:

Hen draeth penna'r wlad,
Hen draeth penna'r wlad,
Lle daw'r holl fenywod
I olchi eu tra'd.

A chanodd Isfoel ymhellach am ddyfodiad gwenoliaid Awst i Gwmtydu:

Ymwelwyr clên mal ieir ar clôs, – bechgyn
    Bochgoch a merchetos;
  Groesan' draeth heb grys na drôs,
  A phobun yn 'amphibious'!

Ychydig cyn i John Etna fynd i'r môr caewyd Tafarn Glanmorllyn yng Nghwmtydu, ym 1926. Oherwydd ei safle cymharol guddiedig yn nhawelwch y cwm a phell o ddwndwr y byd a'i bethau, ni thynnai sylw awdurdod swyddogion y tollau yn ormodol. Yn y gaeaf, cwsmeriaid lleol a yfai yn y dafarn ond yn yr haf dôi cynnwrf glowyr gweithfeydd y De i'r cwm gan yfed Glanmorllyn yn sych – fwy nag unwaith. Pe dôi P.C. Moses Lloyd yn agos – cynigiai Isfoel neu rai o'r bechgyn fynd ag ef allan yn y *Brandon Barrow* (hen gwch achub Isfoel) i'r Atlantig i bysgota am y dydd. Ond wedi sôn fod y dafarn yn agor ei drysau ar y Sul daeth rhywun â llawer mwy o

Poster prin o arwerthiant cyn-dafarn Glanmorllyn, a gaewyd ym 1926.

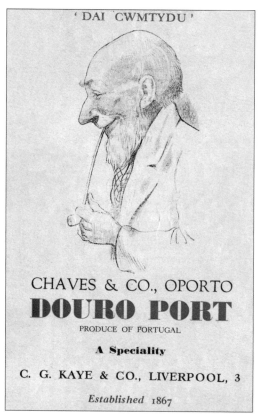

'Port' arbennig a
werthwyd dan lun
o Dai Cwmtydu.

Arwydd tafarn Glanmorllyn, Cwmtydu.
Cyfeirid at y ffigwr fel 'Dai Cwmtydu'.

Glanmorllyn, Cwmtydu, hen dafarn y pentref glan-môr, nes i ymgyrch ddirwestol gan y Parch. John Green ei chau. O flaen y tŷ y mae'r perchennog presennol.

awdurdod na heddwas i wybod. Y Parch. John Green, gweinidog parchus Twˆr-gwyn, Rhydlewis, oedd hwnnw. Ac wedi tystio i'r camwedd eithaf o gyflenwi'r ddiod feddwol ar y Sabath o'i guddfan yn y rhedyn fry ar Fanc Pen-parc, buan iawn y caewyd y ffynnon yng Nghwmtydu. Yn wir, caewyd amryw o ffeuau annuwioldeb yn Ne Ceredigion drwy ymgyrch ddyfal ac effeithiol John Green. Roedd Dafi Glanmorllyn yn bragu'i gwrw ei hunan a'i werthu mewn poteli a wisgai label unigryw – sef llun o'r hen dafarnwr yn ei gapan morwrol, ei farf lawn a'i bibell. Pe bai rhywun heddiw yn dod o hyd i botel Glanmorllyn, câi arian mawr amdani. Ac meddai John Etna: 'Er nad oes gennyf un o'r poteli, fe'u cofiaf yn dda. Ond mae un peth – cefais flasu eu cynnwys amryw o droeon. Iachusol iawn gydag aer y môr'.

Gyda llawer o'i gyfeillion ac ardalwyr yn mynd i'r môr ac yn cychwyn gyda chapteiniaid lleol, nid rhyfedd iddo yntau, John Etna . . .

gladdu ei freuddwydion dellt
yng ngolau mellt y môr . . .

Nid oedd y felin mwyach yn medru cynnal teulu mawr ac roedd y cyflog morwrol yn well na chyflog gwas fferm. Hefyd nid oedd amaethu nac unrhyw swydd mewn swyddfa i'w cymharu ag aflonyddwch dychymyg a rhamant y môr. Ac nid nepell o olwg a chlyw tuag at gilfach Cwmtydu roedd:

Bâr a gwg ewynboer gwyn
Yn ymarllwys i'r Morllyn.

Yn ei ieuenctid, ac yn wir trwy ei oes, roedd gan John Etna ddiddordeb mawr yng nghampweithiau barddonol ei ewythrod o'r Cilie. Dysgodd lawer o waith Isfoel ar ei gof, er nad oedd ei gof gystal â'i frawd, Dafydd Jeremiah, ar y pryd. Cofia ei gefnder, John Alun, amdano yn rhoi copi o lyfr Dewi Emrys, *Odl a Chynghanedd*, i John Etna pan aeth i'r môr yn ifanc iawn. Dywed John Alun mewn llythyr: 'Nid oes dim o waith John Etna gyda ni. Pan gafodd ei gymryd yn garcharor gan y Siapaneaid collodd ei ddiddordeb yn y pethau, a mwy na hynny, nid oedd yn cofio dim am 'odl a chynghanedd'. Ond da yw dweud, ar ôl cael ei draed oddi tano, daeth y cof yn ôl, ac erbyn hyn mae yn holliach'.

Bu John Etna am gyfnod byr yn ysgol enwog y 'Tiwtorial' yng Ngheinewydd yn astudio mathemateg (*algebra* a *geometry*) yn fwyaf arbennig ond hefyd pynciau cyffredinol fel iaith a dinasyddiaeth. Yna daeth gartref i sicrhau i'w frawd Fred gael mynd i'r ysgol am gyfnod arall i dderbyn yr un addysg. Diddorol yw nodi i'r ddau frawd fynd i'r môr yn eu cyfnodau gyda'r un capten – John Davies, Glandewi, Pontgarreg, Llangrannog. Canodd Isfoel bum englyn coffa i'r capten. Dyma un ohonynt:

Bwried plant yr Atlantig – eu dreigiau
        Hyd y rigyn talfrig;
    Ond John a'i wedd fonheddig
    Angora o'u rhaib yng ngro'r Wig.

Ac ym mhorthladdoedd Caerdydd neu Abertawe, roedd un sefydliad cartrefol, croesawgar a Chymreig ei naws a dynnai sylw pob morwr ieuanc – yn enwedig o'r gorllewin. Byddai'r teulu a chyn-forwyr yn argymell ymweliad â'r lle. Nid y *lodge* na'r *Seamen's Mission* ond siop Jones & Co., Outfitters and Clothiers – 107, Bute Street, Caerdydd.

'Gofala dy fod ti'n mynd at 'Jones y Goat' i brynu dillad ac unrhyw beth arall fydd eisiau arnat.'

'Jones y Goat!' gofynnodd y John Etna ieuanc, 'Pwy yw hwnnw?' Dyn sy'n cadw geifr, llysenw neu beth? Tafarnwr?

Y Capten John Davies, Glandewi, Pontgarreg. Hwyliodd John Etna a'i frawd Fred gyda'r capten ar eu mordeithiau cyntaf ar y *Llangorse*.

Masnachwr oedd George Jones a hanai o Landdowror, Sir Gaerfyrddin, a chadwai ei dad fusnes cyffelyb yn Abertawe ar

Stryd 'Bute' Caerdydd ar ddechrau'r 1920au – tua'r gogledd. Golygfa gyfarwydd i forwyr ieuainc.

ddechrau'r ganrif. Crogai cerflun euraid o afr y tu allan i'w fusnes – y 'Golden Goat'. Roedd holl forwyr y Cilie os nad Ceredigion a Chymru gyfan, yn ei adnabod. Dywed y capten John Etna Williams: 'Dros ffenestr y siop roedd gan Jones lenni a symudai i fyny ac i lawr wrth dynnu cortyn i reoli'r symudiadau dros rowler trwm. Ac arno yn arwyddlun trawiadol roedd amlinelliad o afr aur. Haws oedd cerdded neu yrru heibio i'w sefydliad os nad oedd y llenni i lawr dros y ffenestr. Ffenestr ddigon anniben oedd ganddo ac nid oedd wedi arwisgo modelau mewn dillad morwrol fel rhai o'i gystadleuwyr . . . Nid oedd ganddo gownter traddodiadol a digon aflêr a diysbrydoledig oedd y tu fewn i'r siop. Yn wir yn ei ystafell fach gefn y gwnaethpwyd y busnes masnachu a'r cymdeithasu. Roedd ganddo was-weithiwr (o dras Tseineaidd) a hwnnw a gymerai ofal o'r siop a'r teleffôn pan âi Jones ar ei aml negeseuon a chrwydradau . . . Gwerthai ddillad morwrol o bob math – dillad swyddogion (capten, mêt, ail fêt, trydydd mêt) a dillad addas ar gyfer pob tywydd i bob morwr. Medrech brynu hetiau, crysau, dillad gwaelod, sanau, esgidiau, menig. sachau, cydau a hyd yn oed fatras i forwr cyffredin. Llenwid y matras hesian â gwellt a hwnnw a fyddai'r cydymaith mynwesol drwy dymestl a hindda. Gelwid y matras yn *donkey's breakfast*'.

Dywed y Capten Cyril Lewis (cymydog John Etna): 'Roedd yn draddodiadol i'r morwyr, wrth agosáu at borthladd Caerdydd, adrodd y canlynol:

> When Lundy light you see ahead,
> Pack your bags and dump your bed.'

Teflid y sypiau gwellt a'r hesian dros yr ochr wrth hwylio i fyny'r Sianel. Un tro, daeth neges i'r llong – wedi cyrraedd angorfa y tu allan i'r Barri . . . 'Anchor for 5-6 days, no berths available' – a hwythau wedi taflu'u gwelyau dros yr ochr!

Gŵr tal, glanwedd oedd Jones (y 'Goat') o gorffolaeth urddasol a chopa o wallt brithog yn gorchuddio'r pen. Perthynai iddo wên afieithus a byddai wrth ei fodd yn rhannu jôc. Dangosai berthynas arbennig â'r Cardis. Credai llawer mai Cardi ydoedd ond i bobl Caerdydd, roedd unrhyw un i'r gorllewin o'r Llwchwr yn cael ei alw yn Gardi. Câi ei gydnabod fel y *Welsh Consul* ac roedd yn aelod o'r *Seamen's Union* a Chymdeithas y Perchnogion Llongau.

Bu'n gyfaill a chymwynaswr teyrngar a phoblogaidd i'r 'morwr ifanc' o Geredigion a'r gorllewin. Chwiliai am swyddi i lawer, deuai'r *Ship Chandler* i lawr i'r 'Golden Goat' ac yn yr ystafell gefn rhoddai wybodaeth a thystiolaeth gadarn o blaid amryw am swyddi cyfrifol.

Benthyciai arian i'r *greenhorns* cyntaf gan wneud elw ac efallai trwy ennill y morwyr hynny i werthu rhagor o ddillad iddynt yn y dyfodol. Dywedid iddo wneud mwy o elw ar gytundeb ag unrhyw forwr nad oedd yn Fethotsyn gan y ffafriai aelodau o'r gyfundrefn honno, ac yntau yn flaenor yn eglwys y Methodistiaid Bethania, Lowndes Square, Caerdydd. (Gwelwyd grisiau a rhan o'r capel yn y ffilm *Tiger Bay* gyda John a Hayley Mills. Tynnwyd y capel i lawr.)

Dywedai John Etna a'i gefnder Jac Alun y byddent yn mesur am siwt forwrol ar gychwyn mordaith gan obeithio na fyddent wedi tewhau gormod ar eu dychweliad. Byddai llawer o dynnu coes wedyn, ond llinyn mesur Jones a gariai'r gwirionedd. Dywed Aled Eames yn ei gyfrol, *Y Fordaith Bell*: 'Rhaid cofio fod ambell feistr llong ariangar yn manteisio ar afradlonrwydd y morwyr trwy godi prisiau uchel am ddillad ac esgidiau a gâi eu prynu o stôr y llong ('Slops' i forwyr) ar y fordaith, a rhoi'r tâl yn erbyn cyflog y morwr ar ddiwedd y daith. Fel arfer roedd y capteiniaid wedi prynu'r nwyddau'n llawer rhatach mewn siop siandler megis Jones, 'Golden Goat', yng Nghaerdydd ac Abertawe'. Ond ni ddaeth John Etna na'i gefnder ar draws marchnad ddu felly.

Gwahoddai George Jones y 'Goat' forwyr i fyny i'w gartref i drafod swyddi cyfrinachol gyda nhw neu i'w hargymell i ymuno â'r *Lodge*. Ef a sefydlodd yr *Emerald Lodge* i lwyr ymwrthodwyr a chipiodd aelodaeth John Etna, Dafydd Jeremiah a Jac Alun i'r Urdd yn eu dyddiau cynnar ar y môr. Efallai fod y tri wedi pledio dirwest ond nid oeddynt yn llwyr ymwrthodwyr. Siaradai George Gymraeg graenus a gwnâi'r morwyr ieuanc yn gartrefol iawn mewn dinas ddieithr. Wrth gyfarch Cardi ieuanc tynnai ei goes yn ddidrugaredd gan gyfeirio at gybydd-dra honedig y dras honno. A phwy oedd y cybydd mwyaf? Deunaw swllt yn y bunt a dalai drwy gytundeb benthyg arian.

Cefais stori ddiddorol am 'Jones y Goat' trwy law'r Doctor Goronwy Owen, Radyr, Caerdydd (gynt o Gelyn Parc, Blaencelyn). Yn ystod cwrs Dr Owen yn yr R.A.M.C. drwy gydol yr Ail Ryfel Byd gwrandawai ar wasanaeth Byd Radio BBC. Roedd yn Benghazi (gogledd Yr Affrig) ar y pryd ac er syndod mawr clywodd lais 'Jones y Goat' mewn Cymraeg clir . . . yn darlledu. Tua diwedd y sgwrs daeth y cyfarchiad canlynol er syndod mawr i Goronwy Owen . . . 'Os wyt ti ma's fan 'na rywle Dani Cefn-cwrt (a oedd ar goll ar y môr wedi llongddrylliad) . . . dere 'nôl gloi'. Pan oedd Dr Owen yn y coleg meddygol yng Nghaerdydd mynychai'r un capel â 'Jones y Goat'. Roedd Jones wedi rhoi Dani Williams ar ei ffordd (gweler pennod Dafydd Jeremiah) ac roedd Dr Owen a Dani yn gyd-ddisgyblion yn Ysgol Pontgarreg. Cyd-ddigwyddiad rhyfedd iawn.

John Etna Williams yn barod i ymuno â'r *Llangorse*, yn 19 oed.

Cofia morwr arall, Enoch Emlyn Evans, morwr o ardal Blaencelyn a Synod Inn, amdano yn clywed llais adnabyddus 'Jones y Goat' ar Wasanaeth Byd y BBC yn Bone, Algeria. Siaradai yn Saesneg ac yn Gymraeg ar y pryd yn yr un dull a naws â William Joyce (Lord Haw-Haw) ond ei fod wrth gwrs yn siarad o blaid y gorllewin ac yn cyferbynnu'n llwyr â phropaganda y bradwr-glown hwnnw.

Roedd John Etna, fel pob morwr, yn cofio ei fordaith gyntaf: 'Un o'r stormydd mwyaf arswydus a brofais oedd un ym mae Biscay yn Chwefror 1924 ar fy mordaith gyntaf fel *cabin-boy* o Gaerdydd i Buenos Aires â llwyth o lo. Roedd tri Chymro lleol yn gymdeithion imi a minnau yn *deck-boy* ar y llong *Llangorse*. Y capten oedd John Davies, Glandewi, a'm cyd-forwyr – Dani Williams, Cefn-cwrt, Jim Jones, Brynhyfryd, a Tom Lloyd, Brynarfor. Rhuai'r gwynt ac yr oedd y môr yn berwi, ac nid oedd amser i feddwl am ofn er i ni gymryd pum niwrnod i groesi'r bae'.

John Etna Williams (yn tynnu cetyn) a'i gyd-forwyr o'i amgylch: Tom James Lloyd, Sam Lloyd (Brynarfor), Sam Lloyd (Beulah) a Danny Lewis (Pandy, Llanarth).

Eto yn uwch o helgorn y llywydd
  Daw bloedd tros yr erwau blwng,
I alw helgwn y Bisce i'r trywydd,
  A'r meirch yn ysgwyd eu mwng.

Yntau'r Bae nad adnabu drugaredd
  Yn agor ei draflwnc rhwth,
A phoeri arnom boer ei gynddaredd
  O gladd ei goluddion glwth.

S. B. Jones

. . . 'Cofiaf brofiad arall ar yr *S.S. Igtham* ym 1935 ac eto ym Mae Biscay. Roeddem ar ein ffordd o Gaerdydd i Bilbao pan drawodd tymestl ofnadwy a chodi'r tonnau dros y 'bont'. Bu bron i mi gael fy ngolchi i ebargofiant ond i mi gydio â'm holl nerth yn rhaff haliad y *whistle*. Dywed rhai fod gwaelod Bae Biscay ar siâp basn a bod hynny yn cyfrannu at gynddaredd ei stormydd'.

Ewynfor egr ei soriant –
Her yn ei ddwrn o a'i ddant.

A phan yw storm Ffinistêr – yn crynhoi
  Cura'n hagr ei ffromder;
  Y dewr ni faidd, dro'n ei fêr,
  Beidio â dweud ei bader.

162

Y llong *Eskdale Gate,* 1947. Bu John Etna yn Drydydd ac yn Ail Fêt arni (1934–6).

O farchus fôr – iachus fydd
O'n tu addfwynach tywydd,
Dan heulwen wedyn hwylio
Ar lif hardd, yn berl efô.

Fred Williams (ei frawd)

Bu'n ail swyddog ar y *Southgate* cyn sefyll am ei diced meistr a bu yn ail swyddog hefyd ar yr *Eskdale Gate.* Cofia am ei fordaith ddeunaw mis ar y *Southgate* (1937–38) – cario glo o Gaerdydd i Iquique yn Chile drwy sianel Magellan ac yna cargo o *saltpetre* o Chile i Baltimore cyn cludo nwyddau lleol i Portland, Vancouver a Port Astoria yn Oregon ar arfordir gogledd-orllewinol yr Unol Daleithiau. Yno roedd brawd ei dad, William Williams, yn berchen busnes hel pysgod a ffatri i'w prosesu mewn tuniau ar gyfer y farchnad. Priododd â chwaer fy mam-gu, Leisa Williams. Roedd hefyd yn gynghorwr rhanbarth ac yn ŵr uchel ei barch. Aeth Capten John Etna i'r lan gan wneud ymholiadau ynglŷn â'i ewythr: 'I'm looking for a Mr Williams'. A'r ateb a gafodd: 'There's so many of them about here. Which one do you want?'

John Etna Williams wrth ddrws ei gartref, Troed-y-rhiw, Llwyn-dafydd, yn ystod y dauddegau.

163

Ymfudodd W. R. Williams, brawd Rhys Williams, Felin Huw, i Chinook, talaith Washington. Yn y llun gwelir cwch a rhwydi pysgota eogiaid ar afon Columbia – eiddo W. R. Williams.

Cynhaeaf toreithiog o eogiaid Chinook ar afon Columbia. Ymfudodd llawer o drigolion ardal Cwmtydu i'r Unol Daleithiau. Bu ewythr John Etna, W. R. Williams, yn seneddwr lleol.

Carreg fedd William Williams
(brawd tad y Capten John Etna
Williams) ac Eliza Williams
(Tancastell, Blaencelyn), ym
mynwent gyhoeddus tref
Ilwaco, talaith Washington, yr
Unol Daleithiau.

Roedd llawer o ardalwyr Cwmtydu wedi dilyn camre William Williams ac ymsefydlu yn y 'Gymru Newydd' gan fod y tirwedd a'r tywydd yn debyg i Geredigion. Nodwedd arbennig llongau Turnbull a Scott (cwmni llong John Etna ar y pryd) oedd y ddwy lythyren 'T.S.' ar y *funnel*. Pan ddaeth Rhys Brongwyn Williams, un o berthnasau teulu Aberdeuddwr, Cwmtydu (rhai o ddeiliaid y Cilie a pherthnasau i'm mam), i'r llong i weld John Etna, gofynnwyd iddo beth oedd ystyr y llythrennau breision. Dyma'r ateb a gafodd y crwt ifanc a'r darpar-forwr gan John Etna: 'I'r Cwmni a'r perchnogion – Turnbull & Scott – ond i ni'r criw – toil and starvation'. Roedd yn stori mor dda fel nad aeth Rhys i'r môr, ac mae'r chwedl ar lafar gwlad hyd heddiw. Bellach mae Rhys Brongwyn yn byw yn San Anselmo, nid nepell o bont y 'Golden Gate' yn San Francisco.

> Gŵr a'i lwybr ar y garw li – ar war meirch
>   Erwau'r maith gymhelri;
>   Prawf ar don ei hinon hi
>   A chreulon lach yr heli.
>
> Â'i drysor daw dros arw don – i harbwr
>   O'i hirbell siwrneion;
>   Hyder ein llyw, crwydryn llon
>   Ar wgus war yr eigion.

Fred Williams

John Etna Williams yn y tridegau.

Bu'n llwyddiannus i ennill ticed ail fêt, ond oherwydd dirwasgiad y tridegau bu gartref yn Nhroed-y-rhiw, Llwyndafydd, am dair blynedd yn helpu ei dad i amaethu a chigydda. Ym 1931, priododd â Jane Theresa (Jennie), merch teulu Arthach a hwyrach Ffynnon-lefrith, ac yntau yn 25 oed. Cyfarchwyd yr uniad gan Ifan Siôr (Sioronwy) y Cilie:

> Pelydrau yr haul fyddo'n dawnsio
> Ar fodrwy'ch priodas eich dau,
> A chwerthin yr hafau moliannus
> Yn llanw'ch calonnau heb drai.
> Roedd cwmni deniadol Miss Jennie
> Bron dotio John Etna yn wir,
> Ac yntau â bwrlwm ei gariad
> Yn tywallt tuag ati yn glir.
>
> Mi gwrddais ag Etna un hwyrddydd
> Ar bwys pen-lôn Llety wrtho'i hun,
> A'i fflashlamp yn fflamio'r cyffiniau,
> Yn disgwyl dyfodiad ei fun;
> Bryd arall fe lamai'n ysgafndroed
> I'w chartref, a'i fynwes ar dân.
> Câi groesaw o dannau'r piano,
> Ac yntau yn dawnsio i'r gân.

Ffermdy Troed-y-rhiw, Llwyndafydd, lle bu'r teulu'n byw ar ôl symud o Felin Huw, Cwmtydu.

Ti lemaist i'r nef briodasol
Yng nghwmni Miss Evans mewn hud,
A'th frodyr ac Alun a minnau
Ar ôl yn unigedd y byd;
Pob hawddfyd a llwydd, bydded hynny
Ar dir neu ar donnau y lli,
Y cariad fo'n dal yn angerddol
A'r duwiau yn gwenu o'ch tu.

Ganwyd iddynt ddwy ferch, Eirian a Margaret, er i'r plentyn cyntaf – bachgen bach – fod yn farw-anedig. Wedyn, wrth i gyflwr economaidd a masnach byd cyfan ymgryfhau, dychwelodd John Etna eto i'r môr. Treuliodd gyfnod hir o'i forwriaeth yn y Dwyrain Pell, yn gyntaf fel ail fêt, mêt a chapten ar y *coasters* yng nghwmni Jardine Matheson gan deithio'r rhan fwyaf o'r amser rhwng Hong Kong a Tinsin yn y gogledd. Ond efallai mai ei gyfnod mwyaf cyffrous oedd oddeutu dechrau'r Ail Ryfel Byd.

Y Capten John Etna
Williams a'i deulu:
ei wraig, Jennie,
a'r plant, Margaret
(ar y chwith) ac Eirian.

167

Nid oedd John Etna Williams, fel llawer un arall, yn barod iawn i drafod ei brofiadau dirdynnol fel carcharor rhyfel dan ddwylo creulon y Siapaneaid yn y Dwyrain Pell – hyd yn oed gyda'i deulu. Ond wrth edrych yn ôl efallai y byddai'r profiad hwnnw yn fwy anodd i'w rannu gyda'i anwyliaid nag â chyfaill neu ddieithryn.

Wedi gofyn iddo amryw o weithiau siarad am ei brofiadau, gollyngai friwsion o wybodaeth ac ychydig fanylion ar adegau. Ac yntau yn agosáu at ei ddeg a phedwar ugain cytunodd i siarad ar Radio Ceredigion mewn cyfweliad gyda'i nai, Emyr Llewelyn. Ond ni ddywedodd na datgelu dim llawer yn ychwanegol i'r hyn a wyddem yn barod. Efallai mai'r frawddeg bwysicaf a ddywedodd wrthyf oedd: 'Os wyt ti am wybod rhagor, darllen lyfr David E. Roberts, *I'r Pridd heb Arch* (Gwasg Gomer, 1978). Cefais fy nal ar Ynys Bangka, bues yn garcharor yn Palembang, Borneo, ac yn Changi. Mae ei brofiadau e yn debyg iawn i'r hyn a ddioddefais i'.

Yn ddiddorol iawn, dywed David E. Roberts yn ei gyflwyniad i'w lyfr: 'Credaf mai fi oedd yr unig Gymro Cymraeg yng ngwersyll Palembang; arferwn siarad Cymraeg â mi fy hun rhag imi anghofio'r iaith'. Eto mae cyfres o ddigwyddiadau sy'n ymblethu drwy brofiadau John Etna a David E. Roberts ac yn peri i ymchwiliwr a darllenwr ddyfalu pa mor agos oeddynt i'w gilydd wedi'r cyfan ond eto heb gyfarfod â'i gilydd.

Singapôr, 1941, ychydig cyn dechrau'r Rhyfel. John Etna Williams yn arddangos pysgodyn.

Teimlai David E. Roberts fod llawer o lenyddiaeth a ysgrifennwyd o gylch hanes y cyfnod 1942–46 a charchariad miloedd o filwyr wedi ei seilio ar atgofion swyddogion yn dal comisiwn. Yn ei farn ef, darlun unochrog iawn oedd hwn a theimlai fod dyletswydd arno i gyhoeddi ei stori ef fel milwr cyffredin, yn enwedig wedi iddo gofnodi ei brofiadau ar bapur yn syth ar ddiwedd y Rhyfel – yn eu ffresni. Roedd y profiadau a'r argraffiadau mor ddwfn fel na allai amser eu dileu. Gobeithiai y byddai ei gyfraniad ef 'yn adfer rhyw gymaint ar y cydbwysedd'.

Ni chafodd teulu David E. Roberts unrhyw wybodaeth am gyflwr na lleoliad eu mab wedi iddo fynd ar goll yn y Dwyrain Pell yn ystod yr ymladd. Llanc deunaw oed ydoedd pan ymunodd â'r Llynges ond roedd yn ganol haf 1945 pan ddaeth y 'newydd cwta ac annisgwyl' ei fod yn fyw. Dywed W. D. Williams yn ei ragair i'r llyfr – 'a'r don o lawenydd a dorrodd ar Draeth y Bermo o achos hynny . . . Da y cofiaf hefyd yr olwg groen ar asgwrn oedd ar y 'mab a gollasid' pan ddisgynnodd o'r trên ar ei ddychweliad. O'r braidd na theimlwn mai ei dad, y telynor dall, oedd fwya'i ffawd y dydd hwnnw'.

168

Bregus ac anfoddhaol oedd amddiffynfeydd Singapôr a llawer ardal a gwlad arall i wrthsefyll grym a maint y peiriant milwrol o Siapan wrth iddo 'sgubo a choncro popeth o'i flaen. Wedi cyrchoedd bomio trwm iawn ar Ynys Singapôr a'r ymosodiadau arni o'r môr, gan ei hamgylchynu gan filwyr Siapan, yr oedd yn wyrth fod cymaint wedi llwyddo i ddianc. Anfonwyd y Llynges Brydeinig gartref i amddiffyn y gorllewin ac oherwydd prinder ymrestrwyd llawer o longau masnach cwmnïoedd y dwyrain fel llongau ar gyfer pwrpas militaraidd.

Cofrestrodd John Etna fel *sub-lieutenant R.N.R.* – mêt (er bod ganddo diced meistr) ar y *Fuh-Wo* – llong yn eiddo i gwmni Jardine Matheson a losgai olew. Medrai'r llong (1700 h.p.) fynd ar gyflymder o bedwar *knot* ar ddeg ac roedd iddi ddau bropelor a thri *rudder* oherwydd iddi dramwyo tipyn dros y banciau llaid ar Afon Yangste-Kiang yn Tseina fel ei chwaer-long *Li-Wo*. Roedd yn 170 troedfedd o hyd, gyda bîm (lled) o 30 troedfedd a *draught* (dyfnder yn y dŵr) o 7 troedfedd gyda chargo llawn. Bathwyd hi gan y llynges Brydeinig oherwydd ei chyflymder a'i throi yn *submarine chaser and destroyer*. Gosodwyd offer cyfrinachol iawn arni – 'ASDIC (SONAR)' – (*Anti submarine detector*) – gyda'r cyfarwyddiadau iddi oddi wrth yr *Admiralty* nad oedd yr offer technolegol newydd i ddisgyn i ddwylo'r Nippon ar unrhyw gyfri. Gosodwyd drwm mawr o ffrwydron (T.N.T.) ym mherfedd y llong i'w defnyddio i ddinistrio'r offer yn drylwyr pe bai mewn argyfwng, ac ar fin cwympo i'r gelyn. Cariai'r *Fuh-wo* bedwar ar hugain o *depth charges* hefyd – deuddeg bob ochr.

Dyma beth a ddigwyddodd wedyn yn ôl yr adroddiad swyddogol: 'HMS *Fuh-Wo* (Commanding Officer – Lieutenant N. Cook R.N.R.) left Singapôr in company with HMS *Li-Wo* (Commanding Officer – Lieutenant T Wilkinson R.N.R.). The *Fuh-Wo* had a crew of 6 European Officers [gan gynnwys John Etna] and 9 European, 28 Chinese and 9 Malay ratings. At 0445, both ships anchored South of the Raffles Light and did not weigh until 0530 in order to have the benefit of daylight while passing the minefield in the Durian Strait. From 1320 until about 1500 both ships were subjected to high level bombing attacks from over 50 Japanese aircraft. In the course of these the *Li-Wo*, which had her superstructure badly damaged by dive bombers before she left Singapôr, received further damage. At 1700 the two ships anchored near an island, and their Commanding Officers conferred and decided to lie up next day off the island of Singkep until it was dark. They proceeded there and anchored again at 0800 on 14th February, but were detected and attacked by 2 bombers. These made low level attacks and were driven off by the *Li-Wo*'s 4-inch gun, but as the position of the ship was known to the enemy they revised their plans and decided to part company at 1030'.

Ymladdodd criw y *Li-Wo* (chwaer long y *Fuh-Wo*) hyd y diwedd dan ynnau niferus a chryf y gelyn. Dim ond wyth o'r criw a achubwyd; aeth y capten i lawr gyda'i long. Ond yn ddiarwybod i John Etna Williams a chriw y *Fuh-Wo* roedd yr HMS *Mata Hari* hefyd yn y cyffiniau a David Elio Roberts (awdur *I'r Pridd Heb Arch*) yn un o'r criw. Dywed yn ei lyfr: 'Felly y cawsom ein hunain yn y fath benbleth ar ddydd Gwener Chwefror 13eg, 1942, yn ymwthio rhagom yn y caddug, wedi ein hamgylchynu â ffrwydrynnau a digon o ddefnydd ym mhob un ohonynt i chwythu ein tipyn llong i'r entrychion . . . Tuag awr cyn i'r gwyll gau amdanom codasom angor a chyfeirio tuag at Gulfor Berhala. Ychydig oriau'n ddiweddarach gwelwyd fflachiadau ar y gorwel yn union o'n blaen; tybiodd y ffoaduriaid mai mellt oeddynt – peth cyffredin yn y trofannau . . . Wrth inni agosáu at Ynys Berhala, sylwyd ar ragor o fflachiadau yn union o'n blaen. Yna'n gynnar yn y wyliadwriaeth ganol daeth gair i ddweud bod lleisiau i'w clywed yn y dŵr yn union gyferbyn â ni. Troesom y bow i'r gwynt a pheri i'r llong sefyll. Gollyngwyd bwiau wedi eu goleuo, ac wedi peth trafferth llwyddwyd i ryddhau un o'r badau achub oddi ar y dafit a'i gael i'r dŵr. Digwyddwn i fod yn un o griw y cwch achub hwnnw, ac mewn dim amser yr oeddwn i a'm cyd-ddwylo yn llusgo perchenogion y lleisiau i ddiogelwch y cwch – CHWE AELOD O GRIW'R H.M.S. SCORPION'.

A dyma ddywed adroddiad y *Fuh-Wo*: 'The *Fuh-Wo* picked up 6 survivors from *H.M.S. Scorpion* at 0200'.

Felly yn ôl yr hanes swyddogol a gofnodwyd roedd John Etna Williams a Dafydd Elio Roberts – dau forwr, dau Gymro Cymraeg – yn yr un man a'r lle, ar ddiwrnod arbennig, yng nghanol cyflafan brwydr forwrol – heb i'r naill un na'r llall wybod hynny ar y pryd na chwedyn.

Dywed John Etna Williams yn ei adroddiad yntau: 'Tra oeddem yn 'sgubo'r dyfroedd rhwng y mân ynysoedd oddi ar arfordir dwyreiniol Ynys Sumatra, bomiwyd y llong yn gyson gan dros hanner cant o awyrennau y Nippon ac er na thrawyd y llong yn uniongyrchol roedd yna dyllau niferus drwyddi draw. Aeth peth *shrapnel* o'r bomiau mwyaf (*high level*) drwy gorff y llong fel cerrig llyfn ar lyn y morllyn yng Nghwmtydu gan ei thyllu, ond, yn ffortunus, ni wnaed difrod dan y dŵr. Bûm yn osgoi'r awyrennau ar gwrs blith-draphlith am oriau cyn iddynt fynd i ffwrdd'. Ddau ddiwrnod yn ddiweddarach, ar 15 Chwefror, amgylchynwyd y *Fuh-Wo* gan ddwy long o lynges y gelyn – *cruiser* a *destroyer* oddi ar Ynys Pulo Ubar. Ni fu'n hir cyn i'r C.O. benderfynu beth i'w wneud. Cornelwyd y *Fuh-Wo* yn agos at Ynys Banka a difrodwyd rhan ohoni gan ddrylliau pwerus y gelyn. Aeth John Etna a dau swyddog arall i lawr i ystafell y peiriant i arolygu tanio'r fatsen a chynnau'r wifren arbennig o *cordite* a oedd yn arwain at y ffrwydron. Roedd chwarter awr gan bawb i neidio i'r dŵr a nofio am eu bywydau i loches gymharol ddiogel Ynys Bangka. Wedi iddynt gyrraedd y traeth o dywod gwyn aethant i guddio yn y llys-dyfiant trwchus gerllaw. Chwythodd y llong yn yfflon racs – mewn ffrwydrad anferth – a difrodwyd yr holl offer cyfrinachol a'r *logs* yn y tân. Dihangodd John Etna a'i gyd-swyddogion, ac aeth rhai aelodau o'r criw i mewn ymhellach i'r jyngl trwchus ond ymdoddodd yr aelodau Tseineaidd o'r criw i mewn gyda'r boblogaeth leol a diflannu o'r golwg. Buont fyw ar ffrwythau'r goedwig, er mai prin oeddynt, a dŵr o nant fechan gerllaw. Yn ystod y diwrnodau prynwyd reis oddi wrth weithwyr ffatri fechan. Unig ddilledyn John Etna a'i gyd-forwyr oedd trowsus byr ac efallai fest, a theimlent yn frwnt a bron yn groenddu dan effaith y pelydrau tanllyd o'r haul trofannol. Daethpwyd o hyd i hen adeilad bambŵ yn nyfnder y jyngl a bu'r to o ddail *atab* yn gysgod rhag yr haul poeth a'r glaw trwm. Ond ni pharhaodd rhyddid yn hir. Ymhen ychydig ddiwrnodau roedd cynllun effeithiol y milwyr Siapaneaidd yn gweithio'n berffaith. Llwgr-wobrwywyd y brodorion ganddynt trwy gynnig pum doler am bob gorllewinwr a ddaliwyd. Roedd John Etna a thri arall wedi dianc ymhellach ac fe'u daliwyd gan sarjant a phedwar milwr a oedd yn cario drylliau a bidogau.

Roeddent yn lwcus iawn oherwydd roedd yr awdurdodau wedi tawelu tipyn ers cyflafan a drylliad y *Fuh-Wo*. Pe baent wedi eu dal ar draeth ddiwrnodau ynghynt byddent wedi eu saethu a'u trywanu yn y fan a'r lle. Clywyd sôn am un o ddigwyddiadau mwyaf erchyll y Rhyfel – sef saethu carfan o nyrsys mewn gwaed oer. (Cofnodir y stori gan Elio Roberts hefyd yn ei lyfr.)

Dihangodd 65 o nyrsys o Awstralia yn y *M/V Vynerbrooke* ar 11 Chwefror 1942 o Singapôr. Ar 13 Chwefror suddwyd eu llong gan awyrennau'r Nippon gan adael 300 o'r teithwyr yn y môr. Collodd llawer eu bywydau wrth neidio i'r môr trwy eu tagu gan linynnau'r fest achub, a boddwyd 12 o'r nyrsys wrth iddynt nofio tua'r lan. Daliwyd 100 o bobl ar y traethau ac arhosodd 23 o'r nyrsys ar ôl i ofalu am y cleifion. Aethpwyd â 60 o'r dynion i gilfach gyfagos a dychwelodd y milwyr gan sychu'r gwaed a oedd ar fidogau'u drylliau! Gorfodwyd i'r nyrsys gerdded i mewn i'r tonnau a'u breichiau dros eu pennau. Fe'u saethwyd yn eu cefnau a bu farw pob un ohonynt ac eithrio un – sef Vivian Bullwinkel. Aeth un fwled trwy ei dillad a'i hochr wrth iddi gwympo ar ei hwyneb i'r ewyn, ffugiodd farwolaeth a llwyddodd i rowlio gyda'r tonnau i'r traeth, er iddi lyncu llawer o ddŵr y môr. Cuddiodd hithau yn y jyngl am ddiwrnodau cyn ildio. A sicrhau cuddio twll y fwled gan botel ddŵr. Roedd John Etna yn medru adrodd y stori yn fyw a manwl iawn gan deimlo'n lwcus iawn yr un pryd! Suddwyd 50 o longau mewn un diwrnod.

Cludwyd John Etna a'i gyd-forwyr i garchar trwy eu taflu'n gyntaf yn bendramwnwgl i gefn lori yn llawn o gefnaint o foch drewllyd. Buont yn llithro'n ddireol a driphlith-draphlith ymysg y carthion ac yng nghanol yr anifeiliaid ar hyd y daith anghyfforddus. Fe'u carcharwyd yng ngwersyll CIC 175 (Muntok 1) ar Ynys Bangka am dair wythnos hyd ddechrau Mawrth 1942. Roedd yno dros 1000 o ddynion, menywod a phlant (gan gynnwys milwyr a morwyr). Cysgai rhai yng ngharchar y dref. Roedd John Etna a'i gyd-forwyr yn y 'movie theatre'. Yna fe'u cludwyd ymhellach mewn llong fechan – 'wedi ein gwasgu fel gwartheg mewn cut a oedd yn llawer rhy fach'.

Cyrhaeddodd Palembang ar Ynys Sumatra yr ochr arall i Sianel Bangka. Roedd y dref yn gymharol fawr gyda chan mil o boblogaeth ac wedi ei hadeiladu ar lan afon Musl a thua 60 milltir o enau'r afon. Fel yr oedd Ynys Bangka yn gyfoethog mewn tun roedd Sumatra yn enwog am ei chyflenwad o olew, a oedd yn bwysig i strategaeth Siapan. Carcharwyd John Etna a'i gyd-forwyr i ddechrau mewn 'byngalos' a adeiladwyd gan yr Iseldirwyr trefedigaethol gynt. A gwasgwyd dwsinau i ofod a oedd yn ddigon i deulu bychan yn unig. Yna fe symudwyd John Etna i CIC 616 (Gevangsis) a CIC 164 (Bukit Besar) yn un o'r caethweision yn y gweithlu a adeiladai feysydd awyr a ffyrdd.

Pam roedd milwyr Siapan wedi dangos y fath greulondeb tuag at garcharorion rhyfel? Disgwyl o hyd y mae'r cyn-garcharorion sydd wedi goroesi'r blynyddoedd ers y Rhyfel yn eu poenau a'u dioddefaint – am ymddiheuriad swyddogol. Beth sy'n haws na dweud ychydig eiriau, ac erbyn heddiw mae swm o £10,000 yr un wedi ei roi i rai a ddioddefodd. Dim ond chwe mil o'r 37,500 Prydeiniwr a garcharwyd sydd wedi goroesi'r blynyddoedd i glywed am dâl y Llywodraeth. Ac o'r 18,500 o wŷr sifil, dim ond 2,400 sydd yn fyw. Mae degawdau o flerwch gwleidyddol a rhygnu'r olwynion llywodraethol wedi cyfrannu at arafwch y penderfyniadau. Pe buasai cytundeb wedi dwyn ffrwyth ym 1995 byddai 15,000 o gyn-garcharorion wedi derbyn taliadau mewn cyfanswm o gant chwe deg saith o filiynau o bunnau. Ond mae'r dioddefwyr yn marw ar raddfa o ddeg yr wythnos oherwydd breuder iechyd ac oedran, a phob wythnos yn lleihau'r cyfanswm o bymtheng miliwn o bunnau. Ond ni chafodd John Etna yr un iot. Medrodd ddychwelyd i'r môr ar ddiwedd y Rhyfel yn gymharol iach ac roedd hynny yn fwy nag a wnaeth llawer.

Gwersyll carcharorion Ynys Sumatra. Defnyddiwyd adeiladau a godwyd gan Iseldirwyr trefedig-aethol. John Etna Williams yw'r cyntaf o'r chwith yn y rhes gefn. Mae milwyr Siapaneaidd hefyd yn y llun. Tybir i'r llun gael ei dynnu ar ddechrau'r Rhyfel oherwydd cyflwr iachus y carcharorion.

Rhaid edrych ar hanes Siapan i ddeall ymddygiad ei milwyr. Cymdeithas ffiwdal, gyfyng a chyfrinachol a geid ar y 3,900 o ynysoedd nes i'r masnachwyr Portiwgeaidd ddarganfod Siapan yn 1534. Dau gant a hanner o flynyddoedd yn ddiweddarach daeth y Commander Mathew Penry (UDA) ar eu traws ym 1852.

Y grefydd *Shinto* (y ffordd at y duwiau) a reolai'r wlad, a llwyth yr Yamoto a unodd yr ynysoedd gan gredu fod eu tras yn uwch ac yn well na'r rhelyw. Meddent ar y diwylliant mwyaf naturiol a gwareiddiedig yn y byd. Yna, ym 1867, trwy'r *Meiji Restoration*, tynnwyd yr Ymerawdwr allan o dywyllwch. Fe'i crewyd, yn ôl chwedlau, trwy gyfathrach ymysg y duwiau, a rhoddwyd tair anrheg iddo – gwydr, gwddf-dlws a chleddyf. Datblygodd duwdod yr Ymerawdwr, a marw drosto oedd canolbwynt athroniaeth y *samurai*. Teyrngarwch i'r Ymerawdwr oedd y rhinwedd pennaf a disgwylid i farchogion *bushido* ddangos anrhydedd, ufudd-dod a gwroldeb.

Gwerinwr cyffredin oedd y milwr Siapaneaidd wedi ei galedu a'i fowldio gan hyfforddiant creulon a thrylwyr. Iddo ef, dynion meddal, materol yn byw am bleser oedd y milwyr Americanaidd. Dysgwyd y 'Nippon' i farw mewn anrhydedd dros ei wlad a'i Ymerawdwr. Ni châi glod a chyhoeddusrwydd am ddewrder wrth ymladd – dim ond trwy farwolaeth. Roedd gwasanaeth yn drymach nag unrhyw fynydd a marwolaeth yn ysgafnach na phluen. I John Etna ennill y Rhyfel yn gyflym oedd y nod a dychwelyd at ei deulu i fyw mewn byd gwell.

Deallodd John Etna yn fuan iawn fod cyflwr iechyd – corff a meddwl – yn hollbwysig i oroesi'r carchariad ac i weld ei deulu yng Ngwalia lân unwaith eto. Yn ei

172

garchar cyntaf, reis oedd y prif fwyd, doedd dim cyfleusterau carthffosiaeth ac roedd yn rhaid palu ffosydd i fod yn dai bach. Ymhob cornel roedd tyrau uchel a gwarchodwyr y tu ôl i ynnau pwerus. Câi'r carcharorion ychydig o lysiau, mymryn o siwgr a phicls a'r tameidiau lleiaf o gig a physgod. Ymhen chwe mis roedd yn dioddef o ddiffyg fitaminau. Dioddefodd llawer o'r *malaria, dengue* a *dysentery* ac roedd y cam-drin hwn yn rhan o'r cynllun i newynu'r carcharorion ac i'w cadw'n ddigon iach i weithio yn unig. Câi John Etna wyth owns o reis, ddwywaith y dydd, mewn uwd tenau gyda phryfed, gwyfynnod a graean yn aml yn ychwanegu at y blas. Yr addewid oedd 238 gram o reis yn Changi, 350 gram yn Siapan, 750 gram i lowyr a gweithwyr ffatri, 500 gram i weithwyr ysgafn a 300 gram i'r cleifion mewn ysbyty.

Ni roddid hanner y cyflenwad cywir! Ond roedd un fantais o garchar mewn tywydd trofannol. Oherwydd y glaw trwm, y gwres llethol a'r tyfiant parhaol roedd yn bosibl cael rhagor ar y 'farchnad ddu'. Er enghraifft, ceid blagur bananas, papaya, mango a ffa, llysiau fel bresych a moron, chwyn o'r caeau, gwraidd lili'r dŵr, *okra* a berw'r dŵr. Ond rhaid oedd eu smyglo i mewn i'r gwersyll ar ôl gweithio'n galed yn adeiladu ffyrdd a glanfeydd i awyrennau. Fe'u symudid o fan i fan yn aml ac felly roedd yn anodd dod o hyd i gyflenwad newydd.

Yn aml, chwarter owns o gig a gâi John Etna ar y tro, a thybiai yn gyson mai tameidiau o geffyl, mochyn, cwningen, octopws, neidr, madfall, brân, mwydod, cath, ci neu lygod a gâi. Unwaith, wedi i haid o fulturiaid ddisgyn gerllaw'r gwersyll, cafwyd *duck soup* yn ôl y Nippon – ond *buzzard broth* ydoedd i'r carcharorion. Roedd yn well na dim!

Telid pum *guilder* am lygoden ffrengig a dwy a hanner am lygoden fach. Ond reis oedd prif gynhaliaeth y milwr Siapaneaidd. Roedd milwyr Hirohito wedi concro tiroedd reis y byd a heb reis byddent yn newynu. Felly, i'w cynnal eu hunain a chynifer o'r carcharorion ag oedd yn bosib – sgubid y llawr yn gyson i adennill pob gronyn. Gwelid tywod, gwydr, hoelion, sgriws, gwellt, dom llygod, mwydod a gwyfynnod yn y bwyd. Yn wir y *weevils* oedd prif ffynhonnell protîn i'r carcharorion, *snerken* i'r Iseldirwr a *hors d'oeuvre* i'r Awstraliaid. Pe deuai rhywun ar draws tun o *condensed milk* roedd ganddo aur y byd – a modd i brynu ffafr. Collodd amryw eu bywydau trwy fwyta reis heb ei goginio. Chwyddai eu stumogau fel balŵns. Achosai bwyta halen crai broblemau i'r cyhyrau a'r ateb oedd casglu dŵr y môr a'i setlo cyn cymysgu 3:1 â dŵr *chlorine* a berwi'r reis.

Cyn i Singapôr gwympo roedd digon o datws melys (*yams*), olew palmwydd, cnau coco, siwgr palmwydd, pinafalau, pigoglys (*spinach*), wyau hwyaid a thybaco mân o Java. Ond wedi'r goresgyniad diflannodd y cwbl. Y reis a fwyteid yn y carchardai oedd reis wedi ei bolisho – heb fitamin B, heb ffeibyr ac wedi ei galchu i gadw'r *weevils* i ffwrdd. Dywedir i lawer o'r carcharorion wrthod spageti weddill eu hoes am ei fod yn rhy debyg i'r cynrhon a fwytasant yn y Dwyrain Pell.

Ymysg y swyddogion a'r rhengoedd sefydlwyd cronfa 'marchnad ddu' – trwy ddwyn arian, bwyd a dillad. Ond trosglwyddid unrhyw elw er lles y cleifion yn yr ysbytai.

Dysgodd John Etna yn fuan hefyd naill ai i ddangos 'ffug barch' i filwyr y 'Nippon' neu i gadw allan o'r ffordd . . . 'Gwaeddai'r carcharor cyntaf i weld milwr – gan rybuddio pawb. Nid oedd gwahaniaeth pa *rank* ydoedd. Safai pawb i *attention* yn syth gan edrych i'r blaen a rhoi saliwt. Os nad oeddech yn gwisgo het rhaid oedd ymgrymu wrth iddynt agosáu ar dir agored. Byddai'r sawl a fethai wneud hyn yn derbyn crasfa annioddefol gyda llaw, traed neu fôn dryll,' meddai John Etna wrthyf.

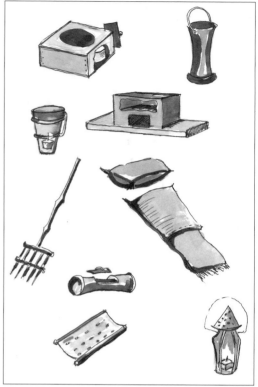

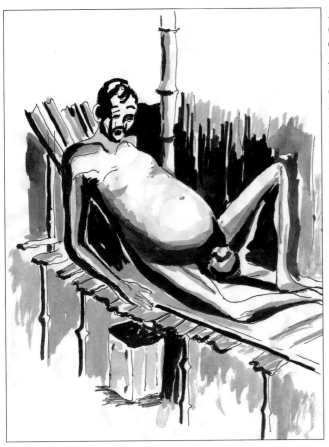

Argraffiadau arlunydd
(Alun Wynne Jones, mab y
Capten Jac Alun) o ddioddefaint
John Etna a'i gyd-garcharorion.
Mae'r ail lun yn dangos yr offer a
ddefnyddid yn y gwersyll, ac a
addaswyd o bethau hollol
gyffredin fel bambŵ a chneuen
goco. Mae'r pumed llun o waith
yr arlunwraig (Jane Evans,
Blaencelyn, Llandysul)
yn dangos carcharor Prydeinig
yn cuddio radio mewn cuddfan
ym mhostyn y gwely yn Changi,
Singapôr.

Dywedai'r 'Nippon': 'Mae cael eich taro yn eich wyneb gan filwr Siapaneaidd fel mam gariadus yn ceryddu blentyn'. Ond dioddefodd llawer o filwyr o dor-genau a niwed parhaol i ddrymiau'r clustiau.

. . . 'Cefais fonclust gan law agored yn ddiarwybod yn aml pan oeddwn ar barêd,' cofiai John Etna. 'Fe'm trawyd o'r tu ôl ac roedd hynny'n waeth o lawer. Roeddwn yn ddigon tal – yn rhy dal i'r Nippon byr. Collais fy ngwynt o gael fy nharo yn fy stumog gan bren trwchus neu fôn dryll'. Hyd yn oed am gyfnod hir wedi ei ryddhau o gaethiwed edrychai John Etna dros ei ysgwydd, fel petai'n disgwyl i rywun ymosod arno. Pe deuwn ato o gysgod ystafell yn ddisymwth codai ei fraich ychydig fel petai'n ei amddiffyn ei hun yn reddfol. Roedd y creithiau yn ddwfn iawn!

Roedd y barics yn Sumatra wedi eu gorchuddio â thoeau teils, a doedd dim gwydr ar y ffenestri. Roedd i bawb ei 'filltir sgwâr' o chwe throedfedd wrth ddwy. . . 'Nid oedd preifatrwydd, dim ond o fewn fy meddyliau fy hun'. Roedd y muriau wedi eu gwneud o fambŵ a gwreiddiau palmwydd, a chwain yn gwmpeini ddydd a nos; hefyd myrdd o forgrug, a foddid pan oedd dŵr sbâr, a phryfed y greadigaeth fel pry'r dail, *cockroach*, *fire bug, scarabeus molossus* a chwilod amryliw.

Wedi cyfnod mewn un carchar, seicoleg y gelyn oedd symud y carcharorion yn aml – oherwydd y gwaith, sef llanw tyllau mewn ffyrdd a meysydd awyr a chlirio boncyffion, cerrig ac unrhyw anhawster naturiol arall.

. . . 'Roeddem yn tyfu planhigion addas ac iachus mewn byr amser ond wedyn wrth symud yn aml, rhaid oedd ailblannu ac ail-baratoi a chynllunio dro ar ôl tro. Collais lawer o'm cyfeillion. Roedd rhywun yn marw bob dydd. Gorfodwyd inni agor a chau beddau ein cyd-garcharorion a hefyd i baratoi ein beddau ein hunain. Rhoddwyd y cyrff mewn dail palmwydd a banana a'u claddu yn syth oherwydd y gwres llethol'.

. . . 'Fues i'n lwcus iawn iawn trwy'r Rhyfel. Ni chefais fy arteithio yn ofnadwy fel rhai o'r carcharorion. Dioddef o ran iechyd a wnes i fwyaf a chael ambell gosfa ddireswm. Rhaid oedd cael llwyr reolaeth ar bob cynneddf. Hunan-ddisgyblaeth lem iawn. Fy magwraeth a'm cadwodd i'.

. . . 'Yng nghanol pob sgwâr yn y carchardai roedd mynegbyst a anelai tuag at Tokyo. Byddai'r Nippon yn ymgrymu o'i flaen ac yn wynebu eu prifddinas yn ddyddiol. Gwelais a chlywais am greulondeb ofnadwy. Arteithio bwystfilaidd. Crogwyd rhai carcharorion â'u pennau i lawr wedi iddynt gael eu gorfodi i yfed galwyni o ddŵr. Curwyd llawer bron i farwolaeth gan fariau haearn, bambŵ, rhaffau â chlymau, beltiau lledr a bytiau gynnau. Llosgwyd eraill mewn mannau poenus ar eu cyrff a chroeshoeliwyd eraill. Pe baech yn dod o flaen y Kempei Tai – nid oedd llawer o obaith dod o'u gafael heb ddioddef yn ofnadwy!'

. . . . 'Rhyw fath ar heddlu cudd oedd y 'K.T' – wedi eu hyfforddi i arteithio ac i lofruddio mewn gwaed oer. Gwelais lawer o greulondeb ofnadwy a chlywais am ragor – dynion â'u dwylo wedi eu clymu y tu ôl i'w cefn ac yn gorfod penlinio ar ddarnau miniog o bren a haearn. Y driniaeth ddŵr ofnadwy gyda diferynion cyson o ddŵr yn disgyn ar dalcen y dioddefwr. Neidio ar stumogau dynion a'r rheiny wedi eu gorfodi i lyncu galwyni o ddŵr. Gosod darnau main o fambŵ dan ewinedd bysedd a thraed. Tynnu ewinedd allan yn grwn â phinswrn. Clymu dynion wrth goeden am dri diwrnod heb ddŵr na bwyd a gosod bwced o ddŵr o fewn troedfedd i'w hwyneb. Caewyd rhai yn y 'chicken coup' am ddiwrnodau fel y gwelsoch yn *The Bridge on the River Kwai*.

176

Ac roedd llawer wedi dioddef o arteithio seicolegol wrth i'r milwyr gynnal dienyddio ffug'.

. . . 'Y diawled penna' oedd y Coreaid. Roedd eu gwlad yn rhan o Siapan ym 1910. Aeth llawer ohonynt i weithio i fyddin y Nippon gyda'r addewid y caent ddychwelyd at eu teuluoedd wedi cyflawni gwasanaeth. Caent eu diraddio a dygid eu modrwyon a'u heiddo gwerthfawr. Ac oherwydd eu rhwystredigaeth, ni'r carcharorion a ddioddefai. Roeddent yn waeth na milwr Siapan, ac roedd hynny yn dweud llawer'.

. . . 'Cefais fy nhrin yn greulon iawn ganddynt. Dioddefais drwy gael fy nghuro naill ai gyda phastwn, dryll neu ddwrn, neu drwy boenydio seicolegol. Defnyddient iaith y gwter, gan ein trin fel yr ymlusgiaid isaf, yn y llaid. Ni ddangosent unrhyw arwydd o dosturi os oedd carcharor yn dioddef oddi wrth glefyd. Roeddent fel petaent yn mwynhau gweld dioddefaint a marwolaeth yn y modd mwyaf erchyll. Hoffent newynu carcharorion. Fues i fel llawer o swyddogion eraill yn ffodus iawn i gymharu â'r driniaeth fwystfilaidd a ddaeth i ran y morwyr a'r milwyr cyffredin'.

Carcharid morwyr, milwyr ac aelodau'r awyrlu yn y Dwyrain Pell am gyfnod o 1,148 o ddiwrnodau ar gyfartaledd ond yn Ewrop ddim ond am 347 o ddiwrnodau. Roedd Java, Sumatra a Borneo ymhell o'r gorllewin, ac oherwydd y jyngl a'r tywydd trofannol, a'r ffaith eu bod yn ynysoedd, nid oedd gobaith dianc. Gwell oedd peidio â meddwl am ryddid nes diwedd y Rhyfel.

Parhaodd yr elfen annynol, greulon yn hanes y Capten John Etna yn y gwahanol garchardai. Symudodd i Ynys Borneo lle'r oedd dwsinau o garchardai rhyfel a defnyddid y lluoedd carcharorion hanner iach eto i drwsio ffyrdd a glanfeydd awyrennau. Gwelodd lawer o swyddogion Siapaneaidd yn curo eu his-swyddogion eu hunain yn ddidrugaredd. Tynnodd un ei esgid i ffwrdd a churo un o'i gyd-filwyr yn gas iawn. Curent y gweithiwr agosaf am ddim rheswm a phoenydient fulod, cathod a chŵn. Pa bleser oedd tynnu llygad cath allan a'i datgymalu? Bodau annynol oedd y carcharorion iddynt a chyflawnent weithredoedd ffiaidd iawn ar rai a oedd bron â marw!

Cofia am un digwyddiad, yr unig weithred o garedigrwydd a dderbyniodd oddi wrth y milwyr – y 'Nippon': 'Safwn wrth y farben weiyr yn gwylio'r milwyr yn martsio heibio. Roeddwn yn frwnt ac yn denau ac yn syllu'n dorcalonnus ar y llif grisialaidd o ddŵr ffres a lifai o bwmp cyfagos – y tu allan i'r ffens. Fe estynnais fy llaw allan trwy'r weiyr ac wrth i'r milwr olaf fynd heibio gosodwyd cacen ffres o sebon ar gledr fy llaw – moeth nad oeddwn wedi'i weld ers blynyddoedd!'

Yr afiechydon mwyaf cyson a pheryglus oedd *cholera*, *malaria*, *beriberi*, clwyfau crawnllyd (*ulcers*), *dysentery* a *diphtheria*. Dioddefodd John Etna o'r *dysentery* ar sawl achlysur. Teimlai ei stumog ar dân, byddai yn pasio gwaed ac yn aml yn gorwedd yn ei garthion ei hunan. Roedd llawer a oedd yn dioddef o *cholera* yn marw ymhen oriau wrth i'r corff daflu allan ei holl hylif mewn cyfog neu ddolur rhydd. O fewn oriau byddai'r dioddefwr fel dieithryn, a chlymai'r meddygon ddisgiau bambŵ wrth eu cleifion er mwyn eu hadnabod. Roedd symptomau *malaria* fel 'strôc' – gyda chwysu, gwres uchel a sŵn y galon yn curo'n uchel, hyd yn oed yn y pen.

Byddai crasfa ar fraich neu goes yn ddigon i greu clwyf – a fyddai yn bwyta i mewn i'r corff nes i'r asgwrn ddod i'r golwg. Troai'r asgwrn yn ddu a dôi'r culion i ddodwy wyau. Cyn hir byddai'r cynrhon yn bwyta'r mêr. Nid oedd anaesthetig a defnyddid llwyau i godi'r crawn allan o'r clwyfau.

Ac yn achos *beriberi*, byddai'r garddyrnau a'r migyrnau yn chwyddo'n fawr, hefyd y stumog a'r wyneb yn chwyddo fel balŵns eto oherwydd diffyg fitamin 2, B1 a *thiamine chloride*. Dioddefai rai o *beriberi* sych a pharlys y cyhyrau.

Afiechydon eraill oedd *pellagra, dermatitis, scurvy* (gyda cholli dannedd a gwythiennau yn hollti) a dallineb (trwy ddiffyg fitamin A).

Dioddefai John Etna o boenau ofnadwy yn ei stumog a byddai'n chwysu'n wlyb diferu ac yn gwingo ar y llawr. Fe'i trosglwyddwyd i ysbyty a reolid gan nyrsys o'r Iselderoedd ac er iddo gael *X-Ray* ni ddaethpwyd at wraidd yr achos nes iddo ddod gartref ym 1947. Ar gais Dr H. Jones, Ceinewydd, aeth i fyny i adran pelydr-X ysbyty Aberystwyth i gael arolwg meddygol.

'Dewch 'ma, Capten Williams, edrychwch ar y *plate* yma,' ebychodd y meddyg. 'Ry'ch chi'n gweld y smotyn bach 'na fan'na? Hwnna oedd eich *gall bladder*. Mae wedi peidio â bod. Wedi shrinco fel eirinen. Oherwydd nad oedd saim yn eich bwyd pan oeddech yn garcharor, mae eich corff wedi ei ddiddymu'. Bu'r capten fyw heb goden y bustl am hanner can mlynedd.

Roedd y llau gwely yn fwy o niwsans nag o salwch. Yn ôl y capten: 'Byddent yn cuddio yng nghorneli eich wats a hefyd yn ffrâm y gwely. Y peth i'w wneud, felly, oedd symud y gwely allan i'r haul crasboeth. Dôi'r llau allan o bob twll a chornel a byddai'r morgrug yn disgwyl amdanynt ac yn eu cario yn ôl i'w nythod. Siglem y gwely bob nos a'u gwasgu'n swps ar y llawr cyn mynd i gysgu . . .'

. . . 'Roedd y martsio diddiwedd yn achosi *dermatitis* i'r traed gan beri iddynt chwyddo a gwaedu, crawni a cholli'r croen. Bu llawer farw o'r clefyd yma. Rhaid oedd eu claddu yn y nos er mwyn cael diwrnod llawn o waith y diwrnod canlynol'.

'Dysgais sut i freuddwydio ond nid i gredu; dysgais sut i oroesi ac i barhau i fyw' – oedd tystiolaeth y Capten John Etna Williams. Ni chafodd ei deulu lawer o wybodaeth amdano tan ddiwedd ei garchariad. Gobeithiai weld diwedd y Rhyfel er mwyn cael dychwelyd at ei anwyliaid. Roedd gwasanaethau crefydd yn y gwersyll yn help i'w gynnal, ond nid oedd yn barod i sôn am ei feddyliau cudd. Pan ddechreuodd y Rhyfel roedd yn ŵr golygus, tal ac iachus ac yn pwyso pymtheg stôn a thri chwarter ar ei drymaf. Erbyn iddo gael ei symud i garchar Changi yn Singapôr ym 1945 roedd wedi disgyn i chwe stôn – yn sgerbwd o ddyn. Gorweddai ar ei wely drwy'r dydd. Roedd yn rhy wan i gerdded.

Carchar bwrdeisiol ar ynys Singapôr oedd Changi (P.O.W. 331) a adeiladwyd ym 1924 – a'i gynllun pensaernïol yn seiliedig ar Garchar Sing-Sing yn nhalaith Efrog Newydd. Bu rhai carcharorion yno drwy gydol y Rhyfel, a symudwyd eraill o wahanol ynysoedd. Yno roedd ymddygiad y gwarchodwyr a safon iechyd y lle yn dda. Roedd ystafelloedd adloniant a gemau, darlithoedd, grwpiau trafod, a phapurau newyddion (y P.O.W. WOW). Cedwid y celloedd yn llawn ac roedd carcharorion yn cysgu mewn *hammocks* a phebyll allan ar bob llawr a thu fewn y celloedd.

. . . 'Rown ni fel *sardines*! Erbyn hyn rown i'n wan iawn ac eisiau triniaeth feddygol i gryfhau,' meddai. 'Wrth i'r Rhyfel ddod i ben i'r Siapaneaid, rhoddwyd gorchymyn ysgrifenedig i'r fyddin wrth iddi encilio i ladd pob carcharor rhyfel a chuddio eu cyrff. Credaf fod ffrwydrad y bomiau atomig ar Hiroshima a Nagasaki wedi achub fy mywyd i a miloedd o garcharorion eraill, heblaw'r byddinoedd a oedd yn ymladd ar hyd ac ar led y Dwyrain Pell'.

Meddai John Etna: 'Un o'r pethau mwyaf dyfeisgar a bendithiol yn ystod fy ngharchariad oedd y setiau radio cyfrinachol a gedwid yng Ngharchar Changi. Cuddid hwy mewn tyllau yn fframiau'r gwelyau, mewn tuniau bwyd a guddid yn y lludw dan y lle tân yn y gegin, mewn tyllau y tu ôl i friciau rhydd yn y muriau, mewn fflasg ddŵr ac o dan y llawr, ac mewn coes bwrdd gwag yn y *mess room*. Clywid newyddion am y Rhyfel a sylweddolid fod y gorllewin bron â gorchfygu lluoedd treisgar Gwlad Codiad yr Haul. Pe buasai'r awdurdodau wedi dod o hyd i'r setiau radio, byddai dienyddiad sydyn iddynt trwy eu saethu o flaen y sgwad tanio . . . Cofiaf weld tonnau o awyrennau yn rhuo uwchben tra gwelwn lai a llai o'r gwarchodwyr. A phan ddaeth y newyddion fod y Rhyfel wedi dod i ben roeddwn yn rhy wan i

Un o'r bechgyn lleol na ddaeth yn ôl o afael y Siapaneaid – John Thomas Humphreys, Isfryn, Pentre'r Bryn.

ddathlu yn y ffordd arferol. Credaf imi wenu a cheisio taflu bloedd wan at y corws buddugoliaethus a glywn oddi fewn i'r hen garchar yn Changi. Roedd yn deimlad braf a theimlwn yn well yn barod – er na allwn gerdded cam. Roedd gwawr newydd wedi codi a machlud go iawn ar hen faner y Siapan Imperialaidd – 'Flaming Arse-hole'. Maddeuwch y cymal'. Deallaf ei deimladau.

Carcharwyd Cosmo Jones, brodor o Geinewydd, a swyddog y tollau yn Singapôr, hefyd yng ngharchar Changi, ac fe'i rhyddhawyd yr un pryd â'r Capten John Etna Williams ym 1945. Roedd Cosmo yn briod â Menna Gillies (Y Foel, Blaencelyn) ond ar ddiwedd y Rhyfel wedi iddynt ailgyfarfod, dywedodd hi wrtho: 'You are the architect of my misfortune' – a therfynodd y briodas yn y fan a'r lle. Cyhuddodd ei gŵr o'i chludo allan i'r Dwyrain Pell, lle y'i carcharwyd gan y Nippon am bedair blynedd ar ynys Sumatra. Yno dioddefodd yn arw dan oruchwyliaeth greulon. Dywedodd un perthynas: 'Roedd Menna a Cosmo yn edrych fel sgerbydau byw pan gawsant eu rhyddhau, a buont yn ffortunus iawn i ddod allan o'r Rhyfel yn fyw'. Dychwelodd Menna i Brydain yng nghwmni peilot o Cape Town. Bu Cosmo Jones yn wrthrych y rhaglen *This is Your Life* wedi iddo ailbriodi.

'Fe'm symudwyd ar long i Bangalore a Puna yn yr India i gael amser i ymadfer a gwella,' meddai John Etna wedyn.

Derbyniodd ei deulu newyddion ei fod ar dir y byw ac yn cryfhau bob dydd. Cyn hir roedd yn derbyn llythyron yn Bangalore oddi wrth ei deulu agosaf, a'i gefndryd a'i ewythrod.

Mary, yr unig ferch, a chwaer Rhys
Tom, Dafydd, Fred a John Etna.
Bu'n brifathrawes yng Nghefn-
coed-y-cymer ac ym Mlaen-mawr.

Eglwys Gynulleidfaol Gibea, Brynaman
Erw Fair
Brynaman
Sir Gaerfyrddin

Nos Fawrth 9-x-45

Annwyl Gefnder,

    Cefais air oddi wrth Mari, dy chwaer, ychydig ddyddiau'n ôl a pheth o'th hanes, a'th gyfeiriad, felly dyma hi'n bosibl imi ddanfon gair atat. Clywais dro'n ôl iti ddanfon at dy deulu dy fod ymysg y gwaredigion ac yr oeddwn yn falch iawn i gael dipyn o hanes pendant amdanat. Bois bach, rwyt ti ag eraill tebyg iti wedi bod trwy uffernau ofnadwy, gwlei, yn y dwyrain draw a gweddïwn bawb ohonom y cewch lwyddiant mawr yn yr ymdrech i adennill nerth ac iechyd tan law'r meddygon a'r nyrsis a aeth allan i weini arnoch. Clywais dy fod wedi mynd i ysbyty arbennig yn Bangalore, de India. Dyna ryfedd iti; bu Ardudfyl, fy chwaer, bron â chael ei danfon allan gyda rhai eraill fel 'sisters' i Bangalore – h.y. yno yr aeth ei 'chontingent' hi ar ôl dychwelyd o Ewrop, ond fe'i cadwyd hi'n ôl y funud olaf oherwydd rhyw afiechydon a gafodd.

    Y mae Rhiannon (fy chwaer arall) wedi cael dy gyfeiriad hefyd ac rwy'n credu y bwriada hi sgrifennu at Ardudfyl iddi gael danfon at rai o'r 'sisters' y mae hi'n adnabod yn Bangalore.

    Efallai y daw rhywun â 'chysylltiad' ymlaen atat felly ryw ddiwrnod. Ond edrych ymlaen at y dydd y cei di fynd ar fwrdd llong a'i thrwyn am Gymru yr wyt ti'n awr wrth gwrs, a gobeithio na fydd y dydd hwnnw ddim yn hir cyn dod. Cawn gyfarfod rywbryd wedyn, gobeithio, a siarad dipyn ar y profiadau rhyfedd ac ofnadwy ac am sefyllfa pethau'n gyffredinol. Y mae llawer o bethau wedi newid yma yn ystod y blynyddoedd; clywaist am bopeth ynglŷn â chysylltiadau agos teulu Troed-y-rhiw a Ffynnonlefrith wrth gwrs. Ac rwy'n siwr bod clywed am farw sydyn Rhys Tom wedi d'ergydio'n drwm. Yr oedd fy hiraeth innau'n fawr iawn ar ei ôl hefyd oherwydd fe deimlem yn agos iawn at ein gilydd y blynyddoedd diwethaf yma. Cysgwn gydag ef yn Cefn Coed ychydig wythnosau 'nghynt a bu yn gwrando arnaf yn pregethu yng nghapel Ebeneser, Cefncoed-y-Cymer . . .

Mae'r dudalen nesaf ar goll.

Anfonodd ei ewythr – Alun Jeremiah Jones, y Cilie – lythyr ato ond cafodd ei ailgyfeirio ddwy waith gan fod John Etna ar ei ffordd gartref.

Forces Letter
Not suitable for enclosures
Ex-Prisoner of War
    Sub. Lieut. John E. Williams. R.N.R.
    c/o Recovered P.O.W. Centre
    India Command
    Bombay

107 B.G.H.
Hospital Town West
Bangalore

'Landouvrie Castle'
4 B.P.O.
Middle East

Cilie
Synod Inn

Dydd Sul, Hydref 21ain, 1945

Annwyl Gyfaill,
    Yr wyf wedi bwriadu sgrifennu gair atat ers tro bellach ond heddiw dyma fi yn gwneud, nid am fod gennyf ddim o bwys i'w ddweud wrthyt. Dichon dy fod yn cael pob newydd o'r ffynhonnell (dy wraig), ond i ddweud mor llawen oeddwn o glywed dy fod yn fyw, wedi'r holl dreialon a'r triniaethau barbaraidd a aethost drwyddynt yn ystod y blynyddoedd diwetha. Yr wyf wedi bod yn meddwl llawer amdanat, oddi ar y dydd y syrthiodd Singapore i ddwylo'r gethern uffernol yna. Gwn dy fod wedi dioddef llawer, ond y mae'n wirionedd dda gennyf dy fod bellach yn ddiogel, ac yn ôl a glywaf yn chwyrn iacháu rywle yn nhueddau'r India bell. Tebyg gennyf y cawn gronicl llawn o dy hanes gennyt pan gei dy draed ar ddaear Cymru, a hynny heb fod yn hir iawn bellach. Gwelais dy frawd Fred yr wythnos 'wetha. Y mae ef fel y gwyddost yn gigydd cydnabyddedig erbyn hyn, ac yn gorlifo o bob doniau angenrheidiol ar y gorchwyl hwnnw fel yr hen law o'i flaen, ac yn barddoni pan gaiff hamdden. Y mae wedi dod allan yn englynwr peryglus tu hwnt. Y mae wedi mynd yn rhy dwym i bawb ohonom yn awr, ys dywed Isaac Glandŵr. Y mae Isaac yn dal o hyd hefyd: yn dal yn gadarn yn y ffydd ac yn cael ambell i beint yn y 'Crown' ar waethaf popeth! Y mae ganddo gyfle da i hynny bellach – y mae yn hebrwng ei laeth i fyny i Llwyndafydd bob bore, ac, yr wy'n credu mai yn y 'Crown' y mae'r 'stand laeth' ganddo!
    Gwelais dy wraig â'r teulu yn y Fronheulog yn ddiweddar ac y maent mewn iechyd da a hwyl hefyd yn awr. Nid wyf wedi gweld Dafydd dy frawd ers tro yn awr, ond pan y'i gwelais yr oedd yn fwy na llond ei ddillad, a Mary hefyd – bu hi yn galw yma'r haf, ac yn edrych yn braf. Dyna biti am Rhys Tom onide? Un o'r pethau rhyfeddaf. Fe aeth rhwng ein dwylo yn ddyn ieuanc cydnerth, ymhob ystyr. Nid yw pethau yn rhy dda yma. Y mae'r wraig wedi gorfod mynd yn ôl i Dregaron eto am ysbaid o orffwys. Wedi bod gartref yn awr ers dwy flynedd, ond fel yna y mae bywyd – i fyny ac i lawr, fel trai a llanw'r môr. Y mae fy chwaer

Mary Hannah yma gyda ni y dyddiau hyn, a'r mab Dylan yn tynnu am ei saith oed ac yn yr ysgol er ei felltith i gyd. Y mae priodas fawr i fod yn yr ardal tua dydd Sadwrn nesaf hefyd. Gwenda Cefn-cwrt a Ben Griffiths, y Ship Llangrannog, ac y mae paratoadau mawr ar ei chyfer, yn ôl a glywaf. Tymor yr ocsiwnau yw hi yn awr, ac mae llawer ohonynt eleni eto. Mae un yn Arthach yfory, efallai yr af yno, caf weld dy dad yno mwy na thebyg. Y mae ef yn dal yn dda o hyd, ac yn llawn afiaith bywyd, er ei oed mawr. Nis gwn beth arall a allaf ddweyd wrthyt heddiw, ond am i ti ddal ati i ymgyfnerthu, gan obeithio y cawn dy weld yn ôl – yn fuan iawn yn yr hen fro; yn ôl i degwch Ceredigion, bydd yn felys wedi amser maith ac ystormus yn dy fywyd, nas gallaf i ei ddychmygu rwy'n cyfaddef. Y mae'n wyrthiol mi gredaf, ac y mae'n dda gennyf ac yn dda gan yr ardal o gwr i gwr i glywed. Felly pob hwyl yn awr hyd nes cawn dy weld yn ôl yn y Fronheulog, a rhyddid dy henfro.

> Cofion cynnes,
> Alun.

Anfonodd Isfoel lythyron at ei nai yn ysbyty Bangalore – rhai ohonynt mewn Saesneg gloyw rhag ofn fod y claf yn rhy wan i'w darllen ac y byddent mewn cyfrwng dealladwy i'r nyrsys drosglwyddo'r newyddion. Dywedai John Etna fod y llythyron yn well nag unrhyw feddyginiaeth a theimlai'n ysgafnach ei gyflwr ar ôl eu darllen. Cyffesodd iddo eu darllen dro ar ôl tro, ac er i'r hiraeth ei lethu, profiad pleserus ydoedd, oherwydd gwyddai y câi ddychwelyd i weld ei anwyliaid yn mro ei febyd ymhen wythnosau. Dyma a ddywed Isfoel yn un o'i lythyron:

Cilygorwel
Llangrannog
Llandysul
Cards.

Dydd Sul, Hydref 14, 1945
Y Capten John Williams

Annwyl nai,
   Wele dy ewythr Dai yn ysgrifennu gair bach i ti o Gymru – gwlad y gân, gwlad y menyg gwynion. Cefais bapur pwrpasol gan y wraig hawddgar ac un arall oddi wrth Mary dy chwaer o Ferthyr. Yr wyf yn mentro ysgrifennu i ti yn iaith bersain dy fam. Gobeithio na fydd hynny yn rhwystr iddo gyrraedd pen y daith. Wel yr oedd y newydd hir-ddisgwyliedig – dyfod yn iach ac yn fyw – yn fwyd blasus iawn yma – yn enwedig i'r rhai a deimlent fod dy waed yn rhedeg trwy eu gwythiennau. Cefais amser caled – mor galed fyth ag y gallasai awdurdod dyn barbaraidd ei wneuthur mae'n debyg, ond y mae'n dda deall dy fod wedi cael digon o nerth i wrthsefyll safon barbaraidd yn ei fan uchaf. Llwyddo yn y lle y collodd y miloedd. Doedd neb yn falchach i glywed y newyddion da na theulu Cilygorwel. Bûm yn pryderu llawer amdanat, a rhywfodd, ni fethais gredu y deuet o'r ffwrnes uffernol yn fyw maes o law, a dyma fy namcaniaeth wedi ei gwireddu.
   Mae dy gefnder, Rhys Etna, yn gweithio ar y ffordd sydd yn mynd heibio fy nhrigfan. Nid yw yn gweithio yn galed iawn. Efe ddaw â'r 'bulletin' yn y bore. Mae pawb yn disgwyl gweld ei wyneb, a chwarae teg i Rhys y mae ganddo amser i roi'r newydd i bawb a ddigwydd basio. caiff y cryman neu y rhaw amser i oeri tra bydd ef yn arfer ei ddoniau a'i athrylith, ac nid yw gorfod eistedd hanner awr i ddiddori fforddolion penisel plwy' Llangrannog yn effeithio dim ar ei natur dda, a cholled anhraethadwy i eglwys y Wig fu ei fethiant i lwyddo fel blaenor.

Y peth nesaf a ddisgwyliwn yw dy weled ar dir Cymru wedi gwella ac adfeddiannu dy hoender cynhenid. Pan fydd y wlad bell a'i thywyllwch a'i barbareiddiwch, ei newyn a'i llau a'i drewdod, yn ddim ond breuddwyd a thithau yn rhydd o gors anobaith. Yr ydym ni yn clywed sut y mae ac y bu pethau yn Yr Almaen ac yng ngwlad y Siapaneaid ond nis gwyddwn ond y pethau nesaf i ddim – tebyg iawn a gorau po leiaf ysywaeth. Mae dy deulu bach yn ddedwydd heddiw ac wedi cadw i fyny yn rhyfeddol dan y cwmwl. Bu Eirian yn adrodd mewn cwrdd croeso carcharorion yn ystod yr haf yma ac yr oedd yn wledd i wrando arni – ac mae Margaret yn tyfu yn ferch iachus a phrydferth. A'th wraig wrth ei bodd yn eu tywys ac yn eu dwyn i fyny mewn awyrgylch Gymreig iachus. Nid oes yma lawer o newyddion i'th ddiddori. Mae dy dad yn crynhoi tato bob dydd ar ôl y mashîn fel crwt deunaw oed. Mae Fred yn pasio yma bob dydd Gwener ac englyn ar flaen ei dafod. Disgwylir Dai, dy frawd, gartref bob dydd. Rŷm ninnau yma yn weddol iach a hwylus. Pwyll yn yr ysgol a Kitty yn gofalu fod y ffreipan yn agos i'r pentan. Ysgrifennaf eto yn fuan.

Dy ewythr Dai a Pwyll a Kitty.

Daeth llythyr iddo oddi wrth ei gefnder Jac Alun, eto, wedi ei ailgyfeirio o Bombay India Command i Bangalore ac ymlaen i'r 'Landouvrie Castle' (4 B.P.O. Middle East).

23-10-1945
Tanycastell
Blaencelyn

My dear Cousin Jack
    I am writing to you a few lines to express my delight at hearing that you are once more in safe hands after a prolonged period of captivity. There has been great joy in the whole district since the good news which spread as though on the wings of a swallow.
    Your father is a changed man since he heard that you were in safe hands and is looking forward to your home coming . . . We are all war-weary and tired of the whole business . . . Your brother Dai, like myself, has been very lucky right through the war and has come through unscathed. He is still on the *S.S. Llanberis*. I am on the *S.S. Penhale* – the same old firm (Chellew). I lost one ship in the North Sea last year when blown up by a magnetic mine, but I got away without getting my feet wet. I am living at Tanycastell with my mother-in-law. I have three sons and a daughter, so you can see that we have been very busy in spite of our trials, tribulations and vicissitudes. I still go over to the 'Crown' for a pint and your name is often mentioned. A hearty welcome is awaiting your homecoming.
    Gobeithio y cawn dy weld yn fuan iawn – yn rhodio yr hen lwybrau yn iach a chadarn. Gobeithio hefyd ar ôl yr holl galedi yr ydym wedi'i weld y cawn ein hunain mewn gwell byd. Mae breichiau'r hen wlad yn agored led y pen i dderbyn ei meibion gartref ac yn addaw pethau dymunol iawn yn y dyfodol. Gobeithio y bydd aden Rhagluniaeth yn gwarchod drosot hyd nes y cei ddod i dy aelwyd.
    Dymuniadau a chofion cynnes iawn oddi wrth dy hoff gefnder –

Jac Alun a Lena.

O.N. Ysgrifennwyd llawer o lythyron ato yn yr iaith Saesneg er mwyn hwyluso ymdrechion y nyrsys i'w darllen iddo. Ac wrth iddo yntau gryfhau – ysgrifennodd at ei deulu!

Rhys Tom, ar y chwith,
fel milwr Rhufeinig.

Rhys Tom, yr ail o'r chwith, yn ymarfer gydag aelodau o Gwmni Drama Abertawe.

Troed-y-rhiw
Llwyndafydd
Llandysul, Cards.
4th Oct. 1945

Dear Jack

Your second letter from hospital to hand, and we were all so glad to know that you were already a great deal better and well on the way to recovery again. How grand it must be for you to be in good care and to have kindness and sympathy shown to you once more, after all these years of misery. He was no stranger to the . . . of human nature who said those words:

"Two things stand like stone,
Kindness in another's trouble –
Courage in your own."

I am sure that these qualities combined with the skill of modern science will work wonders in a short time . . . On my weekly routes to New Quay and Llangrannog, I am constantly asked about you and am requested by many to be remembered to you – by your friends you'll meet again in the near future.

I gave your address to Ann Jane Pentre Arms on Friday and she promised to write without fail. Ellis (her brother) lives in Llangrannog now. He is married to an English girl and they have one child. He returned from Canada some years ago and has been sea-faring ever since. Keep smiling.

Best wishes and love,
Fred.

Wedi cyfnod o ymadfer yn yr India dychwelodd i ysbyty *H.M.S. Mersey* ac i Gymru lle bu dros gyfnod o flynyddoedd cyn adennill ei gryfder, ei iechyd a'i hunan-hyder. Bu'n garcharor rhyfel am bedair blynedd rhwng 1942 a 1946.

Ar ddechrau'r pumdegau dychwelodd y Capten John Etna Williams eto i'r Dwyrain Pell (Hong Kong) a bu yn gapten ar longau masnach Jardine Matheson yn teithio o Hong Kong i Tseina, Awstralia, Seland Newydd a'r India. Diflannodd môr-ladron o'r arfordiroedd wedi'r chwyldro comiwnyddol yn Tseina, er hynny roedd llinellau o farben weiyr yn diogelu'r bont a'r peiriannau rhag ymosodiad gan y môr-ladron. Cafodd bachgen ifanc o Geinewydd ei ladd mewn ymosodiad gan fôr-ladron ar long oddi ar arfordir Tseina. Roedd miloedd ar filoedd o ffoaduriaid am ddianc o Tseina ac er mai cargo cyffredinol a gariai'r llong i mewn i Tseina, y prif gynnyrch i'w allforio oedd ffoaduriaid o Taiwan (ynys Chiang Kai Chek) a Hong Kong. Âi hefyd â bwyd i mewn i'r ffoaduriaid drwy'r *blockade*. Ffenomenon naturiol i rannau o'r Dwyrain Pell yw'r *typhoons* a phrofodd Captain John Etna y stormydd ofnadwy ar sawl achlysur. Unwaith cariodd gargo cyffredin yn yr howldiau o Fietnam ond ar y deciau roedd dwsinau o *water buffalo* a moch mewn cratiau pren. Bu'r llong yn ymbalfalu â'r storm am ddiwrnodau ac roedd perygl oddi wrth y cerrynt annaturiol a'r creigiau dan y dŵr. Collwyd y *buffalos* a'r moch i gyd ond achubwyd y llong a'r criw.

O amgylch Tangku-bar ym Mae Chihle ger Po Hai y profodd y tywydd oeraf erioed. 'Roedd y tymheredd mor isel fel nad oedd teimlad yn fy nhraed o gwbl. Gallwn dyngu mai ar asgwrn fy sowdl y cerddwn. Rhuai gwynt y gogledd o anialwch y Gobi, roedd

Y Capten John Etna Williams ar un o'i longau yn ei wisg drofannol.

Yr *Eastern Glory*, llong y bu John Etna Williams yn gapten arni.

yn bwrw eira yn drwm ac roedd y môr wedi rhewi. Yr unig ffordd i gadw'r llong i fynd oedd *full-speed ahead* a *full astern* – bob yn ail. Bûm yn sownd am dri diwrnod a pheth arferol oedd cymryd saith niwrnod i wneud ugain milltir. Nid oedd cyflwr trwyn y llong mewn cyflwr da ar ôl y cwffio didrugaredd yn erbyn y rhew. Medrech gerdded yn hollol ddiogel ar wyneb y môr hyd eithaf y gorwel. Lle cythreulig'.

O 1954 ymlaen bu'n gapten i bedwar o gwmnïau ar longau fferi o Hong Kong i Macao gan gynnwys y *Tak Shing, Fat Shan, Wah Shan* a'r *Nam Shan*. Tua diwedd yr wythdegau prynodd y miliwnydd Stanley Ho, perchen casinos Macao, y cwmnïoedd bychain i wneud un cwmni mawr a phrofodd i fod yn gyflogwr cadarn a theg yng nghyfnod John Etna. Cyfarfu'r capten ag ef amryw o weithiau. Taith tair awr a hanner i bedair awr oedd y fordaith o Hong Kong i Macao ac adeiladwyd y llongau â'u gwaelod fflat yn bwrpasol i grafu dros fwd aber Afon Pearl ym Macao. Criw Tseineaidd a oedd ar y llong, gan gynnwys y swyddogion, ac at ei gilydd, er eu hofergoeledd, roeddynt yn weithgar ac yn deyrngar iawn. Cludid y Post Brenhinol a chargo o *bonded stores* (diodydd, sigarennau a nwyddau eraill yn cario treth) ar eu teithiau aml-feunyddiol.

Cofia John Etna am lofruddiaethau, bygythiadau, cweryla, dwyn ac ati, ymysg y teithwyr, ac un gwrthryfel ymhlith y criw mewn gwrthdaro â'r perchnogion am ragor o arian. Tra oedd John Etna gartref yng Nghymru un tro, suddwyd un o'r llongau fferi mewn teiffŵn ofnadwy a chollwyd yr holl griw namyn tri. Dychwelodd i Hong Kong ar frys i'r archwiliad swyddogol ar gais y cwmni, er nad oedd ganddo

Y llong fferi *Wah Shan*, a hwyliai o Hong Kong i Macao. Bu John Etna Williams yn gapten arni.

187

Y llong *E Sang*, un arall o'r llongau arfordirol y bu John Etna Williams yn gysylltiedig â hwy yn y Dwyrain Pell.

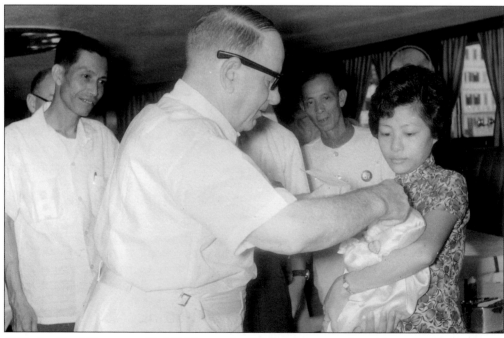

Y Capten Tomi Owen ar y fferi *Tal Loy* yn bendithio baban a aned ar ei long. Dôi hyn â lwc i'r bychan, y llong a'r criw. Yn aml, cynhwysid enw'r llong yn enw bedydd y bychan.

unrhyw gysylltiad â'r digwyddiad. Collodd ei holl eiddo yn y gyflafan gan gynnwys ei dystysgrifau morwrol a oedd wedi eu gadael ar y fferi. Unwaith, wedi dychwelyd i Hong Kong cododd gwrthryfel oherwydd i'r criw wrthod cynnal y llong mewn teiffŵn arall gyda'r cof am y llong a gollwyd yn fyw. Ni fedrai John Etna fynd â'i fferi i Macao am fod fferi arall yn methu dod allan oherwydd y storm. Aethpwyd â'i griw ef i lys barn.

Ar sawl achlysur cafwyd genedigaeth ymhlith y teithwyr ac yn nhraddodiad y Tseineaid cofrestrid y newydd-anedig gan gynnwys enw'r llong oherwydd deuai hyn â lwc dda i'r llong ac i'r baban. Er na wyddai John Etna y manylion ar y pryd roedd llawer o'r criw yn perthyn i'r llwythi cyfrin dieflig, y 'Triads', er na chafodd ddim trafferth ganddynt ar fwrdd y llong. Efallai mai'r cargo mwyaf gwerthfawr a'r rhyfeddaf a gariodd erioed oedd llwyth o aur o Hong Kong i Macao dan warchod-aeth arfog. Diau y deuai'n ôl i Hong Kong

Ffrind agos i gapteiniaid y Cilie: y Capten Tomi Owen, Clai Bach. Tynnwyd y llun yn Awst 1954. Bu yntau hefyd yn gapten ar longau fferi o Hong Kong i Macao.

eto trwy smyglo, ac er y gwyddai am y farchnad answyddogol, gadawai hynny i'r heddlu. Roedd y Tseineaid yn smyglwyr naturiol ar nwyddau'r Farchnad Ddu, er enghraifft – aur a *heroine* – yn mynd trwy ddirgel ffyrdd i India o'i ffynonellau yn y 'Triongl Aur'.

Un o gyfeillion agos y Capten John Etna Williams yn Hong Kong oedd Dr John Robert Jones. Cyfarfu ag ef yn y Gymdeithas Gymraeg, y Cymrodorion, Cymdeithas Dewi Sant, ac roedd ganddo air o gyngor bob amser wrth drafod materion ariannol. Angorai iot foethus J.R.J. ym masn Clwb Iot Brenhinol, Hong Kong a'r ddraig goch yn cwhwfan arni bob amser. Pennawd y *South China Morning Post* am J. R. Jones oedd 'SUPERSPY' – wedi cyfweliad gydag ef ar Radio Hong Kong ym 1973. Yn sgîl hynny byddai'n sicr wedi derbyn gwybodaeth gyfrin oddi wrth y capten ynglŷn â'i fordeithiau aml i Tseina a Macao.

Dywed y Parch. Gerallt Jones, a gyfarfu â J. R. Jones yn Y Rhondda ym 1923: 'Ganed John Robert Jones ar 6 Mehefin, 1887, yng nghartre'i fam yn y Pandy Mawr, Llanuwchllyn, ond yn Aran View gerllaw y maged ef a'i frawd William, pan oedd hi'n anodd i Dafydd Jones gael deupen y llinyn ynghyd. Clywais ef yn dweud ei fod yn smyglo canhwyllau i'r llofft er mwyn iddo gael darllen yn hwyr i'r nos pan oedd yn llanc. Talodd hynny iddo gan ei fod yn ddisgybl-athro yn Ysgol y Llan cyn mynd i Ysgol Tydandomen yn Y Bala. Disgleiriodd yno ac enillodd ysgoloriaeth a'i dygodd i Goleg Prifysgol Cymru ym Mangor yn gynnar yn y ganrif. Dringodd i'r brig gan ennill gradd dosbarth cyntaf yn y clasuron a pharhaodd ei astudiaethau yng Ngholeg Emmanuel, Caergrawnt, lle cafodd ei osod eto yn y dosbarth cyntaf mewn economeg.

Dyfarnwyd ysgoloriaeth deithiol iddo a chrwydrodd yn y dwyrain am dair blynedd cyn canolbwyntio ar archaeoleg. Astudiodd wareiddiad cynnar Yr Eidal wedyn a 'sgrifennodd dri llyfr ar y pwnc'.

Bu farw John Robert Jones ('J.R.') yn 88 oed yn Hong Kong ym 1975. A thasg amhosib fyddai cofnodi ei fywyd gorlawn, anturus mewn ychydig eiriau. Cyflawnodd gymaint â phum gŵr cyffredin ac fe'i tynnid fel magned at ddiwylliant, hanes a llenyddiaeth. Treuliodd gyfnod yn Syria, Creta a Thwscani fel archaeolegwr wedi gadael y coleg. A phan ymwelodd â Leipzig a Rhufain ym 1911 cynyddodd ei ddiddordeb mewn opera. Ymwelodd ag adfeilion Carthage ac ar gais Lloyd George aeth i Morocco lle bu'n ymladd gyda'r Ffrancwyr yn erbyn llwyth y Riffs. Fe'i carcharwyd am dri diwrnod wedi ymosod ar ddinasoedd Fez a Casablanca. Bu'n gyfrwng i sefydlu byddin Iwerddon a thrwy'r Rhyfel Byd Cyntaf bu'n swyddog a ymladdodd yn y Somme a Paschendaele. Fe'i clwyfwyd bedair gwaith, dwy waith yn ddifrifol, ac ar ddiwedd y gyflafan dringodd i swydd cyrnol. Aeth i'r Almaen cyn ei alw'n ôl eto gan Lloyd George i Versailles yn dyst i Gytundeb Versailles.

Aildrefnodd fyddin yr Iwcráin fel 'Pennaeth y Lluoedd' dan fygythiad Rwsia cyn dychwelyd i Ganolbarth Ewrop fel sbïwr. Cyfnod cyffrous y cysgodion oedd hwn a symudodd yn ddirgel o Rwsia, Ffindir, Gwlad Pwyl a'r Almaen. Dychwelodd i Shanghai fel cyfreithiwr a daeth yn arbenigwr ar ddiwylliant Tseineaidd. Teithiodd yn helaeth drwy Tseina gan aros yn y temlau, a gwnaeth gasgliad anferth o arlunwaith a chelf y Dwyrain. Fe'i collodd i gyd wedi'r Ail Ryfel Byd. Bu yn negesydd rhwng Siapan, Prydain a'r Eidal yn y cyfnod yma. Ac ef a fu'n gyfrifol am drefnu llwybrau dianc a *passports* ffug i garcharorion a ddihangodd o'r Almaen a thu hwnt – dros y Pyrenees i ddiogelwch. Gweithiodd fel cysylltwr i gael cyflenwadau o dun o Folifia cyn dychwelyd i Hong Kong ym 1945 am weddill ei oes. Ymhlith ei anrhydeddau roedd yn gyfarwyddwr banc HSBC.

Ym 1973 dywedodd: 'Cyfrinach bywyd yw cadw'n fywiog, yn gorfforol ac yn feddyliol. Rwyf wedi cymryd mantais o bob cynnig anturus. Nid yw bywyd yn ddigon hir i gyflawni popeth a fynnwn'.

Cyfarfu'r Capten John Etna â'i gefnder cyntaf – Jac Alun – yn Hong Kong ar sawl achlysur. Ac wedi i lun talentog o J.A. ymddangos yn y cylchgrawn *Blodau'r Ffair* cafodd wybodaeth fod J. R. Jones am gyfarfod ag ef. Aeth y ddau John, y ddau gapten a chefndyr i weld cyfarwyddwr HSBC yn ei dŵr ifori aruchel. Ymddangosodd y llythyr isod yn rhifyn Nadolig 1962 o *Blodau'r Ffair*, wedi ei anfon o Mojiko, Siapan, at R. E. Griffith, y golygydd, gan y Capten Jac Alun.

Annwyl R.E.

Wedi mynd heibio llawer o wylwyr a cheisio beth oedd ein busnes, dyma gyrraedd swyddfa'r Cymro pwysig a chael croeso a derbyniad cynnes. Agorodd Mr Jones un o ddroriau ei ddesg a thynnu allan rifyn o *Blodau'r Ffair* er mwyn cymharu'r llun a'r gwrthrych a oedd o'i flaen. Llwyddais i'w fodloni yn y prawf hwnnw, a chawsom sgwrs ddifyr a llawer o hwyl wrth drafod pethau. Dywedodd ei fod yn cael mwynhad mawr o bob rhifyn o'r cylchgrawn ac yn dotio at y lluniau a'r cartwnau.

'Wrth gwrs,' meddai, 'rhaid bod yn Gymro cyn deall yr hiwmor sydd y tu ôl i waith Hywel Harries.' Dyna falch oeddwn i fod Cymro mor bwysig a phrysur ym mhellafoedd byd yn talu'r fath deyrnged i'r cylchgrawn.

Ac ar waelod y llythyr roedd englyn i gyfarch R. E. Griffith wedi iddo dderbyn yr O.B.E.:

Nid aur byd yr O.B.E. – ond aberth
Dibaid dros blant Cymru;
Pethau'r Urdd yw popeth R.E.,
A rhaid oedd ei anrhydeddu.

(Capten) John Alun Jones

Yn y pumdegau a'r chwedegau dychwelai J. R. Jones i Gymru yn rheolaidd gan fynychu Eisteddfod Ryngwladol Llangollen a'r Eisteddfod Genedlaethol, ac un oedfa yn yr Hen Gapel Llanuwchllyn. Cofia'r Parchedig W. J. Edwards amdano yn sleifio i mewn i'r cefn ar ddiwedd yr emyn cyntaf. Gwnaeth gytundeb gyda W.J.: 'Os byddaf farw yn Ewrop, rwyf am fy nghladdu yn Llanuwchllyn; os byddaf farw yn Asia, yna rwyf am fy nghladdu yn Happy Valley Hong Kong!' Ni fyddai gyrfa lwyddiannus John Etna Williams yn Hong Kong wedi creu'r fath argraff oni bai am gadernid cymeriad, gwybodaeth lawn ar sut i drafod y Tseineaid a'r ddawn i'w defnyddio'n deg a chymwys â phenderfyniad di-droi'n-ôl i ofyniadau'r swydd. Llwyddodd i oresgyn a datrys yr holl anawsterau trwy adnoddau ei bersonoliaeth.

J. R. Jones.

Bedd J. R. Jones yn y Colonial Cemetery, Happy Valley, Hong Kong, gyda'r cwpled:

Gawraidd fab a garodd fyd, Ei faddau a'i gelfyddyd

arno, o waith Dafydd Owen.

Y Capten John Etna Williams oedd yr olaf o forwyr y Cilie ac un o'r rhai olaf o hen 'sea-dogs' enwog a mentrus Ceredigion. Roedd yn 76 mlwydd oed pan ddychwelodd am byth i Fronheulog, Penbontrhydarfothe (ger Llwyndafydd) ar salwch ei wraig, Jennie, efallai y capten hynaf erioed i barhau i weithio â gofal llong. Dywedai fod henaint yn fwy parchus gyda'r Tseineaid nag ydoedd yn y gorllewin a chredent hwythau ei fod yn ŵr lwcus, yn enwedig gan fod ganddo, yn eu tyb hwy, glustiau mawrion, mwy na'r cyffredin. Cawsai fyw yn hen iawn o'r herwydd. Er iddo ddychwelyd i'w filltir sgwâr parhaodd ei hiraeth am y môr a dychwelai i Hong Kong ar y trannoeth (dywedai ef) – pe câi'r siawns eto.

Trwy flynyddoedd ei ymddeoliad fe'i bendithiwyd ag iechyd da ac roedd ei gyneddfau gwanwynol yn addurn i bob sgwrs a chofiant. Cariai gnwd toreithiog o wallt brith ar ei ben, a phan wisgai'r 'beret' glasddu hoffus, dôi ei aeliau trwchus a'i lygaid treiddgar i amlygrwydd ac roedd yr un sbit â'i ewythr Isfoel – er mawr hwyl iddo.

Wrth i forwyr y Cilie, fesul un, groesi'r bar, deuthum i adnabod 'Wncwl John' yn dda iawn. Hoffem feddwl ein bod yn gyfeillion agos. Galwn yn Fronheulog sawl gwaith yr wythnos gan drafod y byd a'r betws, ac aem ein dau am droeon yn y car i weld ei gefndyr – yn enwedig Jeremy a'i gyfnither Rhiannon. Mynychai wasanaethau yng nghapel Nanternis (capel y teulu a lle bu ei dad yn ddiacon a thrysorydd), a hefyd dalyrnau'r beirdd a thrafodaethau am gyfansoddiadau'r Eisteddfod Genedlaethol.

Y Capten John Etna
Williams a'i chwaer
Mary, adeg dathlu
ei phen-blwydd yn
90 oed.

Medrai adrodd rheffynnau o farddoniaeth Isfoel (llawer heb eu cyhoeddi) ac ymestynnai'i gof diwaelod 'nôl i'w febyd a'r hen ffordd Gymreig o fyw yn ardal Cwmtydu. Eto roedd ganddo farn bendant am broblemau'r byd ac arweinyddion y gwledydd. A bron heb eithriad cymharai wleidyddiaeth ddauwynebog y gorllewin â gonestrwydd ac athroniaeth y Tseineaid. Rhoddai eu doethineb, eu diwylliant a'u hagwedd at fywyd yn uchel ar ei restr. Ac yn ei nawdegau roedd ganddo wybodaeth, barn a hyder i drafod a darllen y Farchnad Stoc. Roedd yn amlwg ei fod wedi profi tipyn o'r farchnad yn Hong Kong ac wedi gwneud elw sylweddol wrth fentro ac atal doeth gyda'i fuddsoddiadau.

Y Capten John Etna Williams gyda'i frawd Dafydd Jeremiah a'i gefnder John (Jac) Alun ar ben Craig yr Enwau, Cwmtydu.

Morwyr arfordir de-Ceredigion gyda'r Dr Geraint Jenkins. O'r chwith: Jac Williams, Dai Powell, Capten Roy Salmon, Elgan Jones, Capten Tomi Davies, Capten J. Cyril Lewis a'r Capten John Etna Williams.

Oddeutu'r tŷ hoffai wisgo ei gôt (botymau pres) forwrol a'i 'feret' a byddai ei ystafell fyw yn llawn o bapurau dyddiol, wythnosol a bro. Nid oedd y brws paent ymhell o'i law a hoffai swig o 'Glenfiddich' nawr ac yn y man, fel pob morwr da. Rhoddwn fenthyg cylchgronau iddo'n aml, fel *Barddas*, *Llafar Gwlad* a'r *National Geographic*, a deallwn yn fuan ei fod wedi eu cymhathu a'u darllen yn drylwyr. Galwai'r llyfrgell deithiol ar y rhiniog ac roedd ei ddewis yn eang.

Roedd yn ŵr deallus a chraff iawn yn ei hen ddyddiau – a thu hwnt o gwrtais a bonheddig wrth bawb. Ymhob sgwrs tueddai'r rhesymu i orffen oddeutu'r môr. Eto fel ei gefndyr nid oedd ei aelwyd yn amgueddfa o femorabilia'r môr. Ychydig o 'drincets' a gasglent ond cofiaf weld cloc tal o'r dwyrain yn yr ystafell fyw ac arfbais Tseineaidd ar y mur. Ffordd o fyw oedd morwra a hoffent weld yr aelwyd yn Gymreig ei naws ac addurniadau'r muriau yn adlewyrchu'r ddelwedd honno. Yn y co' roedd celfyddyd gain y môr, rhai yn guddiedig am dragwyddoldeb.

Noson gofiadwy oedd dathlu ei ben-blwydd yn 90 oed yn Nhafarn y 'Crown', Llwyndafydd, pan ddaeth ei deulu agos, cymdogion a ffrindiau ynghyd i dalu gwrogaeth i'r olaf o'r hen halen! Dyma englynion a luniais ar gyfer ei ben-blwydd ac a ddarllenais iddo ef a'r cwmni wedi swpera.

I GYFARCH WNCWL JOHN (Y CAPTEN JOHN ETNA WILLIAMS)
Fronheulog, Penbontrhydarfothe, yn 90 oed –
ar 23 Hydref, 1996 – mewn swper arbennig yn y 'Crown'

> Eilun hoff o'r Felin Huw, – hen Gilie
> Â'r galon unigryw;
> Llawn o chwaeth y llinach yw
> A gwaed nodedig ydyw.

> Ganwyd, wrth donnau gwynion, aer y bae
> A'r byd a'i freuddwydion;
> O'i Walia dros orwelion
> Enaid dewr fu'n farchog ton.

> O boer gwn a bariau'r gell, – y Nippon
> A'i chwipiau a'i ddichell;
> O droeon hon a'i hunell –
> Heddiw gŵyr am ddyddiau gwell.

> Un o blant yr Atlantig – a Hong Kong,
> Macau a'r Pasiffig,
> Wedi'r hynt daeth 'nôl i'w drig
> Oedd hedd mewn ardal ddiddig.

> Yr un hael o Fronheulog, – y cyfaill
> Gyda'r cof toreithiog;
> A'i ddyddiau'n llawn, hwy ddaw'n llog
> Yn fonws canrif enwog.

195

Isfoel anhygoel ei naws – 'n y 'beret',
    'Run boerad â'r hynaws;
    Hawdd ei weld, mae'n ddelwedd haws –
    Etna a'i wncwl cytnaws.

Nono* – *generian* hyna' – ond diau
    I'n 'Tyl', Fethuselah;
    A mynych rhag niwmonia,
    Yw swig dwym o wisgi da!

Eto nid yw ond crwtyn – yn *ninety*
    Ar antur ddiderfyn;
    Anodd i'w hil ei ddilyn,
    'Leni'n iau heb deimlo'n hŷn.

Yma'n bri – 'Splice the main brace, – come adopt
    Commodore in solace';
    I'w hynt – nawdd, a'r cant yn nes –
    Yw'r llon acenion cynnes.

* Fe'i galwai ei hun yn 'Nono' pan oedd yn ieuanc iawn.

Y Capten John Etna Williams. Wedi cuddio ei wallt trwchus mae yr un poerad â'i ewythr enwog, Isfoel, er mawr hwyl iddo.

John Etna Williams yn dathlu ei ben-blwydd yn 90 oed. Ar y chwith iddo mae ei ferch Margaret (o Lanarth), ac ar y dde, ei chwaer Eirian (o Ottawa, Canada).

Y Capten John Etna Williams rhwng ei ddau fab-yng-nghyfraith – Gabriel Debbane (ar y dde), a William Williams. Hefyd Meurig Evans (mab-yng-nghyfraith y Capten D. J. Williams).

Yr eigion ni fydd rhagor – i'n hwncwl
O lyncu yr angor;
Oddi yma, hwyl, hawddamor –
Hafan mwy o gofion môr.

Wedi damwain hollol ddiniwed yn y tŷ darganfuwyd yn hwyrach iddo dorri ei glun, ac wedi rhai dyddiau yn yr ysbyty dioddefodd o niwmonia a bu farw ar 17 Gorffennaf, 1998. Dyma englyn a luniais ar y pryd:

Plethdorch ar ffurf angor ar fedd John Etna Williams a'i wraig Theresa ym mynwent Eglwys Dewi Sant, Blaencelyn.

ER COF

Ei gwm sy'n wag ddigymar, – aeth y llyw
Ar daith llong y 'darpar';
O'i Gilie ar don galar
A sawr byd a chroesi'r bar.

Wedi gwasanaeth cyhoeddus yng nghapel Nanternis claddwyd ei weddillion ym medd ei wraig Jennie, ym mynwent Eglwys Dewi Sant, Blaencelyn. Gwelir cwpled trawiadol John Lloyd Jones ar garreg ei fedd:

Ton erwin yw ton hiraeth,
Ond tyrr o hyd ar ein traeth.

ac uwchben, cwpled arall o waith yr un bardd i'w wraig:

O dan ei baich ei dawn bêr
Oedd fendith o addfwynder.

Lluniodd J. Ll. Jones dri chwpled ar gais y capten – y trydydd i'w chwaer Mary. Claddwyd ei gweddillion hithau yng Nghapel-y-Wig:

Egr yw'r boen ac oer yw'r byd
O roi'r gorau i'r gweryd.

LLINACH JOHN ETNA WILLIAMS

John Etna
Jane Theresa (Evans)

Mary Eirian	Margaret Sheila
Gabriel Alexander Constantin Debanne	William Meudwy Williams
|	|
1. Michael Rees	1. Aled (*m*)
2. Andrea Jane Marie	2. Gwyn Tudur
Bruno Versavelle	3. Gerwyn Rhys
|	Margaret Meriel
Mattias William	|
	Cennydd Rhys
	Dylan Siôn

DAU FRAWD ARALL

Lloyd George Jones
(9-5-1901 – 12-2-1935)

Lloyd George Jones, Pentre Arms, Llangrannog,
a Gertrude Jones, Bronial, Beulah, ar achlysur
eu priodas yn Eglwys y Betws, Ceredigion.

Ef oedd plentyn hynaf Tom ac Annie Jones a anwyd yn yr Hendraws, Glynarthen. Fe'i bedyddiwyd ag enw teuluol ei fam-gu, Mary George, a bu bron iddo gael ei eni yn ŵyr cyntaf y Cilie o fewn rhai wythnosau. Wedi addysg gynnar ym Mhontgarreg roedd cyfyngder ar yr aelwyd oherwydd maint y ffermydd bychain y bu Tom Jones a'i deulu'n byw arnynt – Hendraws, Blaen-waun, Gaerwen a Felin Preis.

'Pan oeddwn yn Felin Preis un o'r dyletswyddau a oedd yn atgas i mi a'm brawd Tom Ellis oedd malu yn yr hwyr. Wedi gwaith corfforol caled, gwaith golau dydd fel roedd amaethu y pryd hwnnw, dôi'r ffermwyr a'u llafur i'r felin yn aml rhwng saith a naw y nos. Diflannwn i rhag y gwaith o gario'r pynnau trymion. Os byddai 'Nhad allan yn cario pobl, fy chwaer Anne Jane a oedd yn edrych ar ôl y felin – ar ei phen ei hunan bach! Cloai fy nhad y darnau peryglus y tu ôl i ddrysau caeëdig. Yna i drechu'r amser roedd gan Anne Jane ddau Feibl – un ar y gwaelod ac un ar ben y stâr ar y llawr uchaf. Dysgodd Salm 119 yn y modd yma – a chipio'r chwe cheiniog sgleiniog a addawodd Cranogwen iddi pe cyflawnai'r her. Gorchwyl trwm arall oedd glanhau'r llaid o'r llyn a'i wasgaru yn achles ar y tir – gydag ambell lysywen!'

Yna aeth Lloyd allan i wasanaethu. Tyfodd yn ŵr tal golygus ac yn anorfod gryf yn ei ysgwyddau a'i freichiau. Roedd yn hynod o flewog a'i gorff yn fforest ddu fel arth a thynnai sylw pawb pan oedd yn nofio ar y traethau cyfagos. Bu'n 'was bach' ac yn 'was mawr' a chyhuddodd un o'i gyflogwyr o beidio â rhoi iddo ei wala o fwyd gan gyfyngu ei ginio i hanner ŵy. Fel hyn y canodd Sioronwy iddo:

Manion gwaith y lle weithian – yw ei gylch
A gwas bach sy'n twtian;
Drwy ei lwydd e gwyd i'r lan
I adwy'r gwas mawr llydan.

Anne Jane Jones, chwaer hynaf Lloyd George.

Byddai Ellis, ei frawd, yn teithio i'r ffermydd i drosglwyddo dillad glân a bwyd ychwanegol bob wythnos.

'Rwy'n cofio,' meddai Lloyd wrth ei chwiorydd, 'amdanaf yn cysgu ar y storws uwchben y stabal. Roedd hi'n gynnes braf a digon o gwmni yno gan y llygod ffrengig a'r corynnod – lamp baraffîn neu gannwyll i weld, pan oedd eisiau, a châi fy siwt orau ei brwsio, cyn mynd i'r cwrdd neu'r Seiat a'r cwrdd gweddi, gan yr un brws ag a ddefnyddid i sgrafellu'r ceffylau. Cawsom lot o sbort yn enwedig amser cynhaea' gwair – ffocso yn y mwdwle, adrodd storïau a chanu hefyd. Roedd digon o gwmni wrth dynnu a gosod tato, a diwrnodau lladd moch a dyrnu yn ddiwrnodau pwysig iawn; ond efallai ddim cymaint â'r ffeiriau, a Ffair Galan Gaea' yn enwedig. Os oedd y meistr yn dynn edrychwn 'mla'n at yr ern newy'.'

'Un tro arall, pan oeddwn yn was bach 'da Siencyn a Sara Jones yng Nglan-graig,' meddai Lloyd wrth ei chwaer,

202

Anne Jane, 'bu bron i mi gael damwain erchyll. Roeddwn ar ben llwyth o wair yn dringo Parc Ben Tra'th pan ymddangosodd llong Capten Jac Rees, Pwllheli, y *Dungenes* rownd Trwyn Ynys Lochtyn. Canodd yr hwter, nes i'r sain ddiasbedain yn erbyn waliau Traethau'r Garclwyd a Chefn-cwrt. Gweryrodd Comet (y ceffyl) i'r awyr gan ddymchwel y gambo a'r llwyth a'm claddu dan domen o wair. Rhedodd Siencyn draw â'i wynt yn ei ddwrn gan weiddi'n uchel, "Comet fach, Comet fach, wyt ti'n ôl reit?" Erbyn hyn roedd Comet ar ei chefn yn cicio fel pistonau injan ddyrnu Pantfeillionen ac yn ymdrechu i ddod yn rhydd. Datgymalwyd yr offer a rhedodd Comet i ffwrdd mewn rhyddhad. Ac wrth imi ymddangos o dan y gwair y cyfan ges i oedd, "Wyt ti'n lwcus fod Comet fach yn iawn."

Lloyd George Jones a David Lloyd Jones, Pen-y-graig, Glynarthen. Bu'r ddau'n gyd-forwyr am flynyddoedd.

Fel ei dad roedd Lloyd George yn 'wytnach a mwy llygatgraff na'r rhelyw' ac yn aredig â phâr o geffylau yn ddeg oed. Dangosodd ddiddordeb mawr mewn ceffylau ac roedd yn fedrus yn torri ebolion ieuanc i mewn i'r harnes. Dôi'r berthynas arbennig rhwng dyn a cheffyl oddi wrth ei dad a rhedai yr un gynneddf yn gryf drwy ei chwiorydd a'i frodyr. Gwrthodai ei chwaer, Anne Jane, wrando nac edrych (yn nyddiau teledu) ar y 'Grand National'. Cuddiai y tu ôl i lyfr yn ystod y ras. Ac roedd Tom Ellis yn feirniadol iawn o'r Almaenwyr wrth iddynt ddefnyddio crwyn pigog draenogod i hyfforddi'r ceffylau i neidio dros y clwydi.

Yn ôl hanesion ei deulu cydiodd clefyd y môr yn Lloyd a buan iawn yr aeth yntau yn aelod arall o dreftadaeth forwrol y glannau. Roedd yn byw yn Felin Preis ar y pryd a throdd ei olygon tua'r gorwel. Ac fel llawer o fechgyn ieuanc y fro roedd rhamant a chyflogau'r môr yn cynnig llawer mwy nag amaethyddiaeth. Ar ôl gwasanaethu am chwe blynedd ymunodd â'r llong *Eastern City* fel *deck-hand* dan gapteiniaeth W. E. Owen, Plwmp, yn Bideford, ym 1918. Credir iddo hefyd forio ar y *St. Quentin, Trelevan, Dalcroy, Llanwern Radcliffe, Mount Park* a'r *Greldon*. Un o'i ffrindiau pennaf, a chyd-forwr ar lawer o longau, oedd D. Lloyd Jones, Tafarn Brynhoffnant a chynt Ben-y-graig, Glynarthen a Llundain.

Erbyn i Lloyd fynd i'r môr roedd y diwydiant adeiladu llongau wedi gorffen yn Llangrannog ers degawd olaf y ganrif flaenorol. Ond parhaodd y traddodiad. Daeth y llong *Harparees* â'r llwyth olaf o gwlwm i mewn i Langrannog ym 1926. Ac efallai mai Alun oedd yr unig fardd ar y pryd i ganu i bentref Llangrannog:

Carfan o ymwelwyr yn cerdded ar draeth Llangrannog gerllaw dwy long yn disgwyl am y llanw, wedi dadlwytho cwlwm.

Nid oes gof, nid oes gefail,
Dawnus saer, gweithdy na'i sail,
Na ffrind o storïwr ffraeth
Yn aros – dim ond hiraeth –
Hiraeth am hen amseroedd
A'r miri mawr yma oedd
Yn angerdd lansio llongau –
Golud a bywyd y bau,
Awr y llanw, a'r llawenydd,
A 'Hif-ho' 'r dorf hwyr y dydd;
A'r gwylaidd hoff drigolion
Ar hyd y cei'r adeg hon,
A'u ffyddiog 'send-off' iddynt
Dros las y bar gyda'r gwynt
I'r Atlantig – a rhigol
Fel rhuban arian o'u hôl.

Canodd Alun i Garreg Bica, craig rhwng traethau'r pentref a'r Cilborth, a dant yr hen gawr (chwedl leol) – sydd bellach yn arwyddlun i'r Cyngor Bro ac yn llun ar gylchgronau gwyliau:

Carreg ryfedd fawreddog – ar drothwy'r
    Draethell yn Llangrannog;
  Uchel yw a garw ei chlog,
  A her i'r môr cyhyrog.

Rhan o gorff Llangrannog yw hi, – garreg
    Yn gwyro i'r dyfnlli;
  A daw'r llanw dros drai y lli
  O gylch ei thraed i'w golchi.

Carreg Bica, haf 1926.

205

Lloyd George Jones (a dau forwr) wedi gwisgo'n arbennig ar gyfer llun stiwdio.

Lloyd George Jones (ar y dde), Dai Lloyd Jones (ar y chwith), ac un morwr arall mewn llun stiwdio.

Ymateb rhai i alwad y môr oedd hwylio am oes. Dyna a wnaeth Lloyd, ardalwyr y cylch a phentrefwyr Llangrannog. Roedd hyd yn oed Alun, yr amaethwr-fardd, yn cael ei gynhyrfu ganddo. Fel y dywed Dic Jones: 'Clywais Alun yn dweud lawer gwaith, yn enwedig os oedd yn digwydd bod yn arw . . . a'r cesig gwynion yn cwrso'i gilydd o'r gorwel draw gan falu'n ewyn chwilfriw ar Garreg Bica . . . ac i fyny'r hewl yn aml a'r gwynt yn sgubo swnd a graean ddyfnder pâl ar ddrws y Pentre . . . "Diawl, bois, ma' eisie cân ar y cythrel hyn".' Ac meddai Dic ymhellach: 'Eithr nid cablu yr ydoedd ond mynegi rhyw arswydus barch o ddyfnder ei enaid'. Aeth Alun ymlaen i ganu ei gywydd clasurol i'r 'Bae' a fu'n fuddugol yn Eisteddfod Genedlaethol Caernarfon ym 1959. Roedd ardal Llangrannog yn angorfa i Lloyd wrth iddo dramwyo'r byd. Wedi i'w dad symud i'r Pentre Arms daeth hwnnw yn gartref dros-dro newydd i Lloyd. A phan gâi seibiant, un o'i hoff ddiddordebau oedd canu – yn enwedig yng nghôr y teulu. Baritôn da. Llais melfedaidd cryf, sicr o'i nodyn.

Lloyd oedd yr unig un o forwyr y Cilie i ymgymryd â swydd *bosun*. Dringodd o swyddi *deck-boy*, *ordinary sailor* i swydd uchaf heb gomisiwn swyddog – sef *boatswain* neu fos'n.

Pedwar morwr: Lloyd George (yn y blaen, ar y dde), David Lloyd Jones (y tu ôl, ar y chwith), a dau gyfaill.

Fforman y morwyr oedd y bos'n. I lwyddo yn y swydd, roedd eisiau profiad morwrol, personoliaeth gref, hyder a gallu i arwain carfan o forwyr o wahanol gefndir ac anian, i weithio i'r gorau o'u gallu, a theyrngarwch i'r capten a'r criw er mwyn diogelwch y llong. Roedd llais awdurdodol hefyd o fantais, yn ogystal â chryfder corff a phresenoldeb corfforol. Mantais arall oedd bod yn berchen ar groen eliffant, llygaid cath, breichiau a dwylo fel arth, penderfyniad di-droi'n-ôl a choesau cryf fel deri i ddringo ac i osod esiampl.

I'r rhai a adwaenai Lloyd, dywedir iddo feddu rhywfaint o'r holl nodweddion. Oherwydd ei gefndir amaethyddol roedd cryfder a diwydrwydd yn rhan o'i anianawd. Parchai ewyllys y morwr gweithgar ond ni fynnai segurdod. Roedd yn bendant iawn ei ddyheadau, ond eto, un diymhongar a thawel ydoedd mewn cwmni. Treuliodd ddwy flynedd ar bymtheg fel morwr.

Roedd Lloyd George yn ei elfen ar gefn motor beic a'i gyrchfan hwyrol fyddai taith i gyfarfod â'i hoff Gertie – merch y Bronial, Beulah. Goroesodd y garwriaeth dros dair blynedd ar ddeg – bron drwy gydol ei gyfnod ar y môr. Ym 1934 priododd ei gariad, Gertie, ac wedi mis mêl byr, dychwelodd i'r môr. Byrdwn yr 'Anerchiad Priodasol' oedd (cyd-unwn ag ewythr Dafydd (Isfoel)) am i'r fordaith fod yn hir, yn ddistorom a dedwydd dros ben):

I LLOYD GEORGE JONES A GERTIE JONES

I Lwyd Siôr, ladi siriol – gyflwynodd
        Y Rhagluniaeth dadol,
    Ac ieuad tarawiadol
    Fu rhoi ei Gert ar ei gôl.

Y morwr llon sy'n llonnach, – byw ei gân
        Heb ei gyni bellach,
    A bydd ei aerwy mwyach
    Ar annwyl ford Bronial-fach.

Ac wrth adnabod nodau – ei chân bêr
        Uwch na berw'r Biscau,
    Goleua'r byr, gwêl o'r bau
    Y Bronial dros y bryniau.

David Morlais Jones, cyw olaf y teulu a hanner brawd i Lloyd George Jones, ar gefn beic-modur y tu allan i'r Pentre Arms, 1950.

Tafarn y Pentre Arms, Llangrannog, 1927. Ar y sgiw mae Elizabeth Jones (ail wraig Tom Jones) gyda Beryl a Fflei.

Beryl Jones, chwaer Lloyd George Jones, yn gwylio'r trai ger Carreg Bica, 1995.

Hefyd dyma gyfarchion ei ewythr Alun (y Cilie):

Y nawfed o Fehefin a'r haf yn llenwi'r tir,
Roedd clychau Llan y Betws yn canu'n llon a chlir,
A deuddyn wrth yr allor yn rhoddi'r llw'n gytûn,
I gychwyn mordaith bywyd a byw byth mwy yn un.

Hapusrwydd didreialon a heddwch i barhau,
A haul yn llanw'r hwyliau fo mwyach i chwi'ch dau;
Pan fyddi dithau'n morio ymhell ar war yr aig,
Cei gysur ac ysbrydiaeth wrth feddwl am dy wraig.

Bydd Gertrude ar bob moryn a Gertrude ar bob ton,
A thry pob storm yn hindda a'th galon di ar hon.
Ac er nad ydych heddiw yn cychwyn ddim ond dau,
Dychmygaf weld er hynny ryw ddydd i'ch llawenhau.

Dros ysgwydd y blynyddoedd a'r llong yn hollti'r lli,
Y criw yn lluosogi er cysur mawr i chwi,
Pan fyddi dithau'n dychwel am dro yn ôl i'th wlad,
Bydd gennyt wraig i'th ddisgwyl, a phlant yn gweiddi ''Nhad'.

Ond ni wireddwyd y dymuniad. Wedi ychydig wythnosau, dychwelodd Lloyd George i'r môr yn un o griw Capten J. G. Owen, Plwmp. Ac wyth mis wedi priodi, ar ddechrau 1935, dioddefodd o'r clefyd melyn tra bu yn Awstralia. Mynnodd ail-hwylio gyda'i ffrindiau yn hytrach na derbyn triniaeth yno, ond wedi cyrraedd Durban, De Affrig, ar ôl mordaith ddeng niwrnod, clafychodd a bu farw yno mewn ysbyty, ac yntau ond yn 34 oed. Roedd mab Llainronw, Pontgarreg, yn gyd-aelod o'r criw ar fordaith olaf Lloyd.

Bedd Lloyd George Jones, Durban, De Affrica, Chwefror 1935. Anfonwyd swm o arian i Durban er mwyn cynnal a chadw'r bedd.

Yr arysgrifen ar garreg fedd Lloyd George Jones ym mynwent Stella Wood, Durban, De Affrica.

Ewyndon yn ymweld â bedd ei frawd, Lloyd George, yn Durban, De Affrica. Ar y chwith y mae gofalwr y fynwent.

211

Cynhaliwyd oedfa goffa i Lloyd yng Nghapel-y-Wig. Dywed Ewyndon, hanner brawd Llwyd: 'Roeddwn yn ddeuddeg oed ar y pryd. Rwy'n cofio'r oedfa. Ni welais ddeigryn yn disgyn oddi ar ruddiau fy nhad. Rhywbeth i orig dawel oedd hwnnw. Roedd y capel dan ei sang'.

ER COF AM LLOYD GEORGE JONES, PENTRE ARMS, LLANGRANNOG
A FU FARW YN DURBAN, CHWEFROR 1935

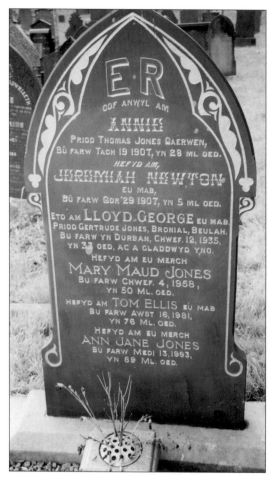

Ymgiliaist draw yn dawel – dan dy wên
    Dyner dros y gorwel;
    Hiraeth dyrr o iaith y don,
    Na ddichon i ti ddychwel.

Ryfedd drefn! Mynd tros gefnfor – i huno
    Ar bellennig oror;
    Wrth Durban bydd cwynfan côr
    Yr eigion am byth ragor.

Negro, dihidla dy ddagrau – ar Lloyd,
    A rho flodyn weithiau
    Drosof er cof ar fedd cau
    Llwch Affrig, bell ei choffrau!

S. B. Jones

Carreg fedd y teulu ym mynwent Capel-y-Wig. Ar y garreg enwir gwraig gyntaf Tom Jones, a'u plant: Jeremiah Newton, Lloyd George, Maud, Tom Ellis ac Anne Jane.

Ymysg y rhai a ymwelodd â bedd Lloyd George yr oedd ei gefndyr, y Capteiniaid Jac Alun a Dafydd Jeremiah Williams, ei frawd Ewyndon a'i wraig, Peggy, ym 1991, a rhyfeddodd hwythau at lendid y bedd yng nghanol rhodfa â llwyni blodeuog o jacaranda gleision.

    Yn ei hiraeth, parhaodd Gertie i fyw gyda'i rhieni ym Mronial nes i'r tri, ar ymddeoliad ei thad fel saer maen, symud i fyw i 'Glennydd' ym mhentre Glynarthen.

Thomas Ellis Jones

(16-4-1905 – 16-8-1981)

Thomas Ellis Jones ar fwrdd y llong arfordirol *Mallard*
(enw newydd ar y *West Coaster*).

Ar dudalen fewnol y *Continuous Certificate of Discharge* gwelir y manylion canlynol am Tom Ellis y morwr:

Enw: Tom Ellis Jones
Dyddiad Geni: 16 Ebrill, 1905
Man Geni a Chenedl: Gaerwen, Llangrannog, Cards. 'Welsh'
Uchder: 5tr. 10m.
Lliwiau: Llygaid – llwyd; Gwallt – brown tywyll; Pryd – tywyll.

Fe'i ganed yn drydydd plentyn i Tom (trydydd epil y Cilie) ac Annie Jones, ar fferm Gaerwen, nid nepell o'r Cilie, ac yn un o bump o'r dorred gyntaf. Ganed ei frawd hynaf, Lloyd George, yn yr Hendraws, Glynarthen, Anne Jane, Mary Maud ac Ellis yn y Gaerwen a Jeremiah Newton ym mwthyn Glandŵr ger Cwmtydu. Bu farw Newton, ei frawd bach, mewn amgylchiadau trist iawn pan anafwyd ef yn ei gwymp gan wydr miniog. Yn dilyn y trychineb collodd ei fam mewn amgylchiadau trist bedwar mis yn ddiweddarach.

Yn fore iawn, dysgodd Ellis grefft gyntaf dynol-ryw yng nghwmni ac esiampl ei dad a'i ewythrod o'r Cilie – Isfoel a Siors. Dangosodd ddiddordeb arbennig mewn ceffylau – cynneddf a arhosodd gydag ef trwy ei oes. Dysgodd ei dad iddo sut i dorri ceffylau i mewn i rigol dysgyblaeth a gwaith fferm; hefyd sut i'w ffrwyno a'u gwisgo ar gyfer gwaith, ac, yn sicr, sut i'w marchogaeth heb gyfrwy. Siaradai â'i anifeiliaid ac ar bob achlysur wrth gasglu'r gwartheg ar gyfer godro, Ellis a fyddai yn eu harwain i'r beudy. Wedi ei addysg gynnar yn Ysgol Pontgarreg bu'n gwasanaethu ar ffermydd lleol am bum mlynedd. Ond oherwydd cyflwr amaethyddol ar y pryd penderfynodd ymfudo i Ganada. Roedd wedi etifeddu agwedd ramantus at fywyd yn ogystal â'r awydd i deithio a gweld y byd a oedd yn nodweddiadol o rai o'r teulu ac wedi dod dan swyn a chyfaredd llythyron ei ewythr, John Tydu, a oedd wedi byw a gweithio yng Nghanada ers 1904. Nid oes gennym dystiolaeth ei fod wedi cyfarfod â'i ewythr hyglod.

Er nad oedd Tom Ellis wedi cadw dyddiadur o'i waith a'i anturiaethau yng Nghanada, roedd gŵr arall o'r enw Charles Heeks (Y Sbeit, Croeslan, ger Llandysul) wedi cadw hanesion ar gof a chadw a thrwy luniau am ei gyfnod yn yr un rhan o'r wlad estron ag y bu Tom Ellis ynddi, a hynny tua'r un pryd.

Llangrannog ym 1926. Sylwer ar yr odyn, y Pentre Arms â'i dalcen gwyn, a thai ma's ac ydlan y dafarn.

Roedd Charles wedi ymgymryd â'r un daith â Tom Ellis bron yn gwmws. Daliodd Charles drên i Lerpwl cyn mordeithio ar y llong deithwyr 14,000 tunnell, *Antonia*, am 16 diwrnod i Quebec, Canada. Teithiai dan docyn *steerage*. Yna aeth ymlaen ar drên y Canadian National Railway trwy ddyffryn St. Lawrence, coedwigoedd de Ontario ac allan i wastadoedd diddiwedd y *prairies* i Winnipeg yn nhalaith Manitoba.

Ac fel yn achos Tom Ellis, roedd croeso mawr i weithwyr cryf a chydwybodol – a siawns, trwy groeso didwyll a chydweithrediad, i ymdoddi i mewn i'r bywyd teuluol. Amrywiai'r teuluoedd o ran tras: Pwyliaid, Rwsiaid, Almaenwyr, Albanwyr, Saeson, Llychlynwyr a Chymry, ac yn wir, roedd y diwylliannau gwahanol yn gymorth i dderbyn gweithwyr o wahanol wledydd.

Unionffurf oedd llawer o'r ffermydd, er eu bod yn gwahaniaethu o ran maint, gyda thŷ byw pren, isel ei wneuthuriad ac ysgubor bren anferth i ddal anifeiliaid, cnydau ac offer. Tua chanol y 1920au roedd ambell fferm yn meddu ar dractor, ond ceffylau oedd y brif ffynhonnell o ynni.

Disgwylid i'r gweithwyr (fel Tom Ellis a Charles), ac aelodau ieuanc y teuluoedd, ddechrau'r diwrnod gyda glanhau gwelyau'r anifeiliaid, tua 5.30 a.m. Yna byddent yn godro 25–50 o wartheg â llaw cyn gosod gwellt ffres a glân oddi tanynt cyn brecwast am 7.30. Byddai'r tirwedd gwastad undonog o 300 erw neu ragor dan orchudd o rew ac eira parhaol o Dachwedd nes diwedd Ebrill. Roedd llawer o'r caeau sgwâr yn filltir a rhagor o hyd ac yn hollol ddigysgod heb un clawdd. Dim ond ffens gwifren bigog! Gorchwyl y gweithwyr fyddai ymarfer y ceffylau wedi'r hirlwm neu dorri ebolion ifanc i mewn ar gyfer aredig, llyfnu a hau. Byddai Tom Ellis, fel Charles Heeks, yn arwain tîm o bedwar o geffylau i aredig, ac nid oedd yn anghyffredin gweld rhai o'r gweision yn hepian ar sedd arbennig ac ar brydiau'n cysgu'n drwm neu'n chwarae organ geg wrth i'r ceffylau fynd yn eu blaen yn reddfol am filltiroedd. Defnyddient 15 o geffylau i lyfnu gyda phum oged a thîm o bedwar i hau. Roedd eisiau corff cryf, breichiau cyhyrog ond yn fwy na dim – dealltwriaeth a pharch tuag at ffrind gorau dyn – ac roedd digon o hwnnw gan Ellis. Tyfai'r gwenith yn gyflym wrth i'r gwanwyn byr gynhesu'n sydyn o boethder yr haf. Ac wrth i'r paith euro byddai tîm o bedwar o geffylau yn tynnu'r beinder 'cartref' a chwe beinder arall (o bedwar ceffyl yr un) ar gontract yn dilyn amlinelliad y tirwedd fel tonnau ar dwyni tywod. Ymunai'r teulu, y gweithwyr ac efallai aelodau o fferm gyfagos i gasglu ynghyd ac i osod ugain o stacanau mewn clystyrau. Fe'u cesglid bob hyn a hyn mewn wagen fawr i fan arbennig. Deuai dyrnwyr y fferm (ond fynychaf un teithiol dan gontract) heibio gan ddyrnu'r llafur yn y fan a'r lle, o gae i gae. Os oedd gan y fferm dractor dôi heibio i'r dyrnu i gasglu'r grawn mewn biniau hirion ugain troedfedd a naill ai ei gario i'r sgubor neu i *elevator* yn yr orsaf reilffordd leol. Dros wastadedd y paith roedd helmi melyn o wellt fel pagodas y dwyrain – dros 50 troedfedd o uchder. Dyma sut y canodd Isfoel i 'Awst' wedi clywed am anturiaethau Tom Ellis a John Tydu:

> Rhyw sgôb fel Manitoba – o aur pur,
> Parod i'r cynhaea',
> Neu felyn chwydd o flaen chwa
> Yn gyforiog o fara.

Gweithwyr fferm (a'r teulu ar y dde) ar y *Prairie Provinces* yng Nghanada. Mae Thomas Ellis ar y chwith.

Mehefin 1928: tîm o bedwar o geffylau yn torri llafur ceirch ar y paith.

Mehefin 1928: ar y paith yng Nghanada. Tîm o geffylau yn tynnu llwyth o ysgubau ar sled.

Awst 1928: dyrnu gwenith gyda thractor allan ar y paith.

Dôi gwyntoedd traed y meirw i anadlu eu hoerfel o –40 gradd dros yr holl wastadeddau a'u rhewi'n gorn, tra byddai dyn ac anifail yn ddiddos yn eu hysguboriau a'u cartrefi. Ond yn nyfnder gaeaf roedd gwaith i'w wneud sef, er enghraifft, sgwario dom yn achles i'r tir. O dan drwch o wellt, a oedd yn gromen amddiffynnol, roedd yn gymharol hawdd trafod y tail drwy ei ddymchwel ar y sled arbennig cyn ei dynnu gan ddau geffyl i'r caeau i'w sgwario. Cawsai Tom a Charles gryn hwyl wrth sefyll yn acrobataidd ar ben y llwyth tail wrth i'r sled lithro'n hawdd dros y ddaear galed.

Cadwai pob fferm un ceffyl arbennig i'w farchogaeth gan y teulu neu i dynnu cert neu sled. Âi â gwraig y fferm i siopa neu i 'mofyn aelod o'r *Royal Mounted Police* o'r orsaf ar ei ymweliad rheolaidd. Hefyd un o ddigwyddiadau mwyaf poblogaidd ardaloedd amaethyddol y *Prairie Provinces* oedd y sioe geffylau a thaleithiau lleol. Dewisid tîm o chwech o'r ceffylau gorau i dynnu wagen urddasol a oedd wedi ei phaentio a'i haddurno'n gelfydd. Byddai ei chynnwys yn y 'parêd mawr' yn rhoi pleser difesur i deulu. A phe dôi buddugoliaeth am y tîm gorau yn ei sgîl, rhoddai hynny anrhydedd arbennig. Bu Tom Ellis yn llwyddiannus iawn yn paratoi ceffylau ar gyfer achlysuron tebyg.

Tyfwyd *corn on the cob* hefyd fel bwyd i'r ceffylau a'r gwartheg, ac os gadewid y cnwd allan ar y paith yn y rhewynt fe'u torrid i lawr fel coed gan fwyelli. Gwisgid dillad cynnes, capan ffwr dros y clustiau, menig addas ac esgidiau lledr uchel gyda'r ochr flewog wlanog yn wynebu'r croen.

Yn ystod misoedd hir y gaeaf byddai rhai gweithwyr fel Tom Ellis a Charles Heeks yn chwilio am waith tymhorol yng nghoedwigoedd gogledd Manitoba a gorllewin

Hydref 1928: helem unig o wellt ar unigeddau'r paith yn nyfnder gaeaf oer Canada

Ontario. Byddai timau o weithwyr yn torri'r coed â bwyelli miniog. A dôi timau o geffylau heibio yn tynnu slediau neu i dynnu'r boncyffion mawrion â chadwyni arbennig dros lwybrau'r fforestydd i'r afonydd. Gadewid y coed ar yr iâ trwchus i ddisgwyl dadmer y gwanwyn cyn eu cludo i lawr i felinau llifio. Yno fe'u pwlpid i wneud papur. Cyffredin oedd gweld Gwyddelod, Albanwyr a Chymry yn gweithio yn y melinau.

Erbyn heddiw mae'r *jack-pine* wedi disodli'r pinwydd gwyn urddasol â oedd mor nodweddiadol o'r fforestydd dros eangderau gorllewin Ontario, gogledd Manitoba, Saskatchewan, Alberta a British Columbia. Yn wir, mae'r coedwig-oedd conwydd yn ymestyn o'r Pasiffig yn y gorllewin i'r Atlantig yn y dwyrain ac yn uwch na'r gwastadedd diddiwedd, cyn ymdoddi a diflannu dros y twndra o'r rhew parhaol (y *perma-frost*). Byddai Tom

Tîm mis Mai yn cael hoe wedi diwrnod o aredig ar y paith, 1928.

Ellis, fel llawer o weithwyr fferm, a'r ffermwyr eu hunain, yn gadael y glaswelltiroedd ar ddiwedd yr hydref i weithio yn y coedwigoedd pinwydd gwyn . . . 'Gweithiwn chwe diwrnod yr wythnos, gan dderbyn cyflog o $1.15 am ddiwrnod deuddeg awr ac ystafell a bwyd. Arian da iawn yn y dauddegau a'r tridegau,' dywedodd un *lumberjack*.

Byddai cogydd da yn rhoi enw da i'r gwersyll ac yn denu gweithwyr cydwybodol o bell ac agos. Roedd gwirionedd yn yr hen ddywediad mai trwy stumogau'r gweithwyr y ceid y gwaith gorau a'r cynnyrch mwyaf. Codai'r cogydd am un o'r gloch y bore i baratoi'r brecwast i ddau gant o ddynion newynog. Dilynid hyn gan ginio, er enghraifft, o gig eidion, tatws, ffa cacennau a phastai i'w cludo allan i'r *gangs* yn y *bush* yn ddwfn yn y goedwig erbyn hanner dydd. Yn y gaeaf dôi'r platiau ynghyd â'r cig a'r llysiau yn ôl i'r *cook-house* wedi rhewi'n gorn yn ei gilydd. Ac i groesawu'r gweithwyr blinedig erbyn machlud haul roedd swper sylweddol.

Gwaith y gwas (y *cookee*) oedd crafu mynydd o datws, cario dŵr a golchi pentyrrau o blatiau a llestri – a pharatoi blawd ceirch, *prunes*, ffa, tost, pastai cig, bara, *molasses*, a galwyn o de. Yn wir, porc a ffa oedd bwyd sylfaenol y gwersyll. Ond roedd *prunes* ar gael fel melysfwyd bob dydd o'r flwyddyn. Cyfeirid atynt fel 'Canadian Pacific Railway Strawberries' gan fod y cwmni rheilffordd yn bwydo'r gweithwyr yn barhaol ac yn gyfan gwbl â'r eirin crin duon!

Dros nosweithiau hirion gaeaf Canada gallai bywyd y *bunk-house* fod yn unig. Ni chaniateid alcohol na menywod yn agos at y gwersyll ac felly rhaid oedd creu adloniant o frethyn cartref. Yn aml iawn byddai storïwr da ymhlith y gweithwyr lliwgar aml-genhedlig a hefyd ambell fardd, arlunydd ac offerynnwr (i chwarae *accordion*, consertina neu organ geg, ffidil neu lwyau cyffredin). Roedd gan Tom Ellis hyfrydlais 'lyric' tenor a etifeddodd oddi wrth ei dad a byddai'n sicr o fod wedi cynnig adloniant safonol o emynau ac alawon gwerin Cymreig i wrandawyr parod y *bunk-houses*. Ni allwn ond credu yn weddol sicr mai yn y lleoedd yma y datblygodd John Tydu ddawn y cyfarwydd. Gyda'i ddawn gynhenid i ddiddori a siarad yn gyhoeddus, a feithrinodd o flaen cynulleidfaoedd eisteddfodol Ceredigion, ni allwn hefyd ond dychmygu Tydu yn swyno'r gweithwyr fin nos o flaen y stôf – gyda'i chwedlau gwir yn gymysg â rhai celwydd golau, englynion a thelynegion Saesneg.

Roedd natur unig taleithiau gogledd Canada ynglŷn â'u dieithrwch o ran tirwedd i'r gweithwyr tymhorol yn atyniadol hefyd i ddynion a oedd am guddio rhag cymdeithas am wahanol resymau. Gwelid mewn ambell wersyll ddihirod yn rhedeg rhag y gyfraith. Daeth Tydu a Tom Ellis ar draws dynion a oedd yn euog o ddwywreiciaeth, meddwon, bohemiaid o arlunwyr, beirdd a bechgyn coleg. Efallai, yng nghanol y gymysgaeth o gefndiroedd gwahanol, y byddai meddygon a heddgeidwaid anghymwys yn drwch gymysg â'r ffermwyr coedwigol tymhorol.

Cynhelid dawnsfeydd o fewn y *bunk-houses* ac roedd y Canadiaid o dras Ffrengig yn hoff iawn o ambell *jig* a *square-dancing*. Gwisgai hanner y dynion facyn poced ar eu pennau wrth frasgamu o gylch y caban i rithmau'r gerddoriaeth.

Ond erbyn naw o'r gloch byddai pawb yn chwyrnu'n felys a dim ond drewdod tybaco a sanau chwyslyd yn gwmpeini iddynt. Yn brydlon, am bedwar y bore, trawai'r *foreman* y triongl gan ddihuno pawb. Ac yn amlach na pheidio, roedd gwallt y gweithwyr diymadferth a blinedig wedi rhewi'n gorn wrth y pared allanol.

Wedi brecwast cynnar arall byddai'r *gangs* yn barod i fynd allan i'r oerfel â'u gwala o fwyd cynnes a dillad addas i wrthsefyll gerwinder yr Arctig. Mewn gwersyll o gant o ddynion ac ugain o geffylau roedd eisiau 1700 o bwysau o fwyd bob dydd. Adeiladwyd ffyrdd *tote* arbennig i'r wagenni i gludo cyflenwadau o fwyd i'r goedwig. Gweithiai rhai dynion drwy'r nos i gynnal y ffyrdd. A byddai *gangs* arbennig yn arllwys dŵr dros y ffyrdd halio coed – ac ymhen llai nag awr byddai'r arwynebedd fel gwydr i halio'r boncyffion anferth i lannau'r afon neu lyn. Cyflogid bechgyn ifanc iawn i sefyll ar ben y sgaffaldiau i helpu i arllwys y dŵr o gasgen fawr i'r tanc iâ. Bron heb eithriad byddai'n cwympo i mewn o leiaf unwaith yr wythnos.

Rhennid gwaith y coediwr yn bedwar categori – cwympo'r coed, gwaith cadw ac atgyweirio ffyrdd y goedwig, halio a'r *drive* (sef rhyddhau'r boncyffion gyda dadmer y gwanwyn). Roedd Tom Ellis yn llifiwr, yn fwyellwr ac yn drawslifiwr penigamp. Torrai agen gyda'i fwyell ddwbl ar yr ochr y dymunai i'r goeden gwympo. Yna gyda'i bartner o'r ochr arall, torrai'n ôl a 'mlaen drwy ddull *cross-cut* ychydig uwchben yr agen. Byddai'r dannedd torri yn rhwygo'r pren a'r dannedd rhaca yn gwthio'r blawd llif i'r naill ochr a'r llall. Gyda bloedd atseiniol – *Timber* – cwympai'r goeden yn union fel yr oedd wedi bwriadu iddi.

Ond un o hoff orchwylion Tom Ellis oedd arwain y ceffylau a fyddai'n tynnu llwyth mawr o goed ar sled pwrpasol. Cyfrifid y ceffyl yn rhan bwysig iawn o goedwigaeth a rhoddid dyledus barch iddo – llawer mwy nag i'r peiriannau dienaid! Gwaith y *skidder archer* oedd sicrhau nad oedd blaen y boncyffion yn twrio i'r ddaear wrth eu tynnu, ac o godi eu blaenau, na lithrent i mewn i'r gyrrwr a'r ceffylau.

Wrth i'r rheilffordd ymwthio i'r gorllewin roedd galw mawr am *sleepers* pren, a chyn dyfodiad melinau llifio arbennig fe'u neddid â llaw a bwyellau arbennig. Gwaith caled iawn!

Yng nghanol y tymor cwympo yn yr hydref dôi swyddog y llywodraeth – y *scaler* – i bob gwersyll i fesur y coed. Casglai wybodaeth am y coed a oedd o werth masnachol a châi gaban arbennig gyda'i gydweithiwr tra oedd yn y gwersyll. Cariai bren mesur arbennig – y *Doyle Rule* – a bordyn *tally* wedi ei rwymo wrth ei fraich a marciau pob boncyff â chreion du. Arolygid ei waith gan *scaler* arall – a roddai farc 'C' arall ger yr 'S' wreiddiol. Os oedd cywirdeb y *scaler* yn anghyson rhaid oedd i'r cwmni dalu mwy o dreth ac felly cedwid dwy restr i'w cymharu â'i gilydd.

Er mwyn llusgo'r boncyffion allan o'r goedwig drwchus paratoid ffyrdd arbennig gan *gangs*. Rhwygid y gwreiddiau allan gan *gyppers* a llenwid y tyllau gan *scrapers* i wneud yr arwynebedd mor llyfn â phosibl cyn dyfodiad y gaeaf caled. Gweithiai'r criwiau drwy'r nos a'r bore bach i gadw'r ffyrdd yn glir o eira. I un crwtyn ifanc iawn – y *chickadee* – ei waith oedd casglu pob bynen o ddom ceffyl o'r ffordd cyn iddo rewi ac atal rhediad llyfn y sled. Arllwysid dŵr dros y ffordd i'w gwneud yn slic a llithrig a hawdd i halio'r llwythi trymion drosti– naill ai i'r felin neu i afon neu lyn cyfagos.

A phan ddôi dadmer y gwanwyn – gwaith fforman y *drive* oedd clymu'r boncyffion ar y rhew â chadwyn fawr i wneud rafft fawr. Defnyddient beiriant rhyfedd o'r enw *Alligator* – math ar dractor a fedrai deithio ar ddŵr a thir. Os oedd rhaid halio'r coed o lyn i lyn defnyddid grym yr *Alligator* a rhaff ddur ond ar afon roedd llif y dŵr yn ddigon i'w cyrchu lawr i'r felin. Gwaith peryglus oedd gweithio ar y *drive*. Fe'i gelwid yn *burling*. Ac er nad oedd llawer o amser i synfyfyrio byddai Tom Ellis wrth ei fodd yn gwylio'r *burlers* sgilgar yn dawnsio fel chwirligwgan ar y boncyffion. Gwnaent driciau, neidiadau, a giamocs a fyddai'n glod i'r gorau mewn gymnasteg. Gwisgent esgidiau calcio gydag ysbigau a charient bolyn arbennig wedi ei addurno â bachyn ar ei flaen.

Yng nghanol y *log jam* ceisiai'r *burlers* ryddhau achos y broblem a phan glywent y coed yn griddfan dan bwysau roedd yn bryd iddynt neidio o un boncyff i'r llall fel dawnswyr bale neu wiwerod wrth i'r *jam* ddatgymalu: 'Ni welais yr un ohonynt yn cwympo i mewn i'r dŵr oer,' oedd sylw Ellis. 'Roeddent fel dynion syrcas yn cerdded y wifren uchel'. Ambell waith defnyddid deinameit. Cludid y boncyffion o'r goedwig ambell waith gan dractor Linn. Medrai hwn lusgo pymtheg o sleidiau llawn o goed dros eira a rhew ar gyflymder o bymtheng milltir yr awr. Ac i gadw gwydr y ffenestri'n glir rhag rhew rhwbiai'r gyrrwr winwnsyn (nionyn) arnynt.

Bob gwanwyn dychwelai Tom Ellis i'r paith i amaethu eto – a dyna fu'r patrwm drwy ei arhosiad yng Nghanada. Dychwelodd tua 1933 trwy'r taleithiau dwyreiniol gan dreulio cyfnod yn ardal Niagara yn gweithio ar gynhaeaf ffrwythau cyn symud ymlaen i ddinas Efrog Newydd. Disgynnodd y dirwasgiad yn drwm dros bopeth a dilynodd cwymp Wall Street gan achosi colledion i gwmnïoedd ac i unigolion. Trodd Ellis ei olwg tuag at Gymru. Ond mewn un digwyddiad yn y ddinas, ymosodwyd arno yn fileinig a chollodd lawer o'i arian yn y lladrad . . . 'Roedd llawer o newyn, tlodi a dioddefaint ar y strydoedd ac roedd ymosodiadau o'r fath yn gyffredin,' meddai Ellis.

221

'Gest ti ddolur?' gofynnodd ei chwaer, Anne Jane, wedi iddo ddychwelyd i Langrannog.

'Dylet ti weld y boi arall!' oedd yr ateb.

Dychwelodd Tom Ellis i Gymru yn ystod 1936 wedi dwy flynedd ar bymtheg yng Nghanada. Anfonodd lythyr at ei deulu yn y Pentre Arms, Llangrannog, a daeth ei dad i gyfarfod ag ef yng ngorsaf Castellnewydd Emlyn. Wedi cyfnod hir o siarad Saesneg yn unig roedd ei Gymraeg yn fratiog a dweud y lleiaf ac roedd wedi mabwysiadu osgo, tafodiaith ac acen Americanaidd. Ond ni phlygai ei dad i siarad Saesneg. Erbyn y bore, dychwelodd y gystrawen i'w wefusau wrth iddo feddwl yn Gymraeg, ac roedd y pentre yn gyfan gwbl Gymraeg. Parhaodd i wisgo yn Americanaidd – het Tom Mix, siaced *lumber* a phâr o jîns a sgidiau lledr uchel.

'Are the same people still living here now?' gofynnodd rhywun iddo.

'Oh! very much so,' oedd ateb parod Tom Ellis.

Toddodd i mewn i'r teulu a'r gymdeithas yn fuan iawn. Câi eto rannu sgyrsiau yn Gymraeg, ac ef oedd canolbwynt pob sylw wrth iddo sôn am ei anturiaethau. Hoffai ganu yn fawr â'i lais 'lyric tenor', a oedd yn gaffaeliad i gôr y cartre, y capel a'r Ysgol Gân a'r Gymanfa. Roedd gan Anne Jane a Maude bitsh perffaith yn dair oed a medrent redeg tôn gyda'u tad mewn amrant. Dilynai Ellis. Dywedwyd fod Maude, ei chwaer, yn berchen ar lais alto â phitsh perffaith – 'fel siwgr mewn te'.

Roedd yn eithriadol o hoff o blant ac roedd ganddo atgofion cynnes am fagu ei frawd Gareth a'i chwaer Beryl cyn iddo ymfudo i'r Byd Newydd. ''Na beth rhyfedd fod Beryl a Gareth mor bert â chi, Mam, a dad mor salw,' oedd un o'r sylwadau cynnar a gofiai Beryl.

Pan symudodd Isfoel o'r Felin Huw i Gwm Ceulog (Cilygorwel – i roi ei enw newydd iddo) credai'r bardd ei fod yn dod allan o'r anialwch i fyw yn ei El Dorado. Yr oedd y Felin Huw, fel y gŵyr y cyfarwydd, yn baradwys anghysbell i lawr yng ngwaelod y cwm ac ar ddarn crog o fryn uwchben llawr y dyffryn, ar wahân i'r ddwy afon – Bothe a Dewi. Byddent yn gorlifo eu glannau yn achlysurol tua phob saith mlynedd. Ond o symud i Gilygorwel roedd y bardd wedi dod i gyffyrddiad â phroblemau newydd sbon. Un ohonynt oedd dwy goeden anferth a oedd yn gwegian ac yn rhygnu yn erbyn ei gilydd a'u brigau yn dod yn rhy agos at ei dŷ, fel na allai gysgu yn esmwyth yn ei wely plu. Penderfynodd un haf roi terfyn ar y niwsans a oedd yn amharu ar ei gwsg. A phwy a ddaeth i'r adwy ond ei nai, Tom Ellis. Ar ôl treulio blynyddoedd yng Nghanada roedd yn gyfarwydd â chwympo coed mawrion a gofynnodd iddo ddod lan i gwympo'r ddwy goeden anferth a oedd o flaen y tŷ. Bu'r driniaeth yn foddhaol a bu tawelwch parhaol yn ystod stormydd y gorllewin o hynny ymlaen.

I roi terfyn ar y niwsans arall a amharai ar ei dangnefedd, sef moduron ymwelwyr a gâi ddamwain yn aml ar y tro tywyll a oedd wrth dalcen ei dŷ, gwnaeth arwyddion hyglod. Mewn paent gwyn ar ddwy 'styllen gosodwyd yr arwyddion canlynol: 'Y CORNEL TAWEL, TYWYLL' a 'TRO PERYGLUS'. Bu'r fenter yn llwyddiant mawr, ac er boddhad mawr i Isfoel, 'Ni fu damwain arall ar y tro yma yn ystod fy nhrigiad yng Nghilygorwel'. Dywedodd wrth ei gyfaill, Wil Ifan, fod y Saeson yn ystod gwyliau'r haf yn arafu i geisio deall a dehongli'r arwydd ac yn ddiarwybod iddynt eu hunain yn osgoi'r damweiniau.

Ond wrth i flynyddoedd y tridegau redeg eu cwrs roedd cymylau duon Rhyfel yn ymgasglu uwch Ewrop.

Ac yntau wedi profi antur oddi cartref arweiniodd yr aflonyddwch ef i'r môr, ac ym 1936 ymunodd fel peiriannydd â'r *Drumlough* – llong arfordirol (311 tunnell gros), ac eiddo Capten William James, Ivy House, a'i frawd-yng-nghyfraith Capten William Davies, Angorfa, Llangrannog. Cariai fasnach coed, bwyd gwartheg, cerrig mân a chynnyrch John West a Del Monte rhwng Aberteifi, Bryste a Lerpwl. A phan ddôi'r llong i mewn i Aberteifi, byddai Morlais, brawd lleiaf Ellis a oedd yn ddisgybl yn yr Ysgol Sir ac yn preswylio yn y dref,

Thomas Ellis Jones yn dychwelyd i'r môr ym 1936 wedi dwy flynedd ar bymtheg yng Nghanada. Ymunodd â'r *Drumlough* yn Aberteifi.

yn ymweld â'r llong. Wrth y cei yn Aberteifi câi ginio gydag Ellis er eiddigedd tost ei gyd-ddisgyblion.

Hwyliodd wedyn ar y *King Edgar* (llong y bu ei gefnder Gerallt arni), fel y pumed peiriannydd ar 28 Tachwedd, 1938, o Belfast ar fordaith dramor. Bu arni am ail fordaith cyn talu bant yng Nghaerdydd fel pedwerydd peiriannydd ar 16 Chwefror, 1940. Ymunodd yn syth wedyn â'r *West Coaster* – llong arfordirol (361 tunnell gros) i gario glo i borthladdoedd de Lloegr, a masnach leol Aberteifi.

Hwyliodd y *West Coaster* lawer tro i Hayle ac i Appledore, Arbroath, Blyth, Newcastle, Ipswich, Goole, Llundain (Dock St Poplar, a Tilbury), Hull, yr Iseldiroedd a phorthladdoedd uwch ar afon Rhine. Daeth i mewn i borthladd Aberteifi 39 o weithiau ac nid aeth un waith ynghlwm yn y mwd, diolch i Tom James Bowen, peilot afon Teifi. Yn ôl ei fab Tony Bowen: 'Roedd tri ohonynt yn y cwch peilot – y *Dancer* – fy nhad, ei hanner-brawd Benjamin Richards, a'r cychwr, eu cefnder, Jaci Davies. Câi fy nhad wybod pryd yr oedd y *West Coaster* yn agosáu gan y perchennog. Ambell waith byddai yn mynd ar gefn beic i lawr i gwrdd â hi yn Abergwaun. Ond wrth hwylio ar y 'bar' yn aber afon Teifi, byddai'r cwch, *Dancer*, yn mynd allan ati mewn tywydd teg a 'Nhad yn mynd arni. Ond mewn tywydd garw byddent yn mynd mor agos ag y gallent at y *breakers* (lle'r oedd dyfroedd y môr a lli afon Teifi yn cyfarfod â'i gilydd). Codai Dad bolyn mawr ar ei draed a'i symud i'r chwith (*port*) neu'r dde (*starboard*) fel yr oedd angen. Darllenai'r capten hyn a 'chywiro' ei gwrs. Pan fyddai'r llwybr yn iawn chwifiai'r polyn yn gyflym o ochr i ochr yn ei safle uchaf. Ond mewn tywyllwch – defnyddient hen lamp y rheilffordd. Fflachio coch i'r *port*, gwyrdd i'r *starboard* a golau gwyn am *ahead*. Gwaith Jaci'r cychwr oedd gosod 13 o ganghennau bedw yn y mwd i ddynodi'r sianel ddiogel i fyny heibio i Landudoch tuag at Aberteifi. Arnynt crogai lampau glowyr wedi'u cynnau. Doedd yr *hurricane lamps* werth dim. Roeddent yn diffodd o hyd. Rhaid oedd i'r *Dancer* fynd allan i'r aber a chyrraedd y 'bar' ugain munud cyn y llanw uchel. Bydden nhw yn cyrraedd Aberteifi mewn ugain munud mewn dŵr slac. Ac wrth hwylio ma's rhaid oedd hwylio yn erbyn y llanw ryw hanner awr cyn y llanw uchel a chyrraedd gyferbyn â Thafarn y Fferi lle'r oedd digon o ddŵr fel roedd hi'n dyddio.'

Bellach mae Tony Bowen yn hanesydd ac yn archifydd afon Teifi. Un arall o'r pentrefwyr sy'n cofio am y llongau a dramwyai'r afon yw Mair Garnon James, a oedd yn ddisgybl yn ysgol y pentre: 'Rwy'n cofio clywed yr hwters yn canu wrth i'r llongau ddod rownd tro'r Castell. Wedd 'na gynnwrf mowr ymhlith y plant a llawer o blant y morwyr yn y dosbarth 'da fi yn Ysgol Llandudoch. Ac roedd 'na ddealltwriaeth y byddai'r plant mwyaf, os nad yr ysgol i gyd, a'r athrawon, yn mynd lawr i'r Netpŵl i weld y llongau . . . wrth i'r mwg glo chwyrlïo o'r *funnel* byddem yn ddigon agos i edrych i lawr ar y dec a siarad â'r morwyr. Ac mi fydde'r morwyr yn hwylio whap, heb gael amser i ddod adre' bob whip-stitsh i weld eu teuluoedd'.

Ond ni fu'r *West Coaster* heb ei damweiniau a'i helyntion:

Hydref 1939 – Taro yn erbyn yr *S.S. Lady Mostyn* yn Dungowan.

Tachwedd 1939 – Difrod wedi taro'r cei yn Aberteifi.

Ionawr 1940 – Taro yn erbyn yr *S.S. Essonite* yn Lerpwl.

Chwefror 1941 – Cael ei bomio gan y Lüftwaffe yn harbwr Abertawe.

Chwefror (12) 1941 – 'Paid Chief Engineer Jones (Tom Ellis) £57 to include Medical Attendance'.

Wedi llwyddiant byddin Yr Almaen yng Ngwlad Pwyl ar 27 Medi, 1939, gorchmynnodd Adolf Hitler i'w gadfridogion baratoi cynlluniau i ymosod ar y gorllewin yn yr hydref. Nid oedd ei fyddinoedd yn barod ond cafodd Hitler ei ffordd a dewisodd 12 Tachwedd i ddechrau'r ymosodiadau. Gelwid y cynllun yn *fall gelb* – y 'Cynllun Melyn'. Nid oedd yn ysbrydoledig ac fe'i cymharwyd â chynllun claear llywodraethau Prydain a Ffrainc yn y tridegau rhwng y ddau ryfel.

Ond roedd hyd yn oed y Führer yn gorfod plygu i'r tywydd a gohiriwyd y cyfan gan roi amser i'r Cadfridogion von Rundstedt a von Manstein i adolygu'r cynlluniau. Parhaodd y glaw trwm a'r gwyntoedd cryfion ond defnyddiwyd yr amser i hyfforddi'r lluoedd arfog a chynhyrchu cerbydau, awyrennau a thanciau, ac o'r diwedd, ar 10 Mai, 1940, daeth y cynllun *Sichelschnitt* ('ysgubiad y bladur') i rym. Defnyddiwyd *paratroopers* a *gliders*.

Ymhen chwe wythnos roedd Ffrainc wedi ei gorchfygu'n llwyr gan yr Almaenwyr, a'r rheini'n dathlu'n fuddugoliaethus – yn enwedig ar bleserau Paris. Yn sydyn ac yn annisgwyl bu raid i Brydain ystyried amddiffyn yr Ynysoedd – â chynllun a ddatblygodd yn y diwedd i ddwyn buddugoliaeth a chyflawn o ddwylo'r Almaen.

Chwyrlïodd *blitzkrieg* Yr Almaen drwy wledydd yr Iseldiroedd – gan gynnwys Gwlad Belg. Ysgubwyd amddiffyniad amharod Ffrainc a'r gwledydd bychain o'r neilltu. Ymosododd tanciau'r *Panzers* allan o goedwigoedd yr Ardennes a thorri drwy amddiffynfeydd gwan ac amharod y Ffrancwyr. Erbyn 21 Mai, 1940, roedd Kleist wedi cyrraedd aber afon Somme yn Abbeville, wedi cipio Boulogne, amgylchynu Calais ac o fewn deuddeng milltir i Dunkerque.

Ers diwedd y Rhyfel Byd Cyntaf, pan orfodwyd Yr Almaen i lofnodi'r cytundeb heddwch mewn cerbyd trên yng nghoedwig Compiegne, yng ngogledd Ffrainc, roedd Hitler am dalu'r ddyled yn ôl. Teimlai fod Yr Almaen wedi ei diraddio a'i sarhau yng ngolwg y byd. Arhosodd ei dro i ddarostwng gwledydd gorllewin Ewrop i blygu i rym goruwch Yr Almaen a Natsïaeth. Felly penderfynodd Hitler ymladd ar dir Ffrainc yn hytrach na Fflandrys am resymau gwleidyddol.

Ond yn sydyn ar 24 Mai, safodd byddinoedd Hitler yn y fan a'r lle. Dan orchymyn y Führer arhosodd tanciau'r *Panzers* i'r de a'r gorllewin o Dunkerque, o Lens i Bethune, o St. Omer i Gravelines. Dyma gamgymeriad mwyaf a chyntaf yr *High Command* yn ystod yr Ail Ryfel Byd. Rhoddodd hyn gyfle i Brydain aildrefnu ei lluoedd, a gosodwyd y llwyfan yn barod ar gyfer 'gwyrth Dunkerque'.

Dros y Sianel, hwyliodd armada o 850 o longau o bob maint tuag at Dunkerque: cychod hwylio, *cruisers*, *destroyers*, *skoots* o'r Iseldiroedd, cychod pysgota, cychod pleser a llongau masnach bychain (*coasters*), a llawer ohonynt wedi eu llywio gan ddynion cyffredin o borthladdoedd de-ddwyrain Lloegr.

Am dair munud cyn saith o'r gloch ar noswaith Mai 26, ychydig wedi i orchymyn gwreiddiol Hitler gael ei ddiddymu, rhoddwyd *Operation Dynamo* ar waith gan y Morlys Prydeinig. Ail-ddechreuwyd yr ymosodiad ar borthladd Dunkerque gan fyddin Yr Almaen ond ni chafodd tanciau'r Panzers y llwyddiant disgwyliedig. Roedd yr amddiffyn yn ddygn a dewr; ond roedd milwyr Prydain wedi cael eu cornelu ar draethau Dunkerque a'r wlad gyfagos.

Roedd Tom Ellis yn ddirprwy-beiriannydd ar y *West Coaster* ar y pryd. Teithiai'r *Coaster* yn rhwym â chargo o lo, o Gaerdydd, Y Barri a Chasnewydd i Hayle ger St. Ives, Falmouth, Penzance a phorthladdoedd eraill ar hyd arfordir deheuol Lloegr.

Y *West Coaster* yn hwylio i fyny afon Teifi ger Pwll y Castell, Llandudoch, ar y llanw uchel tuag at borthladd Aberteifi.

A phan oedd ar un o'r mordeithiau hyn clywodd capten y *West Coaster* am apêl y Morlys Prydeinig dan yr enw *Operation Dynamo* i hwylio tua Dover a Ramsgate ac i ymuno â llongau eraill, o bob math, gyda'r bwriad o achub miloedd o filwyr a oedd wedi eu dal a'u cornelu ar draethau Dunkerque.

Hwyliodd y *West Coaster* ar ddydd Iau, 30 Mai, 1940, ar gwrs tuag arfordir Ffrainc a thraethau melyn gogledd-orllewin Ffrainc a Gwlad Belg a ymestynnai am 30 milltir a rhagor. Er i'r capten ddefnyddio cwmpawd roedd yn gymharol hawdd dod o hyd i Dunkerque trwy chwilio am y cymylau duon o fwg a lanwai'r awyr oddi wrth y storfeydd olew a oedd ar dân. Er hynny, aeth llawer o'r cychod bychain ar goll gan lanio ar draethau gweigion. Yn yr *engine room* roedd Tom Ellis a'r prif beiriannydd yn chwys drabŵd dan rithmau swnllyd ond iachus y peiriannau wrth i'r *West Coaster* a'r llongau eraill dorri drwy'r tonnau fel haid o lamhidyddion yn nhymor cymharu. Cadwai Ellis lygad ar fys y *manometer* gan sicrhau y cadwai dros y llinell goch. Yr oedd yn daith o 87 milltir ar wahanol fôr-lwybrau diogel a gymerai oriau diddiwedd i'w chwblhau. Symudai'n nerfus rhwng yr aeliau gan chwistrellu olew'n ddiangen ar brydiau ar y darnau symudol. Gwisgai'r criw helmetau dur am eu pennau a *duffle-coat* drwchus pan aent ar y dec.

Roedd miloedd ar filoedd o filwyr blinedig a diamynedd ar y traethau ac yn enwedig ar y twyni tywod. Cuddiai llawer ohonynt mewn tyllau fel ffeuau a grafwyd allan o'r ddaear feddal. Pe bai bomiau mortar a shrapnel yn ffrwydro yn eu mysg meddalid eu heffaith echrydus gan natur a thrwch y tywod llaith. Nid oedd y mwyafrif wedi cael noson dda o gwsg ers pythefnos. Roedd rhai mewn dagrau wrth gofio am gyfeillion a gollwyd yn y brwydrau wrth ddianc a chamu'n ôl yn araf tua Dunkerque. Lladdwyd amryw gan awyrennau'r Lüftwaffe wrth iddynt straffio'r milwyr digysgod ar y traethau agored. Eto roedd disgyblaeth dda ymysg eu rhengoedd, ond yr unig wrthgyrch a gynigient oedd saethu â reifflau pitw at y Messerschmitt ymosodol wrth iddynt ruo'n ôl ac ymlaen ac anelu eu harfau at gerbydau â chyflenwadau ffrwydron: 'Byddaf yn barod i fynd i'r nefoedd ar ôl hyn oherwydd rwyf eisoes wedi bod yn uffern,' meddai un milwr. Eto, er gwaethaf y gwasanaethau crefyddol a gynhelid yn foreol, estynnai'r llygaid yn aml tua'r gorwel i weld a oedd sôn am y Llynges Brydeinig yn dod i'w hachub.

Ar y diwrnod cyntaf, 27 Mai, achubwyd 7,669 o filwyr ar y traethau; ar 28 Mai achubwyd 17,804; 29 Mai – 47,310, ac ar 30 Mai – 53,823 – sef cyfanswm o 126,606 yn ystod y pedwar diwrnod cyntaf.

Ynglŷn ag anturiaethau'r *West Coaster* (a Tom Ellis yn brif-beiriannydd arni) dim ond hanesion breision y teulu a oedd gennym amdani yn Dunkerque a phorthladdoedd eraill, pan achubodd lawer o filwyr. Ond ar nos Iau, 10 Mai, 2001, darlledwyd rhaglen Saesneg ar HTV – *Our Century* – o waith Hywel Davies ynglŷn â hanes tref Aberteifi a'i phorthladd. Cafwyd cipolwg ar y llong *West Coaster* ar y rhaglen, a phwy a'i gwelodd ond Les Russell o Gaerleon. Dyma ei dystiolaeth, gyda'i lun, a anfonodd ataf yn syth wedi'r rhaglen (trwy gymorth y cynhyrchydd):

> The day France collapsed I was serving with 1 Detail Issue Depot RASC. We were in Le Mans at the time. We were wakened at 4 a.m. and told to be prepared to leave by 6 a.m. A couple more small units found us, but it was not until we left Le Mans at 6 a.m. that we were told that France had collapsed.

During the day we tried various ports, only to be told that Germans were already there. German planes passed overhead, but did not attack. It would be about 4 p.m. when French soldiers at a checkpoint told us that Germans were everywhere and our only chance was St. Malo, which we did eventually reach.

We thought ourselves lucky – there in the dock was a little ship called the *Westcoaster*, a name I shall never forget. For some reason we were not allowed to go on board, but after much argument we did get on board and left St. Malo at 3 a.m. the morning after France collapsed.

Joy and misery were then mixed. The *Westcoaster* had been carrying cement. There were about 100 troops crunched up on board and we were told to keep out of sight. Believe me, it was no joy trying to settle amid lots of cement but the joy was, we were sailing home to England.

I think it took us about 3 days to reach Weymouth Harbour. Again we were fortunate as German planes had been dropping mines earlier, but the minesweepers blew up the one we were heading for in plenty of time.

Uchod: Les Russell o Gaerleon, un o'r milwyr a achubwyd gan y *West Coaster* o draethau Ffrainc ym 1940. Isod: Les Russell heddiw ar ôl gweld y *West Coaster* ar raglen deledu HTV ar hanes porthladd Aberteifi.

When the ship pulled into the dock, we were given cups of tea, biscuits and telegram forms. We boarded a train, not knowing where we would finish and as the train slowed or stopped you could see troops jumping off.

My home was in Bath at that time and I had never been to Wales. That train journey ended up in Cardiff. We were then trucked out to Wenvoe and sent straight on leave for three days. On return to Wenvoe some of us saw the first bomb to hit Cardiff dock.

My son Paul moved to South Wales in 1981 and in 1999 I moved from Bath to join the family in Newport.

I shall always be saying thank you to the *Westcoaster* for saving me from being a prisoner of war or maybe worse.

Les Russell

Mae'r Dr J. Geraint Jenkins (cyn-guradur Amgueddfa Werin Sain Ffagan a chyn-guradur Amgueddfa Diwydiant a Môr, Caerdydd) yn y golofn 'Helem Hanes' (*Y Gambo*, Tachwedd 1984) yn cofnodi hanes y *West Coaster*. Darllenodd fod llong fwd o Dde Lloegr o'r enw *Allard* wedi mynd at dorwyr llongau yn Gravesend, Swydd Caint. Nid oedd dim arbenigrwydd yn yr hanesyn ond am un rheswm, sef mai llong o'r enw *West Coaster* oedd yr *Allard* . . . 'Fe'i hadeiladwyd ym 1938 gan gwmni Smit a Zoon, Scheveningen, ger Leiden yn yr Iseldiroedd. Roedd yn mesur 149 troedfedd o hyd ac ynddi beiriant 'diesel 300 h.p'. Cyfrifid hi yn llong gyflym a chyflymder uchaf o 11 *knot* ac yn ddigon cysurus i'r criw. Fe'i hadeiladwyd yn arbennig i Capten William James, Ivy House, Pontgarreg, a'i frawd-yng-nghyfraith – Capten William Davies, Angorfa, Llangrannog. Am gyfnod o ryw bymtheng mlynedd roedd y ddau yn rhedeg busnes tra llewyrchus o Cross House yn Aberteifi: cwmni a adnabuwyd naill ai fel 'British Isles Coasters' neu y 'Teifi Steamship Company'. Roedd ganddynt swyddfa yn Llundain a hwy oedd yn berchen Lloyds Wharf ar afon Teifi.

Bu'r ddau gapten yn hwylio am flynyddoedd ar longau mawrion o Lerpwl ac o Gaerdydd – a daeth Capten Davies, Angorfa, yn un o brif gapteiniaid o 'King Line' yn Llundain. Roedd ef wedi gwneud ei brentisiaeth fel saer coed ac mae'n debyg ei fod yn barod iawn i wneud gwaith coed ymarferol ar y llongau yr oedd yn feistr arnynt.

Ym 1928 penderfynodd y ddau lyncu'r angor a sefydlu cwmni llongau yn Aberteifi. Ar waethaf peryglon bar afon Teifi hwyliodd nifer o longau James a Davies yn rheolaidd o Lerpwl ac o Lundain a Bryste gan ddod ag angenrheidiau'r gymdeithas i Lloyds Wharf. Dôi *basic slag* a sement o Wlad Belg, defnyddiau adeiladu o Ogledd Cymru, glo o Widnes a Chaerdydd a nwyddau eraill o bob math. Bu'r busnes yn hynod lwyddiannus ac erbyn 1934 yr oedd y cwmni yn berchen ar bum llong. Yr enwocaf efallai oedd y *Drumlough*, llong o 311 tunnell a adeiladwyd yn Rutherglen ar y Clyde ym 1921. 'Flagship' y cwmni oedd yr *Enid Mary* – 605 tunnell a adeiladwyd yn Barnstaple, Dyfnaint ym 1921. Roedd yn anodd cael y llong a enwyd dros far afon Teifi. Y llongau eraill oedd yr *Eskburn* (472 tunnell) a adeiladwyd yn Sunderland ym

Papur ysgrifennu cwmni a pherchnogion y *West Coaster*. Trigai'r cyfarwyddwyr yn ardal Llangrannog.

Y *Mallard* – enw newydd ar y *West Coaster* – yn croesi'r sianel gyda llwyth o foduron fel cargo dec tuag at Rotterdam ac afon Rhein.

1917, yr *Orchis* (483 tunnell) a adeiladwyd yn Appledore, Swydd Dyfnaint, ym 1918, a'r *Castle Green* (510 tunnell) a adeiladwyd yn Ardrossan ym 1902. Gwerthwyd hon i Estonia ym 1936. Dechreuodd nifer o forwyr y fro eu gyrfaoedd ar un o longau Aberteifi. Nid oedd yn waith proffidiol iawn oherwydd dim ond rhyw £1.17s yr wythnos a delid i forwr. Yr oedd yn rhaid iddo edrych ar ôl ei fwyd ei hun, a'i ddillad gwely, ac nid oedd fawr o gysur ar fwrdd hen dwba fel y *Drumlough*.

Yn ystod y tridegau prynwyd neu siartiwyd nifer o longau eraill – *South Coaster*, *East Coaster*, *Quaysider*, *Orchid*, *Suir* a'r *Pegwen*. Trafferth oedd tramwyo afon Teifi bob tro oherwydd yr oedd cwrs yr afon yn newid yn gyson a'r bar wrth geg yr afon yn llawn perygl. Dyna'r rheswm y prynwyd y *West Coaster*.

Ym 1944, ar ôl colli nifer o longau, penderfynwyd dirwyn y cwmni i ben a gwerthwyd y *West Coaster* i gwmni enfawr – 'General Steam Navigation Co.' a'i hailenwi yn *Mallard*. Ym 1946 gwerthwyd hi i E. J. Coles o Cowes, Ynys Wyth, ac fe'i henwid yn *Allard*. Newidiwyd hi hefyd i fod yn llong fwd (*dredger*) ac am flynyddoedd fe'i defnyddiwyd i glirio mynediadau i nifer o borthladdoedd De Lloegr. Ac wrth werthu yr *Allard* daeth y bennod olaf i ben ar hanes hir y fasnach fôr yn Aberteifi.'

Un o'r morwyr lleol a ymunodd â'r *West Coaster* oedd Trefor Rees, Bryn-y-môr a Thir-y-coed. Ymunodd â hi yn syth o'r ysgol yn hydref 1940 trwy gymorth ei pherchennog, Capten William James. Y capten oedd T. G. Richards o Geinewydd, gydag un Mêt a Tom Ellis ei gyd-bentrefwr yn brif beiriannydd. Ymunodd Trefor â hi yn Noc Penfro gyda chargo o lo o dde Cymru yn rhwym am Hayle yng Nghernyw. Ond ni phrofodd anturiaethau Dunkerque.

Tom Ellis yn gwisgo bathodyn y Llynges Fasnach. Tynnwyd y llun yn Aberteifi yn ystod y pedwardegau.

Cyfarfu Tom Ellis â'i wraig, Isabella, yn Hayle, Cernyw, a bu i'r ddau briodi yn Penzance. Ganwyd iddynt ferch, Anne, ac ymgartrefodd y teulu yn Rhayadrle, Llangrannog. Llyncodd Ellis yr angor ar 8 Medi, 1956, ac aeth i weithio i'r RAE yn Aberporth nes iddo ymddeol. Ei brif ddiddordeb wedyn oedd canu ac roedd yn aelod gwerthfawr o rengoedd y tenoriaid mewn oedfa a chymanfa.

LLINACH THOMAS ELLIS JONES

Thomas Ellis Jones
Isabella
|
Ann Elizabeth
Paul Victor Rice (1)   Michael John Clevely (2)
|
Darryll Paul
Zoe Ann (Matt Redmond)
|
Luke Paul

NAI, CEFNDER, A DAU FRAWD ETO

Berian Dyfed Vaughan
(19-2-1950 – 16-2-2000)

Ynddo pentigili'r mwni a'r môr.

Bywyd braf oedd bywyd rhocyn ifanc ar fferm deuluol Gymreig yn nyfnder gwledig Cwm Gwaun, gogledd Penfro. Direidi a rhyddid, bochau cochion, môr o ffurfafen, a'r hafau yn hirfelyn tesog ym mhob ystyr.

> Lle mae'r haf yn haf o hyd
> A'r gaeaf yn haf hefyd.

Câi gofleidio Natur yn gydymaith i'r 'gwilanod, cirillod a'r cornicillod', yn un o deulu mawr mewn cymdogaeth dda. Dôi'r anifeiliaid yn rhan o'r teulu, a dôi'r plant i'w hanwesu a'u henwi'n bersonol. Rhedai afon Gwaun islaw gan furmur ei chordiau a dôi Natur yn gynnar â'i gwisgoedd ffasiynol. Ac roedd talu gwrogaeth iddi yn rhan o asbri bywyd. Teimlent yn freintiedig, fel Dewi Emrys:

> Pert iawn yw 'i wishgodd yr amser hyn –
> Yr eithin yn felyn a'r drisi'n wyn,
> A'r blode trâd brain yn batshe mowron
> Ar lechwedd gwyrdd fel cwmwle gleishion . . .

Berian oedd yr unig un o bedwaredd genhedlaeth disgynyddion teulu'r Cilie i fynd i'r môr a hynny am dair blynedd. Fe'i ganed yn drydydd plentyn i Trefor a Martha Vaughan, fferm y Clun, Cwm Gwaun – yn frawd i Alun, yr hynaf, ac roedd yn y canol cysurus wedi ei sbwylio â phob rhyw faeth rhwng ei chwiorydd Menna a Buddug.

Roedd Martha yn seithfed o giwed teulu Gruffydd a Myfanwy Phillips, Helygnant, Brynberian, ac wrth gwrs yn wyres i'r Cilie. Ac fel y Martha ysgrythurol, hi oedd yn bennaf â gofal am ei chartref, yn ymddangos yng nghanol pob gweithgaredd. Roedd ei gwaith diddiwedd i'w theulu a'r fferm yn gyflawn. Câi'r plant y gorau ym mhob ystyr.

Teulu'r diweddar Berian Vaughan. O'r chwith i'r dde: Elizabeth (Lis), ei weddw, Huw Dyfed, Delyth Elizabeth, Gethin Morgan a Geraint Trevor.

Mynychai gysegr Tabernacl yr Annibynwyr, Abergwaun, gydag Alun a Menna tra cyfeiriai Trefor ei deyrngarwch eciwmenaidd yntau i Gapel y Bedyddwyr, Glandŵr, Cwm Gwaun, yng nghwmni Berian a Buddug.

Bwthyn cerrig to gwellt oedd tŷ fferm y Clun cyn ei adnewyddu, a chromenni o wyngalch yn ei addurno. Ffenestri bychain pedwar cwarel oedd ei lygaid ar y byd. Ystafell aeaf oedd y parlwr ac yn y cefn ceid meinciau'r llaethdy a'r gegin fach. Ond roedd 'y gegin fawr' a'i bwrdd o ddanteithion, ei dodrefn cynhenid a'i diwydrwydd y tu fewn i'r muriau trwchus wedi eu 'papro' a'i chonglau diddorol yn groeso i gyd! Oddeutu'r aelwyd o flaen y 'wenscot', roedd sgiw fawr y seiadau a wal y talcen yn ddu sgleiniog o dar. Câi'r seiadwyr gwmni diferynion o law a phoeriadau o gesair a gwenai'r sêr drwy agen y simne. Yno –

> Cewch weld y crochan ar dribi yno,
> A'r eithin yn ffaglu a chretshan dano . . .

Taflai'r fflamau luniau eu tafodau ar gŵyr y dreser a'i llestri. A gwnâi'r 'hams' yn eu gwisgoedd o gelyn wrth ddiferu chwys o'u bachau dan y llofft isel i unrhyw un lafoerio yn ddisgwyliedig. Roedd y Clun yn enwog am ei swperi a thri dwsin o deulu a chymdogion yn 'giffredin'. Nid yn unig yr oeddynt yn macsu'r ddiod fain a chadarn ond hefyd yn macsu caredigrwydd, cyfeillgarwch a thraddodiad y gymdogaeth dda.

Fel y dywedodd Trefor: 'Wedd hi'n ffarm fowr 200 erw, a'r un siâp ar fap â Myny Cilciffeth. Dina'r peth rhifedda. We Myny' Melyn tu cefen a Garn Fowr Dinas ar 'i thalcen. Wedd y tir a'r tŷ yn winebu'r gogledd, a wedd y gwanwyn ddim mor ginnar ag ambell i fan . . . Os wedd y gwynt ma's, a'r da'n pori blewyn cwta mis Mowrth, bare hwnnw ddim yn hir'.

Ac meddai Ionwy, cyfnither: 'Roedd fferm y Clun yn gynhyrchiol iawn a'i llawnder ym mhob peth yn ddiarhebol. Cnydau trwm o farlys, tatws, mangyls a swêts, a gwair. Digon o borfa i gynhyrchu llaeth oddi wrth fuches o gant'. Anghyffredin yw gardd fferm gymen a llawn ond roedd Eden Trefor Vaughan yn rhyfeddod ynddi ei hunan. Roedd tymer hwsmonaeth yn y gwaed a bron i ganrif o draddodiad teuluol wedi ymwreiddio yno. Gwyddai Trefor a'i deulu pa bryd a pha beth i'w dyfu a'i fagu. Wedi'r cyfan roedd yn un o ddeuddeg, a thymhorau o lawnder a phrinder ym mêr ei alwedigaeth.

Ond rhoddwyd cyffion ar fwynhad Berian, y rhocyn pen-rydd. Fe'i clymwyd yn dynn mewn rhigolau addysg a thyfodd ei rwystredigaeth wrth iddo ddringo o ysgol iau Abergwaun i'r uwchradd, a bu'r ffurfioldeb di-fflach yn garchar annioddefol i'w freuddwydion a'i ddyheadau. Diolch byth am Glwb Ffermwyr Ieuanc. Ymunodd Berian â Chlwb Abergwaun pan oedd yn un ar ddeg oed a chafodd bleser mawr yn y gweithgareddau creadigol. Ynddo roedd awelon y mynydd ac aflonyddwch y môr. Medrai uniaethu ei deimladau â chynnwrf y tonnau. Cronnai'r boen ddryslyd yn ei frest. O! am ryddhad, am ddianc rhag cadwyni trefn haearnaidd . . . i wireddu breuddwyd. Roedd Berian yn rhocyn synhwyrus, agos at y pridd, at Natur ac at yr elfennau, a'i lygaid ar y gorwel pell. Meddai Menna, ei chwaer: 'Clywem lawer am anturiaethau S.B. a Jac Alun. Nhw oedd y rhai rhamantus o'r Cilie ac roedd Berian wrth ei fodd yn gwrando'n eiddgar ac yn godro pob stori, eu cnoi'n dda a'u llyncu –

fe'u clywodd ar amryw droeon ar y sgiw dan y simne lwfer. Roedd wrth ei fodd yn gweld dau gefnder i 'Nhad, y Capten Jac Harries a'i frawd, yn dod draw am dro o Dinas. Bu un ohonynt yn bennaeth ar ddociau Barri. 'Na storïe we 'da nhw. Roedd Berian yn dwlu gwrando arnyn nhw ac yn gofyn cwestiynau di-ri iddynt'.

"Wyt ti, Berian, yn dangos diddordeb mowr yn y môr?" gofynnai ei Wncwl Jac iddo.

"Ithe ni fori, wir i chi. Ma'r tonne yn galw arna' i!"

Bu culni a ffurfioldeb y cwricwlwm addysg mor wahanol, ac yn hollol groes i'w freuddwydion yn ei arddegau. Ac nid oedd yn syndod pan ymunodd Berian â'r Coleg Morwrol fel 'Cadet', ar gyfer ymuno â'r Llynges Fasnach, yn bymtheg oed!

Yn ôl ei wraig, Liz: 'Roedd yn gam anodd iawn iddo, i newid cyfeiriad o fod yn fab fferm wledig Gymreig iawn ei naws a'i chymdeithas i uno â charfan o Saeson ifanc dieithr, llawer ohonynt o gefndir ysgolion bonedd. Os oedd yn rhwystredig yn yr ysgol, roedd disgyblaeth y llynges yn llawer llymach – ond roedd uchelgais ganddo, a chymerodd Berian ato ac ehangodd ei fryd ar fynd i'r môr mawr a'i ramant a'i ryfeddodau'. Nid oes disgyblwr fel y môr.

Treuliodd oddeutu tri mis yn y Coleg Morwrol. Sylwadau ei fam oedd: 'Wedd e mor anniben yn mynd ac mor deidi yn dychwelyd! Es i a Trefor i'w weld yn y Coleg a dina ro'dd e ar 'i linie yn sgrwbio'r dec. Druan ag e, a'i ewinedd fel stwmps'. O fewn y Coleg roedd y Capten Arolygydd Poore yn bennaeth, yn arwain staff niferus o weinyddwyr ac arbenigwyr. Cafodd Berian ddarlithiau a gwersi ymarferol mewn iechyd, gofalu am ystafelloedd, ymddygiad a moesau, gwaith cegin, coginio, gweini wrth y byrddau, gwybodaeth am gychod achub a hyd yn oed sut i osod gwely a gwneud te a choco. Roedd gwybod sut i ddefnyddio *Vim*, *Ajax* a *Harpic* mor bwysig ag adnabod gwydr siampên. Rhag damwain a llongddrylliad, daeth Berian i wybod am offer, mathau o longau a'u gwneuthuriad a chychod achub, angorau, sut i anfon negeseuon ac arwyddion diogelwch.

Roedd yn rhocyn iach a chryf a bywyd y fferm wedi caledu ei gyhyrau ond wedi ymarferion cyson ac anodd dan y P.T.I. (hyfforddwr ymarfer corff) daeth o hyd i gyhyrau na wyddai amdanynt.

Hwyliodd ar ei fordaith gyntaf, ar y *British Mallard (B.P.)* o Abertawe ar 23 Medi, 1966, fel morwr yn y gegin (*galley*). Ymhen pedwar mis roedd wedi ymweld â deuddeg o wledydd a chwech ar hugain o borthladddoedd. Rhamant yn wir i rocyn o Gwm Gwaun. Bu yn Antwerpen (Gwlad Belg), Ynys y Grawn (Lloegr), Sardinia (Yr Eidal), Pireaus (Gwlad Groeg), Port Said (Yr Aifft), Suez (Yr Aifft), Ambali (Twrci), Valetta (Melita), Tunis (Tunisia), Augusta (Sicilia), Beirut (Lebanon), Alexandria (Yr Aifft), Aden, Casablanca (Morocco), Levera (Ffrainc), Hull (Lloegr) – ac eraill o fewn yr un gwledydd. A than wres tanbaid yr haul trofannol, tra oedd yn glanhau ac yn crafu tatws ar y dec, fe'i llosgodd ei hun yn gas iawn, a bu'n wael iawn am wythnosau, ac fe'i hanfonwyd adref. Gwers o brofiad! Ond am y tro roedd yn antur newydd a chafodd foddhad fel morwr.

Aeth adref ar 23 Ionawr, 1967, ac wedi ysbaid o wyliau dychwelodd eto yn awyddus i freichiau'r heli . . . 'Dwi ddim yn diall pam aeth i w'itho yn y gegin. Wedd e siŵr o fod yn lico bwyd – 'i neud e a'i fyta fe, gwlei,' ebychodd Martha, ei fam. Yna ymunodd â'r *M.V. Ravensworth* a bu'n morio'n ôl a 'mlaen yn rhwym â mwyn haearn o Narvik (Norwy) i Ynys Melita a Phort Talbot. Nid oedd yn anghyfarwydd â newid llong ar ôl

Un o'r llongau y bu Berian Vaughan yn morio arni, yr M.V. *Ravensworth*.

Y *Lottinge*. Hwyliodd Berian Vaughan arni i Ganada, yr Unol Daleithiau, ac i gyfandir Ewrop.

pob mordaith, oherwydd wedi seibiant gartref rhaid oedd cymryd y fordaith gyfleus gyntaf pan oedd y *pool* a'r heli'n galw. Ymunodd â'r *Gleddoch* ar 14 Chwefror, 1967, llong 7,000 tunnell gros o gwmni Denholm Line, a hwyliodd dros wyth mordaith i gludo mwyn haearn o Narvik (Norwy) a Murmansk (Rwsia) i Bort Talbot, Port Etienne, Òxelösund (Sweden) a Rotterdam.

Ar 5 Medi, 1967, ymunodd â'i long nesaf – yr *M.V. Lottinge*, yn Abertawe ac ehangodd ei orwelion i'r Byd Newydd. Wedi galw yn Avonmouth, Fawley, Leith (Yr Alban) ac Antwerp, hwyliodd i ramant Three Rivers, Beau Comau (Canada), Savannah (Georgia), Wilmington (North Carolina) a Port Hawkesbury – cyn dychwelyd i Lundain. Ond hon fu ei fordaith olaf. Drylliwyd ei obeithion a'i feddylfryd yn llwyr gan ddigwyddiad ar fwrdd y *Lottinge*. Gwelodd gweryl ac ymladdfa waedlyd rhwng dau forwr. Fflachiai llafn cyllell yn nwylo un ohonynt, wrth iddo geisio trywanu ei gydforwr. Roedd casineb ac atgasedd milain wedi meddiannu eu hwynebau. Roedd yn frwydr hyd at farwolaeth. Cafodd Berian ddychryn mawr ac addunedodd yn y fan a'r lle i lyncu'r angor a chefnu ar fywyd morwr. Ymyrrwyd yn yr ymladdfa, a chipiwyd y ddau i gelloedd y llong. Dychwelodd y gŵr ifanc deunaw oed i dawelwch a hafan ei gartref, fferm y Clun, Cwm Gwaun, wedi ei ddadrithio'n llwyr.

Bu'n amaethu'n ddiwyd ar y fferm deuluol am chwe blynedd, cyn priodi Elizabeth Morgan (rhoces fferm hefyd) ar 27 Medi, 1975. Ymunodd â chwmni John Lawrence a llwyddo yn gynnar iawn fel gwerthwr peiriannau amaethyddol. Bendithiwyd y nyth â phedwar cyw – Delyth, Huw, Gethin a Geraint. Dringodd i swydd rheolwr-werthwr ac ymwelodd â'r U.D.A., Brasil (Rio de Janeiro), Yr Iseldiroedd, Denmarc, Ffrainc, Norwy (i ffatri Khröne) ac Iwerddon, heb sôn am wledydd Prydain, yn rhinwedd ei waith.

Roedd yn ŵr poblogaidd iawn a phawb yn ei weld oherwydd fe welai yntau bawb. Medrai drafod pobl yn dda, yn enwedig ffermwyr. Gwyddai am eu nodweddion a'u rhagoriaethau. Rhoddai hyder iddynt. Meddai Ionwy, ei gyfnither, a'i rhagflaenodd fel Llywydd y Sir dros Fudiad y Ffermwyr Ieuainc: 'Gŵr y bobol oedd e. Roedd e'n llawn bywyd a phersonoliaeth afieithus, ac yn llawn cleber, ond medrai gadw cyfrinach. Perthynai iddo benderfyniad di-droi'n-ôl, ac roedd ar y llaw arall yn bwyllog a doeth ac yn wrandawr da. Bu sawl ffermwr yn wylo iddo ar y ffôn wrth drafod eu problemau. Ac roedd pobl yn ymddiried ynddo oherwydd roedd ei gyngor yn gadarn'.

Ond yn ei salwch creulon daeth tristwch. Lle bu bwrlwm a hwyl daeth llesgedd a gwendid a rhwystredigaeth. Dywed Liz, ei weddw: 'Ymladdodd yn ddewr yn erbyn yr hen elyn ond un cam ymlaen a dwy'n ôl fuodd hi. Dioddefai o liwcemia a bu farw ar 16 Chwefror, 2000, yn 49 oed. Bu yn ŵr ffyddlon a gofalus ac yn dad ymroddgar a charedig. Dôi â'i waith gartref ac roedd yn drefnus iawn, a pharatôi yn drylwyr. Berian a wnâi'r gwaith cyfrifon, ac ysgrifennwn innau ei lythyron. Nid oedd yn anghyffredin ei weld yn gadael yr aelwyd am 4.30 yn y bore i gyrraedd rhywle mewn pryd ac i baratoi ar gyfer y cwsmer. Byddai'n cynyddu ei fusnes trwy gysylltiadau, pwyllgorau a chymdeithasu. Roedd e ma's bob nos! Ond ymunais ag ef ar amryw nosweithiau a theithiau, unwaith i Norwy'.

Ar ddydd ei angladd yng nghapel y Bedyddwyr, Molleston, gwelwyd cannoedd o ieuenctid Mudiad y Ffermwyr Ieuainc wedi ymgasglu y tu allan i'r cysegr i dalu'r deyrnged olaf iddo. Yr oedd yn arwr iddynt a phatrwm o arweinydd cydwybodol a gweithgar. Gweithiodd yn ddygn a phwrpasol ar ran y Mudiad, fel arweinydd Clwb Clunderwen, fel Llywydd y Sir, 1995, ac fel arloeswr, gan mai ef a ailsefydlodd Sioe Amaethyddol Clunderwen a'r Cylch. Cyflawnodd lawer o'i gymwynasau yn y dirgel a throdd ei brofiadau fel morwr yn fantais iddo.

Carreg fedd Berian Dyfed Vaughan.

LLINACH BERIAN VAUGHAN

Berian Dyfed Vaughan
Elizabeth Ann (Morgan)

Delyth Elizabeth   Huw Dyfed   Gethin Morgan   Geraint Trevor

Gerallt Jones

(22-9-1907 – 16-8-1984)

Gerallt Gymro! Heblaw'r Giraldus Cambrensis fe anwyd un arall. Fe'i ganwyd i mewn i deulu'r Mans ac i deulu unigryw o ffermwyr a gofaint tafodrydd y Cilie – â barddoniaeth a chân yn eu calonnau. Ni wyddent ddim am enwogrwydd! A hyd yn oed o bellter Y Rhondda roedd Gerallt yn rhy agos at y crochan a berw'r cawl i osgoi'r diferynion a ddisgynnai ar ei dalcen.

O'r pair hud a'r efrau prin
Oet lais o dras Taliesin,
A daeth braint a bendith brig
O boeriadau'r berwedig.

Jon Meirion

239

Etifeddodd lawer o ddoniau'r teulu – megis annibyniaeth barn, penderfyniad dibrin a di-droi'n-ôl, hiwmor ergydiol, ffraethineb, awydd anturus a'r ddawn farddonol. Roedd ei dad yn arwr o fri iddo. Dysgodd drwy ei esiampl am ei gariad at Gymru, haelioni llafur, ymwybyddiaeth o ddiffyg arweiniad mewn cymdeithas, a phwysigrwydd gweithredu yn heddychlon o blaid egwyddorion iaith a chyfiawnder er mwyn cael cymdeithas gyfartal, Gristnogol – yn eon a dewr. Fel y canodd Donald Evans :

> Roedd sawl elfen yn d'enaid, – sawl cynneddf,
>   Sawl cân ac ochenaid,
>   Sawl rhinwedd swil, ariannaid;
>   A sawl gras oedd ras o raid.
>
> Afiaith yr iaith a'i pharhad, – ac einioes
>   Y genedl amddifad
>   Yn ei gloes, a thir ein gwlad
>   Hyd y goror – dy gariad.

Felly hefyd y canodd John Lloyd Jones am Gerallt:

> Cymar actif Cymreictod, – llyw y bau'n
>   Castell-bach yn gwarchod;
>   Rhybuddiai i her Ahab ddod – dros y mur
>   A'i gynllun eglur i'n gwinllan hyglod.

Y Parchedig F. M. Jones, Miranda Jones ac Aures Jones y tu allan i Moriah, Capel yr Annibynwyr, Rhymni. Ar y dde i'r capel gwelir y Mans, lle ganed Gerallt.

Oet ddewin o hen linach
Ac yn gyw o enwog ach,

meddai T. Llew Jones.

Un o feibion mis Medi a'r cynhaeaf ydoedd Gerallt. Yn y Cilie, ar ei wyliau ac fel gwas, bu'n gwisgo ac yn arwain y ceffylau gwedd, yn casglu 'nghyd, yn cywain ac yn adeiladu temlau euraid yr ydlan. Gwelodd a phrofodd ddyrnu a nithio a chludodd bynnau trymion o rawn ar ei gefn i'w harllwys ar styllod stordy'r storws. Trwy ei oes ni fu'r delweddau hyn ymhell o'i fywyd beunyddiol a'i bryder am ei Gymru!

Magwyd Gerallt yn fab y Mans yn Rhymni, Sir Fynwy, a'r hynaf o giwed i'r Parchedig Frederick Cadwaladr a Maude Jones. Ganwyd ei chwiorydd, Rhiannon, Enid, Ardudfyl a Mari, yno hefyd yn nhŷ'r gweinidog a saif ar yr un llain â chapel Moriah. Yn wir, o'r Mans, wrth syllu trwy'r ffenestr ar ben y grisiau, medrai'r plant talaf weld pulpud y capel a'r 'cennad'. Ond nid oedd eu tad yn cymeradwyo ymddygiad felly a rhaid oedd syllu naill ai yn ystod y weddi neu drwy gulni'r ffenestr a'r llenni – a gwell fyth pan fyddai Fred Jones yn pregethu oddi cartref.

Fred, ei dad, oedd cyw hynaf Jeremiah a Mary Jones, y Cilie, a'i fam, L. Maude Davies, Llan-non, Sir Gâr. Fe'u priodwyd yn Nantgaredig ar 17 Hydref 1906. Roedd ei fam yn ddynes urddasol a gosgeiddig ond ychydig yn dalach na Fred ei gŵr ac roedd personoliaeth gref a phresenoldeb yn ymollwng o'i cherddediad ac o'i pharabl mewn cwmni. Nac anghofier fod etifeddeg yn amlochrog ei darddiad. Ac felly Gerallt. Oherwydd enwogrwydd diweddarach cyff y Cilie, y duedd yw anghofio yr ochr arall, ochr ei fam a'i fam-gu. Roedd Maude yn chwaer i Howard, tad Rupert Davies, yr actor adnabyddus a gofir hyd heddiw am ei bortread disglair o gymeriad ditectif George Simenon – 'Inspector Maigret'. Carcharwyd Rupert gan y Siapaneaid am gyfnod hir yn ystod yr Ail Ryfel Byd ac un o'i gyfeillion agosaf ar y pryd oedd un a ymunodd ag urdd y mynachod ar Ynys Bŷr. Gweithiai'r Tad Thomas ar greu persawr o'r lafant a pherlysiau eraill a

Rupert Davies, yr actor, a chefnder i Gerallt.

241

dyfai ar yr ynys. Ac wedi ymdrech hir enillwyd cytundeb i werthu'r persawr yn siop enwog David Morgan yng Nghaerdydd. Gwahoddwyd Rupert Davies i agor y stondin arbennig. Roedd Ardudfyl Morgan, chwaer Gerallt, yn bresennol.

Ond y tu hwnt i'w dyletswyddau fel mam i bump o blant a gwraig i weinidog roedd Maude yn arlunydd dawnus. Oherwydd iddi farw o'r 'Spanish influenza' ym 1917 nid oedd gan Ardudfyl (3 oed) na Mari yr ieuengaf (2 oed) lawer o gof am eu mam athrylithgar. Eto, erys un peth – celfwaith arlunio o greadigaeth eu mam. Llun mawr trawiadol ydoedd, llun du a gwyn wedi ei ddarlunio mewn 'crayon' cŵyr a phensil, llun o lili'r maes yn ei gwisg urddasol a di-fai ar gefndir gwyn. Bu'n hongian ar y mur yng nghartrefi'r teulu yn Nhreorci ond wedi symud i Dal-y-bont cofiai Mari weld y llun eto, ond y tro hwn mewn cyflwr braenus yn y garej. Gwnaeth y llun argraff arbennig ar Mari ac Ardudfyl ac nid rhyfedd oherwydd dewiswyd y llun i'w arddangos yn Oriel enwog y Tate, yn Llundain. Fe ddaw'r wythïen gelfyddydol i'r wyneb drwy amryw o aelodau'r teulu. Roedd Gerallt ei hun yn arlunydd addawol iawn yn ysgol uwchradd Pentre a chymaint ydoedd ei gynnydd fel y'i gwahoddwyd i ddilyn cwrs arbennig. Mae'n debyg ei fod yn ddylunydd crefftus a chreadigol gyda llygad craff ar berspectif. Ond dilyn a defnyddio'r llesmeiriol baent geiriol ar gynfas yr Awen a wnaeth Gerallt – am resymau a drafodir ymhellach. Roedd Mari ac Ardudfyl yn arlunwyr talentog, hefyd Simon, mab Mari, a gwblhaodd gwrs gradd celf ym Mhrifysgol Abertawe yn ddiweddar. A beth am ddawn bensaernïol Dafydd Iwan a chrefftwaith gwehyddol ei frawd, Arthur Morris?

42 Herbert Street, Treorci.

Cofiaf ymweld â Threorci wrth chwilio am gyn-aelwyd Fred Jones gan ofyn y ffordd i un o'r brodorion: 'Treiwch yr ail gwli ar y chwith fan'na. Mae 42 Herbert Street yn hanner ffordd lawr ar y chwith – yr un stryd â chapel Bethania!'

Ac i'r fan honno yr aeth y teulu i fyw wedi marwolaeth y fam a galwad Fred Jones i Fethania. Deuai Sarah Ann Thomas, merch i löwr, i mewn i edrych ar ôl y plant, i gymhennu ac i weithio bwyd – ac fe'i gelwid yn 'Bwpa' gan y plant lleiaf, a'i thad yn 'Owa'. A thrêt fawr ambell noswaith, yn ôl Ardudfyl, oedd cael mynd i mewn i'r tŷ teras i weld Owa yn cael bath. Yno roedd, yn llefnyn cyhyrog o fachan, yn ddu fel eboni o'i gorun i'w sawdl heblaw am ei lygaid gleision ar gefndir coch-binc, ei ddannedd ifori a'i dafod coch. Canai emynau nerth ei geg, a

Defnydd ymarferol ac ardderchog o hen gapel Bethania, Treorci. Heddiw mae wedi cael ei ailgynllunio i wneud clwstwr o fflatiau i frodorion y cwm.

chariai ei ferch Sarah badelli a thegilau o ddŵr twym o siston y pentan i'w ychwanegu at y dŵr claear yng ngwaelod y twba sinc hir a lanwai'r holl ofod o flaen y tân. Trwy wyrth eli penelin a sebon 'Lifebuoy' a'r 'Wright's Coal Tar', ailymddangosodd ei liw naturiol drwy'r swigod gwyrthiol ac wedi estyn cymorth i lanhau ei gefn, ac ychydig eiliadau cyn iddo godi ar ei draed, dywedai Sarah mewn llais pendant – ''Na fe blantos, y'ch chi wedi gweld digon nawr. Bant â chi.'

Ond wedyn priodwyd Fred Jones ac Eunice Jones, merch y Parchedig a Mrs D. Rhagfyr Jones, a oedd yn rhagflaenydd iddo fel gweinidog Bethania. Ac yna yn 2 Glyncolli Villa (â'r enw crand) sefydlwyd aelwyd barhaol a ganwyd pedwar o blant iddynt – Dafydd Rhagfyr, Frederick Morris ac Arthur (dau efaill) a Nest. Ond bu farw Arthur yn dair oed o effaith y frech goch.

Roedd Gerallt yn un ar ddeg oed pan gollodd ei fam ac yn fuan iawn wedi symud i Dreorci roedd wedi dringo i addysg uwchradd yn y 'Pentre Secondary'. Âi Rhiannon, Enid ac Ardudfyl (am dymor) ar y trên yn ddyddiol i'r 'Porth County School for Girls'. Un o gyd-ddisgyblion Gerallt yn y Pentre oedd George Thomas! Yn cydredeg â'i addysg bu cyfres o wrthdrawiadau tanllyd rhwng Fred Jones a phrifathro'r Pentre mewn fforwm, mewn trafodaethau preifat ac mewn cyfres o lythyron yn y papurau lleol (fel y *Rhondda Leader*) – yn beirniadu'r awdurdod addysg lleol am ddiffyg gweledigaeth o safbwynt cyflwyno addysg trwy gyfrwng y Gymraeg.

Er ei fod yn gystadleuwr da nid etifeddodd Gerallt gryfder corfforol a gwroldeb ei dad. Dywedai Ardudfyl: 'Roedd 'Nhad yn un byr, sgwâr a chryfder cyfansoddiadol yn ei lwynau. Roedd e mor agos at y ddaear â *spring* fel cangarŵ ynddo. Ac oherwydd

243

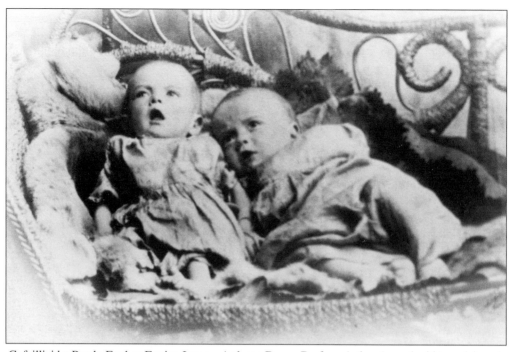

Gefeilliaid y Parch. Fred ac Eunice Jones – Arthur a Derec. Bu farw Arthur (ar y chwith) yn dair oed.

Y Parch. F. M. Jones yn chwilio am ail gartref ei deulu, 2 Glyncolli Villa, Treorci.

y disgyrchiant isel roedd ganddo reolaeth dda dros gorff a choesau i wneud athletwr da iawn. Câi ei gydnabod yn y Cilie fel pladurwr ag ystod lletach na'r cyffredin – cyn gryfed ag eidion! Nid oedd gwell sopynnwr a chodai bwysau ar y clos gystal â'r 'Bois' gan eu curo yn aml. Medrai redeg fel milgi a chredai Isfoel a Siors y gwnâi baffiwr da gan ei siarsio yn aml i gystadlu mewn ffeiriau lleol. Ond nid oedd yr un iot o'r elfen honno yn ei anian. Ces fy syfrdanu fwy nag unwaith gan ei ddawn wrth chwarae tenis yn Nhreorci. Pe byddai byw heddiw, byddai wedi cyrraedd Wimbledon – o leiaf!'

Erys yr atgofion am yr ecsodus flynyddol i'r Cilie yn glir iawn – yn enwedig ymhlith y plant hynaf. Byddai sgrech whît y trên wrth iddo saethu i mewn i ddüwch twnel Treherbert ar ben Cwm Rhondda yn ffarwél orffwysol wrth i'r 'efengyl' a'i deulu adael amgylchedd diwydiannol ar y ffordd at 'ffresni a glesni gwlad' – bro'r Cilie ac awelon y môr.

Roedd yn fenter anturus, oherwydd dyna oedd hi, a golygai gryn egni a pharatoadau manwl a chymhleth wrth i'r teulu baratoi i bacio'r fasged fawr a'r

Y Parch. F. M. Jones wrth fedd ei dad-cu a'i fam-gu, y Parch. a Mrs D. Rhagfyr Jones, a'i efaill Arthur, ym mynwent Treorci.

bagiau. Cymerai funudau hirion i drosglwyddo'r eiddo i gyd i gart y 'porter' wedi cyrraedd yr orsaf, ac yna, eu dadlwytho a'u llwytho i'r *guards van*. Lluosid y gorchwyl hwn lawer gwaith oherwydd rhaid oedd newid trên yn Llansawel, Caerfyrddin a Phencader cyn dadlwytho 'eiddo Israel' eto yn Llandysul neu Henllan. Yn y dyddiau cynnar deuai sawl gambo neu wagen fawr i'w cludo o Landysul i Dir na n'Og. Cludid y llwyth disgwylgar dros fryn a dôl i hafan rhamant y Cilie. Chwifiai'r merched eu breichiau ar bawb a welent a llifai'r awelon iachus trwy eu gwalltiau modrwyog wrth iddynt sefyll ar eu traed yr holl ffordd, mewn gorfoledd, ac anadlu ei ffresni a'i groeso. Wrth i wareiddiad fabwysiadu peirianneg deuai Tom (brawd Fred) i'w mofyn mewn lori fechan neu fodur ac yna Isfoel yn y Morris Cowley enwog. A phan bwrcasodd y Parch. Fred Jones ei fodur enwog – y Clyno â pheiriant 10.8 o geffylau – roedd ganddynt eu trafnidiaeth eu hunain i ymweld â'r man mwyaf hudolus yn y byd.

Y chwe wythnos yn y Cilie oedd yr uchafbwynt blynyddol i'r plant a'r rhieni. Cymaint oedd y disgwyl, y cyffro, a'r pleser fel byddai Rhiannon, Ardudfyl a Mari yn breuddwydio am y gwyliau nesaf bron cyn i'r un cyfredol orffen.

Ysgol Uwchradd y Pentre, Y Rhondda.

Roedd y gwyliau yn nefoedd ar y ddaear, dan haul tragwyddol a diwrnodau hirfelyn tesog ar draeth Cwmtydu.

Fel petai serchogrwydd Mam-gu Cilie a'r merched a thalent y 'Bois' ddim yn ddigon roedd gorchwylion beunyddiol y fferm a'r anifeiliaid yn ychwanegiad tu hwnt o ddiddorol. Byddent yn bwydo'r stoc (ieir, ceiliogod, twrcis, hwyaid, gwyddau, lloi) ac yn ceisio helpu peth yn y beudy, cario ambell fwcedaid o laeth a throi'r fuddai. Roedd digon o waith yn y gegin i gymhennu ac i baratoi bwyd a'i gario i'r meysydd. Ac wrth law roedd traeth rhamantus Cwmtydu a nemor neb wrth law i darfu ar y llonyddwch parhaol. Byddai'r Suliau yng Nghapel-y-Wig a'r nosweithiau o ganu, dawnsio a direidi ar ben yr odyn yn atyniad mawr.

Rhedai'r merched fel mellt dros ben banc Pen-parc drwy'r rhedyn ac i lawr y llethr serth i goflaid yr eigion. Cofia'r teulu am y 'Bois' yn eu mesur a'u pwyso mewn tafol anferth (gan gynnwys seddau) o waith Isfoel gan gofnodi'r mesurau o daldra a phwysau ar y mur gwyngalchog. Roedd 'mathemateg' a chyfrifon gwreiddiol y 'Bois' yn gymysg â'r graffiti barddonol a oedd yn rhan unigryw o ddiwylliant anarferol muriau adeiladau allanol. Sbri mawr fyddai cymharu'r tyfiant o flwyddyn i flwyddyn – a darganfod nad oedd Mari fach wedi tyfu dim!

Roedd gwenoliaid Rhymni a Threorci yn ychwanegiad gwerthfawr i rengoedd cyrddau, ysgol Sul ac eisteddfodau Capel-y-Wig. Profiad bythgofiadwy i'r plant oedd cael mynd i'r cwrdd mewn trap a phoni a Mam-gu Cilie wrth y llyw. Cofia Ardudfyl amdani yn teithio i lawr yr holl ffordd o'r Cilie mewn trap a phoni â 'Mam-gu' wrth y raens i weld Myfanwy a Gruffydd Phillips yn Helygnant ger Brynberian, Sir Benfro.

Byddent hefyd yn adrodd ac yn canu mewn cyngherddau ac eisteddfodau, yn dweud adnodau mewn seiadau ac yn mwynhau cael eu hebrwng 'nôl i'r Cilie gan y 'romeos'

Ysgol Uwchradd y Merched, Y Porth, Y Rhondda.

lleol. Byddai Gerallt a'i chwiorydd wrth eu bodd os byddai eu hewythrod talentog a direidus yn beirniadu. Unwaith buont i gyd yn canu mewn cystadleuaeth eisteddfod fach yng Nghapel-y-Wig a S.B. yn beirniadu. Roedd Mari, y ferch leiaf, yn hyderus iawn y byddai ei hewythr yn rhoi'r nòd iddi hi ond traethwyd beirniadaeth hollol wahanol, er siom fawr i'r ferch fach bert.

"Mari, llais fel bas."

Ac medde un o'r bois o'r tu ôl –

"Er bod 'i lyged e'n wan, jiawch 'dyw e ddim yn drwm ei glyw ta beth!'

Cyfansoddai'r bechgyn benillion, cwpledi, englynion a chywyddau yn ystod eu gwaith beunyddiol – boed ar ben llwyth, wrth odro, pedoli neu dynnu llo. Yn aml, mwy na pheidio, nid oedd papur gerllaw ac ysgrifennid y 'creadigaethau' ar balis, wal wyngalch, drws neu gaead mashîn hou – yn y man a'r lle. Dywed Derec, brawd Gerallt: 'Anaml y byddai neb ar gael wedi iddi nosi – dim o gwmpas y fferm. Lawr yn y Pentre Arms yn Llangrannog fel rheol – yng nghwmni Wncwl Tom a'r ffrindiau eraill. Ar brynhawnau yn unig y byddai mam a 'nhad yn mwynhau croeso sobrach y Pentre Arms – cael blas ar fentro i'r cwch gyda Morlais ac Ewyndon y byddem ni'r plant fynycha', i gwrso mecryll. Morwyr eilradd oeddem ni o'n cymharu â bois Pentre Arms. Welais i mohonyn nhw â sgidie ar eu traed am flynyddoedd. Rhodio tir a môr yn droednoeth oedd eu naturiaeth hwylus ac awenus nhw. Carnifal o haf oedd eu haf iddynt. Gweiddi cyfarch dros y lle ar bawb. Rwy'n amau a welais i blant mor benrhydd. Mentrus hefyd yn y tonnau, ac yn berffaith agored o ran eu natur a'u ffordd yng nghwmni pob un pwy bynnag. Yr oedd fisitôrs o Loegr yn yr Arms, ac Anne Jane, yr hynaf o'r merched diwyd, wedi cael acen Seisnig i'w hedmygu! Ac eto, bryd hynny, cynghanedd gwynt a môr a chwmni oedd y cyfoeth inni yno'.

247

Bwthyn Pen-plas, Cwmtydu, ar ddechrau'r ganrif ddiwethaf – tŷ haf y Parch. Fred Jones a'i deulu. Llun dyfrlliw gan Gerwyn Elias, 1995.

Pen-plas fel y mae heddiw.

Dagrau hallt a gyd-deithiai gyda hwy yr holl ffordd 'nôl i'r gweithfeydd – ymysg yr atgofion cyfoethog a breudd-wydion y chwe wythnos blaenorol. Cyn gynted ag y dychwelai'r gwyliau y flwyddyn nesaf ar galen-drau'r meddwl, roeddent yn cyfrif pob mis, wythnos, dydd a munudau yn eu breudd-wydion.

Ond i Gerallt, y mab hynaf, roedd y gwyliau yn feithrinfa'r 'Awen', yn fodd i ddysgu crefft y saer yng ngweithdy'r Cilie ac yn sicr i asio'r cyfeillgarwch arbennig a geid rhyngddo ef a'i gefnder John Alun Jones (Jac Alun) – mab hynaf y Gaerwen. Ac roedd yn sicr yn fodd i ddianc. Meddai Gerallt: 'Y peth cyntaf a feddyliaf am John Alun yw

Mari Raw-Rees yn arddangos llun o'i gwaith o Gwmtydu. Enwodd ei chartref, Pen-plas, ar ôl y bwthyn haf yng Nghwmtydu.

ei fenter a'i ddewrder. Yn ein perthynas â'n gilydd yn ein hieuenctid, er fy mod ryw wyth mis yn hŷn ag ef, roedd yn dipyn o arwr gen i . . . Un o'r gorchestion a'n tynnodd at ein gilydd pan oeddem yn bur ifanc oedd 'trapo cwningod'; nid fel gorchest alwedigaethol, er i John Alun wneud llawer o hynny'n bur gyson fel rhan o economi'r Gaerwen, eithr fel moddion trymhau'r boced ar ddydd mawr Regeta'r Cei. Dysgais yn bur fuan sut i osod magal â'r hen drapie dur, creulon yn eithaf llwyddiannus. Digon felly, ta beth inni gerdded i lawr ar ryw dair siwrnai i Langrannog yn y pythefnos cyn y regata i argyhoeddi 'fisitôrs haf' y pentre hwnnw eu bod yn cael cwningod gorau a blasusaf Prydain Fawr yn rhad dros ben rhwng chwech a naw ceiniog yr un. Gwnaethom bethau mwy rhyfygus na gwerthu cwningod yn nes ymlaen; *aider and abettor* oeddwn i wrth gwrs – John Alun oedd y mentrwr ac ef a wyddai cyn cynllunio y byddwn gydag ef hyd y carn . . . Un prynhawn Sul yn ein glas oed ifanc, euthum i fyny i'r Gaerwen o'r Cilie i gwrdd â John Alun hanner ffordd, i fynd i'r Ysgol Sul. Gosodid y ddeddf i lawr ar y Sul a rhaid oedd i'r plant a'r ieuenctid fynychu'r Ysgol Sul a'r Seiat. Ond roedd John Alun, ei frawd Elfan a minnau yn arbenigwyr ar gyfansoddi adnodau gwreiddiol. Fe gymerent ddau ben i adnodau adnabyddus, dywedem o'r Efengyl yn ôl Sant Ioan a'r Salmau, cyn ychwanegu eu talentau ysgrythurol hwythau yn gerrig llanw. Nid rhyfedd i ddiaconiaid Capel-y-Wig godi aeliau a chrychu talcenni wrth wrando ar y fath arabedd'.

'Pan ddaethom at ein gilydd,' meddai John Alun, 'aeth y merched (ei chwiorydd) 'mla'n yn barod. 'Mae'n rhy dwym i fynd ffor'co heddi. Dere i ni ga'l mynd i'r Graig

Gerallt a John Alun Jones, cefndyr a chyfeillion mynwesol.

uwchben y môr. S'no ni wedi bod yng Nghwmbwrddwch ers blynydde. Awn lan i Lôn Banc a rowndio Pen Foel – welith Mam ddim ohonon ni wedyn!' Fe ddisgynnon ni drwy'r eithin a'r grug o Gwmbwrddwch (darn o hen graig a ymnoethasai yn nannedd gorllewinwynt Môr Iwerydd) i lawr i Bwll Mwyn a oedd yn esgus o draeth wrth droed y clogwyni. Credem fel crytied mai yno'r oedd gwâl y morloi a ddôi allan mor aml i olwg traeth Cwmtydu ar noson braf. Mi godais i brotest fach wanllyd pan oeddem o fewn golwg i'r creigiau ewynnog ond i ddim pwrpas. . . . 'Dere bachan, dim ond rhyw ugen llath sy' 'na 'to; ac os allwn ni fynd lawr, fe ddown ni lan hefyd.' Er i mi fud-amau rhesymeg y gosodiad – mynd oedd raid. Roedd y capten wedi siarad!'

A thrigain mlynedd a rhagor ar ôl y digwyddiad, dywedai Gerallt fod y crafu a'r sgathru, y chwysu a'r ofnadwyaeth yn codi'r bendro arno wrth gofio am y profiad: 'Os na ddôi di 'nôl i roi help i mi, mi fydda' i lawr yn y môr,' gwaeddai Gerallt . . . 'Yr oedd un goes i mi'n curo awyr mewn gwagle, un llaw yn dynn fel gele am fonyn eithin digon bregus! Ac fe ddaeth yn ôl i lawr tuag wyth llathen a dweud wrthyf am gydio yn ei droed – a bod ei droed arall yn gadarn â'i gafael ar ryw dyfiant rhagluniaethol yn sownd, medde fe! Gwellhaodd pethe toc a ninnau'n gallu gorwedd ar fryst y clogwyn a thynnu'n hunain yn raddol tua'r grib'.

Parhaodd yr anturiaethau a thyfodd y cyfeillgarwch a bu'r ddau yn gyfeillion oes. Meddai Gerallt: 'Roeddem megis dau frawd, er mai cefndyr oeddym i'n gilydd – a gwn y bydd ei frodyr ef a'm brodyr innau'n deall y gosodiad yn well na neb'.

Roedd y Parchedig Fred Jones yn weinidog adnabyddus yng Nghwm Rhondda a thu hwnt. Ond gorlifai ei bryder, ei ddiddordebau a'i weithgareddau dros derfynau'r pulpud ym Methania i fyd addysg, gwleidyddiaeth, materion cymdeithasol, yr iaith Gymraeg, a gweithiai er budd a lles y gymdeithas gyfan. Ac fel y cofnodwyd yn fy llyfr *Teulu'r Cilie*, ymddangosai llythyrau Fred Jones yn aml yn y *Rhondda Leader*, ysgrifennai golofnau yn yr *Ocean Magazine* (dan y ffugenw 'Shâms y Bwlch') a'r *Tyst*. Er caleted oedd y 'ffâs' roedd ei areithiau trawiadol (llawn hiwmor) yn effeithiol iawn ac yn tynnu cynulleidfaoedd, ac er i lawer dynnu'n groes i'w farn, câi barch ac edmygedd ei wrthwynebwyr. Mae ei weledigaeth yn parhau trwy wasanaeth cyhoeddus ei wyrion – Alun Fred a Dafydd Iwan yng Ngwynedd.

Yn ystod y cyfnod yma cofiai Gerallt ac yntau yn 14 oed iddo gyfarfod â gŵr o'r enw Dr J. R. Jones yn Nhreorci ym 1922. Roedd y gwrthrych hwnnw i ailymddangos lawer tro ym mywyd Gerallt a'i gefnder cyntaf – y Capten John Etna Williams. Meddai Gerallt: 'Ym mis Mai y flwyddyn honno bu farw 'Mabon' – William Abraham A.S., Y Rhondda ac yn fuan wedyn cynhaliwyd etholiad i ddewis olynydd iddo. Dewis ddyn y Blaid Lafur oedd Will John, diacon gyda'r Bedyddwyr yn Nhonypandy. Daeth i'n tŷ ni i ofyn i 'nhad a ddôi ef i siarad o'i blaid mewn cyfarfod cyhoeddus. Cydsyniodd, gan roi amod y cefnogai ef fel Cristion ac fel Cymro da. Ac felly y bu. Rai dyddiau'n ddiweddarach daeth cyfaill gwiw i 'nhad – W.P. Thomas, Arolygydd Cyffredinol Cwmni Glo yr 'Ocean' – â gŵr ifanc tal o bersonoliaeth hardd gydag ef, i'n tŷ ni, a gofynnodd yntau i 'nhad a ddôi i gefnogi'r gŵr ifanc hwn a oedd yn ffrind personol i Lloyd George, i siarad ar ei ran fel ymgeisydd y Rhyddfrydwyr. Gwrthododd fy nhad gan iddo eisoes roi ei air i gefnogi Will John (a bu'r gwrthodiad yn achos dieithrwch rhwng W.P. a F. J. am amryw fisoedd!) Y gŵr ifanc tal oedd Mr John Richard Jones, Bargyfreithiwr yn Llundain a hogyn o Lanuwchllyn'. (Bu Gerallt yn weinidog ar yr Hen Gapel yn Llanuwchllyn o 1955 tan 1966. Cadwai J.R. Jones ei aelodaeth yno ar hyd y blynyddoedd ac ymwelai â'r capel ambell waith. Fe gofiodd hefyd yn

PARLIAMENTARY ELECTION
DECEMBER 6th, 1923.

WEST RHONDDA DIVISION.

VOTE for the LIBERAL CANDIDATE.

Major J. R. JONES
No. 2 on the Ballot Paper.

FORM OF BALLOT PAPER:

	JOHN	
1	(William John, 14 Eleanor Street, Tonypandy, Miners' Agent).	
	JONES	
2	(John Robert Jones, 1, Essex Court, Temple, London, E.C. 4, Barrister-at-Law).	X

Printed and Published by T. Evans, Caxton Press, Treorchy.

Ffurflen ganfasio J. R. Jones.

251

J. R. Jones, y milwr ieuanc. Bu'n ymgeisydd seneddol yn Y Rhondda ym 1923.

haelionus am y gynulleidfa a'r Neuadd Bentref yn ei ewyllys.)

'Cefais gyfle lawer gwaith i gyfarfod ag e wedyn, yn arbennig ar faes yr Eisteddfod Genedlaethol,' cofnododd Gerallt. 'Er iddo fod yn alltud o Lanuwchllyn am ddeng mlynedd a thrigain ymfalchïai yn ei dras a pharhaodd y Gymraeg yn loyw ar ei leferydd i'r diwedd. Ymwelodd â'i henwlad yn flynyddol er mwyn cael mynychu'r Brifwyl a tharo heibio i hen gyfeillion. Bu'n arweinydd i'r Cymry Alltud yn Llangefni ym 1957 ac yn y Rhos ym 1961. Ef a roddodd y goron ym Machynlleth ym 1937 ac yn Y Bala ym 1967 a'r gadair yng Nghaernarfon ym 1959. Cofiodd am Eisteddfod y Llungwyn yn ei hen ardal hefyd a chyflwynodd wobr sylweddol ym 1935 am draethawd ar 'Fywyd a Gwaith Tudur Llwyd' (ei hendaid ac englynwr crefftus). Rhannwyd y wobr rhwng tri a bwriadai J.R. ddefnyddio'r rheiny fel sylfaen i gyfrol ar ei hendaid. Pan oeddem yn harddu'r Hen Gapel ym 1971 anfonodd rodd hael i'r gronfa a dyma ran o'r llythyr a ddaeth yma gyda hi: 'Er fy mod wedi crwydro'r byd a byw ymysg pobl o amrywiol ffurfiau o grefydd, yn yr Hen Gapel a'r Ysgoldy y mae sail fy mywyd'. Nid anghofiodd y graig y naddwyd ef ohoni'. (Am ragor o hanes J. R. Jones, gweler y bennod ar y Capten John Etna Williams.)

Bu raid i Rhiannon, merch hynaf Fred Jones, adael yr ysgol yn bedair ar ddeg oed, i helpu ei llys-fam gyda gorchwylion beunyddiol y teulu, a oedd wedi chwyddo gyda dyfodiad pedwar o gywion newydd. Aeth Gerallt ymlaen i sefyll arholiad yr *Oxford Senior* – yr unig fwrdd Arholiad Addysgol a oedd ar gael yn ysgol Pentre, Y Rhondda, ar y pryd. Llwyddodd, yn ôl y disgwyliadau, ac ymunodd â swyddfa'r cyfreithiwr Gorwel Owen. Roedd yntau yn ffrindiau agos â Fred Jones ac yn ddiacon ym Methania. Ac er iddo chwyddo ei bocedi gydag ambell syllten, cyfnod anhapus a di-ystyr oedd ei gyfnod mewn swyddfa yn y Porth. Meddai Gerallt yn ei nodiadau, gyda elfen o hiraeth am yrfa ramantus John Alun ar y môr: 'Wedi iddo (J.A.) fynd yn forwr, euthum innau'n glercyn o fath mewn swyddfa yn Y Rhondda – a'm dyletswyddau'n mynd â mi'n achlysurol i Gaerdydd – ar gost y 'bós'. Canys cildwrn bach o arian poced a gawn y pryd hwn. 'Dydi hi ddim yn ormod i ddweud 'mod i'n byw mewn rhyw fyd afreal ac estronol o haf i haf ac mai'r chwech wythnos o haf yng Ngheredigion a'r Cilie, oedd bywyd i mi'. Teithiai Gerallt yn fwy aml i Gaerdydd wrth iddo ennill profiad a bodloni'r 'bos' o'i gymwysterau. Ac un prynhawn ym 1926, ar Stryd y Frenhines, daeth wyneb yn wyneb â'i arwr, ei gefnder John Alun. 'Cefais fy nhaflu yn sydyn at gwlffyn go arbennig o'r byw hwnnw, o Geredigion – ar balmant yng Nghaerdydd! O oriau o orfoledd! Ond âi fy nhrên i yn ôl am saith o'r gloch ac ar y

Felin Huw, Cwmtydu. Yn y cefn, o'r chwith: Rhiannon (chwaer Gerallt), Syr D. O. Evans, Isfoel, Catherine (a Pwyll ap Dafydd ar ei braich), Betty Price a Mary Davies; yn y blaen, o'r chwith: F. M. Jones, Dafydd Rhagfyr, y Foneddiges Evans, Mam-gu Pen-parc, Megan Davies, a'r Parch. Fred Jones ac Eunice.

Cynhaeaf llafur yn y Cilie. Ar y dde: Gerallt (pan oedd yn was yn y Cilie). Yn y llun hefyd y mae S.B. (yn smocio'i getyn), ac Alun a Sioronwy.

Cynhaeaf ym mharc Cartws.

Gerallt yn ystod ei ddyddiau fel gwas yn y Cilie – gyda dwy o'r morynion.

platfform dyma dreio ysgwyd llaw â Sam (Morgan, Ffynnonlefrith fach, Llandysilio-gogo) ac yna â John Alun. Ac yr oedd hanner coron yn fy llaw ar ôl y perfformans swil. Darn go sylweddol o gyflog wythnos iddo fe'r pryd hwnnw, ond i'r clercyn, ffortiwn, a leddfai ychydig ar boen yr ymwahanu!'

Parhaodd bywyd undonog Gerallt a'r unig doriad diddorol, os gellir ei ddisgrifio felly, oedd y daith trên gyda'i lwyth o 'writs' a 'supphoenas' i lysoedd y ddinas. Ond roedd gweld y ddinas, yn enwedig y dociau, yn fodd i estyn ei orwelion rhamantus. Canodd y gân hiraethus ganlynol am draethell Cwmtydu a'i rhamant:

AR Y TRAETH

Os wyt unig dan y tonnau
   Fôr-forwynig dlos,
Cadw oed wrth odre'r creigiau
   Gyda mi, bob nos.
Yn nhawelwch miwsig anian
   Rhodiwn lan y don,
Dan dangnefedd gwên yr huan –
   Dan ei chwerthin llon.

Nid oes gariad ymysg dynion,
   Yn fy ateb i;
Llefaf felly am dy gwmni,
   Am dy gariad di.
Rhwng y grug uwchben y draethell,
   Byddaf bob prynhawn,
Gwylio ymchwydd bron dy gastell
   Nes bo'r lli yn llawn.

Hudol fyd gwnawn lannau'r tonnau,
   Nef – y tywod mân;
Lle chwaraewn yn y nosau
   I'th felfedaidd gân;
Pan ddaw diwedd 'mywyd innau
   Ar y gorwel pell,
Gyda thi af drwy'r dyfnderau
   I'th risialaidd gell.

Yna yn heddwch dwfn yr eigion,
   Cysgaf gyda thi,
Tra fo sŵn hiraethu dynion
   Draw ar lan y lli.
Fel y clywaf – clywant hwythau
   Ar yr awel fwyn, –
Dim ond tyner dannau'r tonnau,
   Dim ond suon brwyn.

Treorky   *Gerallt Jones*
(*Weekly Mail*, 27-11-1926)

Gerallt, y gwas yng nghwrt y Cilie.

Tri morwr o ardal Blaencelyn. O'r chwith: Gerallt, Dewi Davies ac Evan Evans, Blodfa.

A phan fyddai John Alun yn dod i mewn i borthladd Caerdydd ar y *Ravenshoe* a'r *Porthia* ac yn cyfarfod â'i gefnder, roedd yn codi awydd ar Gerallt i fynd i'r môr. Ond ni fu ei fedydd morwrol mor esmwyth a thraddodiadol â'i gefndryd yn y 'Tyl'.

Wedi derbyn yr alwad i fod yn weinidog ar eglwys Bethel, Tal-y-bont, Ceredigion, symudodd y Parch. Fred Jones a'r teulu i Faesmor yn y pentref hwnnw gan adael cwm diwydiannol Y Rhondda am byth. Ond bu raid i Fred Jones ddychwelyd yn achlysurol oherwydd fe'i hetholwyd yn gadeirydd Pwyllgor Gwaith Eisteddfod Genedlaethol Treorci ym 1928. Yn y cyfamser, roedd Gerallt yn parhau i fyw mewn llety ac yn ei swydd ddiflas a blinderus mewn swyddfa cyfreithiwr. Nid oedd Gorwel Owen ar fai. Roedd perthynas dda rhyngddynt ond roedd llygaid a dyheadau Gerallt ar orwel arall. Symudodd i'r Cilie, fel gwas, mwy neu lai, gan ymddangos, ar y dechrau, fod ganddo ddiddordeb mewn amaethu. Roedd yn weithiwr da ac wrth ei fodd 'rhwng cyrn yr arad goch' heb sôn am ei fwynhau ei hun yn llawn ym mywiogrwydd y gymdeithas ac yng nghwmni sain cân ac englyn y Cilie. Gwyddai, yn ystod ei gyfnod byr yn y Cilie, am drefn bechgyn ifanc yr ardal a âi i'r môr. Cysylltent â chapten lleol ac os gwnaethant argraff foddhaol: 'Byddent yn gwisgo dillad ac offer llongwr ar y trannoeth, a'r heli yn eu ffroenau'. Hawdd oedd dod o hyd i bapurau newydd a gyhoeddai enwau llongau ar gyrraedd porthladd Caerdydd, Abertawe a'r Barri.

Ychydig wedi Nadolig 1927, neu efallai ddechrau 1928, cyrhaeddodd llythyr gwahanol i Faesmor wedi ei addurno gan stamp a marc postio dieithr – Vladivostok, Rwsia, ym mhen draw dwyreiniol Siberia. Agorwyd y llythyr yn betrusgar oherwydd roedd y llawysgrifen yn adnabyddus. Llythyr oddi wrth Gerallt! Roedd wedi dianc i'r môr fel *cabin-boy* ar y llong *M/V King Edgar* – 2,694 tunnell dan gapteiniaeth William

256

Llong gyntaf Gerallt Jones: y *King Edgar*.

Davies, Angorfa, Llangrannog. Hwyliodd yn wag o Gaerdydd i Belfast a chychwyn-
nodd Gerallt ar ei fordaith gyntaf o wlad y Gwyddel i bellafoedd byd ar 29 Tachwedd
1927. Ni allai fod ymhellach oddi wrth ei deulu. Ymddiheurodd am gyflawni'r fath
weithred gan ysgrifennu am ei rwystredigaeth mewn swyddfa. Roedd ei dad eisoes
wedi talu blaendal i Gorwel Owen am fynediad Gerallt i brentisiaeth yn y gyfraith – yr
hyn a elwid yn prynu 'articles'. Fel arfer, gallai'r cyfnod o ddysg gymryd hyd at bum
neu chwe blynedd. Plediodd mai dyna roedd am ei wneud.

. . . 'Peidiwch â becso, rwyf wedi mynd â llyfrau'r gyfraith gennyf i'w darllen ac i
barhau fy astudiaethau!'

'Mae morfil siŵr o'i lyncu fel Jonah – pa 'studio neith e . . . yn corco fel rilen ar y
tonnau . . . croesi'r cyhydedd a gweld holl ryfeddodau'r byd!' oedd sylwadau Fred
Jones, yn ôl ei ferch, Rhiannon.

Ond, yn ôl y disgwyl, dymuno'n dda iddo a wnaeth ei dad, trwy lythyr cwrtais a
hawddgar, heb ormod o gynghorion. Nododd mai hapusrwydd a boddhad trwy wireddu
breuddwyd oedd ei ddymuniad i'w fab hynaf. Ac efallai, wedi iddo chwythu'i blwc, y
dychwelai i Gymru – efallai trwy alwad! A phan glywodd prydyddion y Cilie fod
Gerallt wedi newid cwrs, yn fuan iawn ymddangosodd cyfres o benillion talentog.

Cân o waith Isfoel oedd 'Saga'r Pump', sef hanes pump o fechgyn o ardaloedd
Llangrannog a Chwmtydu yn mynd i'r môr, a rhai ohonynt am y tro cyntaf. Cyfeirir at
Hathren Rees (Hawenfa), David John Evans (Frondeiniol), Edward [Tedi] Jones
(Pwllheli), David Williams (Gelliwen) a Gerallt Jones (Treorci, Maesmor Tal-y-bont a'r
Cilie).

> Aeth pump o Geredigion mewn trên yn fechgyn iach,
> I gyrraedd gwlad y Padi ddydd Iau yn fore bach,
> Pob un â'i gwdyn morwr yn iach â boche coch,
> Yn debyg iawn i ffermwyr yn cario sarn dan moch.

Pum morwr ar y *Cymric Pride*, un o longau'r Anglo-Belgique Shipping Co., yn ystod 1918–32. Yn y cefn y mae Evan Evans, Blodfa, a Hathren Rees, Hawenfa, un arall o gyd-forwyr Gerallt Jones.

Y capten mawr wrth gychwyn oedd Williams Gelli-wen,
Gŵr addfwyn, ffit i fusnes a'r deddfau yn ei ben,
Efe oedd pen y dosbarth, y dosbarth gwyllt a ffôl,
Fe safai yn eu canol yn debyg iawn i Paul.

Roedd Dafi John Frondeiniol yn methu â rhoi gwên,
Bron llefain yn ei gornel pen pellaf sêt y trên,
Wrth gofio am Langrannog a'i donnau ger y 'Ship'
A'r oriau dedwydd dreuliodd yn crwydro ar 'Ben Rhip'.

Fe'i gwelwn yntau Tedi yn llwydo o glust i glust,
A golwg ddwyfol arno, roedd braidd fel Iesu Grist,
Ond mynd yng ngwres ei gilydd y gwelais yr holl gast,
Yn cefnu ar eu henfro a'u golwg ar Belfast.

Roedd yntau Hathren yno a'i fochau disglair iach,
A hanner orau'i galon ar ôl yn Nhroed-rhiw-fach,
Bydd Annie nawr am fisoedd yn gweld pob peth yn 'wrong',
A'i meddwl yn Vancouver a'i chalon ar y llong.
Ond pan ddaw Hathren adre' daw popeth 'nôl o dde,
Bydd moliant yn y Denver a'r cyfan yn ei le.

258

Ymysg y criw difyrrus roedd deryn newydd sbon
Yn gweled trwy ddychymyg yr heulwen ar bob ton.
Dechreuodd ef ei siwrne yn llawen gyda hwy,
A dweud yn bur benuchel – 'I ddiawl â'r Rhondda mwy!'
Ond ar y cwch wrth groesi a'r tonnau'n chwyddo i'r lan
Fel i gusanu'r hwylbren a'u gwallt yn chwilfriw can –
Fe welwyd ef yn estyn ei wddwg alarch hir
A chwydu, megis bwa, i donnau'r heli pur.
Pa eisiau ydoedd cario bwyd iachus Parc Gaer-ddu
A'i fwrw i'r Atlantig yn fwyd i bysg y lli.

Rhwydd hynt fo i chwi fechgyn a'ch ysbryd ysgafn llon,
Nes sangu yn Vancouver ar gefen cryf y don.
Ac os yw Duw yn fodlon, 'good sport' yw Duw o hyd,
Boed nerth a hoen i'ch dychwel yn ôl o ben draw'r byd.

Fel gallo Dai a Thedi ddod 'nôl i'w cartref clyd,
A Gerallt gyda Hathren ddychwelyd yr un pryd;
A phan y'ch gwelaf nesaf, Dai James a fyddo'n ben,
Pob bendith iddo yntau, sef capten Gelli-wen.

(O.N. Y *nipper* a'r morwr ifanc newydd sbon ar ei fordaith gyntaf a ddioddefodd mor enbyd o salwch môr oedd Gerallt, wrth gwrs.)

Derbyniwyd cyfres o lythyron diddorol a lliwgar oddi wrth y morwr ifanc. Byddai ei frodyr a'i chwiorydd wrth eu bodd yn eu darllen ar yr aelwyd. Ynddynt roedd disgrifiadau craff, stamp y cyfarwydd llên a'r dinc delynegol gynhenid na ellid eu chuddio, hyd yn oed ar gefnfor. Yn anffodus nid oes yr un o'r 'epistolau' ar glawr – ond roedd rhai o'r manylion wedi aros yng nghof ei chwiorydd. Meddai Rhiannon: 'Roedd Gerallt yn ymarferol iawn. Un cymen a gofalus ydoedd. Nid rhyfedd iddo gymryd at waith saer, yn enwedig yng ngweithdy'r Cilie. A phan gafodd *dermatitis* ar y llong, fe'i gosodwyd mewn *quarantine* am gyfnod. Yno, adeiladodd gadeiriau heirdd i'r capten a hefyd gypyrddau cadarn a silffoedd i'w gaban'.

'Roedd e'n dioddef yn ofnadwy o salwch y môr, yn enwedig ar ei fordeithiau cynharaf,' meddai Ardudfyl. A phan ddaeth adref i Dal-y-bont ar ddiwedd ei fordaith gyntaf roedd yno groeso mawr yn ei ddisgwyl. Roedd cynnwrf, cyffro a mynegiant disgwylgar ar wynebau'r teulu i wybod rhagor am anturiaethau'r môr . . . 'A welaist ti fôr-forwyn? Oes dreigiau mawr peryglus yn llechu yn nyfnder y môr? A gest ti wejen mas yn Shanghai ffor 'na? Fuest ti'n dreifo'r llong? A oedd ofn arnat ti mewn storom? A welest ti forfil? Sut lefydd yw Santa Fe, Vancouver, Gibraltar a Buenos Aires? A wet ti ben-i-waered yn Awstralia? A oes presante 'da ti i ni?'

Un o'r anrhegion annisgwyl a gofiai Derec, ei frawd, a gyflwynodd Gerallt i'w deulu wedi un o'i fordeithiau oedd tun anferth o goco (*cocao*). Roedd yn gymaint o ran maint, rhaid oedd i ddau o'r plantos crynion ei gario o'r pantri a chafwyd cocao i frecwast, cinio, te a swper am dymhorau. Âi ambell ysbeiliwr i'r pantri i ostwng ei fys gwlyb i ganol y powdwr cyn ei flasu! Byddai'n well wedyn pe bai wedi taro ymweliad â'r badell ddŵr i lanhau ei weflau brown!

Ar ddiwedd un fordaith daeth â darn mawr o gwrel gwyn a gwrid pinc drosto yn ei gwdyn morwr. Bu'r darn cain yn destun rhyfeddod i'r meddyliau chwilfrydig ar aelwyd y Mans ac i ieuenctid Tal-y-bont. A thro arall wedi i Gerallt forwr ddychwelyd o'i fordaith, trodd at ei frawd, Derec, gan ddweud: 'Mae eisiau i ti dorri dy wallt. Mae e lawr i dy wegil. Ble mae'r gwalle 'na?' Aeth Derec i Ysgol Ardwyn ar y Llun yn edrych, yn ôl ei ddisgrifiad, 'fel meipen â thwffyn o flewiach yn unig ar ei gorun'. . .

"Pwy wyt ti?" gofynnodd un o'r ysgolfeistri, Henry Rees Evans (ffrind pennaf T. H. Parry-Williams) gan gydio yn y cudyn byr. "Pwy wnaeth hyn i ti?"

"Gerallt, fy mrawd, syr," oedd ateb y 'convict' bach.

"Beth yw ei waith e?"

"Morwr."

"Pryd mae e'n mynd 'nôl i'r môr?" gofynnodd mewn llais sarhaus.

A chafodd Dafydd Rhagfyr, ei frawd arall, gneifiad clòs gan Gerallt farbwr. Meddai Dafydd: 'Eisteddais mewn cadair yn yr ardd, a chyn y sylweddolais, roeddwn yn edrych fel 'convict'. Roedd Gerallt wedi dysgu'r grefft – os crefft oedd hi yn ei ddwylo e – ar y môr! Os oedd e'n adeiladu dodrefn ar y llong, gobeithio ei fod e'n well saer nag o farbwr!'

Ond nid âi yn ôl i'r môr cyn iddo gyflawni llawer o ofynion gwaith cartref ei frodyr a'i chwiorydd. Os oedd eisiau tynnu llun, dylunio, llunio sgets neu fap – Gerallt a ddôi i'r adwy gan greu campwaith bron bob tro.

Ychydig iawn o nodiadau, llythyron neu sgyrsiau ar dâp sydd ar gof a chadw ynglŷn â gyrfa Gerallt ar y môr. Ond mae ei lyfr *Rhwng y Coch a'r Gwyrdd* (1982) yn em o gasgliad o ysgrifau am ei brofiadau o gyfnod bywyd sydd ymhell, bell yn ôl. Fe'u hysgrifennwyd flynyddoedd wedi'r profiadau ac fe'u hanfonwyd i gystadlaethau eisteddfodol 'rai troeon a bu geiriau caredig y beirniaid yn ddigon i'm hannog i'w crynhoi ynghyd i'r gyfrol hon'.

Tri o lyfrau Gerallt Jones.

260

'Bu'r rhan fwyaf ohoni tan yr un teitl, yng nghystadleuaeth y Fedal Ryddiaith yn Eisteddfod Maldwyn, 1981, a chael barn deg rwy'n credu; diolch i'r tri beirniad' (Rhagair, Mai 1982). Daeth dwy gyfrol ar bymtheg i law ond diolch mai hel atgofion a wnâi Gerallt (yn ôl y beirniad) – canys gadawodd gyfoeth o'i hanesion morwrol.

Dyma farn y beirniaid: 'Blas yr heli sy'n halltu'r ysgrifau hyn. Profiadau morwr sydd yma, a hwnnw'n berson miniog ei ddeallusrwydd a chryf ei argyhoeddiadau . . . Does dim dowt nad yw hwn yn llenor galluog. . .' (John Rowlands).

. . . 'Mae yma ddawn, gwybodaeth helaeth a meddwl praff. Ar ei orau . . . mae'n delynegol hyfryd!' (Eigra Lewis Roberts).

. . . 'Ymgeisydd gyda'r glanaf ei Gymraeg yn yr holl gystadleuaeth yw *Ewyndon*. Y profiadau a gafodd fel llongwr yw mêr ei gyfrol . . . Nid oes ddadl nad ydym yng nghwmni artist gofalus a phrofiadol gyda'r awdur hwn' (R. Tudur Jones).

Mae'n cyflwyno'r llyfr i chwech o gapteiniaid a fu'n garedig wrtho ar fôr a thir – William Davies, Llangrannog; D. Rees Jenkins, Llan-non a'r Barri; Frank Ellis, Harlech; a'i gefndryd Dafydd Jeremiah, John Etna Williams a Jac Alun Jones, Llangrannog.

Yn ei ysgrif gyntaf dywed Gerallt mai soned R. Williams Parry ('Gadael Tir') a ddaeth i'w feddwl pan adawodd y tir mawr. . . 'Heddiw yr wyf fi'n medru edrych yn ôl ar y profiad – 'mor ddidaro â Philat wedi'r brad' – Ond y tro cyntaf y gadewais dir fel hyn, yn un o'r 'dwylo', goruchwyliaeth boenus oedd paratoi f'ymadawiad fy hunan, yn ddamhegol megis . . . Y mae'r cargo dan yr hatsys yn ddiogel i gyd; cynfasau mawr y 'tarpowlins' ys dwedai Dai'r Bos'n o Gardi oedd yn fforman arnom, wedi ei ddiogelu ar bob hatsh a phob derric wedi ei ostwng yn daclus yn ôl i'w orffwysfa. Y mae hanner dwsin ohonom ar ben blaen y llong, y 'ffo'c's'l head' yng nghriw y Bos'n a'r gweddill o'r morwyr yn ôl ar y pŵp yng nghriw yr Ail Fêt. Yn yr harbwr mae dau dwg (*tug boat*) yn sownd wrth bob i raff ddur o'r llong. Toc, bydd y ddwy raff yn dynn fel tannau telyn a'r ddau dwg yn tuchan ac yn chwythu ac yn llawen-boeri chwibaniadau byr ar eu seirennau . . . Mae'r hen 'fanila' fawr eisoes ar ddrwm y winsh, a phedwar ohonom yn ei halio i mewn o'r cei ac yn ei thorchi ar y dec fel sarff farw. Dim ond y *back-spring*, rhaff ddur denau, sy'n ein dal wrth y cei yn awr, a thoc, wedi tipyn o weiddi rhwng y Peilot ar bont y llong a gwŷr y cei, dyna nhw'n ei thaflu oddi ar y *bollards* a ninnau'n ei thynnu hithau hefyd i'w lle ar y dec. Y mae'r ychydig deithwyr sydd gennym ar ddec y cychod yn chwifio'u cadachau at eu ceraint oddi tanynt ar y cei, ac yn ara' deg fe dry'r hen long ei thrwyn tua'r ddwyres o oleuadau coch a gwyrdd sy'n ymestyn tua'r môr mawr'.

Ail bennod ei lyfr yw sâl môr neu salwch y môr, i roi ei enw priodol iddo. I lawer ohonom, blant Efa'r tir mawr, salwch yn gysylltiedig â môr garw yw'r *sea-sickness* bondigrybwyll. Ond nid felly yr oedd damcaniaeth Gerallt forwr! A thueddai'r rhan fwyaf o forwyr Llangrannog i gytuno â hynny. Mewn tywydd mawr nid oedd ofn a salwch yn rhan angenrheidiol o ddioddefaint morwr – hyd yn oed i'r *nipper* ieuengaf. Dywed Gerallt . . . 'Ond pa dywydd bynnag a geir yng nghorff y fordaith, a'r hiraeth wedi ei leddfu, go brin yw ymosodiadau'r sâl-môr . . . Wele un profiad a gefais sy'n peri imi gredu fod yn rhaid wrth gynyrfiadau eraill i gynhyrchu sâl-môr heblaw cyffroadau uniongyrchol y môr'.

Hwyliodd Gerallt o Karachi wedi dadlwytho llwyth o rawn gwenith o Awstralia ac ar ei ffordd i Rangoon (Burma) mewn balast yn unig i lwytho reis i Tseina. Anfonodd Isfoel englynion ato:

Ystôr helaeth Awstralia – ddwg fendith
　　I gyfandir India
　　Trwy ymdrechion dynion da
　　Y dig fôr, dwg ei fara.

Gerallt a'i gwch wna gario – teg wenith
　　Patagonia iddo;
　　Blawd i'w frawd o ryw bell fro
　　A'r don yn rhuo dano.

(Cariodd wenith o'r Ariannin ar fordaith arall!)

　　. . . 'Bu'r môr ers deuddydd fel llyn melin, yng nghysgod deheudir India, ond wrth nesáu at y penrhyn isaf disgwyliem y byddai gwynt ysgafn y dwyrain yn peri bod ymchwydd y dyfroedd maith o Singapore i Sri Lanka ar draws Bae Bengal i newid mosiwn y llong; eithr ni wnâi hynny fawr o wahaniaeth ar fordaith hir'.

　　Ond aeth Gerallt ar awr hamdden i'r bwnc i orffen nofel Saesneg a fenthyciodd o lyfrgell y llong. Gafaelodd yn gryf ynddo a dywed am ddiweddglo trist y stori . . . 'dychmygwn fy mod i'n un o'r cwmni o bobl ifanc a ddisgrifid ynddi. Yr oedd marw dewr ond trist y ferch yn y tudalennau olaf yn fy ngadael fel pe bawn wedi colli fy chwaer fy hun, ac fe droes y cydymdeimlad hiraethus yn sâl-môr! Do, cefais blwc difrifol ohono, ac yr oeddwn ymhell ar y ffordd tuag at afon Irawaddy cyn i bethau sadio ac i'r aflwydd gilio'. Tybed a oedd marwolaeth gynnar ei fam wedi gadael effaith arno?

　　Cymherir profiad Gerallt â phrofiad Dewi Emrys Owen (fy ewythr a ffrind i Gerallt yn ei ddyddiau yn y Cilie). Dywed Dewi: 'Roeddwn ar fy mordaith gyntaf – yn *rookie* ar yr *S.S. Cassalla* dan gapteiniaeth Williams, Kenmare, Ceinewydd, gyda llwyth o sment o Antwerp i Philadelphia. Oherwydd y tywydd garw cymerodd y llong 42 o ddiwrnodau yn lle'r 18 arferol. Rhedsom allan o lo a bu'n rhaid i ni losgi pob math o goed ar y llong i ni godi stêm a galw yn Bermuda am *bunkers*. Roedd yn fedydd da ond ni ddioddefais o ofn na salwch môr – yn rhyfedd iawn. Doedd dim amser na chyfle i feddwl amdano'.

　　Mae atgofion Jenkin Evan Jones, Pantyronnen, Pontgarreg, a chydnabod arall i Gerallt, yn cadarnhau'r ddamcaniaeth ymhellach: 'Roeddwn yn forwr ifanc ac roedd y llong wedi dadlwytho glo yn Llundain ac yn dychwelyd i'r Barri yn wag. Ond oddi ar Benrhyn Hartland cododd tymestl ofnadwy. Roedd y môr yn fas ac yn rhedeg yn gellweirus. Rhuai'r môr atom a rhaid oedd 'heave-to' a chadw'r llong o'r creigiau. Ar ôl taco lan y sianel, cyrhaeddsom gysgod Y Barri. Cafodd y capten sioc ei fywyd pan waeddodd llais o'r *pilot cutter* oedd wedi tynnu lan ar bwys – 'Ydych chi yn gwybod nad oes propelor gennych?' – Dim ond dau stwmpyn oedd gennym – fel rhywun wedi gadael stôl deintydd. Ond chwarae teg, roedd 'prop' newydd wedi cyrraedd y bore canlynol o Sunderland'. Dywedai nad oedd amser na rheswm i ystyried ofn ac ni chydiodd yr un salwch môr ynddo!

　　Un arall o gyd-forwyr Gerallt oedd Dewi Davies, Glaslwyn, Blaencelyn – a ddringodd i swydd capten yn ddiweddarach yn ei yrfa lwyddiannus. Dywedodd wrthyf mai'r profiad mwyaf dychrynllyd a gafodd ar y môr oedd croesi'r Iwerydd fel capten ar y llong *M.V. Marson Cathay* (llong 5,000 tunnell yn eiddo i Gwmni Henderson) . . . 'Tua dechrau 1973 oedd hi a ninnau'n cario llwyth o bowdwr *china clay* (ar gyfer gwneud papur printio safonol) o Alviles yng ngogledd Sbaen i Delaware yn yr Unol Daleithiau. Taith o bymtheng niwrnod fyddai hon fel arfer. Dau ddiwrnod ma's o Alviles, fe ddaeth yn amlwg fod tywydd drwg i fod o'n blaen. Er mwyn osgoi Gogledd yr Iwerydd a'r tywydd penderfynwyd torri cwrs i'r de ac anelu am Ynys Bermuda. Ar ôl galw yn Gran Canaria am *bunkers* fe drawodd y storom ni ddiwrnod ar ôl inni hwylio. Dyna'r storm fwyaf y bues i ynddi erioed. Roedd y gwynt ar gryfder 10 (ar raddfa Beaufort) – er fy mod wedi bod mewn gwynt cryfach. Ond fe barodd y gwynt yma am 22 diwrnod – ddydd a nos. Chwythai'r gwynt o ogledd-orllewin i dde-orllewin a'r *visibility* rhwng 200–300 llath ar y pellaf. Cofiaf un moryn nerthol (ton anferth) yn sgubo'r dec. Fe fwriodd ffenestri allan yn gyfan, y gwydr *plate* a'r fframiau a'r bolltiau pres yn plygu ac yn dod yn rhydd. Chwalwyd un o'r hatsys yn yfflon, gan adael yr howld yn agored ac yn cymryd dŵr. Trodd y clai powdwr yn un domen ddiwerth, ac roedd yn rhaid trwsio'r hats ar fyrder. Llwyddwyd gyda chryn drafferth i droi'r llong a'i dal gyda'i chefn (*aft*) yn erbyn y tywydd. Bu'r pedair awr ar hugain yn galed iawn, ac 'all hands on deck' i atgyweirio. Roedd pawb at ei gesail mewn dŵr a phwdin *china clay* a'r llong yn rowlio i bob cyfeiriad . . . Nid oedd modd defnyddio haul na sêr na lleuad ar gyfer llywio. Cyrhaeddwyd 24 diwrnod ar ôl hwylio o Sbaen. Ni fues yn y gwely am 21 diwrnod, dim ond 'forty winks' mewn stôl yn fy nghaban, a honno wedi'i chlymu i lawr yn dynn gyda rhaff. Ond dyna fe, gwaith yw gwaith. Ac mae'n siŵr mai i'r môr yr awn eto pe cawn fy amser yn ôl'.

Yna dywedodd: 'Nid oedd ofn na salwch môr yn ystyriaeth, dim ond meddwl am ddiogelwch y llong a'r criw. Ond bob tro rwy'n cofio, mae ias oer yn mynd i lawr fy nghefn!'

Câi'r *nipper* air o gyngor ambell waith. Dyna a gafodd Cyril Lewis, morwr ieuanc o Lanarth ar y pryd, oddi wrth hen 'ddiawl' o Sgotyn oedd yn 'fo's'un' arno ar ei fordaith gyntaf: "Go down to the galley and get the f----- cook to get a nice large f----- lump o greasy pork and tie the f----- thing to a piece of string. Swallow it over and over again but never let go of the f----- string." A chredwch neu beidio, gwellhaodd y dolur, ac ni ddioddefodd Cyril Lewis o salwch môr drwy gydol ei yrfa ar y môr.

Ni chafodd Gerallt wared ar salwch y môr. Deuai'n ôl yn achlysurol wrth iddo ymgodymu â brathiadau hiraeth. Ond yn ei gyfnod o bum mlynedd fel morwr cafodd brofiad o ymweld yn annisgwyl â mannau mwyaf rhamantus y byd. Ymhlith y llefydd cyntaf yr oedd Odessa, Novorosisk a Photi yn yr Undeb Sofietaidd. Cafodd wahoddiad gydag aelodau eraill o'r criw i fynd i'r 'International Club' yn nhre' Odessa, er, meddai Gerallt: 'Roedd rhyw wrthryfel ynof yn erbyn y snobyddiaeth isel-ael. Cafodd Gerallt a'i ffrind Mackay addysg uwchradd ac fe synnodd hyn y gwrandawyr wrth iddynt drafod gramadeg a llenyddiaeth Saesneg. Mentrodd i dir crefydd, diwydiant a'r gwrthryfel gwerinol a wnâi bopeth dros y werin, neu'r proletariat. (Cefais fy nghyfarch gan Gerallt yn aml fel proletariat – anrhydedd siŵr o fod.) Ond wedi derbyn llythyr oddi wrth ddau o'i gyfeillion newydd gyda'r cymal . . . 'there will be friends of yours in Odessa always praying for your safety . . .' meddyliodd Gerallt fod ganddynt hwythau, wedi'r cyfan, ddyheadau yn eu natur na ellid eu mynegi ond trwy weddi.

Cafodd hwyl fawr wedi disgwyl eiddgar am y *bum-boats* ar hyd porthladdoedd y Crimea (sef mân siopwyr mewn cychod a ddôi fel haid o wenyn i bedlera'u nwyddau).

Cludwyd mwyn manganîs i'r Aifft, ac ymweld â'r Eidal, Groeg, Iwgoslafia a'r India.

Un arall o longau Gerallt, yr *S.S. Raisdale*.

Ac wrth fordeithio o Banama i Seland Newydd penderfynodd y capten aros ar Ynys Pitcairn. Mae hen draddodiad wedi aros ers dyddiau Capten Bligh a'r llong *Bounty*. Rhoddwyd ychydig o fwydydd i'r brodorion – casgenaid neu ddwy o flawd gwenith, ychydig duniau o jam a chig, ac ymenyn a llaeth. Ond oherwydd cweryla a therfysg llwyddodd disgynyddion Fletcher Christian (mêt y *Bounty*) i'w difa eu hunain ond am un – o'r enw Adda. Ac wedi cyfnod ar Ynys Norfolk daeth deugain ohonynt yn ôl i Pitcairn. Wrth i'r cychod rhwyfo dynnu ymaith oddi wrth y llong roedd lleisiau'r brodorion yn enwedig y baswyr, 'yn gadarn a thrwm fel atsain hwrdd y tonnau yn ogofâu Cwmtydu'. Ymwelodd Gerallt hefyd â Tseina, Awstralia, Canada, Singapôr, Sri Lanka (Ceylon) a De'r Amerig ac yn sicr bu'r amrywiaeth yn gyfrwng i feddalu'r hiraeth a throi ei feddyliau at ryfeddodau'r byd.

Am bunt yr wythnos, ac yng nghwmni Dewi Davies, cyflawnodd fordaith hir a diddorol ar y *Raisdale*.

PRIODAS GERDD
(i Mr Daniel Lloyd, Troed-rhiw-fach, a Miss Owena Jones,
Fron-deg a Dôl-gou, Capel-y-Wig.)

Daeth imi newydd pwysig pan o'wn yn Tseina bell,
Fod ef yr esgid-feddyg yn un â'i 'hanner gwell',
A daeth o hyd i'r feinwen heb deithio 'mhell o dre –
Yn erwau glas Llangrannog, yn heddwch pur y lle.

Pan oeddwn gynt yn rhodio o amgylch Pont-y-rhyd,
Ni fentrais â breuddwydio fod cariad c'lonnau clyd
Yn ffynnu yn yr ardal rhwng Llwyd a Throed-rhiw-fach
Â hi Owena geinwal, y llaethferch hoyw iach.

Bu llais hyfrytaf Daniel yn eco'n amal, do;
Draw seiniai yn dra swynol i glos Dôl-gou ar dro,
Ac yno dan y talgoed roedd hi Owena dlos
Yn clywed llais ei galon yn galw gyda'r nos.

Mor hyfryd ydyw meddwl draw yma hwnt i'r don,
Lle mae y byd mor fydol, fod Cymru fach mor llon,
A bod dau enaid eto ynghlwm yng nghadwyn serch,
Yn rhodio llwybr hyfrytaf borefyd mab a merch.

Hawddamor, hoff gyfeillion! parhaed eich gwynfyd byth,
A Duw a fo'ch cynhaliwr a'r cysgod dros eich nyth;
A phan ddaw'r adar bychain i byncio drwy y tŷ,
I ffwrdd aed pob gofalon yn nyfnder cariad cry'.

A phan y rhodiaf eto o amgylch Pont-y-rhyd,
Bydd melys cofio eto am heddwch c'lonnau clyd,
Fu unwaith gyda minnau yn asbri ienctid ffôl,
Yn neidio dros y cloddiau a draw dros las y ddôl.

A phan y clywaf 'r adar yn canu draw'n y Wig,
Mi glywaf eco'r bergan atebwyd dan ei brig.

Gerallt Jones   (Tal-y-bont)
M.V. King Edgar, Shanghai, Tseina, Mai 1929.

O.N. Boddwyd Daniel Lloyd yn afon Bilbao, Sbaen, wedi iddo gwympo o'r platfform pan oedd yn paentio ochr y llong – ar ei fordaith gyntaf. Gwelir llun o'i garreg fedd yn *Teulu'r Cilie*.

Mae natur a phwrpas y penillion a ysgrifennwyd ymhell o Gymru yn arddangos pryder a dawn fugeiliol gweinidog yn gynnar iawn!

Mae morwyr yn ofergoelus iawn, a daeth yr elfen yma o forwriaeth ar draws Gerallt yn gynnar iawn yn ei ddyddiau fel llongwr gan 'roi tipyn o ysgydwad imi ar y pryd ac a wnaeth imi fod yn fwy carcus fy nhafod ynglŷn â phwnc ofergoeledd byth wedyn . . .'

     a challach, ystwythach dyn
     o beth ydoedd byth wedyn.

Roedd ar y *King Edgar* mewn tywydd garw a newydd wella o'r pwl cyntaf o salwch y môr. Cariai dunnaid o datws dan ei gesail gan aros yng nghysgod *mid-ships* cyn disgyn yr ysgol ddur i gaban bwyta'r morwyr. Dechreuodd chwibanu 'pwt o alaw' ac yna – 'daeth MacWhirter, y greshwr tal, tenau ataf, a pheth o ginio'r *greasers* tan ei gesail yntau, a phoeri'r geiriau i'm hwyneb: "Stop that bloody whistling, greenhorn!" Yn ei syfrdandod, cafodd esboniad ar agwedd gynddeiriog y *greaser* gan Scotty Blake: 'O, paid â chymryd sylw o'r hen ddiawl surbwch yna. Ond paid tithau â chwibanu yn ystod tywydd garw ar y môr – ddim yng nghlyw'r hen forwyr, ta beth. Maen nhw'n credu'n siŵr y daw rhyw aflwydd iddyn nhw'.

Mae morwriaeth yn frith o ofergoel. Ai ymateb i rym y môr ydyw? Ai ceisio eu cysuro eu hunain mewn sefyllfa argyfyngus yr oeddynt? Ac os byddent yn dod adref yn ddiogel, byddent yn lledaenu'r ofergoelion ac ychwanegu atynt. Nid oes gennyf gof fod capteiniaid y Cilie yn ofergoelus ond roeddent yn cadw at y defodau rhag cythruddo'r morwyr cyffredin.

Pam y cyferchir llong yn y ffurf fenywaidd? Gofynnir y cwestiwn yn gyson. Offrymid merch ieuanc pan lansid llong yn Llychlyn ac Ynysoedd Polynesia ac arllwysid ei gwaed dros y *bows* fel offrwm i'r duwiau. Yn ddiweddarach cerfid delw pren o ferch ieuanc, brydferth ynghlwm wrth y bwâu a'i bedyddio â gwin coch. Cyn 1869, wrth enwi llong teflid cwpan arian dros yr ochr i geisio ffafr a lwc dda. A chredai Wiliam y Trydydd mai gwastraff oedd torri potel o wirod. Tua 1800 dewisodd y 'Prince Regent' fenyw i dorri potel dros y bwâu mewn seremoni forio ac enwi. Erbyn hyn mae potel o siampên yn plesio'r duwiau – ac yn cael ei thorri mewn diogelwch trwy gymorth cortyn neu fraich fetel, wedi damwain wrth i'r botel dasgu'n ôl a tharo un person enwog.

Meddai Gerallt: 'A benywaidd ydynt bob cynnig, beth bynnag yw'r enw a baentiwyd ar y starn ac o bobtu'r bwâu yn y pen blaen. Clywais Dai'r Bos'n yn disgrifio un llong wrthyf ar y dec un prynhawn! . . . 'Un esmwyth oedd y *Dominec*. Roedd hi'n reidio'r môr fel hwyaden, fachgen. Un hardd oedd hi hefyd, yn arbennig wedi inni roi cot newydd o baent iddi ar gyfer *home-port*! Rwy'n cofio dod â hi i mewn i Alecs, a'r bois wedi cael amser i'w golchi i lawr â dŵr ffres ar ôl ei phaentio hi. Mi safwn i ar y *bridge* yn trafod y gwaith gyda'r *First Mate*; a'r peilot yn mynd â ni i mewn heibio i'r *tramps* a'r leiners a'r badau pleser. Yr oedd pawb ar y *taff-rails* ar bob llestr yn edrych ar y frenhines yn cyrraedd! Roedd hi'n siŵr o fod yn olygfa i'w chofio hefyd: ei chorff yn llwyd olau a'r *bulwarks* yn wynion o gwmpas y *flush deck*; y tai ar y dec yn wyn, y *winches* yn ddu a'r shime'n felyn a du. A dyna lle'r oedd y *bymboats* yn sgrialu ar draws yr harbwr tuag atom fel gwenyn at flodyn newydd'.

Cafodd Gerallt, fel amryw o forwyr eraill, brofiadau a oedd yn ymwneud â dewiniaeth a phethau cyffelyb. 'Y ffyliaid gwirion â ni!' oedd ei sylw. Gorweddai'r *King Edgar* ym mhorthladd Karachi ac ymhlith y marsiandiwyr lliwgar a ddôi ar fwrdd y llong i ddifyrru'r morwyr, ac i'w twyllo, roedd dau Indiad. Canai un chwusl dun i lwyfannu ymladdfa rhwng y mongŵs a'r cobra, am dâl bychan, tra dôi'r brawd arall o'n cwmpas i fesmereiddio rhai o'r criw a'u twyllo er mwyn datgelu cyfrinachau am eu tynged!'

'Aethom un ac un gydag ef i'r ffo'c'sl. Caem ddewis 'darllen y cardiau' neu ddefnyddio'r 'prennau swyn'. Gorweddai'r priciau wyth modfedd ar draws ei gilydd ar fwrdd y *mess*, a gwelwn ambell un ohonynt yn ei dro yn newid ei le. Gwyddai, wrth gwrs, am ein hiraeth a holai ambell gwestiwn cyn arllwys ei wybodaeth gyfrin. Aeth ei addewid o ddeufis cyn glanio gartref yn naw mis, ac mae'n siŵr gen i fod y ferch lygat-ddu y gwelais ei llun rhwng y prennau wedi ymbriodi â rhyw Bacistani ers cantoedd! Ond twyll ar dwyll, er mai hanner coron a rois i yn ei law felen, yr oedd hanner cyflog wythnos yn llai yn fy mocs celc pan hwyliem drannoeth am y Môr Coch'.

Ond meddai Gerallt ymhellach: 'Hwyrach y cryfhawyd f'amddiffyn yn erbyn twyllwyr, a gallwn ganfod daioni dynion yn well – ond cadw'r 'llygad ddrycin' ar agor'.

Derbyniodd Gerallt, ei gefndyr morwrol, a holl feibion a merched y Cilie a'r fro, fel myfi fy hun, rybudd pendant am un perygl arbennig cyn mynd i nofio yn y môr: 'Watsha di'r nawfed don. Mae yn fwy nerthol na'r tonnau eraill. Fe dynnith di ma's dros dy ddyfnder neu dy fwrw yn erbyn y graig!' Ai hon oedd y fam don? Ai hon oedd yr un don a ddefnyddiai pysgotwyr i ddynodi tir a hafan ddiogel mewn niwl trwchus?

Cawsai pob *nipper* a *greenhorn* ei atgoffa am gyfres o ofergoelion gan y morwyr profiadol. I hen forwyr y llongau hwyliau, anadliadau'r duwiau oedd y gwyntoedd a thrai a llanw, a chosb oedd stormydd nerthol. Argoel o drychineb oedd Goleuni Sant Elmo i rai morwyr ond bendith a chysur i eraill. Credai rhai mai eneidiau morwyr wedi boddi oedd y goleuni rhyfedd, yn ceisio dod i'r llong i'w cynnwys yng ngweddïau'r criw. Ffenomen rhyfedd ydyw. Bydd fflamau glas, fel gwirod ar dân, yn gwau o gylch topiau'r mastiau ac eto heb gynneu na difa. Gwelai rai arwydd y Groes ynddo. Daeth Magellan a Columbus ar ei draws ond heddiw gosodir gwifren o'r mastiau isel dros ochr y llong i'r dŵr er mwyn diddymu unrhyw drydan.

Ceid storïau rhyfedd am fwystfilod y môr – fel y 'Kraken' a'r 'Lefiathan' ac am rithiau o longau ysbryd. Ac roedd sawl llongwr unig wedi ei swyno gan fôr-forwyn brydferth yn cribo'i gwallt ar graig gyfagos!

Mae llawer o'r ofergoelion yn parhau ym mröydd arfordirol de Ceredigion. Mae'n anlwcus iawn gweld offeiriad mewn gwisg ddu ar fwrdd llong neu ar lan afon cyn ei bendithio. I godi'r awel, y ddefod orau yw llosgi brws sgwirs newydd, ond os teflir brws o flaen morwr arall ar ddec llong, mae siŵr o ddechrau cynnen.

'Ond rydych yn misio'n arw, ffrindie, chwedl pobl Powys,' meddai Gerallt, 'ni'm chwerwyd; o'u gwybod cefais nerth i fentro'n amlach mewn ffydd'.

Mae'r Capten Jac Alun yn cofnodi stori am lygoden wen ar ei long. Câi'r sylw a'r gofal mwyaf. Ni wnâi neb ei cham-drin oherwydd ofergoel. Deuai hynny ag anlwc i'r llong. Ond câi llygod ffrengig du driniaeth hollol wahanol. Maent hwy yn cenhedlu mewn 2-3 mis a chyfnod cario o dair wythnos cyn esgor ar 8-10 o epiliaid. Mewn blwyddyn byddai dwy lygoden wedi cenhedlu 860 o lygod bach, i greu'r llanast mwyaf. Carient y pla du drwy chwain ar eu cyrff. Ym 1919 crewyd y 'Rats and Mice Destruction Act' a gosodwyd dirwy o ugain punt ar feistri llong a oedd wedi methu atal llygod rhag dianc o'i long. Gosodid canfas â thar dros raels y llong a oedd wedi angori, gan baentio tar ar y gangwe hefyd. Symudid y *stores* yn aml a chedwid cathod a digon o drapiau. Eto, i rai capteiniaid, roedd cario cathod yn anlwcus. Mewn argyfwng o bla defnyddid swlffwr ac asid *hydrocyanine* i ladd y llygod benywaidd a'u llosgi yn y ffwrnais. Yn ddiweddarach, defnyddid *hawser guards* i atal y llygod rhag dringo dros y rhaffau, ond pe dôi pla o lygod gwyn credaf y caent lonydd a chyfle i ddianc mewn gwlad dramor!

Byddai lladd Gwas y Weilgi (yr *albatross*) yn sicr o ddod â dinistr i'r llong (Gweler cerdd enwog Samuel Taylor Coleridge, 'The Rime of the Ancient Mariner', a hanes y *Royal Charter* yn llyfr T. Llew Jones, *Ofnadwy Nos*.)

Roedd llawer o Fwslemiaid, yn enwedig y *greasers* a'r *firemen*, yn gyd-forwyr i Gerallt, ac yn ystod gŵyl Ramadan fe effeithiai'r defodau a gynhelid ganddynt ar weithgaredd y llong gyfan. Byddent yn siglo dwylo ag uwch-swyddogion trwy faddau eu pechodau – ar ddechrau'r ŵyl. Yn ystod y dydd bwytaent y nesaf peth i ddim, ond wedi'r machlud roedd gloddesta cuddiedig. Ac i gadw rheolaeth ar eu hymprydio tynnent flewyn gwallt a'i ddal o flaen y llygad fel mesur i'w hiechyd. O'i weld yn glir roeddent ar y llwybr cywir – cul! Yn ôl Gerallt: 'Pe buasai rhywun yn cerdded drwy belydrau'r haul ac yn taflu cysgodion dros y pryd o fwyd, gwrthodent fwyta'r bwyd hwnnw'.

267

. . . 'I ddathlu diwedd Ramadan byddai'r *sarang* (arweinydd crefyddol yn eu mysg) yn glanio, yn prynu maharen, ei ladd mewn defod arbennig ac yn gwahodd pawb i'w fwyta fel rhan o'r gloddesta'.

Ofergoelion eraill, a gofnodwyd gan Gerallt, oedd: 'Os gwelid siarcod yn dilyn llong am ddiwrnodau roedd yn argoel o farwolaeth arfaethedig. Ac wrth i'r *bows* aredig drwy'r tonnau roedd cyfri'r 'milltiroedd môr', neu'r *milestones* fel y'u gelwid, yn anlwcus ofnadwy! (Suddwyd y *Compass Rose* yn y ffilm *The Cruel Sea* wedi digwyddiad tebyg – yn ôl ofergoel un o'r criw.)

Ni phallodd cariad a phryder Gerallt am Gymru – hyd yn oed yn ei gyfnod ar y môr. Ond roedd y ddihareb 'Gorau Cymro, Cymro oddi cartref' wedi corddi ei feddwl a'i ddychymyg yn gyson. Credai, fel yr hen ddywediad: os yw hanner gwirionedd yn cael ei fynegi'n gofiadwy, ei fod wedyn yn wirionedd i gyd. Credai Gerallt 'fod Cymro, pa mor dda bynnag y byddo gartref yn ei wlad ei hun, yn well o lawer pan yw allan yn y byd yn gorfod wynebu anawsterau ac unigedd alltud'. Ac yn ateb i agwedd y bardd:

> Mae'n werth troi'n alltud ambell dro
> A mynd o Gymru fach ymhell,
> Er mwyn cael dod i Gymru'n ôl
> A medru caru Cymru'n well.

. . . 'Mi gredaf fi fod Cymry digon sâl y tu allan i ffiniau eu gwlad hefyd, y byddai'n dda gennym feddwl nad yw brodorion gwledydd eu mabwysiad yn eu hadnabod fel Cymry'.

Daeth Gerallt ar draws un o'r fath pan oedd ei long yn llwytho ŷd yn Santa Fe ar Afon Parana ym mherfedd-wlad Ariannin: 'Nid oedd dim o'n cwmpas ond gwastadeddau maith o gorstiroedd a'r corsennau hesg a'r llwyni prysgwydd yn dyfiant trwchus drostynt . . . Pan fyddem yn paentio rhan isaf y llong o *float*, deuai rhywun heibio'n llechwraidd mewn cwch bach i fegian am baent neu ddarn o raff, gan gynnig gwin rhad neu rywbeth llai fyth ei werth inni yn ei le . . . Un go garpiog oedd hwnnw, ei wyneb bron o'r golwg mewn blew anhydrin a oedd wedi britho eisoes, a siaradai Saesneg yn o dda'. Dywedodd wrth Gerallt yr hanai o bentref yn Llŷn ond ei fod wedi colli bron y cyfan o'r hen iaith. Cafodd ei lond tun o *red lead* cwmni'r llong ond bu Gerallt yn pendrymu amdano am ddyddiau . . . 'Dychmygais bob math o fabinogi i'r alltud gwargam yn Santa Fe a ffeiriodd awelon iach erwau Llŷn am unigeddau chwyslyd a mosgitos y pampas pell'.

Ond os oedd Cymro yn rhagori arno ef ei hun mewn gwlad ddieithr – 'dymunem weld pob copa ohonom yn cael ein halltudio . . . fel y caem dipyn o ruddin yn ein cymeriad . . . yn lle'r difaterwch truenus sy'n nodweddu agwedd llawer ohonom at ein cenedl a'n ffyniant'.

Gwelodd lawer o'i gyd-longwyr o Gymry yn amharod i ymfalchïo'n naturiol yn eu cenedligrwydd. Wedi hwylio o Rotterdam roedd yng nghwmni cymysg o Saeson, Estoniaid, Daniaid ac Is-Almaenwyr. Bu tri Chymro yn 'cyfnewid atgofion ar hatsh ar y dec ôl' – yn Gymraeg ac nid nepell i ffwrdd Estoniaid yn gwneud yr un peth yn eu hiaith eu hunain. Yna daeth Dai'r Bos'n atynt gan ddweud dan ei anadl: 'Siaradwch Saesneg. This is a British Ship!' Ac er iddynt dynnu ei sylw at yr Estoniaid a oedd yn arddel eu hiaith – 'a bod y Gymraeg yn iaith lenyddol ym Mhrydain pan oedd Saesneg yn dafodiaith herwyr anwar yng ngogledd Ewrop', ni chafodd ddim effaith.

Yn wir, credai Gerallt mai sinig chwerw a luniodd y ddihareb, wrth ganfod cyn lleied o'i gyd-genedl a feddyliai amdanynt eu hunain fel Cymry. Nid ydynt yn malio dim am y llifeiriant Seisnigrwydd sy'n ein bygwth, maent yn ffugio pryder ynghylch iaith ac yn cynffonna i bleidiau gwleidyddol a byrddau cyhoeddus. Digwydd siarad yr iaith y maent, ac nid oes ganddynt unrhyw gysylltiad ag unrhyw ran o'r cyfoeth a darddodd ohoni. Maent yn ffug-hiraethu am yr 'old folks at home', yn cadw croeso iddynt ar y bryniau ac yn y dyffrynnoedd:

> We'll keep a welcome on the hillsides,
> We'll keep a welcome in the vales.

A oedd y pryder yma am Gymru yn rheswm arall i Gerallt adael y môr a gwisgo mantell gyhoeddus y proffwyd? Fel y dywedodd ymhellach: 'mae gan y sinig le . . . wrth ganfod y bradychu mawr a fu yn ein plith ers canrifoedd, ond a ddatblygodd yn gelfyddyd gythreulig yn y dyddiau diwethaf hyn . . . i lunio gwawdlun felly . . .'

Dywedodd Gerallt: 'Y mae llawer o gyneddfau gwahanol nad oedd gennym ond 'dychymyg' yn enw arnynt, fel y mae rhai a alwn ni yn 'rheswm'. Mae dychymyg yn medru bod yn bleserus a chreadigol ond . . . y mae ofn yn aros yn brofiad hyll, arswydlon . . .' Fel llefnyn cydnerth dengmlwydd oed cafodd brofiad dychmygus yn y Cilie. Roedd haid o nadredd niferus, hirfain, o frithgroen gloyw yn llithro tuag ato ac un pen gwiberog yn ymestyn am frathiad. Ond yn ei chwys oer, sefyll yn stond i chwerthin a wnaeth ar Lôn Banc o weld ei ddwy glocsen yn y pridd a dau ruban gwyrdd o borfa yn ymestyn hyd ben y lôn.

Ond ar y môr y cafodd y profiad gwaethaf o ofn: 'Chwythai awel ysgafn ac aeth y *lanyard*, y lein a oedd bob amser yn rhedeg drwy bwli ym mhen y mast i halio pethau i fyny, yn sownd yn y gêr ar ben uchaf yr ysgol fain fry. "Ei di i fyny, was?" gofynnodd yr hen Fos'n yn ddifeddwl'.

Roedd Gerallt wedi dringo'n rhwydd i'r croesfwrdd cyntaf lawer gwaith o'r blaen. Ond wrth fynd yn uwch ac yn uwch . . . 'Cefais gip i lawr ar gorff y llong a edrychai oddi fry fel sigâr hir oddi tanaf a'r dŵr yn ymferwi'n wyn wrth ei hochrau. Crynwn fel deilen y llynedd yn oerwynt Mawrth . . . Ffynhonnell y parlys bob tro oedd fy ngweld fy hun yn ymollwng fry ac yn cael fy nhaflu . . . naill i ddifancoll y dyfnder gwyrdd neu'n baten chwâl o esgyrn a chnawd a gwaed ar y dec dur . . .' Llwyddodd i ddisgyn wedi cwblhau'r dasg i eiriau ffrwt y Bos'n: "Ac fe'i gwnest hi, fachgen. Gwell i ti fynd i'r *galley* i gael paned o goffi twym gyda'r cwc, was."

Ond pam y rhoddodd Gerallt y gorau i'w yrfa fel morwr ar ôl pum mlynedd? Credai ei deulu fod ei lygad ar ennill ticed mistir. Roedd yn ŵr deallus ac wedi'r hiraeth cynnar a salwch y môr a ddioddefodd yn fawr ohonynt, gweithiodd i gyfeiriad swyddi uwch. Ond roedd rheswm da arall am iddo lyncu'r angor mor gynnar.

Un o'r pethau cyntaf i'w dysgu oedd 'Rheolau'r Cefnfor Mawr' – (*Highway Code* y morwr) – a dysgwyd hwn gan lawer o forwyr ar ffurf rhigwm:

> If both side lights you see ahead
> Port your helm and show your red,
> Green to green and red to red
> Perfect safety – go ahead.

If to your starboard red appears
It is you duty to keep clear.
To act as judgement – says it's proper
To port or starboard, back or stop her.

Mae deall, dadansoddi a defnyddio lliwiau ar y môr yn hanfodol o ran diogelwch eiddo a bywydau. Rhaid oedd adnabod lliwiau baneri er mwyn dad-seiffro eu negeseuon, adnabod goleuni ar longau, bwyau, ar furiau harbwr ac ati. Darganfu Gerallt, a'i uwch-swyddogion, wrth iddo symud i'r bont ar wyliadwriaeth nos i lywio llong dan oruchwyliaeth – ei fod yn lliw-ddall! Roedd hyn yn siom fawr iddo er y gwyddai fod ganddo wendid i'r cyfeiriad hwnnw. Mae storïau amdano trwy gof ei frodyr a'i chwiorydd yn cadarnhau'r gred honno.

Cofia Ardudfyl am Gerallt yn ei danfon i'r llofft pan oedd wrth ei waith cartref: 'Cer i fy 'stafell, os gweli'n dda. Mae llyfr gwyrdd ar bwys fy ngwely. Mae ei angen arna' i'. Chwiliodd hithau am y llyfr ond heb lwyddiant. Yna gwelodd lyfr coch yn hanner cuddio dan bentwr o papurau. Mentrodd ac aeth i lawr at ei brawd . . . 'O diolch yn fawr. Rwyt wedi dod o hyd iddo!' Cofia Ardudfyl hefyd am ei phrofiadau yn cyd-deithio yng ngherbyd Gerallt drwy strydoedd Caerdydd . . . 'Wrth edrych yn ôl, rwy'n gweld nawr pam roedd yn gyrru yn aml trwy olau coch!'

Gerallt Jones ar ôl llyncu'r angor, 26 Mai, 1932.

Ond roedd rhesymau eraill hefyd! Ysgrifennodd Dr Gwynfor Evans am Gerallt: 'Roedd gan Gerallt osgo morwr a llygaid morwr, ac aeth trwy ei fywyd gan syllu tua'r gorwel. Cadwodd ei lygaid yn gyson ar y nod a osododd iddo'i hun fel Cristion ac fel Cymro . . .'

Bu ei dad, y Parchedig Fred Jones, yn ddylanwad mawr arno. Bracso yn y tonnau oedd ei bum mlynedd o forwra. Aeth i'r dyfnder mawr wedi dychwelyd i'w Gymru – dros ei ben a'i glustiau i'w alwedigaeth a'i bryder am Walia. Ond fel pob llestr nid yw yn llenwi ar unwaith. Mae diferynion dylanwadau yn colli gan lenwi ond yn araf. Disgrifodd yr alwad olaf a'r bwysicaf, o'r frest, mewn ysgol haf yn Aberystwyth, fel un o'r gweinidogion a oedd wedi ymddeol. Mewn llais lleddf, tawel cyfareddodd ei gynulleidfa wrth iddo lunio'r profiad unigryw hwnnw ac yntau yn llywio'r llong ar afon Wang-Poo-Yangtse yn Tseina. Roedd yn noson dangnefeddus a'r gwyll fel petai wedi hanner disgyn. Uwchben, fel cosyn o gaws melyn, crogai'r lleuad lawn i lywio'r gorwelion a chreu cysgodluniau hudolus o fryniau, dyffrynnoedd, caeau padi-reis ac anheddau cysglyd ar lethrau'r ceunant o'u blaenau. Roedd llamhidyddion (*porpoises*) yn chwarae o flaen y llong ac yn gwau trwy ei gilydd o'r chwith i'r dde ac o'r dde i'r chwith. Teimlai sancteiddrwydd yn y lle. Anwybyddodd rwndi'r peiriannau a daeth teimlad o falchder a llawenydd mawr drosto. Clywodd lais yn galw arno, nid am y tro cyntaf, i ddod i benderfyniad.

Llyncodd Gerallt yr angor ar 8 Awst, 1932, oddi ar yr *SS Dalhanna* ym mhorthladd Caerdydd, cyn dychwelyd i aelwyd ei deulu ym Maesmor, Tal-y-bont, Ceredigion. A chynt lle bu yn farchog y tonnau, yn aderyn drycin, a'i lestr wedi taro'r cerrig milltir a hollti'r ewyn am bum mlynedd – penderfynodd ailddychwelyd i'r Cilie. Roedd yr heli wedi puro ei waed a'i enaid ac wedi gwreiddio ym mêr ei enynnau am byth. Ond eto nid oedd Nirfana'r Cilie ond profiad dros dro. Yn feunyddiol gwelai donnau o fryniau, caeau a dolydd yn gwau'n batrymog drwy'i gilydd a'u hymchwydd yn ymestyn i bob cyfeiriad, cadernid y ddolen

Gerallt Jones, wedi graddio o Brifysgol Aberystwyth.

deuluol a'i chlymau llenyddol, ac awelon pur y Gymraeg yn llenwi ei hwyliau. Ac ar y gorwel roedd addysg prifysgol a galwad i'r Weinidogaeth. Roedd encil y Cilie yn baratoad ysbrydol ac ymarferol – nad oedd gwell i'w gael yn unman!

Er i flas yr heli aros ar ei dafod ac i'w lygaid lynu tua'r gorwel, cofrestrodd Gerallt fel myfyriwr aeddfed (27 oed) i ddarllen Cymraeg ym Mhrifysgol Cymru, Aberystwyth. Ymhlith y darlithwyr roedd Gwenallt, Tom Jones a T. H. Parry-Williams. Ac un o'i gyfeillion pennaf oedd 'Gwyndaf' a pharhaodd y ddau eu brawdgarwch a'u cyfeillach drwy gydol eu hoes. Roedd y ddau yn aelodau o bwyllgor gwaith y Gymdeithas Geltaidd (1934-35) ynghyd â Gwenallt, Meurig Evans, Emrys Rees, Eic Davies, David Marks ac Eluned Ellis Williams. Yno y cyfarfu Gerallt ag Elizabeth Jane Griffiths, a ddaeth yn wraig iddo. Ac yn y coleg ger y lli, bu Gerallt yn aelod gweithgar ar amryw o bwyllgorau dros yr achosion Cymraeg – dan faneri diwylliant, ieithyddol, gwleidyddol a heddychol.

Wedi graddio aeth i Goleg Presbyteraidd Caerfyrddin i astudio cwrs Diwinyddiaeth ar gyfer ennill gradd B.D., ac un o'i gyd-fyfyrwyr oedd y Parchedig Owen Williams a fu'n byw yn Nhal-y-bont, a dywedodd: 'Roedd Gerallt yn wahanol i bob myfyriwr arall, roedd e wedi bod allan yn y byd, a hwnnw wedi creu argraffiadau arno ond efallai oherwydd hynny roedd Cymru yn golygu llawer mwy iddo. Roedd ganddo ffordd flaengar i gael pobl ynghyd ac i gadw pethau i fynd, ac er i'r rhan fwyaf o'r myfyrwyr gadw eu pennau mewn llyfrau ac yn y maes, buan iawn y daethant i weld ac i rannu peth o weledigaeth Gerallt'.

Daeth galwad i Gerallt oddi wrth eglwys annibynnol Gibea, Brynaman, ac ni orffennodd ei gwrs B.D. – fel ei dad, fel S.B. a'i frawd Derec. Ac yn wir, y Parchedig Owen Williams a fu'n siarad yng nghyfarfod sefydlu Gerallt – ar ran y 'Presby a'r myfyrwyr'. Pan sefydlwyd O.W. yn Sardis, Ystradgynlais, Gerallt a wahoddwyd i gynrychioli'r coleg. Bu seiadau aml rhwng y ddau weinidog a'r ddau gymydog ar eu haelwydydd yn y cyfnod hwn. (Wedi marwolaeth Gerallt, cafodd ei weddw, Elizabeth, y teulu hwn yn gymdogion unwaith eto yn Nhal-y-bont.) Derbyniodd alwad ym 1940 i eglwys Gibea, Brynaman, ac un o'r cyfarchion a dderbyniodd oedd oddi wrth ei ewythr John Tydu o Montreal:

GAIR DA I GERALLT

Wrth war hen groes Calfaria – glŷn yn dynn
 Hyd derfyn dy yrfa;
 A helped Duw bulpud da
 Y bywyd yng Ngibea.

Hefyd daeth llythyr oddi wrth Jac Alun, a oedd yn gapten ei hun erbyn hynny: 'Bachan, a dyma ti'n gapten ar dy long dy hunan o'r diwedd. Byddai ofn arna' i pe bae gen i griw o tua phum cant o eneidie fel sy' gen ti. Mae'r llai na hanner cant sydd ar yr hen drampen *Pendeen* yma bron â bod yn ormod i fi. Ond mae gen i 'dry-folfer' (ffordd hen 'gymêr' o ardal Cwmtydu o ddweud *revolver*) a hawl i'w ddefnyddio pe bai angen. Ond fydde dim iws i ti gael un'.

Bu Elizabeth Jane Griffiths yn athrawes yn Llanfair Caereinion am gyfnod ac ym mis Awst 1941 priodwyd hi â Gerallt yn yr Hen Gapel, Llanbryn-mair, a chyfoethog-wyd eu haelwyd â phedwar o feibion amryddawn – Huw Ceredig, Dafydd Iwan, Arthur Morris ac Alun Ffred. 'Cafodd y pulpud yng Ngibea, a'r gymdeithas yn y pentref o'i orau am bymtheng mlynedd'. Yn ystod ei weinidogaeth yng Ngibea nid enillodd Gerallt brif wobr yn y Genedlaethol ond bu'n agos ar sawl achlysur. Ac yn ystod ei gyfnod yno magwyd bardd ifanc o'r enw Bryan Martin Davies a enillodd Goron y Genedlaethol ddwywaith. Nid yw'n enwi Gerallt yn ei gerdd yn Eisteddfod Rhydaman 1970 ond . . .

'Rwy'n dy gofio'n pregethu yn dy gapel yn y Cwm
 yn taflu d'ysgolheictod
 yn erbyn waliau'r meddyliau stond,
 ac yn afradu dy wreiddioldeb
 fel dŵr ar ddiffeithwch eu clyw.
 O dy flaen
 y gwragedd canol oed yn swanc eu dillad Sul
 yn cysuro'r plant piwis â'u mintys llechwraidd,
 ac fel rhes o blismyn o amgylch dy bulpud,
 y blaenoriaid beirniadol, blin.
 Rhain fu'n dy wylio drwy'r blynyddoedd
 â'u llygaid sefydliadol,
 yn amau dy syniadau dieithr,
 yn dy alw'n eithafwr,

272

Athrawon Ysgol y Frenhines Elizabeth, Caerfyrddin. Mae Elizabeth Gerallt Jones yn bedwerydd o'r chwith yn yr ail res o'r cefn.

O'r chwith: Arthur Morris, Dafydd Iwan, Alun Ffred a Huw Ceredig.

ac yn dy gadw'n dlawd yn y mans oer
yng ngwlad y glo.

Bu eraill ar dy ôl ers talwm
bytheiaid y pac 'Sosialaidd',
yn ffroeni dy drywydd trwy lwyni dy gred,
yn dy erlid â'u cyfarth undonog,
a thu ôl iddynt ar geffylau eu swyddi saff,
y meistri politicaidd
yn eu coch.

Dywed Dafydd Iwan yn y cyntaf o Gyfres y Cewri (Gwasg Gwynedd): 'Ni chofiaf i
Nhad a Mam bregethu cenedlaetholdeb erioed i ni'r plant, ond roedd Plaid Cymru mor
naturiol i mi ag oedd cefnogi tîm rygbi Cymru, y dilynem eu hynt ar y radio drwy
gyfrwng llais cras G. V. Wynne Jones. Yr un radio y clustfeiniem arno bob nos Fawrth i
ddilyn campau ein harwr mawr – Gari Tryfan, cyn rhedeg nerth ein traed am y
Bandòhôp i festri Gibea . . A'r un radio a ddatgelodd inni leisiau bendigedig David
Lloyd, Bob Tai'r Felin a Thriawd y Coleg, ac a'n difyrrai yng nghwmni criw'r 'Noson
Lawen', 'Camgymeriadau' a 'Raligamps'.' Roedd Jennie Eirian Davies yn byw dros y
ffordd i Gerallt a'i deulu a chofia Dafydd Iwan am y teulu i gyd yn mynd i wrando ar
Jennie Eirian yn areithio'n huawdl fel ymgeisydd Plaid Cymru dros Sir Gaerfyrddin:
'Roedd ein bod yn cefnogi Plaid Cymru yn rhywbeth arall a'n gwnâi ni'n wahanol i'r
rhan fwyaf o bobol Brynaman yr adeg honno'.

Theatr Felin-fach: y tad a'r fam wedi bod yn gwrando ar y mab yn canu mewn cyngerdd.

Yn ystod ei gyfnod ef hefyd roedd Roy Stephens yn un o blant y capel – er heb ddechrau barddoni ar yr oed ifanc hwnnw. Elwodd y capel hefyd ar ddawn gerddorol Elizabeth Gerallt Jones. Daeth 'canu penillion' yn boblogaidd unwaith eto. Parhawyd hefyd y traddodiad o berfformio gweithiau cerddorol o safon uchel, oratorios fel y *Messiah*.

Dywed Dafydd Iwan eto: 'Ni chefais erioed drafferth i weld Cymru fel uned'. Ac yn wir yr oedd Gerallt o'r un farn: 'Yr un oedd yr iaith er bod yr acen yn wahanol, yr un oedd yr emynau'. Roedd ardal Llanuwch-llyn yn enwog am ei diwylliant – Côr Godre'r Aran, Côr Merched Aelwyd yr Urdd enwog a llewyrchus, cerdd dant, eisteddfodau bach a mawr, bridfa llenorion ac arweinydd-ion cenedlaethol enwog a deorfa ymryson y beirdd, a chymdeithas glòs, Gymreig iawn ei naws – nid annhebyg i ardaloedd y Cilie a Chwmtydu.

Y Parch. Gerallt Jones yn ystod ei gyfnod yn weinidog ar Eglwys Gibea, Brynaman.

Byddai'r llythyron a'r cyfeillgarwch yn parhau rhwng Gerallt a Jac Alun. Dyma englyn a anfonwyd o Efrog Newydd (1950) ar yr eira glaswyn a choeden neu ddwy go rynllyd:

> Haen oer fel lliain arian – a'i orchudd
> Yn gwarchae byd anian,
> Llam rhai gwiw, ond llym i'r gwan
> A gyrr adref gur oedran.

Yna'n dilyn ar chwe ochr y cerdyn pedwarplyg: 'Sut wyt ti bachan? – 'long time no see', ys dywed y dago. Llongyfarchiadau, clywais i chi gael mab arall a bod Alun yn yr enw: efallai y bydd John neu Ioan hefyd . . . Glywaist ti fod Mr Thomas yn gadel Capel-y-Wig – ac mae'r lle yn wag nawr, wedyn sownd. Oni bai dy fod ti wedi dwyn cymaint o fale oddi wrth Mari Parc y Pwll a throi mwdwle gwair a gwneud melltith ym Mhenrhiw-fawr ar Fothe, byddai'r lle yn dy siwtio di i'r dim!'

Er mor gyfoethog oedd y cynaeafau ysbrydol a diwylliannol yn ardal Llanuwchllyn roedd yr awydd i deimlo balm awelon arfordir y gorllewin yn anesmwytho'r enaid. Derbyniodd Gerallt alwad i fod yn weinidog ar eglwysi Gwyddgrug a Brynteg, ger Pencader, ym 1966, a bu yno am wyth mlynedd, tan 1974. Bu ei weinidogaeth yn rymus a'i arweiniad i'r ieuenctid yn fyrlymus a gwelsom ei egwyddorion cadarn dros heddwch yn amlwg yn ystod dyfodiad y taflegrynnau 'Cruise' a phrotestiadau Comin Greenham. Efallai yn hydref ei ddyddiau iddo areithio yn fwy tanllyd a phlaen nag ar unrhyw gyfnod arall oherwydd dirywiad dylanwad y capeli, natur ryfelgar y byd a gostwng mewn safonau yn gyffredinol.

Tri chefnder: Tydfor a Gerallt yn gwrando ar un o straeon rhamantus y Capten Jac Alun ar glos y Cilie. Roedd hyn yn ystod yr aduniad olaf o aelodau'r teulu cyn ymadawiad Dylan ac arwerthiant yr anifeiliaid, y peiriannau a'r offer.

Gerallt ac Elizabeth Jones y tu allan i'w bwthyn, Castell Bach, yng Nghaerwedros.

276

Fe'i gwelech mewn cwrdd chwarter yn cael ei gynhyrfu a'i awydd am ddweud ei farn yn codi fel gwrych drain. Byddai yn ddyrnau i gyd a'r llygaid yn pefrio a'r arabedd digymrodedd yn fyrlymus heb flewyn ar dafod. Yna tawelai mor sydyn â dyfodiad ei ystorom ond ni ddiflannai ei neges. Arhosai'r effaith ar y gwrandawyr am flynyddoedd.

Roedd y plant wedi hedfan y nyth erbyn hyn a hwythau yn sefyll yn y bwlch yn eu tro. Mewn cyfnod o brotestiadau roedd yn amhosib neilltuo egwyddor rhag y moddion wythnosol ac nid oedd pawb yn esmwyth. Mewn pwyllgor yn un o'r capeli i drafod cyflwr yr adeilad penderfynwyd ail-baentio'r gwaith coed a Gerallt yn bresennol: 'Pwy fedrai ymgymryd â'r gwaith?' Daeth ateb yn gyflym o'r llawr . . . 'Pam na ofynnwch i Dafydd Iwan, mae e'n dipyn o baentiwr!' Hwyl fawr, a Gerallt yn medru derbyn â'r un urddas ag a roddai.

Ar ei ymddeoliad, prynwyd bwthyn – Castell Bach – ym mhentref Caerwedros, nid nepell o olwg llygad ei Dir na n-Og – Pen Foel Gilie a dyddiau hirfelyn tesog ei wyliau mebyd. Ac er mai'r un oedd y tirwedd roedd deiliaid y tiroedd cysegredig hyn wedi newid a dim ond atgofion murddun, craig a nant, cysegr a mynwent a chystrawen yr awen gynt a'i cynhaliai. Er hynny, fel pregethwr, neu aelod o gapel Nanternis, roedd ei gyfraniad yn gyfoethog a chyflawn mewn pulpud, ar lwyfan drama, yn nhîm Crannog ar Dalwrn y Beirdd ac yn ei gymwynasau. Gŵr y tu hwnt o gadarn; a thrueni na fuaswn wedi cael mwy o amser i gyfranogi o'i feddwl miniog. Bu'n gyfnod toreithiog iddo a chyhoeddodd amryw o gyfrolau yn ystod y cyfnod hwn, gan gynnwys portread o Granogwen.

Cyhoeddwyd cyfrol o farddoniaeth Gerallt Jones, *Ystâd Bardd*, gan Wasg Gomer ym 1974. Dywed yr awdur yn y broliant: 'Dwy i ddim yn credu imi ysgrifennu rhyw lawer o farddoniaeth werth ei chadw ar hyd y blynyddoedd. Gwaith y blynyddoedd diweddaraf sydd ar y tudalennau hyn ar y cyfan, ac rwy'n gobeithio nad ystyria neb fy mod yn rhy ewn wrth alw'r llyfr yn *Ystâd Bardd*. Tipyn o deiliwr geiriau a syniadau ydwyf ar y gorau, a does gen i ond gobeithio y bydd y 'dillad' wrth fodd rhywrai heblaw fi ac y cytunir nad yw 'ffasiwn y toriad' i ba oes bynnag y perthyn ddim i'w ddiystyru'.

Ymhlith y cynnwys mae ei englyn buddugol i 'Argae', yn Eisteddfod Genedlaethol Rhydaman ym 1970:

> Aros ddylif! Tros y ddwylan – syrthiodd
>   Rhyw swrth Fendigeidfran,
> A chyll pob cornant ei chân
> A'i llid ger y corff llydan.

Mewn teyrnged i Gerallt dywed ei weinidog ar y pryd, y Parchedig Eifion Lewis, amdano: 'Roedd yn ddiacon yn Nanternis a rhoes arweiniad doeth a gofal cyson i'r eglwys hon ynghyd â Maen-y-groes a'r Wern. Gwasanaethodd eglwysi o bob enwad drwy'r ardal. Cyhoeddodd nifer o gyfrolau ar ôl ymddeol ac roedd yn aelod o dîm Crannog ar Dalwrn y Beirdd. Ef oedd golygydd colofn farddol *Y Tyst*. Bu'n gyson ei safiad dros hawliau Cymru a'r iaith Gymraeg drwy gydol y blynyddoedd ac ni pheidiodd â brwydro yn erbyn popeth a'i bygythiai tan y diwedd. Roedd yn heddychwr digymrodedd, a gwelwyd ef yn llawn brwdfrydedd, ac yntau ymhell dros oed yr addewid, yn ymuno mewn gorymdeithiau protest yn erbyn taflegrau ac arfau niwclar'.

Gerallt Jones, yr Eisteddfodwr pybyr.

Tlws Coffa Gerallt Jones.

Gerallt yr Eisteddfodwr, gyda W. Winter Williams (yn y canol), a gweinidog Capel-y-Wig a Chrannog ar y pryd, y Parch. Eynon Thomas.

Ac i anrhydeddu Gerallt Jones fel heddychwr, yn ystod Seremoni Agoriadol Prifwyl yr Urdd yng Nghaerdydd 1985, cyflwynwyd Tlws Coffa Gerallt Jones gan gangen CND Dyffryn Teifi ar gyfer cystadleuaeth newydd yn Eisteddfod Genedlaethol yr Urdd. Rhoddir y Tlws yn flynyddol mewn cystadleuaeth ar thema 'Heddwch' (llwyfan, llenyddiaeth, celf, ac ati). Sicrha hyn amrywiaeth o flwyddyn i flwyddyn.

Rhedai gwythïen amlwg o heddychiaeth trwy deulu'r Cilie. Roedd S.B. yn wrthwynebwr cydwybodol a chyflawnodd wasanaeth dan yr YMCA yng Nghaint adeg y Rhyfel Byd Cyntaf. Pregethai Fred Jones yn erbyn lladd a rhyfela, er iddo gredu ar un cyfnod fod cyfiawnhad i'r Rhyfel Mawr. Areithiai ac ysgrifennai John Tydu yn enw heddychiaeth. Daliai Sioronwy safbwynt hollol ddigyfaddawd yn erbyn rhyfela, a bu Alun o flaen tribiwnal a chadeiryddiaeth Admiral Hope, plas Rhydycolomennod, am wrthwynebu rhyfela hefyd. Safodd y Parchedig F. M. (Derec) Jones fel gwrthwynebwr cydwybodol yn ystod yr Ail Ryfel Byd

Brawd trwy waed a brawd yn y weinidogaeth i Gerallt Jones, y Parch. F. M. Jones.

Sanatoriwm Ham Green, lle bu'r Parch. F. M. Jones (brawd Gerallt) yn gweithio yn ystod cyfnod yr Ail Ryfel Byd.

Dafydd Rhagfyr – brawd arall Gerallt.

a bu'n gwasnaethu mewn ysbytai a hosteli drwy gydol y drin. Credaf fod eu safiad yn deillio o ddysgeidiaeth ysgrythurol ac yn uniongyrchol o natur y gymdeithas a'r gymdogaeth dda oddeutu'r Cilie ac ardal Cwmtydu. A bu esiampl a dylanwad yr arloeswyr hynny ar y cenedlaethau dilynol, ynghyd â dylanwad 'heddychwyr' enwog trwy ddarllen a darlithiau.

Roedd y Parchedig Edwin Pryce Jones yn ei adnabod yn dda. Cofnododd: 'Gallai Gerallt fod yn lleddf a thyner. Pan fyddai galw gallai fod yn arw fel un o feibion y daran ac 'ysgwyd barf y fall', chwedl R. Williams Parry. Byddai'n drist hefyd wrth feddwl am Gymru'n troi ei chefn ar ei Christ. Llais y pregethwr a glywyd a diolch amdano'.

Pan glywais am farwolaeth Gerallt roedd fy ngwraig, Aures, a minnau newydd ddringo copa'r Jungfraujoch (11,000 troedfedd) yn y Berner Oberland yn y Swistir. O gylch ein traed, eira cynta'r hydref yn adlewyrchu tanbeidrwydd yr haul ac o'n hamgylch olygfeydd bythgofiadwy o'r Eiger, y Monch a'r Schilthorn. Bûm yn cyd-weithio'n agos iawn ag ef wrth baratoi llyfr 'Nhad a sgript teulu'r Cilie yn yr Eisteddfod Gebedlaethol, a'i eiriau olaf wrthyf yn Eisteddfod Llambed oedd: 'Rwy wedi blino'n llwyr. Diolch yn fowr am bopeth,' – nodweddiadol iawn ohono.

Os dewisodd unrhyw un ffordd y mynydd-dir, Gerallt Jones oedd hwnnw. Roedd gwastadedd breision y dyffrynnoedd yn apelgar iawn ac yn llawn addewid o esmwythder a thawelwch. Ond dringodd ef lwybrau caregog y mynydd gan wynebu'r her a gwrthsefyll yr elfennau gydag urddas a phenderfyniad di-syfl. Fe'i hetholwyd i gyrraedd y copa ac fe gafodd weld yr ochr draw.

Roedd ymateb diolchgarwch pobl i'w ymroddiad o wasanaeth a chymwynasau yn rhoi llawenydd mawr iddo. Cawsom y fraint o'i adnabod a'i werthfawrogi, wedi iddo ymddeol, a'i weld yn arddangos ei lawenydd, a dyna i chi wefr oedd honno.

Cofia Gwendoline Evans, cymydog iddo yng Nghaerwedros, am weddi o eiddo Gerallt: 'O Dduw ein Tad, dysg imi'r ffordd i garu eraill, nid yn unig y rhai sy'n fy ngharu i – ond y rheiny'n gyntaf siŵr o fod; eithr pawb y byddai'n dda ganddynt gael fy nghariad. Ie, fel y ceri Di bobl. Amen'.

Eiddo'r Dr Gwynfor Evans yw'r geiriau olaf am Gerallt Jones: 'Fel Cristion ymroddodd i wasanaethu'r Arglwydd Iesu trwy wasanaethu eraill. Gwyddai mai Iesu oedd y ffordd, y gwirionedd a'r bywyd, ac mai ynddo ef y gwelid wyneb Duw. Bu'n gefnogwr cadarn i achos heddwch, y dylid ei arwain gan Griston, ac i sefydliadau a oedd yn bod i hyrwyddo'r Efengyl, megis Coleg Coffa yr Annibynwyr yn Aberystwyth . . . Wrth gwrs, yr oedd Gerallt yn Gymro i'r carn, ond mwy a phwysicach na hynny roedd yn genedlaetholwr o'r bru. Ni fu neb yn ffyddlonach i'r Pethe. Ymdaflai'n galonnog i'r bywyd diwylliannol ac eisteddfodol, ond yr oedd hefyd yn ymwybodol iawn fod argyfwng dwfn y genedl yn gofyn mwy na hyn. Derbyniodd i'w galon y wers a ddysgodd Emrys

Taith Cymdeithas Ceredigion i Gefn Ydfa. O'r chwith: Ardudfyl Morgan, Rhiannon Markey, Ithel Davies, Elizabeth Gerallt Jones a Mari Raw-Rees.

Rhiannon Markey a Nest Humphreys – chwiorydd Gerallt.

ap Iwan inni na all yr iaith barhau heb weithredu ymosodol drosti a gais ei hadfer hi, a'r wers a ddysgodd Saunders Lewis inni na bydd dyfodol i'r genedl Gymreig heb weithredu politicaidd . . . Dyma un y gallwn ddweud amdano fod Cymru'n well o'i fyw'.

Bu farw Gerallt Jones yn sydyn fore Iau, 16 Awst, 1984, yn Ysbyty Bronglais, Aberystwyth, wedi trawiad ar y galon. Cynhaliwyd y gwasanaeth angladdol yn y 'sgwâr adail cysegredig' yng Nghapel-y-Wig ar ddydd Llun, 20 Awst, gyda'r capel yn orlawn – un o'r angladdau cyhoeddus mwyaf a welwyd ers blynyddoedd. Lluniwyd nifer o farwnadau iddo:

ER COF AM Y PARCHEDIG GERALLT JONES

Sŵn sibrydion tirionwch – môr o haf
    Dan fflam rug Cwmbwrddwch,
  A'r tonnau draw o tan drwch
  O dân aur – dy dynerwch.

Craig grebach yn llach y lli – a hen drwyn
    Dan daranau'r cenlli
  Yn aros drwy holl ferwi
  Teid ar deid – dy gryfder di.

Awen gryglyd y greiglan – a'r ynys,
    Cri unig yr wylan
  Yn y chwa, angerdd a chân
  Y don – y bardd yn d'anian.

Iesu Grist, y Crist o'r crud – yr Iesu
    Drwy'i oes ddifrycheulyd
  I'w fedd yn yr ogof fud
  Nes byw i fyw – dy fywyd.

Donald Evans

COFIO GERALLT

I wyll bedd o'th Gastell Bach – yr aethost
    Ac mae'r Iaith yn dlotach;
  Oet ddewin o hen linach
  Ac yn gyw o enwog ach.

Arwr i braidd dy dair bro – a fuost,
    A di-fai'r bugeilio;
  A'th breiddiau ddaeth i'th briddo
  A chadw'r oed uwch dy ro.

Hwyl yr Ŵyl cyn ffarwelio – a gefaist,
    Ond gofid yw cofio
  Fod yna glai'n fudan glo
  Mwy arnat a ni'n mwrnio.

Y Prifardd T. Llew Jones

ER COF AM Y PARCHEDIG GERALLT JONES

Tawodd y cennad diwyd – a'n siriol
    Gysurwr mewn adfyd;
      Uwch y bedd mae'n dlotach byd – o roi taer
    Wyliwr y gaer i dalar y gweryd.

J. Lloyd Jones

HIRAETH

Roedd disgwyl Gerallt i'r Gwyndy am sgwrs
Fel disgwyl cyfarwydd gynt at y tân;
Fe nyddid chwedl, a cheid olrhain cwrs
Y byd mawr, a'r pethe, cynghanedd a chân.

Byrlymai hiwmor yn nhafodiaeth y Cei,
Tristâi yng nghysgod caethiwed ei wlad,
Ynfydrwydd cynghorwyr a'u triciau slei,
A gwleidyddion llesg yn anwesu'r brad.

Heb chwythu ffanffer, gwnâi ddrama a cherdd
Yn llawforynion ac Arglwydd a'i Lyw.
Loes i'w enaid oedd gweld ffordd mor werdd
Yn arwain at Allor unig ei Dduw.

Bu diwedd chwedl ym Mynwent y Wig,
Ac ni ddaw'r Cyfarwydd byth eto i'm trig.

Ifor Owen, Llanuwchllyn

Lluniodd Bryan Martin Davies gerdd arbennig ar farwolaeth ei gyn-weinidog – 'a'i edmygedd o'r gwrthrych yn pefrio drwyddi'.

ER COF AM WEINIDOG
(Y Parchedig Gerallt Jones, a fu farw yn Awst 1984)

Darllen am dy farw a wnes i
y geiriau fel gwisgoedd galar
yn symud uwchben amdo'r papur.

Fe'th gofiaf yn dod yn fugail i Frynaman,
atom ni, hen ddefaid 'styfnig y Mynydd Du,
a'm crwydradau mor gymhleth
â gwthiadau'r gwythiennau glo carreg
dan wyneb ein tir.

Ti, o linach y Cilie, oedd i'n tywys
o weundiroedd caregog ein cynefin
at borfeydd gwelltog y wlad sydd well.
'Cardi, myn diawl i.'
'Morwr o bregethwr, mynyffarni, a 'Welsh Nat' 'ed.'

A ffon iraidd dy eiriau
yn chwifio dros bulpud Gibea,
bachaist ni, gerfydd ein pechodau geirwon,
a'n gyrru, gyrru, gyrru
i ffaldiau di-ffael eu hen Gymreictod
a godwyd o ddyfnder pridd ein heneidiau,
fel y calchfeini llwyd
ar diroedd y ffermydd cyn-ddiwydiannol
yn Mhantyffynnon, y Foel, a Bryn Pedol.
Yn raddol, yn sobr, surbwch, fe ddaethom ynghyd
rhwng y waliau gwelwon:
praidd pruddglwyfus y parthau hyn,
rhwng meini mud ein heuogrwydd.
Trwot ti, a'th arweiniad sicr a'th swcr,
y sicrhawyd ein llwybrau;
y troedleoedd treuliedig melys,
a fu'n addewid addfwyn i ddefaid
am ganrifoedd.

Darllen am dy farw a wnes i;
y geiriau fel gwisgoedd galar
yn symud uwchben amdo'r papur.

ER COF AM Y PARCH. GERALLT JONES

I'r diwedd bu'n ŵr diwyd – a rhyfedd
      O gartrefol hefyd:
      Er rhoi Gerallt i'r gweryd,
      Heb os fe fydd byw o hyd.

Y Cilie a Jac Alun – a gafwyd
      I'w gofio mewn llyfryn –
      Cyffes o'i hanes ei hun
      Yn y Wig pan oedd hogyn.

Yn ei ffrwd ysgrifau ffres – o'i gariad
      Yn gywrain fe roddes
      I'n cenedl ddarlun cynnes
      O rôl ei deulu'n un rhes.

Carodd lên yn arbennig, – ei deulu
      A'i dylwyth dysgedig:
      O'n Dyfed aeth Pendefig
      I lwch hen Gapel-y-Wig.

                    Elias Davies

ENGLYNION COFFA GERALLT JONES

Nid oes ond gwynfyd ysig – na mwynhad
      Ond mwynhad damnedig;
      Uffern neu ddwyster neu ddig
      A dderfydd ein dydd diddig.

Echdoe'n boen, ddoe'n ddiddanwch – a heddiw
      Dioddef neu dristwch;
      Yfory yn ddifyrrwch,
      Drennydd llawenydd yn llwch.

Un eiliad yn anwylo'n – rhai agos,
      Yna'r igian creulon
      Wrth i ofal y galon
      Ddryllio'n floesg yr einioes gron.

Yn Llanbedr, yng Nghaerwedros – hwn neithiwr
      Yn ein plith, ac echnos;
      Hwn oedd ddigoll, oedd agos,
      Ar gyfeiliorn heno'r nos.

I'w linach fe'm cyflwynai; – ei linach
  Fesul un a enwai,
 A'i linach a foliannai'n
 Daerach, a'r llinach yn llai.

Llai o un er y llynedd, – un arall
  Drwy Gerallt yn gorwedd;
 Eleni; aeth dwy flynedd
 Â thri i borth oer y bedd.

Hwn oedd frwd yn ddifrawder, – hwn oedd losg,
  O'i ddileu, heb bryder;
 Hwn oedd hid, hwn oedd hyder
 Yn ddi-hid ac yn ddi-her.

Y rhwyg lle bu'n rhy agos – yr ymwneud
  A'r mwynhau, a chyfnos
 Yr haf, gan anaf y nos,
 Yn waedrudd uwch Caerwedros.

Alan Llwyd

YN ANGLADD GERALLT

Es tua'r Wig ers tri haf
Â thalent i'w thaith olaf,
I hebrwng i'r bedd obry
Dri chefnder i'w dyfnder du.
Clo oer y pridd a'r clawr pren
Wedi'u rhoi ar dair awen.
Tair Henwyl leddf, tair haen lwch,
Llên tri Awst yn llawn tristwch,
Pan gyrchwyd, ddoe, droed yr allt
I agoryd bedd Gerallt,
Heb rybudd na chystudd chwaith,
A'i roi'n ôl i'w fron eilwaith.

Dic Jones

Dewisodd y teulu yr englyn isod i'w naddu ar ei garreg fedd ym mynwent Capel-y-Wig:

ER COF AM GERALLT JONES

Yn niwedd y cynhaeaf, – chwi wŷr llên,
  Ewch â'r llwyth yn araf,
 Heliwch i'r helm lwch yr haf,
 Hel i'r Cilie'r cae olaf.

Gerallt Lloyd Owen

Cafwyd hyd i'r emyn hwn yn ei ddesg ar ôl ei farwolaeth ac fe'i canwyd ar y dôn 'Tanymarian' ar ddiwrnod ei angladd.

Dof fel teithiwr ar long bywyd
Atat, Arglwydd, yn fy ofn,
Rhaid i tithau bara'n Gapten
Ar y môr a'r afon ddofn;
Gwyddost Ti mai brith yw'r tywydd,
Weithiau haul ac weithiau glaw,
Heddiw wybren ddigymylau –
Fory'r storm yn codi draw.

Diolch roddaf fi o'm calon
Am dy gael yn gadarn Lyw,
Er mor gryf y cerrynt tanaf
Yn dy law ces eto fyw.
Weithiau tynnai'r llong i'r aswy –
Berw'r ewyn ger rhyw lan
Oedd yn hudo, ond fe'm llywiaist
Draw o boen terfysgau'r fan.

Mae fy llong, ddiogel Gapten,
Yn nesáu yr wyf yn siŵr
At ryw benrhyn, fel yr olaf,
Ar fy siwrnai dros y dŵr;
Gad im weld d'oleuni, Arglwydd,
Fel na chaf un golled drist
Wrth droi heibio'r creigle hwnnw,
Ond gweld llewyrch Croes fy Nghrist.

ER COF AM
GERALLT JONES
1907 — 1984
GWEINIDOG, HEDDYCHWR, CENEDLAETHOLWR
A GŴR LLÊN.
YN NIWEDD Y CYNHAEAF – CHWI WŶR LLÊN
EWCH A'R LLWYTH YN ARAF,
HELIWCH I'R HELM LWCH YR HAF
HEL I'R CILIE'R CAB OLAF.
C. LL. O.
A'I BRIOD
ELIZABETH JANE (SIS)
1910 — 1991.
ATHRAWES CERDD A LLÊN.

Carreg fedd Gerallt ac Elizabeth Jones yng Nghapel-y-Wig.

LLINACH GERALLT

Gerallt
Elizabeth Jane (Sis)

Huw Ceredig	Dafydd Iwan		Arthur Morris	Alun Fred
Margaret	Marion (1)	Bethan (2)		Alwen
Llinos (*m*)	Llion Tegai	Caio Llŷn		Deio
Lowri	Elliw Haf	Celt Madryn		Ifan
Leah	Telor Hedd			Gwenllian

Elfan James Jones
(29-6-1909 – 9-1-1996)

Ganwyd Elfan ar fferm y Gaerwen yn ail blentyn i Joshua ac Esther Jones o'r dorred o saith. John Alun oedd yr hynaf ac efallai y bu Elfan yn ei gysgod drwy'i oes. Roedd bywyd mebyd, er yn galed, yn hwyl, ac yn antur ac yn brofiad hefyd dros lethrau'r caeau, y traethau, a thu hwnt. Tua'r dwyrain, yn erbyn y goleuni, roedd gwlad werdd a chaeau patrymog wedi eu hollti gan ddyffrynnoedd coediog. Ac i'r gorllewin dros wefusau Banc Llywelyn dim ond ehangder ffurfafen a môr. Yn y gymdogaeth dda roedd perchnogion ffermydd, gweision a morynion, deiliaid a theuluoedd yn gymorth i'w gilydd. Dysgu byw yn frodyr a chwiorydd, dysgu iaith a dysgu profiad mewn mwynhad. Roedd byw mewn cymdeithas o 'garitors', sylwi arnynt a'u hedmygu, yn cydweddu ag anianawd Elfan.

Oherwydd amgylchiadau teuluol ni chafodd brofi rhagoriaethau cyfundrefn addysg, heblaw'r ysgol elfennol ym Mhontgarreg. Yno y bu dan oruchwyliaeth lem y sgwlyn – John Davies (Dafis Bach) – am gyfnod cyn aros nes roedd yn bedair ar ddeg. Bu farw ei dad pan oedd Elfan ond yn saith oed a bu'n rhaid i'w frawd hynaf, sef John Alun, sefyll y 'Labour Examination' yn ddeuddeg oed i'w ryddhau o hualau'r ysgol. Felly roedd Elfan a'i frawd hŷn yn gweithio'n galed bob bore cyn mynd i'r ysgol. Cafodd y ddau gledrad ('slab') cyson am eu hamhrydlondeb.

Wedi'i ryddhau o'r ysgol – aeth yn was bach i'r Cilie. Cofiai weld rhubannau buddugol eisteddfodol ynghlwm wrth yr hen lamp hongian yn y gegin fach wedi campau'r bois y noswaith gynt a'r rheiny wedi eu gosod yn gystadleuol iawn i'r llygad. Dyma gyfnod pan oedd y ceffyl yn teyrnasu a bu'n rhaid iddo ddysgu trin Star, Bowler a Derby a'u dilyn rhwng cyrn yr arad goch.

Un o hen arferion fferm y Cilie oedd mabwysiadu neiaint a nithoedd gan y 'deuddeg' – yn enwedig ar amseroedd prysur pan oedd eisiau llawer o ddwylo. Deuai'r drefn i fwcwl, dyweder, wrth blannu a thynnu tato, cynaeafau gwair a llafur, diwrnodau dyrnu a chneifio a dipo defaid. Cyplysid John Alun ag Isfoel, Jeremy â Siors, Maggie â Rachel gyda'r bwyd ac Elfan gydag Alun a Tom (mab Myfanwy o Frynberian) a oedd yn was yn y Cilie. Dywedwyd fod John Alun y tu hwnt o ddireidus oherwydd iddo fabwysiadu hyder a menter a melltith oddi wrth Isfoel. Rhoddodd eithin a grug y graig ar dân fwy nag unwaith ac wedi torri pen bys ei frawd Elfan i ffwrdd yn y peiriant tsaffo, aeth i guddio yn y llafur am ddiwrnod cyfan.

Esther Jones yn bwydo'r ieir ar glos Gaerwen, a'i meibion Jeremy ac Elfan gyda hi.

290

Mam-gu Cilie.

Ond wrth i'r bechgyn a'r teulu dyfu mewn rhif a chorffolaeth ni allai 'crachen' o fferm fel Gaerwen eu cynnal a 'dihangodd' John Alun i'r môr. Dim ond ei fam a rannodd ei gyfrinach. Aeth Elfan yn was i'r Cilie am gyfnod ond oherwydd bod ei gartref ond pedwar lled cae i ffwrdd disgwylid iddo estyn cymorth i sengi cwlwm, carthu, godro, aredig, hau ac ati, yn y ddau le. Un o'i hoff straeon oedd cofio am y bechgyn yn gosod bwbach y brain ger clawdd y clos isaf a'i wisgo mor debyg i Siors â phosibl. Yn wir roedd y rhan fwyaf o'i 'rig-out' yn eiddo i Sioronwy. Daeth Gruffydd Thomas, Ffynnonwen, heibio un diwrnod ar ei ffordd i'r felin ac arhosodd gan gyfarch y bwbach o'i gert: 'Bore da, Siors, sut wyt ti? Debyg i law 'to. Glywest ti am Phebi Siop. Niwmonia ym mis Medi. Bachan, bachan. 'Wy'n gweld dy fod wedi gwisgo'n dda heddi 'to. Bach o awel 'da hi. Wela' i di ar y ffordd 'nôl. Come on, Bess fach!' A dywedodd Elfan i Gruffydd gael sgwrs hir gyda'r 'bwbach' ar y ffordd 'nôl hefyd!

Er bod Tom y gwas yn mwynhau gweithio yn y Cilie roedd yn amlwg ei fod yn hiraethu am ei sir enedigol. Hoffai ddringo i ben Foel Gilie ar doriad gwawr, yng nghwmni Elfan, i gael golwg ar rai o fryniau'r Preseli tua'r de. Medrai Elfan adrodd y penillion a luniodd yn ei hiraeth:

> Rwy'n dringo pen Foel Gilie yn awel denau'r wawr,
> Er iechyd i f'esgeiriau a gweld y Frenni Fawr;
> Yng nghwmni yr ehedydd 'rwy'n uwch na tharth y cwm
> A phobol y pentrefi i gyd yn cysgu'n drwm . . .
>
> Llawenydd mawr fy nghalon yw tremio tua'r de,
> A gweld mynyddoedd Penfro yn saethu tua'r ne';
> Cael gweled pen Carningli yn eglur heb un llen,
> A'r awel iach garedig yn cribo gwallt ei ben.

291

Un o'r hen arferion sydd wedi diflannu i raddau yw gwreca. Dioddefai llawer o wŷr y fro ohoni – sef twymyn y gwreca. Wedi cyfnod o dywydd garw âi Elfan a'r bechgyn lawr i draethau anghysbell i chwilio am ddarnau o longau a fyddai'n fuddiol iawn ar y fferm. Ac roedd corff swpa o forlo yn fodd i'w ferwi a'i olew i'w ddefnyddio ar offer y ceffylau.

Roedd Elfan yn storïwr da ac yn ddynwaredwr effeithiol ac yn gymysg â'r mwg o'i getyn blaswn yn aml chwiff o'i hiwmor sych. Dyfynnai yn aml benillion Isfoel am gymeriadau'r fro, er enghraifft, am John Brown, yr hen grwydryn:

> Druan o'r hen John Brown, 'rwy'n cofio o hyd
> Amdano'n dod trwy'r eira 'mron yn ddall.
> A phedair côt, gan dybio'i fod e'n glyd,
> A darn o'r naill yn cwato tyllau'r llall . . .
>
> A chanai 'Men of Arlec' gyda gwên,
> A'r 'Bachgen Main' cyn dod a'i het yn rown'.
> Ac nid oedd neb o'r cwmni'n ddigon mên
> I beidio taflu dime i hat John Brown.
>
> Yn fore trannoeth byddai John o'i wâl
> Yn torri tanwent yn ei ddillad sych,
> Ac wedi brecwast twym ni fynnai dâl
> Ond tynnu swêts am hanner peint y rhych . . .

Cyfeiriai Elfan at Dafi Glanmorllyn, un o gymeriadau Cwmtydu. Halier o ran galwedigaeth ydoedd ond yn hoff iawn o'i rhaffo hi wrth adrodd ei orchestion. Yna deuai Mari, ei wraig, i mewn o'r 'wings' – "Cau dy geg nawr, neu fe fyddi yn y *Teifi Side* yr wythnos nesa 'to!" Cafodd Dafi ei wahodd gan awdurdodau'r Rhyfel i wylio symudiadau'r 'sambarîns', a rhyw ddiwrnod gwelodd forlo mawr, a hanner dwsin o rai bach yn ei ddilyn yn croesi'r traeth o graig Pen-parc i graig Caerllan. "Ymarfer wedd hi. Rhoi 'drill' iddynt. A myn yffach i, dyma fe yn cydio yng ngwar un oedd wedi whilibowan o gylch Craig yr Enwau, a rhoi shigwdad iddo nes oedd y môr yn ffroth i gyd." Mae'r storïau yn ddirifedi!

Yn ei amser fel gwas yn y Cilie cofiai am John Tydu yn dychwelyd o Ganada. Roedd yn dychlyn tato yn y cartws ar y pryd a derbyniodd bishyn chwech a 'candy' o law ei Wncwl Jac. Efallai mai Elfan oedd un o'r ychydig rai i weld llun gwraig Tydu – sef Lilian. O'i flaen torrodd Tydu lun ohono ef a'i wraig yn ddau a thaflodd lun ei Lilian i'r tân. Ond roedd llun arall ar glawr a ddaeth i'm llaw drwy ddirgel ffyrdd.

Wedi marwolaeth Anne Boleyn daeth Mary Hannah 'nôl i gadw cartref i'r bechgyn. Roedd ganddi dystysgrif athrawes a chymhwyster mewn Almaeneg – a gwledd oedd clywed Elfan yn ei dynwared yn rhegi ar y bois mewn Almaeneg! Wünderbar!

Fel y dywedodd Isfoel – cafodd Elfan 'dyfu a datblygu yn ei ffordd ei hun, heb unrhyw fath o drefn wedi ei gosod i'w lygad-dynnu na'i wyro o gyfeiriad ei gwrs priod a naturiol'. Alun oedd yr arch-helmwr a'i greadigaethau fel pagodas. Dysgai Elfan a'i gyflwyno i'r grefft trwy arddangos a thrwy eirfa arbennig: "Cofia nawr! Piso fel ci heddi!" Wrth osod y sgubau a'u brig yn codi tua chanol yr helem rhaid oedd codi un goes lan a'r llall yn is er mwyn adeiladu'r greadigaeth i ddal tywydd a chadw'r glaw o'i chalon. Ac ar ei chopa – topsi addurnedig – fel llawysgrif ei chrëwr.

I'w neiaint a'i nithod o flaen tanllwyth o dân roedd ei ddawn ddynwared yn adloniant pur. Apeliai ei hiwmor sych yn fawr atom. Cofiaf amdano yn actio John Jenkins, Cnwc Gwyn, prif gyhoeddwr Capel-y-Wig, heb dynnu anadl. Perthynai i John Jenkins bresenoldeb theatrig ac iaith urddasol iawn. Wrth i'r bechgyn melltigedig geisio tynnu sylw'r merched a oedd allan yn y festri yn gwau dillad ar gyfer y milwyr yn y Somme (1914–1918), trwy enau Elfan cofnodwyd geiriau John Jenkins: 'Ai gwir eich bod chwi fechgyn ieuainc yn gwarafun ac yn ymlonyddu ar brysurdeb y merched glewion sydd yn brysur yn paratoi amddiffynfa a lloches i'r milwyr rhag y gelyn yn y ffosydd ar faes y gad? Os gwir yr haeriadau, yng ngoleuni'r llusern yr adnabyddir chwi'. (Roedd lamp olew yn hongian uwchben mynediad Capel-y-Wig.) Wedi i John Tydu ddod gartref ym

Lilian, y ferch brydferth a oedd yn briod â John Tydu.

1921 gofynnodd John Jenkins iddo: 'Ym mhle y treuliasoch chwi eich bachgendod?' Ac yna'r hanes eto, o gof Elfan, am ddisgrifiad o fodur Lagonda cyflym: 'Gwibia ei Lagonda trwy'r heolydd a'r ffosydd gyda chyflymder mellten, a mynegfys o'r *speedometer* yn mwynhau tiriogaeth y dychryn!' Yn y capel, cyhoeddodd fod darlith i'w thraddodi gan John Tydu yn Neuadd yr Eglwys, Llangrannog, yn Awst 1921: 'Rhag i segurdod eich meddiannu, estynnaf groeso i chwi ymlwybro i lawr i gynteddau Neuadd yr Eglwys ar nos Sadwrn, erbyn 7 o'r gloch. Yno bydd un o fechgyn disgleiriaf y fro, sydd newydd ddychwelyd o'i anturiaethau mewn gwlad tu draw i'r don. Cewch ddisgrifiadau am wastadedd hirfaith sy'n ymestyn i'r gorllewin draw ac yn llawn o dyfiant gwenith euraid, fforestydd gwyrddion a dinasoedd mawrion ac adeiladau talfry yn cyffwrdd â'r sêr. Bydd y darlithydd ieuanc yn traethu ar 'CANADIA'.'

Deuai llawer o enwogion cenedl yn eu tro i'r Cilie a chofia Elfan am D. J. Williams, Abergwaun, yn taro heibio. Cerddodd Isfoel ac yntau i Benrhiwrhedyn i weld gogoniannau'r cwm islaw. Pwy ddaeth heibio ond William Lloyd, Felin Huw. "Dere draw i gyfarfod â'r gŵr 'ma? Wyt ti'n nabod D. J. Williams?" gofynnodd Isfoel. A'r ateb a gafwyd oedd, "Nadw, ond ma' 'na lawer o'i *catalogues* e yn y tŷ 'co!" Adwaenid Ellen Lloyd, gwraig William, fel 'Lady Lloyd' ac roedd yn gymaint os nad yn fwy o gymeriad na'i gŵr. Aeth hithau i lawr i draeth Cwmtydu ar ddydd Iau Mawr gan eistedd ar bwys gwraig ficer Llandysiliogogo. Daeth gŵr tal, mawr o gorffolaeth i ymuno â'r criw, ac yn ôl Elfan, ebychodd Lady Lloyd, "Pwy yw'r hen Galfaria 'na sydd newydd eiste lawr?" "O," meddai'r wraig wrth law, "y ficer, fy ngŵr yw hwnna." Roedd gan y Parchedig Egwad Williams draed fel elyrch. Gwelodd drempyn ar y ffordd yn gwisgo pâr o esgidiau mawr tyllog ac wedi cyrraedd y tŷ dywedodd ef yr hanesyn wrth ei wraig (yn ôl Elfan), "'Na dra'd mowr wedd 'dag e!" Ac meddai hithau, "Egwad bach, nawr roies i bâr o'ch hen sgidie chi iddo fe." Wedi cael derbyniad da i'w storïau am gymeriad lleol a oedd yn darged arbennig, âi Elfan yn ei flaen gyda rheffyn hir o straeon . . . 'Un diwrnod poeth ac yng nghanol cwrdd prynhawn yng Nghapel y Bedyddwyr, Llwyndafydd, gwelodd un o'r aelodau, nad oedd yn gweddïo gyda'r gynulleidfa, wraig y ficer yn brasgamu i lawr y llwybr tua'r drws'. Saif y capel dan y ffordd a hawdd oedd gweld pawb a gerddai heibio . . . "Weloch chi ddim o'r ficer yn digwydd mynd heibio. Mae e wedi mynd â'r botel anghywir. Mae e'n arfer cario'r gwin cymun yn y botel H.P. Sauce yma'. Dychmygodd yr aelodau y byddai cynulleidfa Eglwys Llandysilio ar y 'wisgi' y prynhawn hwnnw, os na chyrhaeddai ei wraig yr eglwys mewn pryd!

Wedi i'w frawd hynaf, John Alun, fynd i'r môr aeth Elfan gartref i Gaerwen i ysgwyddo baich y cyfrifoldeb. Yna cydiodd chwa forwrol deuluol a bro ynddo yntau ac ymunodd â chriw meisr lleol – y Capten Tomi Owen, Clai Bach, fel *galley boy* ar yr *S.S. Southborough*. Aethpwyd â chargo o lo o Gasnewydd, ar 28 Medi, 1928, gan alw yn Las Palmas cyn dadlwytho yn Buenos Aires. Pell oedd o Gaerwen, Cwmtydu a Chymru, ond antur gyffrous oedd hwylio i fyny afon de la Plata i Santa Fe. Wrth i'r afon gulhau deuai ffermwyr a 'pheilotiaid rhan-amser' i dywys y llong drwy'r banciau mwd a thywod: 'Llwythwyd y llafur oddi ar jetis bach digon bregus yr olwg. Deuai'r ffermwyr â mynyddoedd o sachau llawn i lannau'r afon ar lorïau digon simsan. Ond roedd popeth yn gweithio rywfodd,' meddai Elfan . . . 'Cofiaf weld darnau mawrion o dyweirch yn fflotian i lawr afon Plate ac wrth iddynt daro ochr y llong yn rhyddhau cymylau duon o bryfed. Bydde'r rhain yn boen i'r criw am oesau ac roedd yn amhosibl gweithio yn y niwl du. Petai'r tyweirch yn mynd ynghlwm wrth y 'prop' neu'r *rudder*, byddai'r niwsans yn ganwaith gwaeth'. Dychwelwyd â chargo o 'Indian corn' heibio i Rio de Janeiro i Genoa a 'nôl yn wag i Gymru. Gofynnwyd iddo wedi ei unig fordaith gan gymeriad lleol: 'Sut joiest ti fel 'Galilea Boy'?' Er cyn fyrred ei forwriaeth casglodd brofiadau a straeon. Un o'i dasgau anhawsaf oedd cerdded ar y dec mewn tywydd garw – 'Cerddwn ar y dec gwlyb, fel petawn wedi llanw fy nhrowser'.

Âi llawer o fechgyn lleol i'r môr gyda chapteiniaid a oedd yn adnabyddus iddynt neu i'w teuluoedd. Wedi rhoi amser i'r 'ieir bach yr ha' setlo yn eu stumogau galwai'r capten y *greenhorns* (*deck-hands*) i mewn i'w gaban. Yno byddai'n holi'r bechgyn sut roeddent am drefnu eu cyflogau misol. Roedd yn arfer i roi a buddsoddi hanner y

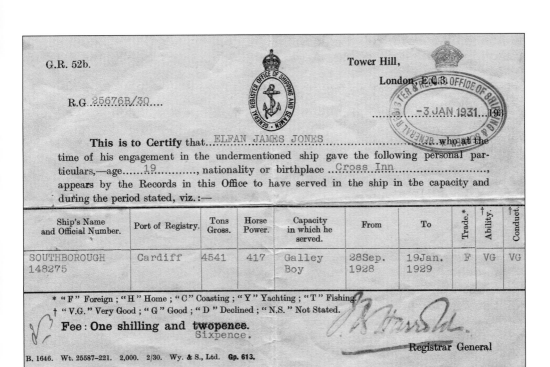

This is to Certify that ELFAN JAMES JONES who at the time of his engagement in the undermentioned ship gave the following personal particulars,—age 19, nationality or birthplace Cross Inn, appears by the Records in this Office to have served in the ship in the capacity and during the period stated, viz.:—

Ship's Name and Official Number.	Port of Registry.	Tons Gross.	Horse Power.	Capacity in which he served.	From	To	Trade.*	Ability.†	Conduct.†
SOUTHBOROUGH 148275	Cardiff	4541	417	Galley Boy	28Sep. 1928	19Jan. 1929	F	VG	VG

* "F" Foreign ; "H" Home ; "C" Coasting ; "Y" Yachting ; "T" Fishing.
† "V.G." Very Good ; "G" Good ; "D" Declined ; "N.S." Not Stated.

Fee : One shilling and twopence.
~~Sixpence.~~

Registrar General

B. 1646. Wt. 25587–221. 2,000. 2/30. Wy. & S., Ltd. **Gp. 613.**

Tystysgrif morwr: Elfan James Jones ar ei unig fordaith ar y *Southborough*.

Y *Southborough*.

cyflog mewn cyfrif banc neu swyddfa bost ar y lan neu ei anfon at rieni. Cofnododd y stori ganlynol wrth i gapten llong lleol – John Davies, Glandewi, Pontgarreg – holi un o'r morwyr ifanc. Wedi casglu ei enw a'i gyfeiriad gofynnodd,

"Beth yw enw dy dad?" Wedi ei gofnodi symudodd at y cwestiwn nesa'.

"Beth yw enw dy fam?"

"Sa i'n gw'bod."

"Dwyt ti ddim yn gwybod enw dy fam?"

"Na dw."

"Wel, beth mae dy dad yn ei galw?"

"O, yr hen yffarn."

Cofnodir stori ddifyr arall gan Elfan am un taniwr o Wyddel a oedd ar un o longau 'Turnbull & Scott'. Bu farw ac wedi esgyn i 'borthladd y gwynfyd' daeth o flaen Pedr. Ac wrth y porth gofynnwyd iddo:

"Pwy wyt ti a be' ti eisiau?"

"Fi yw Seamus Maloney, roeddwn ni'n daniwr drwy f'oes ac rwy'n petruso braidd i ble'r wy'n mynd."

"'Machgen, gei di fynd i'r Golden Gate.'"

"Gwrando 'ma, Pedr. Diawch rwy wedi hela fy oes ar yr *Highgate*, *Eastgate*, *Redgate* a *Flowergate*. Gwell 'da fi fynd i uffern na thrip arall ar y *Golden Gate*."

Fel ei gefnder Fred, nid morwr mohono. Mordaith anhapus a gafodd, a phe bai wedi gwisgo dillad morwr yn ei arddegau cynnar, efallai y byddai rhagluniaeth wedi rhoi halen yn ei waed!

Peel House.

Ond dywedwyd i'w fam, Esther, ofyn yn daer iddo aros gartref i ffermio. Ac felly y bu. Aeth ei chwaer, Myfanwy, i nyrsio gan fod y teulu'n rhy dlawd i'w hanfon i goleg hyfforddi athrawon er iddi ddysgu fel disgybl-athrawes yn ysgol Gwenlli am flwyddyn. Bu i'w chwiorydd eraill, Margaret a Rachel, fynd allan i wasanaethu fel gwarchodwyr plant gyda theuluoedd lleol. Dechreuodd Margaret yn Ysgol Sir Aberteifi ond oherwydd cyfyngderau'r teulu ni fedrai barhau ei haddysg yno.

Wedi cyfnod ymhellach gartref yn ffermio Gaerwen gwnaeth gais i ymuno â'r Heddlu Metro-politanaidd yn Llundain. Hoffai Elfan a bechgyn eraill cyhyrog y fro ymgynnull ar y 'prom' yn Llangrannog. Ac un haf roedd ffrind i'r Arglwydd Byng – pennaeth y 'Met' yn Llundain – yn aros yn y Pentre Arms. Dewisodd Elfan o'u plith ac awgrymu, 'Why don't you write to Lord Byng. They could do with a strong strapping man like you in the 'Met'.' A dyna a

Elfan James Jones yn ei wisg heddlu yn Llundain.

wnaeth Elfan. Roedd brawd ei dad – James Jones, Fferm y Plwmp – eisoes wedi bod yn sarjant ym Mlaenau Ffestiniog!

Fe'i gwahoddwyd i orsaf yr heddlu ym Mrynhoffnant i'w fesur a'i bwyso ac i gael archwiliad meddygol. Penderfynwyd ei fod hanner modfedd yn rhy fyr yn y prynhawn diweddar. Dychwelodd y bore wedyn ac roedd o fewn y taldra gofynnol. (Mae'n debyg fod y corff dynol yn hwy yn y bore). Wedi deng wythnos o hyfforddiant yn 'Peel House' roedd yn rhan o'r 'posse' (deg ar hugain o wŷr) yng ngorsaf Bow, o fewn clyw i'r clychau enwog. Wedi'r hyfforddiant dwys o baffio, rhedeg ac ymarfer corff, enillai bob cystadleuaeth ym mabolgampau Llangrannog pan ddeuai adref ar wyliau. Bu yno am ddeng mlynedd tan ddechrau'r Ail Ryfel Byd.

Heblaw'r 'patrols' ar y strydoedd, a chymryd meddwon, lladron a dihirod a oedd yn torri'r heddwch i'r ddalfa, bu'n gweithio hefyd y tu ôl i'r cownter ac yn gwarchod y celloedd mewn gorsafoedd heddlu yn yr East End. Ar amryw achlysuron tua chanol a diwedd y tridegau roedd yn un o garfan fawr o blismyn a geisiodd gyfyngu a rheoli

Capten Tomi Owen, capten cyntaf Elfan, a'r Capten Frank Taylor, prif swyddog Gwylwyr y Glannau.

dilynwyr ffasgaidd Syr Oswald Ernald Mosley. Yr oedd yr aristocrat o Sais wedi ymchwerwi o achos y Rhyfel Mawr, ac wedi ennill sedd yn enw'r Ceidwadwyr fel Aelod Seneddol. Pleidleisiodd fel annibynnwr cyn ymuno â'r Blaid Lafur. Ond yn ystod y Dirwasgiad sefydlodd blaid yn seiliedig ar blaid debyg yn Yr Eidal. Chwyddodd eu rhengoedd i 30,000 erbyn 1934. Gwisgent grysau duon gan weiddi sloganau gwrth-Iddewig ar y strydoedd. Cynhaliwyd rali fawr o 8,000 yn Earls Court ym 1935 ond rhan o'r stori oedd digwyddiadau o'r fath. Arwyddair y Crysau Duon oedd 'We don't start fights – we only finish them'. Creodd eu teithiau drwy'r East End lawer o derfysg a bu Elfan Jones ar ddyletswydd yn aml yn ceisio, fel aelod o'r heddlu, atal yr ymladd a'r terfysgu. Er mai gŵr tawel ydoedd, roedd yn gryf iawn ac fel un a drwythwyd mewn disgyblaeth yn Peel House medrai ofalu amdano'i hun yn dda. Câi'r fuddugoliaeth ym mhob ffrwgwd! Derbyniodd fân anafiadau ac wedi i'r Llywodraeth ddeddfu yn erbyn gwisgo dillad gwleidyddol – arestiwyd Mosley a'i wraig Diana Mitford ym Mai 1940.

Yn yr East End nid nepell o ddociau harbwr Llundain disgynnai tunelli o fomiau'r Lüftwaffe ar yr ardaloedd poblog gan greu difrod dychrynllyd a lladd miloedd o bobl. Cafodd effaith ddifrifol ac andwyol ar iechyd Elfan, a gadawodd yr Heddlu yn annisgwyl oddeutu dechrau'r pedwardegau a dychwelodd i wasanaethu ar fferm y Cilie. Ni chwblhawyd y drefn swyddogol ac roedd ei gerdyn gwarant ar goll a dilynwyd ef i lawr i'r Cilie gan yr awdurdodau a bu'n rhaid iddo ymddangos o flaen llys a thalu dirwy, sef swm o gan punt. Ond wedi cyfnod byr iawn fel gwas yn y Cilie dychwelodd i'r môr, neu o leiaf i'r arfordir, fel un o Wylwyr y Glannau i oruchwylio arfordir de-orllewin Ceredigion rhag ymosodiad gan longau-tanfor Almaenig. Yng nghwmni Dannie Evans, Dai Williams a'r Capten Frank Taylor, treuliai Elfan ei amser yn yr 'H.Q.' ar ben Braich y Badell, ger Llangrannog. Penrhyn moel yw'r 'Fraich' sy'n ymwthio allan i'r môr yn herfeiddiol heb unrhyw gysgod o'r unman. Nid oedd y cwt lawer yn fwy na bwth ffôn – 'outsize', chwedl Elfan, a thu fewn roedd ynddo stof lo, un ford fechan, ffwrwm a bwyell yn hongian ar y wal i dorri eu ffordd allan pe buasai'r

298

Llun o draeth y Cilborth, Llangrannog, yn dangos Braich y Badell yn y pellter a *look-out* Gwylwyr y Glannau yn y 1940au.

Trecregyn East. O'r chwith: Ryda (cyfnither), Magi, Esther, Ann (merch Ryda), Elfan, ac yn y blaen, Emyr Llywelyn (gyda'r cylch a'r bachyn) ac Allan Banks (cefnder).

Ar glos y Cilie, Medi 18, 1975. O'r chwith i'r dde: Gerallt Jones, Jac Alun Jones, Elfan James Jones, Lyn Ebenezer, Jeremy Jones, Tydfor Jones a Thomas Phillips.

Ar glos y Cilie eto: Tom Phillips, Jeremy, Elfan Phillips ac Elfan James Jones.

adeilad yn dymchwel mewn storom ac yn dechrau 'trilio' tua'r erchwyn. Roedd strem y gwynt mor ddychrynllyd ar brydiau – mae'n syndod mawr na chwythwyd y cwt a'r Gwylwyr i ebargofiant i'r creigiau ysgythrog islaw. Ochneidiai'r hen gaban mewn tymestl, a phwy bynnag a'i hadeiladodd roedd ei *tongue and groove* o'r gwneuthuriad a'r sgiliau gorau. Ni welwyd yr un 'sambarîn' dim ond ambell ffrwydryn môr. Cerddai un o'r gwylwyr yn ddyddiol o Langrannog i Gwmtydu wedi ei wisgo â chôt drwchus, trowsus i ddal dŵr, het 'clustiau spaniel', menig ac esgidiau cryfion a dryll (.303) dros ei ysgwydd. Beth oedd pwrpas y dryll – dyn a ŵyr! Roedd Elfan a'i griw a'i gefnder Fred a'r 'Home Guard' yng Nghwmtydu wedi cadw Hitler allan – wedi'r cyfan!

Wedi'r Rhyfel bu Elfan yn gweithio gyda chwmni adeiladu Dearman am gyfnod cyn ymuno ag adran ffotograffiaeth yr RAE Aberporth – safle arbrofi rocedi a chanolfan technolegol cymhleth yr ugeinfed ganrif.

Câi Elfan ei gydnabod fel storïwr diddorol, hanesydd lleol a pherchennog cof diwaelod. Profiad hyfryd oedd gweld ei ardd ddestlus a'i glywed yn canu, neu fwmian, alawon gwerin Gwyddelig tra oedd yn cymhennu neu'n gosod ei Eden. Roedd yn enillydd cyson mewn eisteddfodau lleol am gyfansoddi brawddeg, limrig neu bennill dychan. Roedd yn annibynnol ei natur ond hefyd yn mwynhau cwmni a sgwrs a thynnu'n gryfach ar ei getyn wrth i'r mwynhad gynyddu.

Elfan a'i chwaer Rachel. Bu'r ddau yn rhannu aelwyd am gyfnod hir.

301

Nid yn unig y bu Elfan yn rhannu aelwyd yn Nhrecregin East a Castle Hall gyda'i fam – roeddent hefyd yn ffrindiau mawr. Ar farwolaeth ei fam symudodd i 'Glyn Rhosyn', Bow Street, a bu'n byw gyda'i chwaer Rachel Anne am un mlynedd ar ddeg ar hugain ond am gyfnod hefyd yn Rhos Hendre, Aberystwyth. Wedi chwe mis yng nghartre'r henoed, Tŷ Cerrig, Ceinewydd, bu farw yn Ysbyty Heol y Gogledd, Aberystwyth.

John Alun Jones
(Y Capten Jac Alun)
(18-1-1908 – 1-8-1982)

Dyddiau Mebyd

'Nid oedd neb yn gwybod am fy ngenedigaeth oherwydd fe guddiodd Isfoel fi yng ngwellt y sgubor am dri mis, fel Moses yn yr hesg slawer dy'. Roedd e wedi dotio arnaf, ac roedd e am fy nghadw yn y Cilie i dyfu'n fachgen cryf ac i'w helpu ar y fferm.'

Adroddai John Alun y stori ramantus uchod ar dir a môr a daeth yn rhan annatod o chwedloniaeth y 'Tyl'. Ef oedd yr unig un o nythaid Esther a anwyd yn hen ffermdy'r Cilie. Yn wir, dim ond un arall o'r drydedd genhedlaeth a anwyd yn y Cilie – Mary Hannah Phillips, plentyn hynaf Gruffydd a Myfanwy Phillips (wythfed plentyn Jeremiah a Mary Jones, y Cilie). Oherwydd nad oedd cartref parhaol ganddynt bu Joshua ac Esther Jones yn byw yn y Cilie yn ystod cyfnod genedigaeth John Alun.

303

Wedyn, symudodd Esther a'i theulu i le mwy a chartref am flwyddyn, sef tŷ bychan o'r enw Craig Villa ym mhentref Nanternis. Ufuddhaodd Joshua i alwad y môr ac ymunodd fel peiriannydd â llong o'r enw *Enidwen*. Yn wir, enwodd ei drydydd plentyn yn Margaret Enidwen (Mrs T. Llew Jones) ar ôl ei gyfnod ar y môr. Gwnaeth ei frawd, James Jones, fferm y Plwmp, yr un peth gan enwi ei unig blentyn yn Mair Enidwen. Yna, pan ddaeth fferm Gaerwen yn rhydd ar rent (fe'i perchnogid gan deulu o'r Rhondda), gadawodd Joshua y môr, a symudodd y teulu eto i amaethu ac i fod yn gymdogion i'r Cilie.

Cyfeirid at Gaerwen, fferm 30 erw, fel crachen o fferm fach ar dir y 'continent'. Er hynny roedd tir pori da yn y Gaerwen ac yn ôl Jeremiah Jones, roedd lluo ar dir dyfriog Gaerwen yn well na llond bola yn y Cilie. Pe collech ffon neu bastwn yng nglaswellt trwchus caeau Gaerwen prin y'i gwelech yn y bore gan mor glou oedd tyfiant y borfa! Ac roedd siŵr o fod elfen o wirionedd yn y goel – oherwydd pob hirlwm roedd yr anifeiliaid yn torri i mewn i dir Gaerwen dros y ffin o'r Cilie.

Cadwai'r teulu bump neu chwech o wartheg godro, rhyw ugain o ddefaid, pump o eidionnau, hwch ac ychydig o ieir. Nid nepell i ffwrdd, rhyw dri lled cae a chyrn y simneiau yn weladwy – roedd y Cilie a'r tylwyth caredig. Heblaw am y berthynas deuluol, roedd Mary Jones a'r teulu yn gymwynasgar wrth bawb a'r gymdogaeth dda yn rhan o'u hanianawd. Safai Gaerwen yn uwch i fyny na'r Cilie ac oherwydd ffurf saser ddyfriog y tirwedd, gellir dweud fod y fferm fach yn cyflenwi holl ofynion dŵr y tŷ drwy'r pistyll tragwyddol yn ogystal â dŵr i'r anifeiliaid.

Sgwâr Caerwedros gyda'r efail, tŷ'r teulu a'r ysgol. Ganed tad John Alun yma.

O graig ffynhonnau Gaerwen
A'i thawel, ddofn wythïen . . .

Uwchben Gaerwen, y tu allan i ffin Foel Gilie ac mewn lloc i'r anifeiliaid o'r enw 'Cae Nos', tarddai bwrlwm o ddŵr grisial. Dywedai Isfoel fod hwn yn ffenomenon hollol unigryw oherwydd codai a gostyngai pyls a lefel y ffynnon yn ôl trai a llanw'r môr 700 troedfedd islaw ym Mhwll Mwyn. Gweithient fel elfennau gyda'i gilydd, ac yn groes i'w gilydd – trai isel, ffynnon uchel ac i'r gwrthwyneb. Ac roedd y cwbl oherwydd 'capilaredd yn y graig' – yn ôl gwyddonwyr y Cilie. Nid rhyfedd i Isfoel, fel arfer, lunio englyn i'r ffynnon:

Ar y llechwedd, y perl llachar – yn dianc
O'i dywyll oer garchar;
Newydd ddiod y ddaear,
Ac awdur byd geidw'r bar.

A dangosodd Alun ei edmygedd o'r bwrlwm drwy'r englyn hwn:

Daw'n hoyw ei berlau gloywon, – yn ddiod
O'r ddaear yn gyson;
A llawn egni yw'r lli llon,
Seiffonaidd byls y ffynnon.

meddai John Alun: 'Roedd Gaerwen yn lle rhamantus, yn sefyll uwchben y môr a'r caeau yn disgyn dros Ben Moffat, Banc Llywelyn a dibyn serth peryglus Cwmbwrddwch i'r môr'. Ac fel hyn y canodd am y 'Gwreiddiau':

Llwm ac unig lle'm ganwyd
Ger y glog ar y graig lwyd,
Un cam yw i frinc y môr,
Agored i bob goror . . .

'Roeddwn i'n mentro mynd i lawr y dibyn a thros y graig i erchwyn y clogwyn i draeth Pwll Mwyn. Roedd Isfoel yn mynd i lawr bob dydd Sul a finnau gydag e. Adeg y Rhyfel Byd Cynta' roedd llawer o wrec yn dod mewn. Roedd rhaff gydag Isfoel i fi fynd i lawr achos ei bod hi mor beryglus. Roeddwn i'n clymu un pen i'r rhaff am fy nghanol ac roedd y pen arall yn llaw gadarn Isfoel. Rhoddwn fy holl ffydd ynddo. Yn aml byddai defaid a gwartheg yn diflannu dros y graig – digwyddiad creulon a chostus iawn i'n teulu bach ni. Unwaith collasom dair anner dros yr ochr i ebargofiant.

Cofiaf am geffylau Wncwl Tom Bryndulais (brawd Jeremiah) ar dir y Cilie, ac roedd rhyw glefyd arnyn nhw, ac fe ddywedodd y ffarier wrth Isfoel am eu gwaredu nhw. Rhyw naw oed oeddwn ar y pryd, ac fe es gydag Wncwl Isfoel i ymyl y dibyn uwchben y tonnau. Rhaid oedd i mi ddal pishyn o gorden beinder a roddai Isfoel dros ben y ceffyl a'i ddal yn dynn – er mwyn saethu'r ceffyl. Saethai hwy dan y glust a chofiaf yn glir amdanynt yn twmlo lawr dros y graig i'r môr a'r gwaed yn pistyllio lan i'r awyr wrth iddyn nhw drilio i lawr rhwng y grug a'r eithin. Fe saethon ni bump o geffylau fel yna. Dyna oedd y ffordd rwydd o'u gwaredu nhw – i lawr i'r môr achos fe fyddai wedi bod yn llafur caled i dorri twll mawr i'w claddu. Roedd yn brofiad ofnadwy i grwt naw oed, prin y gallwn gyrraedd pen y ceffyl – ac yntau'n dal y dryll o fewn chwe modfedd i'r wythïen fawr dan y glust. Byddai'r ceffyl yn cwympo fel pwn llafur – a thwmlo i lawr i'r môr.'

Tyfodd John Alun yng nghwmni ewythredd a modrybedd ffraeth a dawnus y Cilie oherwydd treuliai lawer o amser yn grwtyn bach dan fantell gysgodol Isfoel. Dysgodd lawer, mwy nag mewn unrhyw ysgol, ac roedd canfas ei brofiadau yn eang iawn. Isfoel oedd yn gwneud popeth – lladd moch, lladd da, eu blingo nhw, cymwynasau i'r cymdogion megis atgyweirio peiriannau, trin y tir, ac roedd y crwt awyddus wrth law'r meistr dyfeisgar bob amser. Nid oedd yn ddall na byddar chwaith i'r dalent farddonol – y penillion, englynion a'r cywyddau a adroddid mewn efail, yn y cae gwair neu a ysgrifennid ar balis a drws. O gylch cymoedd y Cilie roedd clwstwr o fythynnod a'u deiliaid teyrngar a gweithgar yn ychwanegu at gyfoeth y gymdeithas. Roedd yn gymdeithas glòs hunan-gynhaliol ac yn baradwys o le i grwt ifanc dyfu i fyny ynddo.

Ond rhaid cofio hefyd am ei ddyddiau cynnar pryd y tyfodd perthynas agos iawn rhwng ei dad (Joshua) ac yntau, a phan ddechreuodd ei addysg yn ysgol elfennol Pontgarreg arferai farchogaeth y tu ôl i'w dad ar gefn y gaseg felen. Teithient fel yr hed y frân dros gaeau'r Cilie a Chilie Hwnt nes dod i olwg y carchar. Ond ymhen wythnos tyfodd hyder y crwtyn ifanc a daeth i adnabod y llwybrau tarw a'r sticlau a ddefnyddid gan y disgyblion eraill. Yn aml, byddai yn hwyr yn cyrraedd yr ysgol a chawsai 'slab' ar ei law. Un o'r uchafbwyntiau cofiadwy yn ei addysg gynnar oedd cael ei ddewis i ateb cwestiwn ar ymweliad 'Arolygwr ei Mawrhydi'. Paratowyd y cwestiwn a'r ateb wythnosau mlaen llaw!

"What is the chief training area of the British Empire?"

"Salisbury Plain."

Roedd yn gwestiwn hollol estron mewn iaith a chynnwys i grwtyn wyth oed o gefn gwlad Sir Aberteifi a oedd yn hyddysg ym mhethau'r Ysgol Sul, ac o aelwyd gynnes Gymreig a'i seiliau cadarn, heb sôn am ddiwylliant cartref y Cilie ac athroniaeth y gymdeithas glòs a'r gymdogaeth dda. Yn ystod cyfnod yr aros hir ailadroddai John Alun y manylion dro ar ôl tro, yn enwedig cyn i len cwsg ddisgyn – yn hytrach na chyfri'r defaid bondigrybwyll. Yna, mewn ystafell eitha' llwm yr olwg, a map o'r Ymerodraeth Brydeinig a *modulator* sol-ffa Curwen yn felyn-ddu o fwg yn addurno'r muriau di-raen, daeth y cwestiwn o wefusau awdurdodol yr arolygwr.

"Who is answering the next question?"

Safai'r athrawes (Miss Mary Lewis) lathen y tu ôl i'r gŵr dieithr a phwyntiodd ei bys i gyfeiriad y crwt o'r Gaerwen.

"Stand up, boy. What is the chief training area of the British Empire?"

"The Salisbury Plain, sir," atebodd John Alun yn hyderus. (Wedi'r cyfan, roedd wedi ei falu gannoedd o weithiau.)

"Well done, boy. Sit down," ebychodd yr arolygwr mewn Saesneg dieithr.

Trodd at yr athrawes gan ei llongyfarch am baratoi'r disgybl i ateb mor hyderus a chywir. Yna llofnododd frawddeg ychwanegol ar ffurflen swyddogol.

Cofnod arall yn ystod ei addysg yn Ysgol Pontgarreg oedd i bob plentyn lofnodi 'llw' y 'Food Economy Campaign' – 'We hereby pledge ourselves to eat our food slowly, to chew it well, to eat as little bread as possible, and to waste no food at all, so that the supply of food may hold out as long as possible and the work of the submarines be made of no avail'.

Dros fisoedd yr haf ychwanegwyd at nifer teuluoedd y Cilie a'r Gaerwen gan 'ecsodus' teulu Fred Jones o'r Rhymni a Threorci:

Dyma'r Penplas 'Castle', nid anniben sied
Ond paradwys dawel hiliogaeth Fred.

Er mai yn y bwthyn clom a chlopa o wellt, eithin a sinc i lawr yng ngwaelodion Cwm Bothe ger Felin Huw roedd yr hafan glyd, arhosai llawer o'r plant yn ddirybudd gyda'u cefndyr a'u cyfnitherod. Roedd misoedd hirfelyn tesog yr haf yn gyfrwng i un teulu mawr gael difyrrwch yng ngweithgareddau'r fferm, ar draeth Cwmtydu, mewn nosweithi difyr ar yr aelwydydd, eisteddfodau, cyngherddau, barddoni byrfyfyr. Nid oedd amserlen i'r difyrrwch, dim ond mwynhad dilyffethair dan lesni nen ac i falm awelon y môr.

Ac wedi i Fred a'i deulu ddychwelyd i Dde Cymru byddai'r berthynas yn parhau. Fel y dywedodd John Alun:

'Roeddwn yn posto cwningod at Wncwl Fred yn Nhreorci. Byddem yn mynd i lawr i Siop Pontgarreg i'w postio gan glymu dwy wrth ei gilydd, a rhoi tamaid bach o bapur brown amdanynt a'u pwyso nhw. Os oedd y pwysau dros ryw farc roedd y gost yn mynd lan o naw ceiniog i swllt a thair. Unwaith, roedd hen gymeriad yn y siop – John Jenkin Jones, Glan-graig – a medde fe wrth weld y cwningod dros y marc, 'Peidiwch becso,'– a dyma fe'n torri clustiau'r cwningod bant a'u traed blaen nhw – a'r siopwr yn dweud y drefn – nes ei fod e'n cael y pwysau i lawr i naw ceiniog am bosto. Un tro dim ond y labeli a gyrhaeddodd Dreorci!'

Cafodd John Alun wahoddiad i fynd i Dreorci – ysbaid o wyliau mewn cwm diwydiannol dieithr a siawns i dreulio rhagor o amser yng nghwmni ei ffrind gorau, Gerallt.

'Dyna'r tro cyntaf yn fy mywyd i fi fynd ymhellach na Llandysul. Rhoddodd mam label ar fy nghôt, sef 'Passenger to Treorci'. Es ar gefn beic i Post-bach a dala'r bws i Landysul a'r trên. Rhaid oedd newid trên ym Mhencader, Caerfyrddin a Llansawel cyn cyrraedd Treorci. Roedd yn siwrnai ofnadwy i grwtyn dibrofiad fel fi. Ond ar orsaf Pencader, gofynnais i ddieithryn:

"Ydy'r trên yma yn mynd i Dreorci?"

"Ydy, ydy, 'machgen bach i. Rwy i'n mynd 'na hefyd. Dere gyda fi. Edrycha' i ar dy ôl di."

Roeddwn yn meddwl ei fod yn od fod y dyn dieithr yn mynd o Bencader i Dreorci, fel fi. Ond cyrhaeddais yn ddiogel a bu'r dieithryn yn garedig iawn a chawsom sgwrs dda. Roedd e'n 'nabod llawer o deulu'r Cilie. Wedi cyrraedd gorsaf Treorci roedd rhes o wynebau serchog plantos Fred wrth y bariau haearn – Gerallt, Rhiannon, Dydi a Mary – i gyfarch eu cefnder bach o'r wlad. Cofiaf weld y gorsaf-feistr rhwysgfawr yn paradan 'nôl a 'mlaen dan ei gapan pig-loyw a'i fotymau pres i wneud yn siŵr na ruthrent ataf heb y tocyn platfform ceiniog. Pe bai'r hen geidwad ond yn gwybod am y llawenydd yn ein calonnau'.

'Pryd hynny roedd Eisteddfod 'semi-national' yng nghapel Bethania – capel Wncwl Ffred. Pan ddaeth y bardd buddugol ymlaen i'r llwyfan i'w gadeirio, pwy ydoedd ond Dewi Morgan, Aberystwyth, tad Elystan a Deulwyn Morgan, y dyn roeddwn wedi cyd-deithio ag ef ar y trên o Bencader! Ac ar noson arall talodd Gerallt a minnau geiniog yr un i wrando ar Cynan yn darlithio ar 'Fab y Bwthyn' yng nghapel Nasareth, Ton Pentre. Roedd y capel yn orlawn. Gallaf ei weld a'i glywed o hyd'.

Ond ar 21 Mai 1917 holltwyd yr uned deuluol a disgynnodd cwmwl du dros deulu Gaerwen. Bu farw ei dad, Joshua Jones, pan oedd John Alun, yr hynaf o'r nythaid, ond yn naw oed a'r cyw Jeremy heb ei eni. Roedd Sam, ei frawd, a ffermiai'r Wig, am i Joshua aredig cae wrth dalcen y capel oherwydd bod y Llywodraeth eisiau iddo dorri rhagor o dir gwndwn adeg y Rhyfel Byd Cyntaf. Wrth wneud y gwaith, yn dilyn y wedd, gwlychodd at y croen, ond dal ymlaen a wnaeth â'r 'stêm' yn codi o'i ddillad. A dim ond llywionnen dros ei war mynnodd ddibennu'r cae er gwaetha'r glaw mawr. Clafychodd a throdd yr annwyd yn niwmonia. Ac yntau'n barhaol yn ei wely mewn ymdrech i ostwng ei wres fe'i gorchuddid â siden wleb a thynnwyd dau ddwsin o lechi i wneud twll yn y to (gan y crefftwr a'r saer maen lleol, Tom Jones, Fron-deg). Collwyd y frwydr ac ymhen tair wythnos bu farw yn ŵr ifanc 32 oed. Roedd yr ieuengaf, Jeremy, heb ei eni.

Roedd gan Joshua ac Esther saith o blant ond bu farw Mary Gwladys (y pedwerydd yn y llinach) yn faban bach – o ddigwyddiad a elwir heddiw yn *cot death.* Ond nid dyna'r unig drychinebau, cyn ac wedi hynny, a ddigwyddodd yn y Gaerwen. Credai llawer fod y lle yn anlwcus ac wedi ei felltithio. Mae'r gyfres o ddigwyddiadau yn eich cyflyru weithiau i gredu fod gwirionedd yn y gosodiad.

Meddai Isfoel: 'Rwy'n cofio yn dda am Thomas Dafis, Dôl-gou, hen ŵr tal, rhuglgam a ddaethai am dro i'r efail ym Mlaencelyn. A chofiaf am rai o'i blant hefyd – Siencyn, James, Mari ac Elisa. Roedd Mari yn perthyn i hen deulu Pant-yr-ynn a phriododd ŵr o'r enw John a hanai o ardal Llechryd cyn symud i ffermio Gaerwen. Aethant yno yn yr un flwyddyn ag yr aethom ni i fyw i'r Cilie, sef 1889. Cawsant lawer o brofedigaethau yn y Gaerwen. Tua'r flwyddyn 1876 aeth y tŷ ar dân trwy i un o'r plant gynnau tân yn y sgubor a oedd yn rhwym wrth y tŷ. Llosgwyd un plentyn i farwolaeth a bu ôl y tân ar foch y plentyn iau tra bu byw. John Jenkin Jones oedd hwnnw a chofir amdano yn ffermio Glan-graig. Cafodd ei fam niwed mawr yn y tân pan redodd i mewn i'r fflamau i geisio achub ei phlant. Dywedir iddi ymddangos yn y drws agored a'i dillad a pheth o'i gwallt yn wenfflam. Llosgwyd ei hwyneb yn ddifrifol fel na allai neb ei hadnabod. Ni welais i ei hwyneb erioed gan y gwisgai fath o liain du yn ddarn sgwâr oddeutu wyth modfedd yn hongian o flaen ei llygaid pan aethai allan i'r heol. Clywais fod John y gŵr wedi gweld fflamau'r tân fel y cerddai riw y Neuadd ger Capel Llwyndafydd a'i fod wedi brysio adre i weld y difrod. Druan ag e!'

Cyffes Ifan, un o'i feibion oedd: 'Nid oes gennyf gof gweld wyneb mam erioed'.

Yng nghyfnod Tom Jones (trydydd plentyn teulu'r Cilie) bu farw ei wraig ar 19 Tachwedd 1907, yn 28 mlwydd oed mewn amgylchiadau trist iawn. Collodd ei bumed plentyn, Jeremiah Newton ar 29 Gorffennaf 1907, pan gorniwyd ef gan fuwch yn y beudy a gwaedu i farwolaeth wedi iddo ddisgyn ar ddarn o wydr a dorrodd ei wythïen. Roedd yn bum mlwydd oed.

Dioddefodd mab ieuengaf Joshua ac Esther Jones – Jeremy – mewn damwain erchyll pan gollodd ran o'i goes wedi iddo lithro i lawr i ffust y peiriant dyrnu yn ydlan y Cilie. Roedd O. T. Owen, masnachwr a siopwr Celyn Parc, wedi rhybuddio Alun y Cilie y dylai yswirio ei weithwyr ar y fferm. Diolch i'r fendith, gwnaeth yn ôl y cyngor ac elwodd Esther a Jeremy yn ddirfawr. Dywedwyd i Alun bendrymu dros y cynnig i ddechrau a'i roi yn 'fater gobennydd'. Erbyn y bore llofnododd y papurau. Ymhen ychydig ddyddiau roedd Jeremy wedi dioddef o'r ddamwain.

Bu farw Joshua Jones yn ifanc iawn, yn ogystal â'i ferch fach, Mary Gwladys (fel y cofnodwyd eisoes). Yna bu farw Sirionwy a'i fab Tydfor (pan oeddent yn byw yn y Gaerwen) eto mewn amgylchiadau trist iawn.

Disgynnodd llawer o waith ar ysgwyddau ifanc John Alun – oherwydd galwadau'r fferm, daeth carthu'r beudy, bwydo'r anifeiliaid, godro, certio glo a chasglu briwydd a llosgoed o eithin yn rhan o'r gorchwylion beunyddiol cyn brecwast. Oherwydd hynny roedd yn aml yn ddiweddar yn cyrraedd yr ysgol. Roedd cysylltiad teuluol rhwng y teulu a'r prifathro (E. R. Jones), ac roedd yntau'n hyblyg ei gydymdeimlad â'r sefyllfa er iddo barhau i fod yn ddisgyblwr llym.

Yn 13 oed eisteddodd John Alun y *Labour Examination* i ennill cymhwyster i adael yr ysgol ac i gael caniatâd swyddogol i fynd allan i'r byd mawr yn enillydd bara'r teulu.

Llyfr 'log' (boncyff, chwedl Jac Alun) Ysgol Pontgarreg (20-6-1921):

John Alun Jones, who was recently examined for a Labour Certificate, has been successful in passing the examination in all the subjects, and is allowed to leave school at the end of this term, i.e. June 30th.

Yn gyflym iawn dysgodd lawer am waith fferm, am gyfrifoldeb yr unigolyn ac am drefn bywyd – gyda'r canlyniad iddo aeddfedu a datblygu'n gymeriad cryf a phenderfynol yn ifanc iawn.

Roedd bywyd yn galed iawn. Gwerthid menyn, wyau, cwningod, gwahaddod ac ambell eidion i gynnal y teulu. Saethid sguthanod a thrapid petris ar gyrion y sofl yn ychwanegiad at stoc y pantri. Ac roedd yr ychydig geiniogau oddi wrth y sipsiwn am rawn ceffylau a chwningod i wneud brwsys paent a choleri yn dderbyniol iawn. Yn aml telid dyledion i siop Pontgarreg trwy gyflwyno hanner mochyn neu siec a gafwyd trwy werthu eidion. Ac roedd y gŵr rhadlon a chymwynasgar – O. T. Owen, Celyn Parc, Blaencelyn – wedi gweithio'n ddygn ac wedi ymestyn y rheolau i'w heithaf er mwyn sicrhau pensiwn gwidw i Esther Jones. A phan godai argyfwng neu ddigwydd anghyffredin roedd caredigrwydd teulu fferm y Cilie wrth law – yn gyson gyda'u cymwynasau niferus.

Pan oedd John Alun yn ei arddegau cynnar medrai gyflawni holl orchwylion y fferm – aredig, llyfnu, hau, godro, mynd i'r mart, 'nôl glo, pedoli a gyrru tractor. Roedd Joshua ei dad yn un o chwech o frodyr efail enwog Caerwedros – a phob un ohonynt yn of crefftus wrth 'chwythu'i dân dan chwibanu'.

'Medrwn hoelio cyn mynd i'r môr. Fe fyddwn i yn mynd draw â'r gaseg at Wncwl Sam yn efail Blaencelyn (lle mae siop Celyn Parc heddiw), ac fe fyddai'n dweud wrthyf, 'Piga di bedol ma's, gei di hoelen 'da fi'. Fe hoelien i'n hunan a hefyd byddwn yn chwythu'r tân a helpu i fando whils cart. Cyn mynd i'r môr cefais gynnig gan f'ewythr Sam i fynd yn brentis, ac rwy'n ei gofio yn dweud – "Bydd y cwbwl i ti ar ôl fy nydd i, os dei di." Ond nid oedd hynny yn apelio ataf'.

Roedd y tractor yn disodli'r ceffyl a byddai gwasanaeth ac arbenigrwydd y gof yn lleihau.

Bu'r cyfnod yma ym mywyd John Alun yn gyfnod o dyfu i fyny'n gyflym ac o ymgyfarwyddo â thalentau barddonol teulu'r Cilie. Dyma'r cyfnod y deorodd ei ddawn gynhenid yntau. Benthyciwyd *Ysgol Farddol* (Dafydd Morganwg) oddi wrth Isfoel ac wedi gwrando a mentro, a derbyn canmoliaeth a beirniadaeth garedig, mentrodd John Alun, ac ymddangosodd ei englyn buddugol cyntaf mewn ysgrifen blacled du. Trechodd ei ewythrod enwog yn Eisteddfod Caerwedros, gyda'r englyn canlynol i'r 'Io-io':

> I'n llonni wele'r llinyn – diaros
> Yn dirwyn i'r bwlyn,
> Cario ei hun fel corryn,
> Wna'r io-io del yn llaw'r dyn.

Tyfodd yntau fel ei frodyr a'i chwiorydd ac nid oedd lle na chynhaliaeth mwyach iddynt oll yn y Gaerwen. Meddai: 'Fe es i i'r môr yn 16 oed. Rhyw ddianc i'r môr wnes i, doedd neb ond mam a fi yn gwybod fy mod i'n mynd. Roedd yr ysfa i fynd i'r môr wedi bod ynddo i drwy'r amser'.

Fel yr oedd gwythïen farddonol patriarch y llwyth a'i feibion yn rhedeg trwy ei wythiennau, hefyd roedd y reddf grwydrol yn fywiog ynddo, roedd galwad y môr yn drwch yn ei waed ac roedd chwedloniaeth a hanesion morwrol ei deulu a'r bröydd yn apelgar i'w chwilfrydedd. Ac yn fwy na dim roedd yn berson rhamantus, naturiol, ac wrth fynd i'r môr gallai ychwanegu at y rhamant hwnnw a oedd mor nodweddiadol o deulu'r Cilie.

Onid oedd y môr yn lluo erchwyn clogwyni Cwmbwrddwch? Onid oedd ei dad wedi eistedd wrth ei ymyl â'i law ar ei ysgwydd ar Fanc Llywelyn gan ddangos llongau mawrion Lerpwl yn hwylio dros y bae yn y pellter? Onid yma uwchben Pwll Mwyn yn ôl S.B:

> Roedd llongwr un diwrnod
> Dan wybren faith yr Iôr
> Yn claddu ei freuddwydion dellt
> Yng ngolau mellt y môr.

Onid oedd llawer o'i ewythrod a'i gefndyr a'i ffrindiau eisoes wedi troi i farchogaeth yr eigion? Onid oedd ei dad ac ef wedi ymweld â'r *Ketch Kate* o eiddo ei ewythr John Jones, Bryn-teg, ym Mhorthiago, Aberteifi? Onid oedd ei dad wedi morio fel peiriannydd ar long o'r enw *Enidwen*? Ac mae hanes diddorol iddi hithau.

Llong ager a adeiladwyd ym 1899 oedd yr *Enidwen* a'i pherchnogion oedd cwmni W. & C. T. Jones, ac roedd enwau Cymraeg yn gorffen â 'wen' ar y rhan fwyaf o'r llongau. Bu nifer o fechgyn yr ardal ar eu llongau, a bu Capten Daniel Jenkins, Brynberwyn, Tre-saith, tad y diweddar Gapten Dan Jenkins, Abertawe, yn gapten ar yr *Afonwen* a'r *Pontwen*. Collwyd yr *Enidwen* 170 o filltiroedd i'r de i Fastnet ar 8 Mehefin, 1917, wedi i dorpido ei tharo. Achubwyd pob aelod o'r criw.

Onid oedd cur parhaol y tonnau yn ei glustiau ac onid oedd arogl hallt y môr yn ei ffroenau?

Ac onid oedd traddodiad morwrol y Ceinewydd, Cwmtydu a Llangrannog a digwyddiadau a hanesion morwyr y Cei a'r bröydd, eu rhamant a'u dewrder, yn ychwanegu ac yn cadarnhau ei ysfa i fynd yn forwr?

Yr oedd John Alun yn gyn-ddisgybl yn Ysgol Cranogwen (Pontgarreg) ac roedd ef, fel holl drigolion y fro a thu hwnt, yn ymwybodol o gyfraniad y ferch unigryw honno i draddodiad morwrol ac addysgol yr ardal.

Yn ôl un a fagwyd â hi, roedd yn mwynhau 'ysbleddach' y ddefod 'torri'r ysgol' ac yn dawnsio o amgylch y crochan cawl a oedd yn llawn o huddugl. Roces ydoedd, sef 'Tom-boy digymysg'. Ond nid oedd cred pawb mewn addysg y pryd hwnnw, ac roedd gweithio ar y tir yn fwy buddiol nag arithmetig, daearyddiaeth a gramadeg.

Ufuddhaodd Sarah Jane Rees (Cranogwen) gan ddysgu gwnïo, ond methiant fu'r ymgais i wneud gwniadwraig ohoni ac ymunodd â llong ei thad, y Capten John Rees, fel 'able-bodied seaman'. Hwyliai ei long hwyliau i Ffrainc, Bryste, Iwerddon, a de a gogledd Cymru a deuent â glo mân o Abertawe i Geinewydd. Bu mewn dadl ffyrnig â'i thad un tro, ond wedi iddi daro'r dec gyda grym ei throed, plygodd i'w huchelgais â fwrw allan i'r môr yn hytrach na chwilio am loches. Dywedai mai rhwng Pen-garn ac Aberdaugleddau y profodd y tywydd garwaf a bu bron iddi foddi. Ond ymlaen yr aeth Cranogwen i astudio ymhellach, gan adael 'cynnen tafodau' ar ôl. Codwyd breichiau mewn dychryn gan gymdogion pan glywsant fod Sarah Dôl-gou Fach i fynd i ysgol uwch nag ysgol Huw Dafis. Mynychodd 'Ysgol Twm' yng Ngheinewydd, ysgol Pontsiân gyda'r Parch. T. Thomas, ac ysgol yn Aberteifi dan ofal gŵr o'r enw Macord cyn mynd i Lundain. Clywid iddi fod mewn ysgol yn Lerpwl gyda Miss Nicholson yn cynefino â llenyddiaeth Saesneg.

Ac yna mewn ysgol forwrol yn Llundain ymbaratôdd y ferch ar gyfer ennill tystysgrif y 'Bwrdd Masnach'. Yr oedd ganddi Dystysgrif Meistr, a 'roddai hawl iddi lywio llong i unrhyw barth o'r byd'.

Daeth yn olynydd i Huw Dafis ar y 'British School, Pontgarreg', er gwaethaf anfodlonrwydd llawer. Dywedwyd iddi fod 'yn ferch gref, egnïol a thalentog'. Yr oedd ei hedrychiad yn fwy effeithiol na'r wialen a'i chyngor yn cyrraedd ymhellach na chosb gorfforol. Ond mae sôn yn yr ardal hyd heddiw am un plentyn 'yn cydio yn ei llaw pan oedd hi'n cywiro ei wers, ac yn derbyn bonclust annwyl yn dâl am hynny'.

Disgyblion yn Ysgol Pontgarreg yn dangos lluniau o Granogwen. Cedwir y lluniau yn yr ysgol.

Capten James Gillies.

Yr oedd llawer o fechgyn ieuanc yn yr ysgol ag awydd mynd i'r môr a bu Cranogwen yn gyfrwng i fagu nifer o gapteiniaid ar lannau bae Aberteifi. 'Nid oedd môr yn unrhyw barth o'r byd na fyddai un o gapteiniaid Cranogwen yn llywio llong drwyddo'. Tyfodd morwyr y Cilie i mewn i'r traddodiad hwnnw.

Roedd Ceinewydd yn un o ganolfannau morwriaeth pwysica'r wlad. Hyd 1839 nid oedd sôn amdano ar fap na siart. Tyfodd o fod yn lanfa i bysgotwyr a chysgodle ym Mhenpolion i fod yn borthladd prysur. Adeiladwyd y 'pier' ym 1835. Ond nid masnach oedd prif ddiddordeb y Cei, ond adeiladu llongau. Hyd ddiwedd y ganrif ddiwethaf adeiladwyd dros ddau gant o longau – y rhan fwyaf ohonynt yn llongau bychain arfordirol. Cyflogid dros dri chant o adeiladwyr yn iardau'r fro – mewn gweithdai haearn a chopr, gweithdai gwneuthurwyr rhaffau a hwyliau – yn sgîl y cynnydd morwrol chwyldroadol.

Un cynnydd hefyd oedd y nifer o fechgyn lleol a aeth i'r môr. Câi morwyr y Cei eu cydnabod fel rhai dibynnol iawn – ac yn forwyr o'r iawn ryw ac ar ben y rhestr yng ngolwg capteiniaid oherwydd eu cymwysterau. Roedd awydd a dyhead yn eu llygaid ac nid oedd ofn arnynt – dim ond parch at rym y môr. Ac roedd John Alun yn adnabod llawer ohonynt a chofiai'n arbennig am un morwr lleol. Rhegai mewn Sbaeneg ac roedd 'ganddo goesau crwca fel bache crochan 'rôl dringo'r mast. Gallai ci neu fochyn ruthro trwy'i goesau heb iddo deimlo dim'.

Roedd Dafydd Jeremiah Williams a'i frodyr John Etna a Fred Williams, cefndyr John Alun, wedi bod yn ddisgyblion yn ysgol y 'Tiwtorial' yn y Cei i'w paratoi ar gyfer mynd i'r môr. Ond ni allai ei fam weddw fforddio anfon John Alun. Er hynny, cynyddodd ei ddiddordeb wrth gymdeithasu â bechgyn a morwyr y Cei. Sut y gallai gŵr ieuanc â'i feddylfryd ar fynd i'r môr anwybyddu'r storïau rhamantus a'r anturiaethau rhyfedd er i lawer ohonynt fod yn drychinebus. Dyma sut y canodd Alun amdanynt:

Ar Gnwc-y-glap* yn tapio
A galw'u helyntion i go'
Yn hela dibrin olud
O bell borthladdoedd y byd.

*Ar Gnwc-y-glap yng Ngheinewydd byddai hen forwyr yn ymgynnull i ail-fyw eu hanturiaethau morwrol yng nghlyw yr ieuenctid awyddus.

Nid nepell o Gaerwen, milltir a hanner fel yr hed y frân, roedd cartref y teulu Owen – yn y Foel, neu 'Moel Arfon' i roi ei enw cywir iddo. Pe dringasech Ben Foel Gilie, bryn o saith gan troedfedd y tu ôl i'r tŷ gwelech Arfon ar y gorwel pell.

Ond o'r aelwyd ddiarffordd honno ar arfordir Ceredigion y sefydlodd dau o'r meibion, Evan a David Owen, ddau gwmni perchnogion llongau yng Nghaerdydd ym 1916. Mewn partneriaeth ag E. L. Williams o Benarth, sefydlwyd yr 'Anglo Belgique Shipping Co.' gyda chyfalaf o £30,000 i brynu'r stemar *Kyleness* a ailenwyd yn *Cymric Prince*. Gadawodd Williams y cwmni ac ymunodd meibion Evan ag ef. Roedd y brawd arall, Owen, a adeiladodd Gelyn Villa yn Llwyncelyn, Aberaeron, hefyd wedi buddsoddi yng nghwmni ei frawd.

Sefydlodd David Owen y 'Bont Shipping Co.', a phrynwyd y llong *Runciman* i'w hailenwi – *Bontnewydd*. Collwyd y llong wedi ymosodiad torpido a sefydlwyd cwmni arall yn Ebrill 1918 a phrynwyd dwy long ychwanegol, *County of Cardigan* a'r *County of Carmarthen*.

Ond oherwydd gostyngiad yn nhâl cludiant a'r dirwasgiad dilynol aeth y ddau gwmni yn fethdalwyr – er i gwmni Evan Owen wneud ychydig elw pan gaewyd y morgeisi gan Fanc Barclays ym Medi 1933.

Priododd un o ferched y Foel â'r Capten James Gillies – a ddaeth yn brif gapten gyda'r 'Canadian Steamship Co.'. Pan ddeuai adref i'r Foel, yn aml Siors neu Isfoel a âi mewn gambo i gyfarfod ag ef ym Mhost-bach, a byddai'r crwt John Alun yn mynd hefyd. Dôi Capten Gillies â changen aeddfed o fananas gydag ef bron bob tro, ac ni fyddai awydd Siors a John Alun i brofi'r ffrwyth newydd, unigryw yn hir cyn bod y ddau'n ymborthi'n ysglyfaethus ar amryw o'r ffrwythau. Dywedid fod trael o groen bananas yr holl ffordd o'r tyrpeg i'r Foel. Gwnaeth 'Capten Gillies' argraff ddofn ar y crwt ifanc; efallai fod y gwledydd y tu hwnt i'r gorwel wedi'r cyfan yn llawn o fananas ac fel y breuddwydiodd Isfoel mewn englyn difyr:

> Pe bai mam o'r Bahamas – a thrigo'n
> Ei thiriogaeth gringras;
> Cawn dorheulo'n y fro fras
> I fyw'n hen ar fananas.

Roedd amryw ddigwyddiadau ym Mae Aberteifi wedi aros yng nghof John Alun ac wedi ychwanegu at ramant y môr. Cofiai weld llong hwyliau fawr Almaenig yn teithio o'r Amerig i Lerpwl a'i chapten heb wybod fod y Rhyfel wedi torri. Fe'i cornelwyd a'i thynnu i borthladd a chymerwyd y criw i gyd yn garcharorion. Ac onid oedd Dafydd Dafis, Glanmorllyn, wedi gweld cwch bach yn dod mewn i Gwmtydu yn y bore bach ac yn cludo dŵr ffres y ffynnon i 'sambarîn' a oedd yn llechu ger trwyn Cafan Glas?

Yna, islaw'r Cilie yng Nghwm Bothe, trigai Dafi a Mary Williams ym mwthyn to gwellt Aberdauddwr. Deiliaid y Cilie oeddynt, a Dafi yn ddadlwythwr llongau yng Nghwmtydu ac yn döwr crefftus. Cerddai yn ei ddillad gwaith ar hyd llwybrau'r cwm i'r cyrddau gweddi yng Nghapel-y-Wig. Roedd tri o'u meibion yn forwyr – Dafydd yr hynaf (fy hen dad-cu) yn gapten a pherchennog ar long fasnach leol; Rhys Brongwyn yn gapten ar y *Zephyrus* (699 tunnell), 15 o griw ac yn eiddo i Richard Hocking, Plymouth; a Daniel Williams yn forwr ar y *City of Glasgow* ac a gladdwyd yng nghefnfor yr India wedi iddo farw o achosion y clefyd melyn. Pwy feddyliai y byddai'r

John G. Williams Jnr, or-ŵyr teulu Aberdauddwr yng nghwm Cilie. Roedd ei hen dad-cu yn ddadlwythwr cwlwm ar draeth Cwmtydu. Dringodd yr or-ŵyr i swydd Admiral a chyfarfu â phedwar Arlywydd.

traddodiad morwrol yn parhau trwy or-ŵyr y teulu yn ystod chwedegau a saithdegau'r ganrif ddiwethaf.

Dringodd John Grouville Williams i fod yn Admiral, pedair seren, yn llynges yr Unol Daleithiau ac yn gapten ar longau-tanfor - dwy ohonynt yn niwclar – yr *U.S.S. Sterlet (S.S. 392)*, *U.S.S. Haddo (SSN 604)* a'r *U.S.S. Webster (S.S. BN 626)*. Fe'i dyrchafwyd yn admiral llawn ar 1 Gorffennaf, 1981. Cyfarfu â phedwar arlywydd yn ystod ei yrfa – Johnson, Nixon, Ford a Carter. Un o'i fordeithiau anturus a hanesyddol oedd llywio'r *U.S.S. Haddo* dan ran o'r capan iâ yn yr Arctig. Roedd ei holl fordeithiau yn gyfrinachol a bu amryw ohonynt dan y dŵr yn barhaol am gyfnod o dri mis ar y tro!

Bu farw ar 4 Hydref, 1991, a gwasgarwyd ei lwch dros ddyfroedd y bae ger ei gartref yn Long Beach WA. Ar y daflen angladdol gwelir y geiriau canlynol – 'O Dduw, mae'th fôr Di mor fawr, a'm llestr i mor fechan'.

Ond os rhywbeth, ac yn groes i'r disgwyl i rai nad oedd yn ei adnabod, roedd y colledion a'r straeon trist yn ychwanegu at benderfyniad John Alun i fynd i'r môr.

'Bu'r ysfa i fynd i'r môr ynof ers cyn cof,' arferai ddweud.

Glywsoch chi am y ffrwydrad mwyaf o waith dyn yn hanes y byd cyn ffrwydrad y bom atomig? Ar 6 Ragfyr, 1917, ym mhorthladd Halifax, Nova Scotia, Canada, oddeutu ugain munud i naw yn y bore, roedd dwy long – yr *S.S. Imo* a'r *Montblanc* yn hwylio tuag at ei gilydd oddi ar 'Pier 8'. Roedd y *Montblanc* (llong Ffrengig) yn cario cargo o 2,500 tunnell o ffrwydron (T.N.T.), 10 tunnell o *gun cotton*, asid *picric*, *lyddite*, a 35 tunnell o *benzole* ar y dec, ac yn hedfan baner Ffrainc. Dylai fod wedi codi'r faner goch i ddynodi ei bod yn cario llwyth ar ei ffordd i Fflandrys.

Dywed G. Ifor Thomas yn ei ysgrif ar long y Capten John Richards, yr *Eagle Eyed*, pan gludwyd 70 tunnell o bowdwr gwn o Cork i Lundain:

Llun, 19 Rhagfyr, 1881:
At 12 o'clock we began to load powder in casks, the red flag flying by day and the red light by night.
(P.S. Gunpowder was of course carried in special casks coopered with hazel instead of the usual metal, to minimise any danger from sparks).

Dinistr ffrwydrad Halifax.

Pentref Nanternis, ger Ceinewydd. Ar y chwith y mae Glyn Môr (cartref Capten David Williams, a gollodd ei fywyd yn ffrwydrad anferth Halifax. Y trydydd tŷ yw Fronant, cartref Capten Williams, noddwr cyntaf S. B. Jones pan aeth i'r môr. Roedd y John Alun ifanc yn adnabod y ddau.

Eto, dan ffurfafen las, naill ai trwy chwa sydyn o wynt cryf (moryn), neu drwy gamgymeriad dynol, trawodd *bows* yr *Imo* (llong o Norwy) i mewn yn erbyn rhan flaen chwith (*port side*) y *Montblanc*. Gan sylweddoli'r perygl, neidiodd y criw i'r cychod achub a hwylio am draeth Dartmouth, gan adael y llong (y *Montblanc*) i ddrifftio gyda'r llanw tuag at borthladd a thref boblog Halifax. Ni roddwyd unrhyw rybudd. Ond gwelodd un telegraffydd ieuanc, Vincent Coleman, y digwyddiad ac anfonodd neges tapio i'w brif swyddfa:

Ammunition ship is on fire and is making for Pier 8. Goodbye.

Peidiodd gwychder a cheinder Halifax â bod yn ddisymwth. Am 09.06 y bore clywyd ffrwydrad anferth fel pe bai Armagedon a diwedd byd wedi digwydd yn y fan a'r lle. Mewn pelen oren-goch o dân, saethodd fflamau a chymylau o fwg du i bob cyfeiriad. Cododd cwmwl ar ffurf madarch filltir i'r awyr. Roedd siopau, swyddfeydd ac ysgolion ar agor. Lladdwyd 1,400 o bobl yn union a bu farw 600 arall o'u hanafiadau. O fewn dwy filltir sgwâr anafwyd 900 arall a chollodd 199 eu golwg yn barhaol. Ymhlith y rhai a laddwyd yn y ffrwydrad roedd Capten David Williams, Glyn Môr, Nanternis (ger Ceinewydd) wrth iddo gerdded ar y cei tuag at fwth ffôn ar ei ffordd o'i long i swyddfa'r cwmni llongau yn y dre. Fe'i chwythwyd i ebargofiant. Ond bu un aelod o'i griw a chymydog iddo yn Nanternis, Evan Jones, Brynonnen, yn lwcus. Dihangodd, ond cariodd farc a chraith ar ei wyneb trwy ei oes. Roedd y llanc John Alun yn cofio am y digwyddiad ac yn adnabod y ddau yn dda.

Anafwyd 8,000 arall ar gyrion y dre ac roedd 20,000 o bobl yn ddigartref wedi i'r ffrwydrad rwygo ffenestri a chreu difrod trwy i ddarnau ddisgyn o'r awyr. Ataliwyd y timau achub rhag mynd at y difrod ar y dechrau rhag ofn mai bom y gelyn a achosodd y lladdfa. Difrodwyd a chwythwyd gogledd tref Halifax oddi ar wyneb y ddaear ac yn ninas Truro (62½ milltir i ffwrdd) chwalwyd ffenestri gan effaith y ffrwydrad. Nid oedd ond ychydig ar ôl o'r llong *Montblanc* – sef un canon a darn o'r angor – y 'shank' (500 kg) 2½ milltir i ffwrdd. Fe'i gwelir hyd heddiw yn yr unfan ar Regetta Point. O ddarnau'r llong Ffrengig a ddisgynnodd fel cesair dur ar rannau o'r dre, crewyd cerflun ohonynt fel atgof o'r digwyddiad a'i osod y tu allan i'r Llyfrgell Gyhoeddus.

Yn sicr, byddai hanesyn felly wedi diffodd unrhyw awydd i fynd i'r môr – ond yn hytrach bu i'r gwrthwyneb.

Morwr arall a oedd yn bresennol ym mhorthladd Halifax y bore hwnnw, yn ŵr ieuanc deunaw oed a *gunner* ar yr *S.S. Picton*, oedd Evan Tom Davies, Swyddfa'r Post, Bronwydd, a gynt o Pencader. Yn ôl y *Carmarthen Times*:

'Roedd deg ohonom yn gwylio'r *Montblanc* ar dân. Yn sydyn roedd fflach a ffrwydrad anferth – a dyna'r unig beth a gofiaf tan yn gynnar yn y prynhawn. Y peth cyntaf a welais oedd fy nghartref – y bwthyn bach ym Mhencader. Roeddwn yn chwerthin ac yn chwerthin yn ddi-stop am ryw reswm a heb bilyn o ddillad amdanaf ond am ran o drowser am un goes. Bues yn cropian ar fy mhedwar cyn i un o'r criw ddod o hyd imi. Roedd cleisiau duon dros ganol fy nghorff'.

Dim ond tri morwr a oroesodd y trychineb ar y *Picton*, a dychwelodd E. T. Davies i'r môr ar y tancyr *Orange Leaf* tan Fehefin 1919.

Un o hanesion morwrol enwocaf Ceinewydd, er ei thynged drist, oedd hanes y llong *Carnedd Llewelyn* a'i chapten lleol, Thomas Evans. Celt byrdew, dewr a chydnerth

Darlun Jane Evans, Blaencelyn, Llandysul o'r llong *Carnedd Llewelyn.*

ydoedd na warafunai ddim i leihau'r canfas os nad oedd raid. Roedd yn ddisgyblwr llym ond disgwyliai lwyr ymroddiad gan ei dîm o forwyr. Wrth hwylio'r *Carnedd Llewelyn* roedd y llong hwyliau yn gyfrwng iddynt ddangos eu sgiliau, eu teyrngarwch a'u hawydd i gydweithio gyda'r elfennau. Delwedd o ramant ac antur oedd gan yr hen *windjammers* ond llai atyniadol oedd y gwirionedd. Llong hwyliau (*barque*) 1,726 tunnell ac eiddo Robert Hughes Jones a'i gwmni, Lerpwl, oedd y *Carnedd Llewelyn*. Yng nghanol haf 1907 hwyliodd o Abertawe â llwyth o lo i Iquique, Chile, De America – ar fordaith o 90–100 o ddiwrnodau. Nid mordaith i'r gwamal ydoedd. Ymhlith y criw o 26 roedd ei fab ieuanc, Bersey, yn ei arddegau cynnar, ac un arall o fechgyn y Cei o'r un oedran – Wallace James, Marine Terrace. Roedd sawl aelod o'r criw yn Gymry Cymraeg a gweithient law-yn-llaw, boch-wrth-foch, gyda gwŷr o Lundain, Lerpwl, Dyfnaint a Chernyw. Priododd Capten John Evans â Chernywes o'r enw Ada Rhoda Kendal a bendithiwyd hwy gydag wyth o blant. Enwodd eu cartref yng Ngheinewydd yn 'Polruan' – a hyd yn oed heddiw mae cyfnither i Mrs Evans yn adeiladu llongau yn y pentref hwnnw o'r un enw yng Nghernyw. Roedd gan y chwe bachgen gysylltiadau â'r môr a bu ei ferch Aggie (Agnes) ar fordaith gyda'i mam ar y *Carnedd Llewelyn* i Awstralia, heibio i'r 'Cape of Good Hope' a dychwelyd 'Rownd yr Horn' – dyna antur. Nid oedd yn anghyffredin i fabanod i wragedd y capteiniaid gael eu geni yn ystod mordeithiau anturus y llongau hwyliau.

Ar y mordeithiau hirion roedd y bwyd yn undonog, ac yn aml yn rhy ddiflas a phwdr i'w fwyta – a'r cynrhon yn fwy digonol a maethlon! Ac roedd y *freeboard* mor isel nes bod y deciau yn morio o ddŵr a chwsgleoedd y morwyr yn wlyb ac yn anghyfforddus. Ond doedd y caledi oddeutu'r deciau yn ddim o'i gymharu â'r gwaith *aloft* ar y *rigin*. Roedd yn rhaid dringo fry ar ysgol raff a glynu wrth yr *yard-arm* oedd yn troi fel chwirligwgan, â'u *spa-boots* yn llawn o ddŵr rhewllyd, eu hewinedd wedi'u hollti ac yn gwaedu, ac ar ben popeth – oddi tanynt roedd y môr berw.

Nid rhyfedd i'r Capten John Evans ac eraill gynghori ei fab Bersey (pymtheg oed) i beidio â dysgu nofio. Pe bai'n cwympo o'r *yard-arm* i'r môr, gwell fyddai iddo foddi ar amrantiad nac ymbalfalu am funud neu ddwy – a'r llong yn diflannu yn y pellter.

Cyrhaeddodd y *Carnedd Llewelyn* borthladd Iquique yn ddiogel ganol Ionawr a hwyliodd i borthladd cyfagos Caleta Buena i lwytho *nitrates* 'nôl i Falmouth. Hwyliodd ar 19 Chwefror, 1908, a siaradodd â llong arall ychydig o ddyddiau wedyn. Ond wedyn diflannodd oddi ar wyneb y ddaear – wedi ei cholli ynghyd â phob aelod o'r criw.

Credai'r Capten John Etna Williams, wrth drafod y golled gyda mi, mai *saltpetre* oedd peth o gargo'r *Carnedd Llewelyn*. Yn aml roedd llongau'r cyfnod hwnnw yn gollwng dŵr, a rhaid oedd rhedeg y pympiau yn gyson. Os cymysgai'r *saltpetre* â dŵr y môr, arweiniai hyn at sefyllfa a allai ennyn ffrwydrad a thân. Damcaniaeth arall oedd mai mynyddoedd iâ oedd yr achos i'r llong ddiflannu. Roedd y *nitrates* yn gargo trwm iawn a byddai'r llong yn isel yn y dŵr ac yn suddo mewn eiliadau.

Roeddwn yn adnabod William Hoskin Evans, mab ieuengaf y Capten Thomas Evans, yn dda, ac roedd ganddo frith gof am y gwasanaeth coffadwriaethol i'w dad a'i frawd yn y tŷ ac yn y capel ac yntau ond yn chwech oed. Gwelir carreg i goffáu'r trychineb ym mynwent newydd Ceinewydd.

Collodd ewythr i mi, brawd mam-gu, sef y Capten David Williams, Tanycastell, Blaencelyn, ei fywyd pan suddodd ei long *Jura* yn yr Atlantig wrth iddo hwylio mewn tywydd garw o Baltimore i Rotterdam. Dywedwyd i'r llwyth o wenith symud yn ystod y storom.

Ac o'r un teulu, collais fy nhad-cu, tad fy mam, y Prif Beiriannydd John Owen, pan foddwyd ef oddi ar arfordir Algeria wedi i'w long *Llongwen* (Cwmni W. C. & T. Davies) gael ei bwrw gan dorpido o long-danfor y gelyn ym 1917. Dringodd y criw i ddau gwch achub, ond dymchwelodd un o'r cychod a chollwyd pob un (gan gynnwys fy nhad-cu) wrth iddynt rwyfo tuag at arfordir pell. Druan â hwy ac mor agos i'r lan! Llwyddodd y cwch arall i gyrraedd y lan.

Boddwyd y Capten Simon Griffiths (39 oed), Trem-y-wawr, Blaencelyn, a chymydog drws nesa' i John Owen, a'r criw i gyd wedi i'w long ager *Radyr* ddryllio ar y creigiau peryglus ger Hartland Point, gogledd Dyfnaint, ar 7 Rhagfyr, 1929. Hwyliodd yn wag (heb falast) o'r Barri er mwyn dychwelyd at ei deulu i dreulio'r Nadolig. Gwaethygodd y tywydd i greu môr berw dan y gwyntoedd cryfion o'r gorllewin a chododd y tonnau fel mynyddoedd. Gwelwyd y trychineb gan chwarelwyr wrth eu gwaith ynghlwm wrth wyneb y graig yn ardal Clevedon, ond ni allent wneud dim i estyn cymorth. Un o gyfeillion mynwesol Capten Simon Griffiths oedd Edward Jones (gynt o Frynhyfryd, Blaencelyn). Ar y pryd roedd yn cadw siop nwyddau haearn yn Heol Maes-y-dyffryn, Glyn-nedd. Cadwai set radio grisial fechan, o waith ei hun – a hoffai ffrind iddo o Ystradfellte ofyn iddo, 'A elli di glywed pare'n caru ar Fanc y Rhicos ar honna?'

Ond clywodd Edward neges arall – un dyngedfennol – sef neges ei gyfaill Capten Simon Griffiths, yn anfon neges 'S.O.S.' wrth i'w long yr *S.S. Radyr* ddryllio ar greigiau ysgithrog 'mynwent y llongau' ar Hartland Point.

Yn y cyswllt yma daw englyn enwog Cerngoch i'r cof:

> Iach hwyliodd i ddychwelyd – ond ofer
> Fu dyfais celfyddyd;
> Y môr wnaeth ei gymeryd
> Ei enw gawn, dyna i gyd.

Drwy Gymru a thrwy amryw o wledydd y byd mae yna fynwentydd sy'n cofnodi marwolaeth morwr neu forwyr. Bu rai farw trwy afiechyd neu ddamweiniau yn y man a'r lle ac eraill fel aelodau o lynges awyrlu neu fyddin mewn rhyfeloedd a llongddrylliadau. Ceir englyn enwog Gwilym Berw ar garreg fedd yn eglwys y plwyf, Ceinewydd fel a ganlyn:

> Dau yrrwyd i ororau – o rywle
> Ar elor y tonnau;
> Iôr ei hun ŵyr eu henwau,
> Daw ryw ddydd i godi'r ddau.

Cymharer â'r paladr gwreiddiol:

> Gwŷr yrrwyd i'n gororau – yn waelion
> Ar elor y tonnau . . .

Diddorol yw nodi fod y ddau gorff wedi dod i mewn i Geinewydd yn y *Brandon Barrow* – cwch achub a brynodd Isfoel am bunt ar gyfer pysgota a phleser oddeutu Cwmtydu.

Ym mynwent Dewi Sant, Blaencelyn, cofnodir ar ddwy garreg lechen las hanesion dau ddigwyddiad ar draethau'r fro yn ystod y Rhyfel Byd Cyntaf. Ym mhen draw'r fynwent i'r dde i'r clochdy gorwedd gweddillion morwr o Norwy. Suddwyd ei long gan long-danfor Almaenig a chludwyd ei gorff tua'r lan gan ei gyd-forwyr mewn cwch achub. Ond mewn tywydd garw a niwlog bu'r cwch yn chwilio am oriau am lanfa. O'r diwedd, diolch i furiau gwyngalchog talcen claerwyn Pentre Arms, gwelodd y morwyr 'fan gwyn fan draw'. Rhwyfodd y morwyr tua'r lan a throsglwyddo'r corff i'r awdurdodau. Gwelir y manylion ar y garreg: 'Er cof am Karl D. Andersen, 28 mlwydd oed, o Christiana, Norwy, a gollodd ei fywyd wedi i'r *S.S. Nor* o Bergen gael ei suddo gan dorpido o long-danfor Almaenig, ar 15 Rhagfyr, 1917. Glaniodd gyda'r rhai a achubwyd yn Llangrannog yng nghwch y llong'.

Yn y gornel ar y chwith i'r glwyd a'r fynedfa mae carreg arall â'r manylion canlynol arni: 'Gweddillion gŵr anhysbys a ddarganfuwyd ar draeth yr Ynys – Hydref 17, 1917'.

Talwyd am ddwy garreg fedd i'r ymadawedig trwy gyfraniadau gan garedigion pentre Llangrannog.

Criw y llong Norwyaidd *Nor*, a suddwyd gan long-danfor ym Mae Ceredigion, oddi ar Arklow Bank. Rhwyfodd y criw i draeth Llangrannog ar 15 Rhagfyr, 1917.

Un o'r ardaloedd mwyaf cynhyrchiol i fagu morwyr yn y Cei oedd Stryd y Brongwyn neu Bentre Siswrn. Dywedid i lawer o'r bechgyn ifanc fynd i'r môr gyda chapten lleol ond yn gwisgo dillad benthyg. Ofergoel arall, cofnodwyd hanes am un bachgen yn mynd i'r môr am y tro cyntaf yn nrôrs ei dad-cu, sanau cymydog, trowsus cymydog arall a dillad gan wahanol bentrefwyr. Beth yn well na mynd 'Rownd yr Horn' yn gwisgo drôs (*longjohns*) mam-gu neu dad-cu!

Yn Nhrecregin Villa, Llangrannog, trigai'r Capten J. R. Jones – gŵr a fu'n morio trwy'i oes. Roedd yn enwog am fynd â'i harmoniwm gydag ef ar ei fordeithiau. Cynhaliai sesiynau o ganu emynau yn ei ystafell ac nid oedd prinder aelodau i'r côr gan fod cymaint o Gymry Cymraeg lleol ymhlith y criw.

Ar ei seld yn ei gartref, safai tlws arian sgleiniog a gyflwynwyd i'r Capten gan Frenin Norwy. Pan oedd yn feistr ar yr *S.S. Cymric* achubodd griw'r llong Norwyaidd, yr *S.S. Rogalind*, ym Môr y Gogledd yn Rhagfyr 1914. Cyflwynwyd y tlws mewn seremoni yn Llundain. Gwelir yr arysgrifiad canlynol arno: 'FRA DEN NORSKE STAT TIL KAPTEIN J. R. JONES D/S CYMRIAN'.

Dim ond tri thlws a gyflwynwyd gan Frenin Norwy i wledydd Prydain. Anrhydeddwyd Capten Jones ymhellach yn ystod y Rhyfel Mawr pan drawodd long-danfor Almaenig yn fwriadol gan ei gorfodi i ddod i'r wyneb. Cyflwynwyd oriawr aur iddo.

Roedd cyfraniad Capten J. R. Jones yn bennod arall yn hanes traddodiad morwrol cyfoethog arfordir de-orllewin Ceredigion.

320

Gwyddai'r John Alun ieuanc am yr hanesion anturus ac ymddiddorai yn eu rhamant. Aeth draw i Towyn Cottage, Ceinewydd, i weld ei arwr, y Capten David Robert Williams. Roedd y capten wedi morio ar longau hwyliau ac ar un fordaith ar y *Fiery Cross* wedi colli'r mastiau i gyd wrth yr 'Horn'. Bu raid iddo ddychwelyd o dan *jury rigg* (rigin esgud) i Montevideo (Uruguay) lle y buont am dri mis yn rhoi mastiau newydd ar y llong. Cyfarfu John Alun ag aelod o deulu John Cory (cyflogwyr Capten Williams) yn Llangrannog a'i sylwadau am y morwr dewr o Geinewydd oedd: 'What a shipmartyr. He would carry his ship on his back over dry land to beat one of his rivals in the company . . . if necessary!'

Yr oedd yn ŵr annibynnol, penderfynol a dewr wedi ei galedu a'i halltu drwy ei yrfa hir. Os na châi saer neu fosyn wrth ei fodd, hwyliai hebddynt a dyrchafu rhai aelodau o'r criw yn eu lle.

Unwaith pan oedd D. R. Williams yn Fêt ar y *Rocio* a llwyth ar y dec yn bygwth diogelwch y llong, a hithau wedi troi ar ei hochr, aeth ef ei hunan i slipio'r *lashings* a oedd yn dal y llwyth a chafodd ei daflu dros yr ochr gyda'r coed i ferw'r môr. Taflwyd rhaff iddo ac fe'i hachubwyd. Nid rhyfedd i'r crwt ieuanc o'r Cilie edrych ar yr hen *sea-salt* fel y meistr yr hoffai ei gymryd dan ei aden – i forio'r byd. Dyma fyrdwn y sgwrs a gafodd y ddau:

'Rwyt ti'n fachgen sgwâr a chryf ac mae rhywbeth yn dy lygaid di sy'n dweud wrthyf y gwnei forwr da. Gei di ddod gyda fi ar y fordaith nesaf wedi imi siarad â'r perchnogion. Rwyt ti'n fachgen deallus, ac er na chefaist lawer o addysg cei ddigon o gyfle eto yng ngholeg morwrol Caerdydd. Ac rwy'n nabod dy deulu yn dda. A licet ti ddringo'r ysgol a chyrraedd swydd capten, 'run peth â fi?'

'Licen, syr,' oedd yr ateb oddi wrth y llencyn siriol a'i lygaid yn serennu! Nid oedd eisiau dweud dim rhagor.

Yn y cyfnod 1870–1950 gwnaeth y 'Cardis' gyfraniad arbennig i draddodiad morwrol Caerdydd. Roedd llawer o'r 'stemars tramp' a hwyliai o Gaerdydd wedi cofrestru dynion o Geredigion a'u gwreiddiau o bentrefi cyfagos i'w gilydd megis Llangrannog, Tre-saith, Aberporth a Cheinewydd. A phan ffurfiwyd cwmnïoedd llongau newydd yng Nghaerdydd rhwng 1881 a 1903 pedwar *master mariner* o bentref bach Aberporth oedd yr *entrepreneurs* a fu'n gyfrifol am bedwar ohonynt. Tyfodd dinas Caerdydd mewn pwysigrwydd a chael ei chydnabod fel prif borthladd y byd am allforio glo. Erbyn 1913 roedd yn allforio 13½ miliwn tunnell – ac yn ei anterth.

Mynd i'r Môr

Mae'n rhyfedd fel y mae rhywun yn cofio ble'r ydoedd ar achlysur arbennig. Roedd John Alun ar ben y das wair yn ydlan Gaerwen pan gyrhaeddodd y teligram o Dancoed, Llwyndafydd, gyda'r newyddion ei fod wedi cael lle fel *deck-hand* ar long Capten David Robert Williams. Ond diwrnod tawedog fu diwrnod yr ymadawiad. Roedd y crwt hynaf yn hedfan o'r nyth gan adael i'w fam weddw, tair chwaer a dau frawd grafu bywoliaeth ar 'grachen' o fferm. Er gwaetha' tynfa'r hiraeth, roedd yr ymdoriad yn anorfod a'r penderfyniad diysgog, di-droi'n-ôl yn ei yrru ymlaen. Neilltuolrwydd amlwg y 'Tyl' oedd y nodwedd honno a welir yn frith drwy hanesion a saga'r achau.

Y Capten David Robert Williams.

Cofia'r teulu amdano'n brasgamu'n hyderus â sioncrwydd yn ei draed, wrth iddo chwifio'i fraich, heb droi'n ôl, a diflannu o glos Gaerwen i lawr trwy Fanc y Llyn, tua'r Cilie.

Dros ei ysgwydd cariai gwdyn canfas morwr. Gwisgai gôt fawr, côt fach a throwsus gwlân, crys a thei a chapan morwr o gordiwroi glas a phig fechan fer yn gorwedd 'nôl ar ei wallt cyrliog, trwchus. Roedd yn ddiwrnod o wynt cryf iawn – fel petai bytheiaid Annwn yn rhoi ffarwél tywysogaidd iddo, bedydd tir cyn ymgodymu ag elfennau'r cefnforoedd. Ar ei wefus roedd sigaret – oherwydd roedd yn ysmygwr cyson yn ei ieuenctid. Tynnodd ei gap i ffwrdd a'i roi i ddiogelwch ei boced wrth i'r gwynt chwyrlïo'r mwg yn gymysg â dagrau'i hiraeth.

Ailfeddiannodd ei hun cyn cyrraedd clos y Cilie lle'r oedd Isfoel yn disgwyl amdano i'w hebrwng yn y 'bull-nose Morris Cowley' enwog – i Bost-bach i ddal y siarabáng i Landysul. Yn wir, ym mlynyddoedd ei ogoniant roedd y modur yn enwocach na'i berchennog:

Nid aiff cath ac nid aiff ci
Heibio i galop ei Gowli.

Ar hyd y ffordd arllwysai ffrwd o forwyr i mewn i'r cerbyd yn *greenhorns* ieuanc a hen *sea-salts* profiadol. Daliwyd y trên yn Llandysul cyn newid ym Mhencader a Chaerfyrddin a mynd ymlaen i Gaerdydd. Yn ystod y siwrnai llifai'r Gymraeg drwy'r sgyrsiau a buan y diflannodd unrhyw amheuaeth betrusgar. Yng nghanol mwg y sigarennau, yr iaith flodeuog a'r ymadroddion rhamantus yr oedd eisoes yn un ohonynt! Ac wedi cyrraedd gorsaf Caerdydd cafodd ddigon o gyfarwyddyd parod ac aethant yn fintai lon a bywiog, mewn tram i lawr i fynedfa'r Queen's Dock. Ymhen dim roedd yn dringo'r gangwe i'r *S.S. Ravenshoe* – llong fasnach 2,564 yn eiddo i gwmni John Cory & Sons', Caerdydd.

Byddai geiriau S.B. o'i bryddest yn addas iawn:

Ac eto dringo
Dros y gangwe hir, a gwrol ymwingo
Rhag torri o'r dagrau a gronnai'n llawn
Cyn cyrraedd y ffocsl lle'r oedd ffraethder dawn
Yn disgwyl y *nipper*.

Ond roedd John Alun yn fwy hyderus a hunan-feddiannol na'i ewythr Simon ac yn sicr yn fwy o forwr!

Fe'i harweiniwyd gan forwr o Fydroilyn i'r 'foc'sle head' (yn y *bows*, y rhan flaen) ac fe'i cyflwynwyd ef i'w gartref newydd am y saith mis nesaf – yn un o griw y bos'n. Ar y *poop deck* roedd criw yr ail Fêt.

A'i gaban, fel y disgrifiodd ei ewythr S.B.:

Ystafell haearn a dim ar y mur
I guddio cadernid oeraidd y dur!
A'r lloer tros ymyl y warws fry
Yn edrych amdanaf yn fy newydd dŷ
Drwy dyllau'r *port*.

O'i flaen roedd bync haearn deule – a dim sôn am ddodrefn, dim matiau a dim cyfleusterau ymolchi, a dim ond y lantern baraffin yn hongian y tu ôl i'r drws. Yn y caban drws nesa' roedd stôf ddi-werth yn y gornel.

'Carchariaeth Spartaidd!' meddyliodd John Alun am funud, ond eto roedd yn antur ynddi ei hunan. Ac ar y muriau roedd digon o *rivets* i'w

John Alun, y morwr 17 oed yn ymuno â'r *Ravenshoe*.

cyfri cyn mynd i gysgu – ac ni ddaeth hwnnw yn sydyn. Meddai ei gyd-forwr – Cymro Cymraeg, gŵr llawer yn hŷn â rhychau profiad yn ddwfn yn ei wyneb creigiog:

'Gwell iti gael y bync gwaelod 'na, rhag ofn iti gwympo i lawr mewn tywydd garw. A phan fyddi di'n sâl sa i eisie i ti whydu ar fy mhen i. Gyda llaw, mae hen *donkey's breakfast* ar dy fync. Bydd hwnna'n iawn heno. Ewn ni lan 'fory i brynu un newydd iti 'da Jones y Goat. Dwi ddim eisie cawodydd o ddwst gwellt yn disgyn ar fy mhen'.

Gosododd ei gwdyn morwr yn y gornel a'r gorden glymu wedi rhyddhau ychydig i agor ei geg. Ynddo roedd dwy neu dair blanced a gwlanen o frethyn, dillad nos, dillad gwaith a dillad isaf glân. Hefyd plât a mwg enamel, cyllell, fforc, llwy, sebon, sanau, sgidiau â gwaelod rwber (dim hoelion er mwyn diogelwch), aser a phegiau dillad. Eitemau pwysig eraill oedd yr *housewife* (yn cynnwys botymau, nodwyddau, edau, pinnau), ysgrifbin, inc, pensil a phapur ysgrifennu . . . a Thestament Newydd (rhodd gan ei fam). Ni chafodd yr un o'r pethau hyn gan gwmni'r llong. Dim ond bwyd a chyflog o bunt yr wythnos fel *deck-hand* . . . ond ysgol brofiad amhrisiadwy ydoedd ar waelod yr ysgol. Pa brofiadau rhyfedd a ddeuai ar ei draws yn ystod yr wyth mlynedd a deugain nesaf?

Ar y rhan fwyaf o longau masnach tebyg yn y dauddegau cynnar roedd morwyr yn y *foc'sle head* – gyda'r ochr chwith (y *port side*) i'r *firemen* a'r *greasers* a'r ochr dde (*starboard*) i'r morwyr, y bos'n a'r seiri.

'Byddai'r hen ddwylo yn cynghori'r *greenhorns* newydd i beidio â mentro y tu draw i'r rhaniad pwysig hwnnw lle yr oedd y tanwyr yn treulio eu horiau hamdden ac yn gweddïo ar eu duw, sef Allah. Os byddai digon o ystafelloedd i'w cael, byddent yn rhoi un ohonynt yn arbennig at addoli ac yn addurno'r muriau a'r llawr â charpedi pwrpasol, a byddai sawr arogl-darth y Dwyrain yn gryf iawn yno. Pan oeddynt ar eu gliniau yn addoli a chusanu'r llawr, byddent yn gofalu bob amser fod eu pennau i gyfeiriad Mecca, ac mae yn syndod i mi fel y byddent yn gwybod y cyfeiriad yng nghanol y môr ar dywydd garw, heb na haul na lloer i'w harwain'.

Roedd naw morwr ac wyth taniwr yn yr uned. Byddai dau forwr ar bob gwyliadwriaeth, ac un *trimmer* i rofio'r glo i'r *bunkers* a'i gario mewn whilber cyn ei arllwys i lawr y *fiddly* (*shute*) a garia'r glo lawr i enau'r *boilers*. Yno byddai'r tanwyr – dynion croenddu – yn rhofio'r glo i mewn i ganol y ffwrneisi gyda rhithm arbennig, ac anel dda. Roedd llawer ohonynt o dras Arabaidd neu Somali, yn denau iawn o gorffolaeth fel rhaca, ond yn ystwyth fel y walbon ac yn eithriadol o gryf. Medrent wrthsefyll y gwres yn y *stokehold* lawer yn well na'r morwyr croenwyn.

'Byddai'r mynegfys (*pressure gauge*) ar y llinell goch (*on the blood*) bob amser. Os byddai'r gwynt yn ffafriol i'r gwaith, a'r *funnel* yn tynnu yn dda, byddai'r ffwrneisi yn rhuo a'r tanwyr yn eistedd i lawr ac yn sianto rhyw fiwsig dieithr i mi. Ond os na fyddai'r drafft yn foddhaol, neu'r glo ddim o'r ansawdd gorau, byddai golwg fygythiol a naturllyd arnynt, a gwyn eu llygaid yn amlwg yng ngolau'r tanau a dim sôn am y miwsig a'r crwnio'.

Ymhob tywydd, gweithiai'r morwr cyffredin dros naw deg o oriau am saith wythnos – gwyliadwriaeth o bedair awr a phedair o seibiant mewn cylch gwaith hir.

Trefnwyd tair gwyliadwriaeth yn ystod oriau'r nos a'r bore – 12-4 (*graveyard watch*), 4-8, 8-12 (hanner dydd), ac ailgylchid y drefn yn ystod y dydd. Y bos'n oedd y fforman ac ef oedd yn gyfrifol am reoli'r morwyr gyda'i ddisgyblaeth a'i gyfarwyddiadau trwy gyfrwng iaith liwgar a gwahanol. I John Alun ychwanegwyd yn sylweddol at eirfa, cystrawen ac orgraff ei gefndir ysgrythurol. A beth oedd dyletswyddau *greenhorn* o *deck-boy*?

'Popeth!' oedd ateb John Alun, 'glanhau'r cabane yn y *foc'sle*, golchi llestri, 'nôl bwyd i'r morwyr o'r *galley* (cegin), cynnau'r lantern baraffîn, brwsio'r cynteddau yn aml, trafod rhaffau, paentio, gwaith 'scwji-mwji' (golchi hen baent â rhacsyn yn wlych â dŵr a soda), fi oedd y 'pegi' (caethwas i bawb), 'nôl y te mewn tebot enamel mawr – yn gyson – a sicrhau bod digon o siwgr wrth law. Unwaith torrodd jar fawr o bicls mewn storm yn un o'r cabanau – a phwy a gafodd y gwaith o lanhau'r llanast – ond y *deck-boy*.

Ambell waith câi John Alun 'fynd lawr i'r *engine-room* i 'nôl llond bwced o ddŵr i'r Capten mewn bwced enamel gwyn. 'Am mai dŵr i'r Capten oedd, yr oedd hawl gennyf i fynd lawr trwy ysgol yr *engine room* yn lle ysgol y *stokehold*, a byddai'r bwced enamel gwyn glân yn ddigon o arwydd i'r peiriannydd am fy neges. Mor wahanol yw pethau heddiw a phawb o'r Capten hyd at y *deck-boy* yn cael cyflenwad o ddŵr poeth ac oer yn rhedeg ddydd a nos at eu dibenion'.

'Ysgotyn mawr cyhyrog oedd y peiriannydd, a'i ddwylo mawrion fel pawennau arth. Yn y *stokehold* roedd y tanwyr wrth eu gwaith yn rhofio glo i'r naw ffwrnes draflyncus. Roedd y *Ravenshoe* yn llosgi wyth tunnell ar hugain o lo bob dydd!'

Dyma sut mae David Jenkins (curadur yr Adran Ddiwydiant yn yr Amgueddfa Genedlaethol) yn disgrifio bywyd morwr cyffredin ar long debyg i'r *Ravenshoe* oddeutu 1925. Ymddangosodd ei ysgrif 'Cardiff Tramps, Cardi Crews' yn Rhifyn 4, Cyfrol 10 (1987) o *Ceredigion*:

Their home was generally on the foc'sle of the ship, a squalid, ill-lit and ill-ventilated floating slum, with iron framed bunks rivetted to the steel plates of the hull so that they were constantly subjected to the ceaseless drumming of the sea. Their bed was a thin mattress stuffed with straw known as 'donkey's breakfast'; it was generally used for one voyage only for it soon became colonised by the fleas, lice, bed-bugs and cockroaches that abounded on board ships at that time.

Roedd y bwyd yn undonog, heb fawr o ddychymyg ac fel tiwn gron ar y bara, cig hallt, pys sych, reis, bisgedi llong, bisgedi, coffi a the. Mae'n debyg fod powdwr cyri, a gyflwynwyd i wella blas y cig, wedi dod yn boblogaidd yng ngorllewin Cymru ymhell cyn dyfodiad tai-bwyta Indiaidd. Ond ar fwydlen o'r fath dioddefodd llawer ohonynt o *ulcers* y stumog.

Meddai John Alun o'i atgofion a gofnodwyd ar dâp:

'Rhofio glo roeddwn i'n ei wneud y rhan fwyaf ar y trip cyntaf. Bues yn rhofio am dragwyddoldeb wrth fynd i lawr am Buenos Aires wrth glirio'r *tween-deck* ma's i wneud lle i'r llafur wrth ddod 'nôl. Roeddwn yn rhofio'r glo i'r tanwyr a pheth anarferol oedd gweld *deck-boy* i lawr fan'ny. Roeddwn i'n rhofiwr penigamp a gyda fy rhaw fawr gallwn symud tunelli mewn diwrnod. Wrth i'r morwyr gasglu o gwmpas i wylio a chanmol, mwya' dwl roedden ni'n mynd. Ry'n ni fel teulu fel'na – os canmolith rhywun ni, ni'n mynd yn ddwl pêl – ac yn gwneud stynts wedyn. Ar y fordaith gyntaf dim ond Cymraeg a glywem ar y dec a'r morwyr yn fechgyn o'r Cei, Llandudoch, Caerwedros, a Mydroilyn. Un o'm ffrindiau cynnar oedd Dai o Landyffryn ger Mydroilyn, ac Albanwr o Gaerdydd o'r enw Jack Grant. Hefyd Idris Morgans, Pencwm, Llanarth, a ddringodd ysgol morwriaeth i fod yn beilot ar Gamlas

Llong gyntaf John Alun Jones, y *Ravenshoe*, yn Rotterdam.

Suez. Ac ymhlith y criw lliwgar roedd un gŵr o'r enw Horace Skip – crwtyn o Sais a ddaeth o 'raget sgŵl' yn Llundain ac i weithio ar fferm y Coybal, ger Ceinewydd. Rhoddodd Capten D. R. Williams le iddo ar y *Ravenshoe*. Prynodd fandolin ym Messina (Sisili) ac wedi ymarfer ddydd a nos daeth yn 'faestro' arno a dôi nodau hudolus o naws caneuon Neapolitanaidd o'r *look-out* ym mherfeddion nos. Gwisgai'n anniben ar y llong ond wrth fynd i'r lan roedd fel pin mewn papur a chafodd ei lysenwi: 'Skip on board, skipper on shore'. Ond gadawodd y môr i ddringo yn *skipper* ar y *South Goodwin Light Vessel*. Yr oedd arni pan suddodd mewn storm fawr ym 1953. Collwyd y criw i gyd ond am un a oedd yn adarwr o fri. Arhosodd yntau ar y dec gan lynu wrth y reilen ac fe'i hachubwyd. Diwelodd y llong a boddwyd y lleill fel llygod!'

Ond Arabiaid oedd y tanwyr. Doedd dim eisiau Saesneg. 'Siaradai'r Capten â ni yn Gymraeg, John oedd e'n fy ngalw i. A phan aethon i Santiago, Ciwba, prynais fwndel o sigârs rhydd a gwelodd y Capten fi'n eu smoco un noson. "Wy'n gweld dy fod ti, John, yn smoco sigârs; dim ond ti a fi sy'n smoco sigârs ar y llong yma!" Roedd e'n cael sbort fawr wedyn'.

Yn ystod oriau hamdden, a phrin iawn oedd y rheiny, byddai rhai morwyr yn canu, chwibanu neu'n chwarae *shantis* môr ar organ geg, consertina, ffidil a hyd yn oed ambell *viola*. Roedd eraill yn ymarferol iawn, yn enwedig y seiri, a gwnaent fodeli o'r llongau mewn poteli, modeli allan o fatsys, a matiau llawr o reffynnau *jute*. Ac ymhob caban byddai cardiau, drafftiau, dominos a chymylau mwg yn modrwyo'n barhaol; nid oedd llawer o forwyr nad oeddynt yn hoffi'r chwynnyn tybaco. Eto byddai llawer o'r morwyr a siaradai Gymraeg yn astudio ac yn darllen llyfrau morwrol, a phan fyddai hanner dwsin neu ragor yn astudio gyda'i gilydd byddai hynny yn fanteisiol iawn. Wrth holi ac ateb cwestiynau i forwyr profiadol rhoddai hynny dipyn o fantais ar gyfer arholiad yn yr ysgol forwrol. Dangosent broblemau mathemategol (*trigonometry*) i'w gilydd, tameidiach o *geometry* a ma's ar y dec i astudio'r sêr gyda'r *sextant* ac ymarfer arwyddo â fflach. Meddai John Alun:

'Roeddwn yn gwybod am y pethau hyn i gyd cyn mynd i'r ysgol forwrol. Mor sychedig oeddwn am wybodaeth ac ymarfer y damcaniaethau newydd'.

Gorchwyl hwylus iawn yn ei oriau hamdden oedd ysgrifennu llythyron ar ran y tanwyr croenddu anllythrennog – at eu cariadon a'u gwragedd. Ac yn ei ddrygioni, ychwanegai J.A. dipyn at y rhamant arferol trwy eirfa flodeuog. Ar ddechrau'r fordaith ddilynol dôi'r tanwyr bodlon ato gan ddweud,

'Thank you John, my wife was very loving . . . and I have now another baby boy.'

. . . 'What did you put in those letters, John? I now have twin boys!'

. . . 'Your loving letters, John, are responsible for the big increase in population in Tiger Bay!'

Hwyliodd yr *S.S. Ravenshoe* i Afon Plate a Buenos Aires a llond yr howldiau o'r 'diemwntau duon'. Bu John Alun yn *deck-boy* am ddeunaw mis, yna graddiodd i fyny'n gyson i *Junior Ordinary Seaman* ac yn 'A.B.' (*Able-bodied Seaman*).

A oedd yr hyn a ddysgodd gan ei ewythr Isfoel gynt yn y Cilie – ei gefndir amaethyddol, ei hyder, ei annibyniaeth barn a'i benderfyniad – yn adnoddau defnyddiol i forwr?

Ateb Capten D. R. Williams oedd: 'Yr oedd crwt wedi ei godi rhwng cyrn yr aradr goch yn fwy o foi na'r rhelyw pan ddôi i wasgfa'.

Dywedai wrth y morwyr eraill, 'Chi'n galw'ch hunain yn forwyr. 'Drychwch ar y bachgen yma. Roedd e ar ffarm dri mis yn ôl ac mae e'n gwneud gwell gwaith na'r un ohonoch chi!'

Nid oedd yn gymaint o *greenhorn* â llawer o'r morwyr eraill, a medrai glymu a datrys 'nyth y fowlen' (cwlwm *bowline*) a chlymau eraill o raffau – er syndod mawr i'r criw. Roedd addysg Isfoel wrth glymu llwythi, rhyfeddod dyfeisgarwch ei systemau pwlis, gwisgo ceffylau, aredig, llyfnu a thrafod ceffylau, gwaith yn yr ydlan ac ati yn talu ar ei ganfed. Credai llawer ei fod wedi bod ar y môr o'r blaen.

Gweler y cofnod isod yn nodiadau John Alun:

'Yn y flwyddyn 1925, aeth yr holl *wire operators* a oedd ar longau masnach Prydeinig ar streic, gan feddwl na allai'r llongau hwylio hebddynt. Roedd pawb cyfrifol yn ofidus am

John Alun, y morwr ieuanc.

nad oedd negeseuon yn bosibl rhwng y llongau a'r lan'.

Ond hwylio a wnaethant a bu Mrs Williams, gwraig y Capten, yn gymorth mawr. Gofalodd fod mamau a pherthnasau criw y *Ravenshoe* a oedd yn dod o gyffiniau'r Cei yn cael cyfeiriadau i anfon eu llythyron. Meddyliwch am ei charedigrwydd, oherwydd nid oedd ffôn na dim o'r fath gyfleusterau ar gael y dyddiau hynny'.

Yn y cyfamser roedd ei fam yn pryderu am ei mab hynaf ar y môr ac anfonodd ei llythyr cyntaf i Santiago, Ciwba, lle'r oedd y *Ravenshoe* i alw am *bunkers* (tanwydd). Y cyfeiriad oedd:

Mr John Alun Jones
Ordinary Seaman
S/S Ravenshoe
c/o The British Consul
Santiago
Cuba

Yn anffortunus, roedd y llong eisoes wedi galw, wedi llwytho ac wedi hwylio i'r trofannau ac i'r de am Ariannin. Agorwyd y llythyr gan swyddog post y Conswl gyda'r bwriad o'i ddychwelyd i'w darddle ond gan mai Sbaeneg oedd ei famiaith ni fedrai siarad ond ychydig Saesneg heb sôn am Gymraeg. Arall-gyfeiriodd y llythyr a derbyniwyd y canlynol yn y Gaerwen gyda'r cyfeiriad rhyfedd, er syndod a sbri mawr i bawb:

Dy Annwyl Fam
Gaerwen
Dydd Iau
Cross Inn R.S.O.
Cards.

Llofnodai ei fam bob llythyr gyda'r cyfarchiad 'dy annwyl fam – E. Jones'. Marciau llawn i'r 'Post Brenhinol', ymhell cyn dyddiau côd post. Cyrhaeddodd llythyr arall:

de Fame Lyons
Gaerwen
Cross Inn R.S.O.
Cards.

Wrth gwrs, wrth ddi-seiffro'r linell gyntaf, gwelir – dy fam, E. Jones.
Ond cyrhaeddodd llawer o lythyron o Buenos Aires yn ystod y tair mordaith gyntaf.

S.S. Ravenshore
Buenos Aires

Annwyl Mam,
. . . Mae Capten D. R. Williams wedi rhoi dyrchafiad arall i mi ac rwy'n awr yn 'full blown sailor' – ac yn sgwâr iawn, medde nhw. Dyna braf fydd cael dod gartref a sŵn arian yn tincian yn fy llogellau a chael het lydan fawr a siwt 'double-breasted' . . .

ac mewn llythyr arall:

. . . dyna hiraeth ddaeth trosof ar ôl tair wythnos ar y môr pan ddeuthum o hyd i gola llafur yn 'turn-ups' fy nhrowsus. Y noson honno, pe medrwn, byddwn wedi dychwelyd gartref i helpu Wncwl Isfoel yn y Cilie . . . i wisgo'r ceffylau a'u harwain lan trwy Lôn Banc i Barc Tan Foel. Yno'n datgymalu'r sopynnau â'n 'nwylo yn ysgall i gyd – cyn llwytho â'r pige. Ac yna i ddisgwyl Mam-gu a Mary Hannah i ddod â the, tarts fale a phlwms a chacs i'r cae. 'Na dalent wedyn!

Ac at ei frawd Jeremy ysgrifennodd:

S.S. Ravenshoe
Buenos Aires

Annwyl frawd,
. . . Cyn mynd i'r môr roedd gennyf lawer o gariadon . . . a dyna broblem oedd hi i benderfynu at ba un i ysgrifennu gyntaf . . . Mae strydoedd Buenos Aires mor llydan â Pharc Tan Foel . . . Mae'r 'steward' yn torri bara yn gwlffe fel Mary Hannah . . . Mae'r llong newy' yn sheino fel tae Rachel Castle wedi bod arni . . .

Tra oedd y llong ym mhorthladd Buenos Aires, bu John Alun yn ymweld â Chymry o Langrannog a oedd yn aelodau o griw'r llong *Cardiff Hall*. Un o'r rheiny oedd Ben Lloyd, Brynarfor, Pontgarreg. Ac yn ateb i'r wybodaeth yma ysgrifennodd ei fam lythyr at ei mab fel a ganlyn:

Gaerwen
Cross Inn R.S.O.
Cards.

Ionawr 1925

Annwyl John Alun,
. . . Mae wedi bod yn aeaf stormus iawn yma ac fe gollwyd y llong *Cardiff Hall* ar y creigiau ger Kinsale, Iwerddon ar 13 Ionawr 1925 – a'r criw i gyd. Un ohonynt oedd y

'second mate' Ben Lloyd, Brynarfor. Mae dy Wncwl
Isfoel wedi gwneud cân ar ôl fy nghlywed yn dweud
– '. . . gan bwyll y gwynt'.
      Dy annwyl fam,
        E. Jones.

CÂN ESTHER

Gan bwyll y gwynt! – pob parch i'th allu mawr
   A'th rwysg urddasol, heliwr ffroengoch, ffôl;
Mae'r crwt, Jac Alun, ar y môr yn awr,
   Paid gyrru dy fytheiaid ar ei ôl.

Mi wn y cofia'n amal am y caws
   A fwytai gynt wrth siarad am fynd bant,
Ac fel y rhedai'n benrhydd iawn ar draws
   Y maes ar ôl cwningod Parc-y-pant.

Ni wyddai ef am stormydd byd a'i frad,
   Am brinder enllyn a chaethiwed ffrwyn,
Na llwybrau tywyll – dim ond ffyrdd y wlad
   A rhyddid Banc Llywelyn a Phwll-mwyn.

Mi hoffwn innau sŵn dy utgorn cry'
   A'th donnau gwallgof yn y dyddiau gynt
Yn taro'r creigiau oni chrynai'r tŷ
   I'w sail – ond nawr, gan bwyll, gan bwyll y gwynt!

John Alun Jones ar ddechrau'r
tridegau.

Ymddangosodd y gerdd yn y *Weekly Mail*, ym mis Rhagfyr 1924.

    Ym mynwent Capel-y-Wig saif dwy garreg fedd ochr wrth ochr. Mae un yn cofnodi trychineb y *Cardiff Hall* ac yn coffáu Ben Lloyd. Mae'r llall yn cofnodi marwolaeth y Capten Jac Alun. Rhyfedd o fyd!

    Gwelir yr englyn isod o waith Alun ar garreg goffa Benjamin Lloyd:

        Mae'r gŵyn o'th fynd mor gynnar – y llawen
          Gyfaill ieuanc hawddgar;
        O'th fynd yn aberth i fâr
        Y tonnau a'r gwynt anwar.

'Cofiaf am lun yr *S.S. Ravenshoe*, llong gyntaf fy mrawd,' meddai Jeremy, brawd ieuengaf John Alun, 'yn hongian ar y wal yn y Gaerwen. Daeth enwau porthladdoedd y byd mor gyfarwydd i ni'r plant ag enwau ffermydd y fro. Enwau fel Rotterdam, Rio de Janeiro, Montevideo, Buenos Aires, Panama, Valparaiso, San Francisco, Sydney, Hong Kong, Port Said a Genoa. Roedd hi'n arferol i forwyr awdurdodi cyfran o'u cyflog i'r teulu gartref. Derbyniai Mam yr *allotment* yma yn rheolaidd bob mis. Weithiau byddai yn cael caniatâd i ddefnyddio peth o'r arian ond fel rheol byddai Mam yn ei fuddsoddi yng nghyfrif John Alun gyda'r Swyddfa Bost'.

    Ac wedi mordaith o ddwy flynedd, atgofion Jeremy oedd:

'Roeddwn yn y Cilie yn ei ddisgwyl a'i helpu i gario'i bethau lan drwy'r caeau i'r Gaerwen. Yr oedd aroglau'r llong a'r môr ar ei ddillad a gwelwn olion gwaith llongwr – paent ac olew – ar ei ddillad a'i esgidiau a'u gwadnau wedi llosgi wrth gerdded dec y llong.'

Perthynai dawn y cyfarwydd i John Alun a chyfoethog fyddai'r seiadau ar aelwydydd yn y Gaerwen a'r Cilie, odyn Cwmtydu, a'r 'Crown' yn Llwyndafydd. Byddai'r cymeriadau lleol yn ei annog i adrodd ei anturiaethau morwrol, ac ni fyddai eu hailadrodd am y chweched neu'r degfed tro yn amharu nac yn lleihau dim ar y pleser o wrando ar gyfaredd storïwr y llys.

Un o'r clasuron oedd y stori amdano yn cwympo o'r platfform i'r môr wedi i'r rhaff a oedd yn ei ddal ddatgymalu ac yntau yn paentio ochr y llong yn Recife (Pernambuco), Brasil. Roedd y dyfroedd twyllodrus yn fyw o siarcod . . .

'Ond diolch i'r ymarfer nofio o Fanc Pen-parc i Graig yr Enwau yng Nghwmtydu slawer dy' fe lwyddais i nofio i 'lighter glo' o'r enw *Cory* cyn i'r siarcod fy llarpio.'

'Esgyrn Dafydd, fuest ti'n lwcus!'

'. . . roedd y ddau forwr arall oedd yn paentio hefyd yn dweud – 'Poor Taff! he's gone'. Ond cyn bo hir roeddwn 'nôl wrth fy ngwaith a'm trowser a'r 'singlets' yn sychu amdanaf. Ond bu'r Mêt yn dannod un peth – am ddiwrnodau! – 'Where's my bloody brush?''

'Wedi pum mordaith ar y *Ravenshoe* fe benderfynon ni, yn grytiaid o gyffiniau Ceinewydd, adael yr un pryd â Chapten D. R. Williams. Cafodd ei apwyntio i long newydd y Brodyr Cory – y *Ramillies* ac arni hi y treuliodd weddill ei ddyddiau ar y môr nes iddo ymddeol yn y tridegau ac adeiladu tŷ braf o'r new 'Hafan Dawel' – dau ddrws o'i fwthyn deupen.'

'Cefais innau chwe wythnos gartref yn y Gaerwen cyn cael galwad i ymuno â'r *Porthia* dan gapteiniaeth Capten Bulmer a oedd yn swyddog ar y *Clarrisa Radcliffe* pan suddwyd hi. Roedd y rhan fwyaf o'r criw yn Gymry Cymraeg. Ond Ow! Daeth streic fawr 1926 gan dorri ar draws masnach môr. Yn lle llwytho'r glo arferol yng Nghaerdydd cawsom gargo o *Patent Fuel* – sef blociau o lo mân wedi ei gywasgu mewn peiriant arbennig a'u stampio â Marc y Goron. Fe hwylion ni i Bahia ym Mrasil cyn dychwelyd i Giwba â llwyth o siwgr i Lundain. Un peth a gofiaf yn glir oedd y llanast a adawyd yn Havana gan gorwynt grymus. Roedd pysgod a'u boliau gwynion i'w gweld ymhobman – ar dir a môr. Bryd hynny suddodd y llong *Royal Devonian* gyda'i chriw i gyd.'

'Yr oedd y 'Streic Fawr' wedi cnoi ac effeithio yn drwm ar bopeth, ac yntau'r 'Mêt' (Cymro Cymraeg o Drefdraeth) yn ein cynghori ni i beidio â theithio adref ar ôl talu bant – rhag ofn ansicrwydd amserlen y trenau. Dim ond fi ac un aelod arall a wrandawodd ar y 'Mêt'. Arhosom ar y llong ac rwy'n cofio mynd i brynu bwyd, a oedd yn brin iawn, yn ardal Greenwich. Yno cefais 'blated o dato bŵts' a *stewed eels*. Yr oeddwn wedi dal digon ohonynt yn llyn Gaerwen ond heb eu bwyta erioed! Ni fedrem symud o'r harbwr, nid oedd gennym danwydd.'

Ond un noson dywyll daeth llong fechan ochr-yn-ochr â ni gan roi tanwydd i ni – chwe chan tunnell o *Thames Ballast* – ar y dec! Roedd hyn yn ddirgelwch i bawb. Halibalŵ fawr wedyn wrth chwilio am griw – yn enwedig Cymry o ardaloedd Llangrannog a phentrefi i'r de. Anfonwyd brysnegeseuon (naw ceiniog oedd y pris) a buom yn llwyddiannus i gael criw o Gymry Gymraeg. Daeth un brysneges 'nôl o Ffos-y-ffin:

'Impossible to rejoin. All connections disconnected.'

Yr oedd y tanwydd gwael a gawsom yn Llundain yn methu creu llawer o dân mewn gwyntoedd cryfion ac anfonwyd rhai ohonon ni i lawr i'r *stokehold* i helpu'r tanwyr duon i gadw stêm. Ar ôl un diwrnod ar hugain cyrhaeddsom Hampton Roads (Maryland, U.D.A.). Yno roedd holl longau'r cyfanfyd crwn (chwedl Crwys) wedi angori i ddisgwyl llwytho glo. Cawsom lwyth llawn a hwylio i'r Ariannin i gymryd lle glo De Cymru ar y rheilffyrdd a diwydiant. O edrych yn ôl nid oedd sôn am lowyr America yn gwrthod rhoi glo. Yn wir, roeddent yn cymryd mantais ac yn gwneud ffortiwn o'r tyndra. Ond roedd digon o Americanwyr yr adeg honno yn ymfalchïo wrth weld 'Siôn Tarw' yn mynd ar ei ben ôl. Nid oes amheuaeth na fu'r Streic Fawr yn drobwynt tyngedfennol yn hanes masnach yr Ymerodraeth Brydeinig.'

Idris Morgan, Pencwm, Llanarth, un o ffrindiau cynharaf John Alun. Dringodd i swydd prif beilot ar gamlas Sŵes.

'Pan ddychwelsom o'r Ariannin â llwyth o ŷd i Avonmouth roedd y streic wedi marw a llongau yn ailddechrau llwytho eto. Nid oedd un ffwdan i gael swydd fel morwr, dim ond dangos ein hunain tua 'James Street', Caerdydd, a wnaethom, a chafodd fy ffrind, Tom James Lloyd (Brynarfor, Pontgarreg), a minnau swyddi ar y *Tudor King* dan gapteiniaeth Capten Mannock. Yr oedd yr 'Hen Ddyn' yn bencampwr ar fynd o amgylch creigiau peryglus – sef mynd tu fewn i'r *Longships* a'r *Ushant* (a'u goleudai) – ac yn cysgodi bob amser mewn storm. Nid oedd ganddo lawer o ffydd yn ei lestr am mai *self-trimmer* (bwydo glo ei hunan) oedd hi ac yn wlyb iawn a pheryglus i gerdded y dec wedi nos.'

'Ar ddiwedd y fordaith aeth T.J.Ll. a minnau at yr 'Hen Ddyn' i ofyn am destimonial. Gofynnodd beth oedd eu pwrpas ond chwerthin ar ein pennau a wnaeth pan ddeallodd ein bod yn bwriadu mynd yn swyddogion. Cefais brofiadau annisgwyl ar y *Tudor King*. Achubais un o'r tanwyr o'r môr wedi iddo gwympo i'r berw oddi ar y starn. Fe'i llusgais yn ôl i ochr yr ysgol a'i sychu o flaen tân y *galley*. Ni chlywais ddim byd pellach, na bripsyn o ddiolch. A darganfûm fod bos'n y llong yn gefnder i 'Nhad ac yn dod o ardal Pencae, ac wrth gwrs yn llinach Jâms Jones, gof enwog Llyffannog. Roedd wedi ei ddiwreiddio ei hunan wedi priodi Albanes. Roedd yr 'Ail Fêt' wedi ei achub o'r llong *Eastway* pan suddodd mewn corwynt – a gelwid ef yn 'Jonah'. Ac roedd aelod o griw'r *Corrigan* wedi bod yng Ngholeg Ruskin fel darlithydd ar Gomiwnyddiaeth. Ac fel y gŵyr pob morwr nid yw propaganda o un math yn dderbyniol ar fwrdd llong. Y mae brawdoliaeth y môr yn gryfach na'r pethau dros dro hynny.'

S.S. Ile de France – un o'r llongau mwyaf i fynd trwy'r Gamlas dan ddwylo Idris Morgan.

S.S. Pencarrow.

Ar y *Tudor King*, 1927. Mae John Alun ar y chwith yn y cefn, a Tom Lloyd, Brynarfor, ar y dde yn y blaen.

Tudor King, un o longau cynnar John Alun Jones.

Yr *S.S. Penmorvah* yn agosáu at bont Quebec, 1930. Roedd Jac Alun yn Ail Fêt arni.

Civitavecchia, Yr Eidal, 10 Mai, 1930, ar yr *S.S. Penmorvah*.

Cwblhawyd dwy fordaith arall – un ar yr *Highgate* dan Gapten Stubbs ac un ar y *Westmoor* gyda'r Capten Starling. Ac i ddod 'mla'n a dringo'r ysgol forwrol rhaid oedd ymuno â Choleg Morwrol Manson, Stryd Charles, Caerdydd. Enillodd ei diced ail swyddog wedi tair wythnos o studio cyn dychwelyd i'r môr am ddwy fordaith ar y *Llanberis* (gyda'r Capten Burgess). Yng nghyfnod dirwasgiad y tridegau gorwedd yn segur a wnaeth nifer o longau a dyna fu hynt y *Llanberis*. Ymunodd John Alun â'r *Pencarrow* (Cwmni Chellew a Chapten Robinson) cyn dychwelyd i'r coleg am ddeng niwrnod yn unig i ennill ei diced swyddog cyntaf (*First Mate*). Eto rhaid oedd ymuno â'r *Penmorvah* am dair mordaith fel ail Swyddog dan gapteiniaeth Capten Hughes.

Wrth iddo wella'i fyd teimlai y dylai ymgymryd â chyfrifoldeb ychwanegol. Roedd ei lygaid eisoes ar ferch landeg o'r enw Sarah Ellena Owen – merch John (a foddwyd yn y Môr Canoldir ym 1917) ac Ellena Owen, Tanycastell, Blaencelyn. Ond roedd ganddo gystadleuaeth o gyfeiriad annisgwyl. Ei ewythr, Alun Jeremiah Jones (Alun y Cilie), oedd hwnnw, a thra bu'r John Alun ieuanc ar y môr ceisiodd y llall hudo Sarah Ellena trwy ei delynegion a'i gywyddau serch – er ei fod ddeng mlynedd yn hŷn na hi.

TELYNEG SERCH I 'LENA'

Hydref heddiw sy'n yr henfro
    Gyda'i wewyr yn y coed;
Ac mae dail yr ynn yn gwrido
    Wrth adnabod sŵn dy droed.

Minnau'n cerdded ac yn disgwyl
    Rhywun llonnach yn y fro –
Ac os daw mi a adwaenaf
    Ei cherddediad sionc a'i thro.

Mae'r betrisen swil yn galw
    Gyda'r nos o sofl Parc Main;
A'i chymhares deg yn ateb
    Yn llesmeiriol o Barc Llain!

Ac os clywaf innau rywun
    Yn fy ngalw i o'r clos;
Mi adawaf bopeth erddi –
    Ac af ati gyda'r nos.

Y mae dail y coed yn fodlon
    Ar sŵn troed yr Hydref gwyw;
A'r betrisen swil yn llamu
    Yn sŵn cân ei chymar byw.

Llamu'n fodlon fyddaf innau
    Ar sŵn troed y deca'i llun;
A bydd gwynfyd yn fy nghalon
    Os mai 'Lena' fydd yr un.

Alun Jones, Hydref 1928

John Alun
Jones a'i wraig,
Sarah Ellena,
newydd briodi
ac ar eu ffordd
i'w mis mêl
ar fferm
Ynys Fawr,
Mynachlog-
ddu, Mehefin
1933.

'LENA'

I Lena'r deg, lana'r dud,
Y canaf fy nghainc ennyd;
Y mae dy wên, mae dy wallt
Neu lewych dy oleuwallt
Yn denu 'mryd, tanio 'mron
I giliau eitha'r galon.

Harddach na rhos y wawrddydd
Yw'r rhos sy'n gwrido dy rudd;
O'r rhosynnau a'r swynion –
Pwy ond Duw fu'n paentio hon?

Alun Jones, 30 Hydref, 1928

Ond y morwr ifanc rhamantus a golygus o'r Gaerwen a enillodd ei llaw.

Trwy ddiwedd y dauddegau a dechrau'r tridegau cydiodd y dirwasgiad yn ddwfn yn economi'r byd. Nid oedd masnach môr yn llewyrchus ac roedd elw i'r perchnogion llongau yn brin, yn anghyson ac yn lleihau'n ddirfawr. Roedd yn amhosib cael gwaith ar y môr a pheth cyffredin oedd gweld capteiniaid trwyddedig a swyddogion morwrol a morwyr allan o waith. Hwyliodd un llong o Gaerdydd a phob un o'r morwyr arni'n brif swyddog neu'n gapten. Cofir am un Capten o'r Barri yn gwerthu te a nwyddau o ddrws i ddrws. Roedd John Alun a'i gefndyr Dafydd Jeremiah a John Etna, a hyd yn oed Gerallt erbyn hyn, yn medru dod adref i fferm neu fynd i'r coleg. Ond ni allai'r ffermydd bychain yng ngorllewin Cymru eu cynnal yn hir. Ond roedd John Alun o leiaf wedi elwa'n sylweddol o'r cyfnod yma – sef dod i adnabod ei gariad yn well dan effaith y saethau serch. Priododd Sarah Ellena Owen ar 6 Mehefin, 1933, yng Nghapel-y-Wig. Wedi'r brecwast yn nhŷ Tanycastell (dan ofal trefnus Elizabeth Jones, Pentre Arms), teithiodd y pâr ifanc ym modur Tom Jones (ei ewythr) i Aberteifi i dynnu'u lluniau yn stiwdio Squibbs cyn parhau eu siwrnai mewn bws i Grymych a thrap a phoni i ffermdy'r Ynys Fawr, Mynachlog-ddu. Yno ar aelwyd groesawgar David ac Ann Davies (perthnasau ar ochr Ellena) ac yng nghysgod Foel Drigarn a Moel Drych treuliwyd mis o ddedwyddwch rhamantus.

Dywedodd W. D. Williams: 'Rhan bwysig o waith prydydd bro, a rhan na ddylid ar un cyfrif ei ddibrisio, yw croniclo digwyddiadau'r cylch'. Y mae cyfarchiad Isfoel i John Alun Jones a Sarah Ellena Owen yn nhraddodiad y canu hwn ac yn enghraifft wych ohono ar ei orau:

> I John a'i lon Elena
> Doed hedd hir a dedwydd ha'!
> Elena'r feinir lanaf
> A gwennol wen ganol haf.
>
> Duwies gefndrud ysgafndroed
> A'i threm mor chwimwth â'i throed . . .
> Mae y llaw all symio llun
> Wejen olau John Alun?
>
> Y cwlwm nad oes cilio
> Na throi draw o'i lethair, dro;
> Boed wiw gan y Duw a'i dyd,
> Y Duw eto a'i detyd.

Gyda'r sefyllfa economaidd, os rhywbeth, yn gwaethygu, a llawer o longau yn gorwedd lan, penderfynodd John Alun ac Ellena Jones, yn groes-graen ar y pryd, brynu busnes llaeth yn 147, Fairbridge Road, Finsbury Park, ar gyffordd Holloway Road a Hornsey Road, gogledd Llundain ac nid nepell o garchar menywod Holloway. Gwerthid llaeth o ddrws i ddrws, menyn, caws, hufen, bwydydd, nwyddau groser, ham, bara, coed tân, sigarennau a thybaco. Gweithiodd y ddau yn galed i wneud llwyddiant o'r busnes a daeth cymorth parod oddi wrth Dewi Emrys (brawd-yng-nghyfraith), Margaret Enidwen (chwaer) ac Eirwen Griffiths o Landysul. Dwy neu dair stryd i ffwrdd roedd capten lleol arall hefyd yn rhedeg busnes llaeth – Capten Tomi Owen, Clai Bach. Dywedai yntau fod arwain ei gart a cheffyl drwy strydoedd poblog gan weiddi'n groch bob ychydig lathenni – 'Milko! Milko!' – yn debyg i arwain march! Ond roedd yntau, fel John Alun, fel pysgodyn allan o ddŵr (a dŵr hallt ar hynny) ac nid oedd rhuthr, dieithrwch a diwylliant anghysurus dinas yn helpu'r achos. Roedd unigrwydd, rhyddid a rhamant y môr yn hollol wahanol ac erbyn hyn yn rhan o'u hanianawd. Hiraethai John Alun am yr heli a byddai hyn yn ei boeni'n gyson, yn enwedig wrth glywed am straeon am y môr a thraethau pellennig gan forwyr Cymreig ym mhorthladd Llundain.

Dywedodd unwaith wrthym: 'Dysgais lawer ar sut roedd teuluoedd yn byw yn y 'ddinas fowr', a dy fam (Ellena) yn dweud, 'pe buasai aelodau Capel-y-Wig ond yn gwybod sut roedd pobl yn ymddwyn yno'. Pan oedd y dirwasgiad ar ei waethaf prynai'r teuluoedd werth ceiniog o de, gwerth ceiniog o farjarîn, bisgedi a llaeth ar y tro. Bywyd caeth iawn oedd hwnnw. Codi am hanner awr wedi pedwar bob bore, Sul, gŵyl a dydd gwaith. Ond roeddwn yn cael prynhawn Sul yn rhydd ac yn mynd i'r oedfa yn King's Cross bob nos Sul, lle'r oedd yr anfarwol Elfed yn weinidog. O'r oedfa byddem yn mynd i gael swper yn 'Lyons Corner House' ac wedyn i Hyde Park i glywed yr areithwyr yn eu huchelfannau. Byddai'r gorymdeithiau newyn yn ymgynnull yno wedi cerdded o Jarrow, Birmingham a Harrow. Cofiaf am y glowyr Cymreig yn canu emynau. Taflai'r rhesi o bobl eu ceiniogau prin ar y stryd o'u blaenau fel manna. Rhyfedd o amser oedd hwnnw. 3½d oedd pris peint o laeth a 1¾d am hanner peint. Dyma'r tro cyntaf a'r olaf imi ddelio â ffyrlingau. Ni wnaethon ffortiwn yno, ond roeddwn yn falch iawn o gael gwared â'r 'anturiaeth fawr' a chael dychwelyd i hedd y wlad'.

John Alun yn gwthio'i gert llaeth drwy Fairbridge Road, Holloway, Llundain, ym 1934.

Siop groser a llaeth, 147, Fairbridge Road, Finsbury Park, Llundain, yn ystod blynyddoedd y dirwasgiad. Yn y drws mae chwaer John Alun, Margaret Enidwen, Mrs T. Llew Jones wedyn.

Cofiai'r teulu am grwydryn hirwallt, barfog a brwnt yr olwg yn taflu'i gap ar y palmant wrth i'r gynulleidfa ddod allan o gapel King's Cross. Yna canai emynau mewn llais soniarus, ond nid oedd yr olygfa honno mor ddieithr yn y cyfnod hwnnw nes i rywun weiddi o'r cefn, 'Dewi Emrys yw e. Dewi Emrys'. Rhaid oedd syllu, gwrando a thaflu rhywbeth i'r cap wedyn.'

Nid oedd yn syndod i neb felly i John Alun ac Ellena werthu eu busnes i deulu arall o ardal Pencader trw'r asiant David Jones â'i wreiddiau ym mhentref Llwyncelyn ger Aberaeron. Elfen o orfodaeth oedd yr antur yn Llundain, a buan iawn yr oedd sawr yr heli yn ei ffroenau eto, os gadawodd o gwbl. 'Roedd y busnes llaeth fel tân ar fy nghroen i,' arferai ddweud.

Ac ar ôl deunaw mis fel marsiandïwr, a deimlai fel pum mlynedd a rhagor iddo – ymunodd â'r llong *Pengreep* yn Abertawe – yn Ail Fêt i Gapten D. West ar 31 Hydref, 1934.

Profodd ei fordaith gyntaf 'nôl i freichiau'r heli yn un anturus iawn, fel morwr ac fel perthynas i deulu'r Cilie. Trwy lythyr a gwybodaeth oddi wrth ei fam, cyfarfu John Alun â'i ewythr enwog, John Tydu, ym Montreal, am y tro cyntaf ers iddo'i gyfarch ar glos y Cilie, yn haf 1921. Y cyfeiriad oedd 37 Craig St West, Montreal.

Yr oedd Tydu'n byw mewn fflat gyfyng ar lawr uchaf un o'r tai pedwar llawr '. . . i fyny gyda'r duwiau' (chwedl Tydu). Ac wedi cryn ddadl gyda'r *landlady* surbwch a checrus, a gosod cil-dwrn yn ei llaw agored, cafodd John Alun wybodaeth fod dyn tebyg i'w ewythr yn byw yn yr ystafell uchaf. Dringodd John Alun y grisiau pren troellog a chnociodd ar y drws. Heb ymateb, cnociodd eto, yn drymach ac yn hwy. Daeth taran o lais o ddyfnder yr ystafell, 'Who the hell is there at this time of night?' Daeth Tydu i'r drws yn ei byjamas, yn gysglyd ac yn fyr ei dymer. 'What do you want?'

Roedd tair blynedd ar ddeg wedi mynd heibio ers iddynt gyfarfod ddiwethaf. Nid oedd Tydu yn ei 'nabod i ddechrau. Ond wedi ychydig eiriau torrodd gwên lydan dros ei wyneb ac fel petai am ddianc o'i ystafell fechan, anniben a Spartaidd ei haddurniad, cyhoeddodd mewn llais awdurdodol, 'Let's hit the town.' (Fe roddwn y byd i fod yng nghwmni'r ddau yn gwrando ar y sgwrs am anturiaethau Tydu a'i gwestiynau am aelwyd y Cilie, y fro a'i chymeriadau a'r newyddion. Nid oes cofnod manwl o'r cyfarfod hanesyddol!)

Dyma ddisgrifiad John Alun o'r fordaith:

'Mae pob Nadolig yn amser arbennig ar y môr oherwydd mae pawb yn meddwl am ei anwyliaid gartref. Ond roedd Nadolig 1934 yn un arbennig iawn. Roeddwn yn 'Ail Fêt' ar y *Pengreep* ac yn rhwym o Montreal i'r Barri â llwyth o wenith. Roedd naw o danwyr Arabaidd gennym ac yn ôl eu harfer yn cadw anifeiliaid. Y tro hwn roedd dwsin o ieir ac adar yn pesgi yn dda ar eu gwala o wenith beunyddiol. Câi'r Capten a'r *Chief Engineer* ŵy ffres bob dydd i frecwast. Aeth yn dywydd mawr arnom. Suddodd y llong *S.S. Usworth* o fewn ugain milltir i ni, ac fe dorrodd yr offer llywio (y tsiaen a'r *quadrant*) a ninnau ar drugaredd yr elfennau yng nghanol yr Atlantig. Anafwyd y Mêt wedi iddo gael ei sgubo tua'r *stern* a dau arall o'r criw wrth iddynt ymbalfalu o gylch y *drive shaft* i lawr yn y twnnel ym mherfeddion y llong.'

Dywed ei frawd Jeremy:

'Roeddwn mewn ysbyty yng Nghaerdydd wedi cael llawdriniaeth a chofiaf amdano'n dod i'm gweld. Dwedyd iddo dreulio diwrnodau a nosweithiau yn ddi-dor ar bont y llong heb gwsg na llawer o fwyd yn ystod yr amser. Bu'r hanes yn y papurau cenedlaethol ar y pryd. Dwedai Capten West mai John Alun, fy mrawd, 'was the man who saved the ship'.'

'Onid oedd yn ei ieuenctid wedi gweld ceffylau'r Cilie yn troi eu tinau at lygaid y storm ar Fanc Llywelyn uwchben Cwmbwrddwch. Oni fyddai pâr o geffylau yn troi oddeutu a'u tinau i gawod o gesair ar ganol gorchwyl llyfnu ac yn sefyll yn y fan a'r lle nes y dôi hindda. Ond byddai yn gysgod di-ail i'r gwar o'r storm oedd yn dilyn.'

'Yn ystod y prysurdeb i geisio atgyweirio'r llyw daeth yr Arabiaid â'r ieir pasgedig dan eu cyseiliau i'r pŵp (*poop-deck*). Gweddïent ar Allah trwy wynebu Mecca i achub y llong. Yna, yn sydyn, torrwyd pennau'r adar uwchben y llyw nes i'r gwaed oferu dros y bothe a'r breichiau. Yna taflasant y cyrff dros y starn i'r môr berw. Ac yn wir i chwi, credwch neu beidio, ychydig mewn llai nag awr, gostegodd y gwynt, a gwelwyd un seren unig ond llachar mewn darn o lesni yng nghanol y cymylau duon. Atgyweiriwyd y llyw a chyrhaeddwyd Y Barri, yn ddiogel, er yn wlyb diferu. Ond ni chafodd neb ffowlyn i ginio Nadolig ar y llong – dim ond tair sleisen o'r *corned beef*. A ninnau wedi bod rhwng deufyd ar drugaredd yr elfennau a'r duwiau yng nghanol yr Atlantig, roedd hynny yn well na chael cinio ar locyr Davy Jones.'

'Hwyliodd llong fasnach Siapaneaidd o Gasnewydd a'i chargo o *pig iron* i mewn i ddannedd yr un storom. Cododd wyneb y môr dros y llong gan rwygo'r *chart-room* a'r llyw a sgubo'r capten a thri arall i'r berw. Ni welwyd hwy byth wedyn. Torrodd yr Ail Fêt ei gefn a bu rhaid llywio o'r *poop-deck* gyda'r *auxilliary steerage*. Hen gargo gwael yw *pig iron* bob amser!'

Bu John Alun ar ail fordaith i Ganada ar y *Pengreep* cyn ymuno â llong newydd o'r enw *S.S. Auretta* yn Burntisland dan gapteiniaeth Capten Chappell ar 2 Medi, 1935. Roedd y fordaith yma hefyd i brofi'n hanesyddol o'm rhan i oherwydd fe'm ganwyd i yn Nhanycastell, Blaencelyn, ar 20 Tachwedd, 1935, tra oedd John Alun (fy nhad) yn Vladivostok, ym mhen draw Siberia ar y pryd. Roeddynt yn llwytho coed wedi cario gwenith o Awstralia. A 'nôl yng Ngheredigion deg oedd y teulu am anfon hanes genedigaeth y cyntaf-anedig – Jon Meirion Owen – at ei dad 'ymhell, bell ym mhen draw'r byd'. Un o'r rhain oedd Isfoel, ac yn ôl ei dalent arferol aeth i lawr i Swyddfa'r Post ym Mhont Fair, Llangrannog, gyda'r bwriad o anfon brysneges at ei nai.

Yno trigai Myfanwy Griffiths a'i chwaer Hettie (cyn-athrawes) a hithau Myfanwy a gadwai'r post; hi a ddysgai blant i adrodd a hi hefyd oedd cynhyrchydd cwmni drama Crannog-Cilie.

'Bore da, Dai.' (fel y galwai ei gydnabod ef).

'Bore da, 'Fanw.'

'Sut alla i dy helpu di?'

'Rwy am anfon telegram i Jac Alun i ddweud wrtho fod ei gyntaf-anedig wedi cyrraedd, ac yn globyn iachus.'

'I ble'r wyt ti am hala'r neges?'

'I Vladivostok.'

'Dai, 'sdim eisie rhegi. Beth oedd y gair 'na?'

'Vladivostok.'

''Na fe, rwyt ti wedi rhegi 'to!'

'Nadw, nadw. Enw lle yw e ym mhen draw'r byd, os nag yn uffern.' (Hoff ddywediad Isfoel).

Ac yna, ysgrifennwyd y cyfarchion ar bapur swyddogol ac fe'i hanfonwyd dros y gwifrau.

Cyrhaeddodd y neges, a oedd ar ffurf englyn, yn ddiogel. A syndod mawr i 'Nhad oedd i'r geiriau gyrraedd yn gywir a chadw'i ffurf – trwy allu technegwr o Rwsia yn nyfnder oerni dychrynllyd gaeaf Siberia.

Wele'r englyn:

> Jac, come back from Pernambuco, – bid adieu
> Abadan and Rio;
> In Las Palmas let grass grow,
> To Meirion come tomorrow.

Casglwyd y swyddogion ynghyd yn ystafell Capten Chappell a thynnodd allan botel brin o wisgi 'malt'. Goleuodd llygaid llawer o'r criw ac wrth iddynt daflu'r neithdar i lawr y lôn goch, meddai'r Mêt 'What a pity, John Alun, you did not have a baby boy every day,' – â'i lygaid yn syllu'n synn ar weddillion y botel.

Nid oes gennyf unrhyw gysylltiad â Sir Feirionnydd. Yn wir, dewiswyd yr enwau 'Jon Meirion' o restr o fyfyrwyr yng ngholeg Caerdydd a oedd ym meddiant cymydog, Dr Goronwy Owen. Ac 'Owen' oedd enw morwynol mam.

Clywodd John Tydu hefyd am ddyfodiad y cyntaf-anedig a lluniodd englyn a'i anfon i'n cartref yng Ngarthowen, Blaencelyn:

Jon Meirion, aer y morwr, – adloniant
Elena'n ei pharlwr;
A seren a chysurwr
Ei dad ar wyneb y dŵr.

John Alun ac Ellena â'u cyntaf-anedig,
Jon Meirion.

'Jon Meirion, aer y morwr' gyda'i rieni.

Brysneges oddi wrth Gwen, chwaer-yng-nghyfraith John Alun, pan oedd ar y *Pendeen* yn Three Rivers, Quebec, 19 Tachwedd, 1940, gyda'r newyddion am enedigaeth ei ail fab, Wynne.

Un o ddisgyblion adrodd Myfanwy Griffiths oedd cyfnither John Alun – Beryl Jones (Pentre Arms) – ac yn ei dyddiau cynnar adroddai lawer o weithiau telynegol Crwys. Âi i fyny i Bont Fair a châi gwmni Buller, ci mawr o frîd *Airedale* o gôt frown-ddu gyrliog a hoffai gyfarth ar bawb. Yn ystod y sesiynau dysgu, os torrai Buller ar draws datganiad Beryl, byddai Miss Griffiths yn ei ddisgyblu, gyda gorchymyn cadarn awdurdodol, 'Be quiet . . . Buller' mewn Saesneg 'posh'. Roedd yn rhaid cael acen 'bosh' yn enwedig os oeddech yn gynghorwraig Sir.

Ond un tro adroddai Beryl 'Y Border Bach' yn Neuadd yr Eglwys, Llangrannog, ar Ddydd Gŵyl Ddewi:

> Gydag ymyl troedffordd gul
>   A rannai'r ardd yn ddwy.
> Roedd gan fy mam ei border bach
>   'Be quiet . . . Buller.'
> O flodau perta'r plwy'.

Onid oedd wedi dilyn cyfarwyddiadau'r athro! Croten arall o'r ardal a enillodd y gystadleuaeth oedd Lorna Thomas, a ddringodd fel actores gydnabyddedig gyda B.B.C. Radio Cymru. Ond pan ddaeth y siawns i adrodd 'Rownd yr Horn' – Beryl oedd piau hi wedyn. Roedd halen a natur yr awdur yn y gwaed.

Ar ddiwedd y fordaith ar yr *Auretta* enillodd John Alun ei diced mistir ar ôl cyfnod o bum wythnos yn unig yng Ngholeg Morwrol Manson yn Stryd Charles, Caerdydd. Roedd hyn yn unigryw, hyd yn oed i forwr o Geredigion. Ymunodd â'r *Justitia* a chyflawnodd bedair mordaith fel 'Mêt' dan gapteiniaeth A. E. Robinson, cyn ymuno â'r *Pendeen* – llong arall o eiddo cwmni Chellew.

Bu ei gyfnod cynnar ar y *Pendeen* yn un dirdynnol, dramatig a thyngedfennol. Bu i'r hyn a ddigwyddodd i ailgyfeirio ei yrfa yn syfrdanol, newid ei bersonoliaeth i raddau a'i gyflwyno i erchyllterau rhyfel byd-eang. Fel Prif Swyddog (Mêt) ymunodd â'r llong yng Nghaerdydd ar 18 Mawrth, 1939. Y capten oedd John Owen Jones, Gwalior, Capel-y-Wig, ei gefnder cyntaf, a mab i frawd ei dad (y Capten John Jones, Carnowen, a oedd wedi priodi Jane Owen o deulu perchnogion llongau enwog y Foel. Roedd ganddynt dri o blant, John, Ryda a Tom. Ymunodd Tom â'r Llynges gan ddringo i swydd *Lt. Commander*).

Sefyllfa hollol unigryw oedd i'r Capten a'r Mêt – perthnasau agos a ffrindiau clòs – fod hefyd yn gynganeddwyr crefftus. Byddent yn cyfarch ei gilydd mewn englynion a dyma enghreifftiau o awen y *bridge*:

Y *FIRST MATE*

Môr-herwr mwya'r Iwerydd – 'First Mate'
 A ffrost mawr i'w gerydd;
 Deheu law a chydlywydd –
 Morwr hael a Chymro rhydd.

Gŵr mawr â grym i'w eiriau – a dewin
 Mordwyaeth ar donnau;
 Arholwr sêr a heuliau,
 Awdur caeth ar ddyfnder cau.

Y Capten J. O. Jones

Y CAPTEN

Wrth reddf gwneuthurwr deddfau, – arswydus
 Ŵr sydyn ei eiriau;
 Diddan yw mewn caban cau
 A gŵr da ei gredoau.

Dyn â'i nod ar wybodaeth – a'i orwel
 Yn euraid a helaeth;
 Ar y môr neu dramor draeth
 Bri ei ddawn yw barddoniaeth.

J. Alun Jones (Y Mêt)

Hwyliodd y *Pendeen* dan lyw'r ddau gefnder o Gaerdydd i Port Said a'r 'Med' cyn dychwelyd i Aberdeen a Newcastle-upon-Tyne ar 28 Mai, 1939. Ac ar yr ail fordaith llwythwyd glo am Piraeus (Athens) ac Odessa (ar y Môr Du), cyn croesi'r 'Herring Pond' i Albany, talaith Efrog Newydd, yn rhwym â haearn sgrap am Hull. Ar y fordaith yma ymwelodd John Owen a Jac Alun â'r Parthenon a'r Acropolis yn Athen ac o grud gwareiddiad y gorllewin lluniwyd yr englynion canlynol gan y Capten J. O. Jones a'u cyflwyno i'w gefnder:

WRTH YR ACROPOLIS 1939
(o gof y 'Mêt' Jac Alun)

Ar fedd sâl canrifoedd syn – dyrys hud
Yr oes aur sy'n disgyn;
A daw o dwrf cwest diderfyn
Murmur o gelf y marmor gwyn.

Bu doethion a mawrion moes, – llafurwyr
Llifeiriant dysg einioes
Drwy wae a chraith, brwydr a chroes
Yn canu bri y cynnoes.

Yma'n awr y meini hen – arhosant
Ar oesol dywarchen;
Ond o'r llwch daw ceinder llên
A llithiau o'r goll Athen.

Blynyddoedd y Rhyfel

Un o'r datganiadau hanesyddol mwyaf cofiadwy yn ystod y ganrif ddiwethaf oedd cyhoeddiad Prif Weinidog Ynysoedd Prydain – Neville Chamberlain ym mis Medi 1939:

I am speaking to you from the Cabinet Room at 10 Downing Street. This morning the British Ambassador in Berlin communicated to the German Government that unless we heard from them by 11 o'clock that they were prepared at once to withdraw their troops from Poland, a state of war would exist between them. I have to tell you now that no such undertaking has been received and that consequently this country is at war with Germany. You can imagine what a bitter blow it is to me that my long struggle to win peace has failed . . .

Ac fel y mae pobl heddiw yn cofio ble'r oeddent yn gwmws pan laddwyd yr Arlywydd John F. Kennedy, neu noson ffeit Tommy Farr a Joe Louis neu 11 Medi, mae eraill yn cofio ble'r oeddent pan dorrodd yr Ail Ryfel Byd. Dywed Jac Alun:
'Yr oedd tua saith o'r gloch y bore ar y *Pendeen* ac yr oeddem ddau ddiwrnod allan o Efrog Newydd ac yn rhwym am Hull â llwyth o haearn sgrap o Albany, talaith New York. Roeddem wedi cael rhybudd y noson gynt fod rhywbeth pwysig i ddod dros yr awyr. Roeddwn yn Brif Swyddog ar y pryd ac ar y wyliadwriaeth o bedwar hyd wyth y bore . . . ac wedi tiwnio i mewn i'r radio a gwrando yn astud. Y peth cyntaf a wnes wedi clywed y neges bwysig oedd galw ar y Capten (drwy'r biben siarad). Ond yr oedd yn effro ac wedi cael y newyddion cyffrous. Cofiaf fod y tywydd yn deg a balmaidd a ninnau yng nghanol y *Gulf Stream* yn edrych ymlaen am gael cyrraedd adref unwaith yn rhagor. Y peth cyntaf i'w wneud oedd agor Amlen 'Z' a oedd wedi ei chloi ac o dan sêl yng ngofal y Capten. Ynddi roedd cyfarwyddiadau – pe torrai Rhyfel allan – paentio'r llong i gyd yn llwyd, gan newid y paent gwyn llachar a diddymu'r nodau 'C'

(am Chellew) ar y *funnel* a pheidio â dangos yr un golau yn y nos a gwrando ddydd a nos am gyfarwyddiadau ychwanegol ar y radio.

Aeth popeth yn hwylus dros yr 'Herring Pond' (yr Atlantig) nes inni gyrraedd safle 50° Gog. a 20° Gorll. wrth ddynesu at y sianel. Roeddwn ar wyliadwriaeth a gwelsom long-danfor am ddeng munud wedi pedwar yn y prynhawn. Gan fod yr haul yn y gorllewin o'r tu ôl i ni, rhaid bod y gwyliwr ar dŵr y llong-danfor yn methu ein gweld. Roedd yn sefyll ar ben y *conning-tower* â sbienddrych neu *sextant* yn ei law. Heb alw ar y Capten, troes y llong i gyfeiriad arall gan ddod â'r llong-danfor y tu ôl i ni, ac anfon neges allan ar y radio, sef 'S.S.S.S.S.S.' – i ddynodi ein bod wedi gweld sybmarîn.

Nid oedd eisiau galw neb, roedd y Capten ar y bont ymhen chwinciad a'r criw allan ar y dec yn barod. Hwyliasom tua'r de am ddwy neu dair awr cyn troi yn ôl at ein cwrs gwreiddiol. Ni welsom ddim byd ychwanegol nes ein bod wrth bentir Cernyw a phawb yn llawen o weld y lan unwaith eto. Cawsom neges arall i angori ger y Goodwin Sands oddi ar arfordir Caint yn ne-ddwyrain Lloegr. A dyna beth oedd golygfa! Roedd tua dau gant o longau o bob cenedl o dan haul yn cael eu harchwilio yno gan swyddogion o'r Llynges cyn caniatáu iddynt fynd yn eu blaen.

O'r 'Downs' hyd Afon Humber roeddem mewn confoi a hwnnw yn ymestyn o un gorwel i'r llall, fel rhyw neidr gantroed anferth, ac yn dilyn y sianelu dirgel a oedd wedi eu hysgubo rhag y mwnau tanfor (*mines*).

Criw cymysg iawn oedd gennym a chymysgedd o lawer cenedl. Yr oedd dau Almaenwr yn forwyr ac un ohonynt wedi bod tua dwy flynedd ar y llong. Ar ôl talu bant yn Hull cafodd ryddid i fynd 'nôl i Rotterdam, sef y porthladd lle cyflogwyd ef yn y lle cyntaf. Roedd awyrennau'r gelyn yn bomio Hull bob nos am fis cyfan. Nid oeddent yn cael eu cyfri yn gyrchoedd effeithiol; rhyw *nuisance raids* oeddent, yn ddigon i achosi anghyfleusterau i bawb. Daeth fy ngwraig, Lena, a gwraig y Capten, Muriel, i Hull i gael blas y Rhyfel o dawelwch Sir Aberteifi.

Ar ôl ychydig ddyddiau aeth y Capten John Owen a'i wraig adref gan fy ngadael i a'm gwraig ar y llong hyd nes gorffen y dadlwytho. Newidiwyd y drefn, a phan ddychwelodd cefais innau ychydig ddyddiau yn Nhanycastell, Blaencelyn. Teithiem drwy'r tywyllwch (y *black-out*) a'r gorsafoedd yn dywyll fel y fagddu. Daeth llanc lleol i'm gweld, John D. Jones, Clos-y-graig, Penbontrhydarfothe, gan ofyn am ymuno â'r *Pendeen* fel saer. Yr oedd wedi cwblhau ei brentisiaeth. Ceisiais ei ddarbwyllo drwy ddisgrifio'r sefyllfa-ryfel oedd yn bod, am ymosodiadau'r gelyn o awyrennau a llongau-tanfor, am golledion bywydau a pherygl cyffredinol. Ond yn rhyfedd iawn, roedd yn fwy penderfynol fyth 'rôl clywed hyn. Dychwelodd gyda mi i Hull – taith hir iawn a'r trên yn aros bob hyn a hyn pan fyddai'r gelyn yn bwhwman uwchben. Cyrhaeddwyd y llong â'r *nipper* o saer newydd a'i gyflwyno i'r Capten – a hwnnw wrth ei fodd o glywed Cymraeg Sir Aberteifi yn dod o'i leferydd. Ychydig iawn o'r hen griw a ymunodd â'r llong – roeddent wedi diflannu gan effaith y Rhyfel.'

Llwythwyd glo yn Immingham a hwylio ar 10 Hydref 1939 am Buenos Aires, a chael confoi hyd South End a chonfoi arall hyd enau'r Sianel ac wedyn gwasgaru a phawb yn mynd i'w gyfeiriad ei hunan. Roedd yn amser pryderus iawn ar y Capten a'r Swyddogion. Dôi negeseuon cudd dros y radio bob dydd yn rhoddi cwrs newydd neu sefyllfa'r *raiders* a'r llongau-tanfor. Gweithiai'r Capten am oriau bob nos yn ceisio datrys a dadansoddi'r negeseuon cudd nes cael synnwyr ohonynt. Wedi pedair awr neu ragor o waith caem wybod ble'r oedd y *raiders* o ddydd i ddydd. Roedd y criw a'r peirianwyr, yn enwedig, yn achwyn ac yn tuchan eu bod yn rhy dwym i gysgu a gofynnent am ganiatâd i gael ychydig o oleuni yn y nos i ddarllen.'

Un o'r ffilmiau mwyaf poblogaidd am hanesion anturus yr Ail Ryfel Byd yw *The Battle of the River Plate* gan Michael Powell ac Emeric Pressburger. Sêr y sgrîn arian oedd John Gregson, Anthony Quayle ac Ian Hunter fel arweinwyr yr *Ajax*, *Achilles* a'r *Exeter*, a Bernard Lee fel Capten Dove, ac wrth gwrs Peter Finch yn chwarae rhan Capten Hans Langsdorff.

Roedd Hitler a'i Natsïaid dieflig wedi ceisio adennill hunan-barch i'r genedl Almaenig ar ôl darostyngiad Cytundeb Versailles ar ddiwedd Rhyfel 1914–18. Addawodd Hitler waith i bob Almaenwr, ac adennill rhai tiroedd a oedd yn ei feddwl ef yn rhan o'r Almaen, ond a gollwyd yn ôl y drefn ryngwladol a ddilynodd y cadoediad. Ond roedd ei gynlluniau yn ymestyn yn hwy na'r egwyddorion arwynebol yma. Adeiladodd luoedd arfog grymus iawn ac roedd ei lynges gyda'r mwyaf pwerus yn y byd. A chyn i'r Rhyfel ddechrau roedd y *pocket battleship*, y *Graf Spee*, er enghraifft, wedi hwylio ar 19 Awst, 1939, dan gysgod nos ac yn ddiarwybod drwy gulforoedd Denmarc ac wedi dianc a diflannu i dde'r Iwerydd. Roedd y *Deutschland*, yr *Admiral Scheer*, yr *Altmark*, y *Kormoran* (Steiermark) a 21 o longau-tanfor hefyd yn cuddio'n llechwraidd dan lwydni'r Atlantig.

Roedd y 'digwyddiad' yn cydredeg â gêm ddiplomataidd gellweirus a dauwynebog y Natsïaid a chytundeb rhwng von der Schulenburg a Molotov ar ran Yr Almaen a Rwsia i wella'r berthynas rhyngddynt.

Diddorol yw nodi fod S. B. Jones wedi llunio awdl ar gyfer Eisteddfod Genedlaethol Caernarfon ym 1935, pan oedd y testun yn agored, gan grybwyll bygythiad yr 'Unben' yn Ewrop. Nid oedd y gwleidyddion, mae'n amlwg, o'r un farn – onid eu diffyg hwy yw rhyfel bob amser?

Torrodd yr Ail Ryfel Byd ar 3 Medi 1939. Yn ystod wythnos gyntaf y Rhyfel (Medi 3–10) suddwyd 11 o longau Prydeinig (64,595 tunnell), 53,561 tunnell yn ystod yr ail wythnos, 12,750 tunnell yn y drydedd wythnos a 4,646 tunnell yn y bedwaredd wythnos (stategau a gyflwynwyd gan Winston Churchill yn y Tŷ Cyffredin). Ac erbyn 30 Medi roedd y *Graf Spee* wedi suddo'r *S.S. Clement* ger Pernambuco, ac wedyn wedi gyrru yr *S.S. Trevanion*, *S.S. San Nicholas*, *S.S. Huntsman*, yr *S.S. Doric Star* (*Blue Star*) a'r *S.S. Newton Beech* i'w beddau dyfrllyd. Ar ddydd Mercher, 15 Tachwedd, 1939, suddwyd yr *S.S. Africa Shell* o fewn tair milltir i arfordir Mozambique a oedd yn eiddo i Bortiwgal. Eto, trwy'r gyflafan yma, ac er clod i Capten Langsdorff – ni chollwyd yr un bywyd.

Tacteg y Capten o'r Almaen oedd cuddio a newid ffurf cysgodlun ei long fel iddi ymddangos fel ei chwiorydd-longau ar wahanol gyfnodau i dwyllo'r Llynges Brydeinig. Meddai Langsdorff, 'I change my hat, my frock . . . I'm a different girl. Success is good intelligence and good observation from your ship'.

Medrai hefyd gael tanwydd parhaol oddi wrth longau tancyr Almaenig – y *milch cows* – mewn mannau arbennig ar ddiwrnodau arbennig dros hyd a lled yr Atlantig. Roedd yn anodd iawn i'w ddarganfod. Cuddiai ei long a newid ei ffurf weledol drwy hongian canfas i'w gwneud yn debyg i *heavy cruiser* Americanaidd. Roedd yn hawdd cael y patrymau o lyfr gwybodaeth llongau – *Jane*.

Wedi'r llwyddiant a gafodd y *Graf Spee* yn ystod misoedd cyntaf y Rhyfel, penderfynodd y capten hwylio i'r de-orllewin tuag at arfordir de Brasil ac aber Afon Plate. Yno byddai yng nghanol un o lwybrau masnach pwysicaf Prydain a byddai digon o longau diniwed, diarfog i'w hychwanegu at ei ysglyfaeth. Ac yn ddiarwybod hwyliodd y *Pendeen* i ganol drama fawr a oedd i ymagor a'i hamlygu'i hun a chydredeg â'r 'Battle of the River Plate'.

Erbyn 7 Rhagfyr, 1939, roedd y *Graf Spee* ei hunan wedi suddo saith llong fasnach Brydeinig – dros 50,000 tunnell. Ond trwy neges 'RRR' a anfonwyd gan yr *S.S. Doric Star* cyn iddi suddo, rhagdybiodd pennaeth y Llynges yn Ne'r Atlantig, Admiral G. H. D'Oylyhyon – safle a nod y *Graf Spee* trwy anfon y tair llong-ryfel, yr *Exeter*, yr *Achilles* a'r *Ajax*, hefyd i aber yr Afon Plate.

Roedd yr elfennau a'r prif gymeriadau yn bresennol i greu brwydr forwrol glasurol a llygaid byd-eang arnynt. Roedd yr Ail Ryfel Byd yn ei ddyddiau cynnar iawn ac i barhau am chwe blynedd arall. Ar un ochr roedd un o longau mwyaf pwerus y Natsïaid (y *Graf Spee*) a'r grym ganddi i suddo unrhyw long, a chyflymder o 28 *knot* i ddianc pe bai angen. Hefyd roedd tipyn o gydymdeimlad â'r mudiad Natsïaid o fewn gwledydd Lladin de'r Amerig. A phe bai angen lloches roedd rhai gwledydd yn honedig niwtral. Byddai canlyniad y frwydr yn creu tactegau newydd, propaganda da a hyder i'r enillydd, heb sôn am ergyd seicolegol rymus am weddill y Rhyfel. Ni fyddai rhagoriaeth honedig Hitler na'i fegolomania yn union yr un peth ar ôl Brwydr Afon Plate.

Ond roedd drama arall yn crynhoi ar fwrdd y *Pendeen* – a byddai'r ddwy ddrama yn datblygu a chydredeg dros y diwrnodau dilynol.

Nid oedd cynlluniau'r 'confois' wedi dod i rym, a hwylio'n unigol a wnâi'r llongau masnach. Ni welodd y *Pendeen* unrhyw long arall yn cael ei suddo yn y cyfnod yma ond wrth agosáu at arfordir Brasil ac aber afon Plate clywsant sŵn saethu y tu hwnt i'r gorwel a gwyddent yn ôl natur yr atseinio cyson fod brwydr môr yn digwydd (er na wyddent ar y pryd mai'r llongau rhyfel *Exeter*, *Achilles* a'r *Ajax* oedd yn cornelu'r *Graf Spee* ac yn ei chlwyfo'n ddirfawr).

Ond ar fwrdd y *Pendeen* roedd y Capten John Owen Jones yn dioddef o salwch ac yn treulio llawer o'i amser yn gorwedd yn ei gaban. Rhoddodd hyn fwy o gyfrifoldeb ar ysgwyddau'r Mêt.

Ond roedd penllanw hanesion teuluol John Alun ar ochr ei dad hefyd yn ei wasgu'n feddyliol ac yn wir yn cyfrannu at nosweithiau hunllefus. Ymhen mis, yng nghanol Ionawr, byddai John Alun yn 32 oed ac roedd gan y dyddiad hwnnw arbenigrwydd rhyfedd o fewn y teulu. A oedd hanes yn bwriadu ei ailadrodd ei hunan eto? Roedd toriad y Rhyfel, salwch y Capten, a chyfres o ddigwyddiadau trychinebus o fewn hanes y teulu fel pe baent yn dod ynghyd yng nghafn y gydwybod a rhagluniaeth y tu hwnt i reolaeth cyd-ddyn yn rheoli'r sgript ac yn cynhyrchu'r ddrama ar lwyfan pell a dieithr.

Ar 28 Hydref, 1910, bu farw Marged, ail ferch y Cilie, gwraig Felin Huw a mam i bump o wyrion y Cilie o glefyd echrydus y cymalau. Roedd yn 32 oed.

Roedd Thomas Wedros Jones, ewythr i John Alun (brawd ei dad) yn ŵr galluog iawn. Sylwodd gweinidog Nanternis ar ei allu arbennig a'i syched am addysg ac oherwydd adnoddau'r teulu sicrhaodd addysg breifat iddo trwy law un o'r meistri yn y 'Llanarth Board School'. Yr oedd hwnnw yn athro galluog ac enillodd Thomas Wedros le yng Ngholeg Presbyteraidd Caerfyrddin. Dywedid i'r myfyriwr ieuanc 'yfed dysg fel ych yn yfed dŵr' – a chyn hir enillodd ysgoloriaeth Dr Williams i ddarllen athroniaeth ym Mhrifysgol Glasgow – lle graddiodd gydag M.A. ymhen pedair blynedd. Ar gyfnodau bu'r enwogion Edward Caird a Henry Jones (Llangernyw) yn llanw'r 'gadair' yno. Dychwelodd Thomas Wedros fel athro yn gyntaf i ysgol Ramadeg Castellnewydd Emlyn ac yna fel tiwtor i'w hen goleg yng Nghaerfyrddin. Roedd yn athro diwyd a brwdfrydig ond roedd ei iechyd yn fregus. Dioddefodd o glefyd yr ysgyfaint a symudodd 'nôl i 'awyr iach' aelwyd ei rieni a'i fro yng Nghaerwedros. Bu farw ar 14 Mehefin, 1898, ac yntau ond yn 32 oed. Bu yn symbyliad i fechgyn ieuainc trwy ei hunan-addysgiad i godi o aelwyd o safle di-nod ac aelwyd ostyngedig i raddio yn M.A.

Thomas Wedros Jones, a fu farw yn 32 oed.

Roedd brawd arall, John Jones, a thad Capten John Owen Jones, y *Pendeen*, hefyd yn gapten llong. Enillodd ei diced mistir yn ieuanc iawn ac wedi cyfnod ar y *Blodwen* bu yn gapten ar yr *Enidwen* am dair blynedd. Ysgrifennwyd amdano:

> . . . a man of considerable force of character and intellectual strength, such as are only found in remote villages . . . A young man of good parts and extremely popular. He was popular with his crew and yet had complete command over them through reciprocal respect.

Wedi hwylio i Odessa yn y Môr Du (Rwsia) angorodd yr *Enidwen* yn y bae ar 13 Awst, 1908, a threfnodd i dacsi dŵr – cwch bychan â hwyl yn cael eu lywio gan un o'r brodorion – i fynd ag ef i'r lan lle'r oedd am bostio tri llythyr. Cadwai hwy ar ei ben o dan ei gapan pig loyw. Roedd un at ei wraig Jane, un at ei frawd Evan (Efail Caerwedros) ac un at ei frawd James (Plwmp). Ond wrth hwylio ar draws y bae daeth moryn (awel fôr) sydyn gan ddymchwel y cwch. Ni fedrai'r capten na'i gydymaith nofio a boddwyd y ddau. Roedd Capten John Jones yn 32 oed. Claddwyd ei weddillion yn Odessa. Llwyddodd y llywiwr i nofio i'r lan yn ddiogel. Yn gynwysedig yn ei lythyr at un o'i frodyr ysgrifennodd ei fod wedi gweld ei gyn-long, y *Blodwen*, ar y creigiau ger Gibraltar. Roedd hithau wedi hwylio o Bort Talbot (ddwy noswaith ynghynt).

Fel y cofnodwyd (ynghynt yn y bennod) bu farw tad John Alun – Joshua Jones – ar 21 Mai, 1917, o niwmonia wedi iddo aredig cae ei frawd Sam mewn glaw trwm ac yntau yn dioddef o annwyd yn barod. Roedd yntau hefyd yn 32 oed.

Y Capten John Jones, Carnowen, Blaen-celyn, ei wraig Jane a'i ferch Ryda. Boddwyd John Jones yn Odessa, Rwsia, pan oedd yn gapten ar y llong Enidwen, ar 13 Awst, 1908, yn 32 oed.

Tri o blant y Capten John Jones (a foddwyd yn Odessa). O'r chwith: Tom (*Commander* yn y Llynges), Ryda, a'r Capten John Owen Jones (capten y *Pendeen*). Bu farw J. O. Jones yn Buenos Aires, 16 Rhagfyr, 1939.

Ond nid dyna ddiwedd y saga ryfedd. Oherwydd afiechyd bu raid i frawd arall o'r un teulu – Evan – werthu ei holl stoc o bonis Cymreig, yn groes-graen, mewn arwerthiant enwog yng Nghastellnewydd Emlyn (dan drefn Messrs. Thomas Jones & Sons, Llandysul) ar 24 Medi, 1919. Rhestrwyd y canlynol yn y catalog:

1. Wedros Betty Wyn. Brown broc. (1911). Uchder 12.1.
2. Wedros Enidwen. Broc glas. (1912). 12.1.
3. Wedros Apricot. Llwyd. (1913). 12.0.
4. Ebol (allan o Howni Warrior a Wedros Apricot).
5. Wedros Mattie. Broc coch-frown. (1916). 11.8.
6. Wedros R.A.F.
7. Wedros Nesta. Broc glas. (1917).
8. Wedros Little Gem. Broc glas. (1918).

Dechreuodd y fenter ym 1904 trwy brynu '3418 Wedros Gem' gan 'Eiddwen Flyer III' allan o gaseg 'King Flyer' – y gaseg fridio enwocaf yng Nghymru ar y pryd. Aeth un o'i chywion ymlaen i ennill amryw o lawryfon cyn cael ei gwerthu i America am fil o bunnoedd. Roedd Evan yn dioddef o ddolur isel ysbryd ac wedi gwrthwynebiad ar yr aelwyd iddo briodi ei gariad, bu farw mewn amgylchiadau trist – yn 32 oed!

Ond er tyndra a thensiwn y cyfnod daeth ymwared trwy enedigaeth mab arall i Mam a 'Nhad – a brawd i mi – Alun Wynne. Daeth englynion i law oddi wrth Rhys Owen, Clunderwen, cynganeddwr medrus, bardd cadeiriol ac ewythr i Mam:

Ym *Mhendeen* lluman y don – ceir cadben
    Cry', cydbwys, tad meibion:
    Ond dig yw Ceredigion
    Na chreai Jac chwaer i Jon.

Druain, wedi hir dreio – am eneth,
    A mynych berswadio,
    Dewin â'i dras, dyna dro,
    Alun Wynne welwn yno.

Gresyn ddyfod 'Wynne' o'r anwel – a'i le'n
    Disgwyl am ferch finfel;
    A cheir eisiau'i chri isel,
    Yng nghalon dau yng Nglendêl.

Molwn hir ymaros melys – y fam,
    Os am ferch i'ch treflys;
    Arafwch gyda'r hefys,*
    Ewch wrth reddf, eich Ewyrth Rhys.

* crys merch, *chemise*.

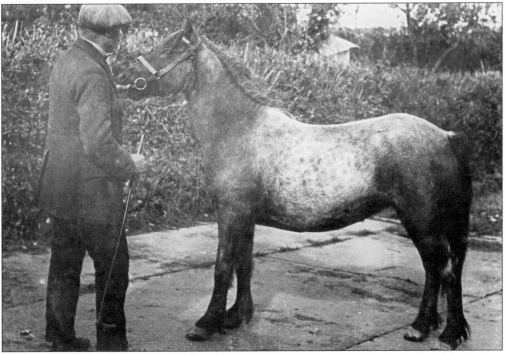

Evan Jones (gefell Sam y gof) gydag un o'i bonis Cymreig enwog. Bu farw Evan yn 32 oed.

351

Yn ystod y deuddeng niwrnod nesaf roedd digwyddiadau dramatig ar y *Pendeen* a thynged derfynol y llong-ryfel Almaenig y *Graf Spee* yn cydredeg o awr i awr, o ddiwrnod i ddiwrnod.

Dyfyniadau o'r Llyfr Log swyddogol. Rhif 146381:

Mawrth 12 Rhagfyr 1939
S.S. Pendeen
12.30 p.m. Recalada Light Vessel. Wireless closed down and aerial hauled down (J. O. Jones, Master). Llofnod Juan A. Golfarini (Ariannin).

Graf Spee
Roedd y *pocket battleship* wedi suddo llawer o longau masnach Prydeinig ac wedi ail-lwytho tanwydd o'r *Altmark*. Hwyliodd yn gyflym (tua 24 *knots*) tuag aber Afon Plate – i ymosod ar ragor o longau diymadferth.

Mercher 13 Rhagfyr 1939
S.S. Pendeen
Buenos Aires Roads. From 29 November to present date Master has been complaining of severe headaches and has been laid up most of the time. Temperature ranging from 99°F to 101°F. He was given treatment in accordance with medical guide, also given a light diet mostly Arrow Root. He turned out to attend to the Port Authorities at Buenos Aires Roads and signed his name to the various documents, but appeared to be slightly delirious. Doctor was ordered out to the Roads as soon as possible. (J. A. Jones, 1st Mate, D. Robertson, 3rd Mate).

Yr enwog *S.S. Pendeen*.

Graf Spee
Brwydr ffyrnig rhwng y llong Almaenig a'r llongau-rhyfel Prydeinig – *Ajax*, *Exeter* a'r *Achilles*. Capten Hans Langsdorff yn meddwl mai *destroyers* oeddynt. Er i'r *Exeter* gael ei difrodi, hwyliodd i'r Falklands i gael ei hatgyweirio. Trawyd y *Graf Spree* 65 o weithiau ar ei *super structure* a phenderfynodd y capten hwylio am benrhyn Punta Del Este a Montevideo (Uruguay) am loches a siawns i atgyfnerthu.

Roedd aber afon Plate yn gan milltir a rhagor o led ac yn cynnig digon o le i guddio.

S.S. Pendeen
Y peilot yn dweud ei fod wedi clywed sŵn gynnau trymion. Wrth y llyw roedd y morwr Edgar Thompson (o Landudoch), ac yn ystod ei thaith i fyny'r afon ond o hyd mewn 'dyfroedd rhyngwladol', gwaeddodd swyddog y wyliadwriaeth arno. 'Eddie! Look what's coming astern.' Yno roedd y *Graf Spee* yn hwylio tuag atynt yn gyflym iawn. Rhuthrodd pawb i'r dec gan feddwl fod y diwedd yn agos. Ond hwyliodd y llong-ryfel heibio mor agos â 50 llath a gwelwyd arni yr olion mwg, tyllau'r sieliau a'r difrod cyffredinol. Diolch byth, roedd wedi ei chlwyfo'n ddrwg iawn. Edgar Thompson yn cael tot o *rum* drwy law Capten J. O. Jones.

Iau 14 Rhagfyr 1939
S.S. Pendeen
Buenos Aires. At about 1 a.m. this morning Doctor Sibbald arrived on board and examined 'master', and ordered him to hospital as soon as possible, but did not consider it necessary to take him at that hour.

Graf Spee
Y llong-ryfel yn angori ym mhorthladd Montevideo. Sylw'r byd arni.

S.S. Pendeen
On arrival alongside Dorsena Sud – ambulance was waiting on the Quay and Master was removed to the British Hospital. Going up with him myself and gave all information possible to doctors. (J. A. Jones, 1st Mate, D. Robertson, 3rd Mate).

Gwener 15 Rhagfyr 1939
S.S. Pendeen
Visited Master at hospital and found him unconscious and was informed by the Hospital Director that he was suffering from tuberculosis meningitis. (J. A. Jones, 1st Mate, D. Robertson, 3rd Mate).

Graf Spee
Y Capten Hans Langsdorff yn claddu ei feirw yn y Cementerio del Norte, Montevideo. Dadlau mawr rhwng llysgenhadon Prydain, Ffrainc, Yr Almaen ac Uruguay ynglŷn â dyfodol y llong-ryfel.

Sadwrn 16 Rhagfyr 1939
S.S. Pendeen
1.15 p.m. On arrival at hospital this afternoon I was informed that master had passed away at 1.15 p.m. (J. A. Jones, 1st Mate, D. Robertson, 3rd Mate).

Graf Spee
Y frwydr ddiplomataidd yn parhau. Llysgennad Uruguay yn anfon arbenigwyr i asesu'r

difrod. Charges D'Affair Ffrainc yn dyfynnu Confensiwn yr Hague – 'No repairs to increase its fighting capacity. Only necessary repairs which would make her seaworthy'.

Sul 17 Rhagfyr 1939
S.S. Pendeen
Wrth rodfa Buenos Aires o hyd.

Graf Spee
Y llong-ryfel yn gorfod symud allan o harbwr amhleidiol Montevideo. Roedd newyddion ffug wedi ei gyhoeddi ar Radio'r BBC (Gwasanaeth Byd) fod Llynges Brydeinig yn aros am y *Graf Spee* allan yn y bae. Roedd llygaid y byd (yn enwedig Hitler) ar y digwyddiadau. Hwyliodd y *Graf Spee* yn araf i 'ddyfroedd rhyngwladol' yng nghwmni llong fasnach Almaenig yr *S.S. Tacoma*. Roedd yr haul yn machlud a channoedd ar gannoedd ar y cei yn gwylio'r cyfan. Gwelwyd cychod yn mynd o'r *Graf Spee* i'r *Tacoma*. Yna gwelwyd ffrwydradau anferth wrth i'r *Graf Spee* ymrwygo'n ddarnau. Roedd yn debyg i 'gyfnos y duwiau' wrth i'r ffrwydradau saethu i'r awyr i wneud caleidosgôb o liwiau. Götterdämmerung Wagneraidd! Y peiriant mawr Tiwtonaidd yn ffrwydro mewn fflamau a mwg dan y machlud coch. Roedd Capten Langsdorff wedi ei sgytlo ac wrth wneud hynny, wedi achub cannoedd o fywydau ar y ddwy ochr.

Dywedwyd i Gapten Dove (*Africa Shell*) ddweud, wrth siglo llaw â'r Capten Langsdorff ar fwrdd yr *S.S. Tacoma* – 'Everyone on shore who came in contact with you respects you very much. As a private person, I'm sorry to see you in this situation'. Hwyliodd y *Tacoma* â chriw a chapten y *Graf Spee* i Buenos Aires, yn yr Ariannin.

Llun 18 Rhagfyr 1939
S.S. Pendeen
Burial of Master took place at 3 p.m. this day at the British section of the Buenos Aires cemetery. (J. A. Jones, 1st Mate, D. Robertson, 3rd Mate).

Aeth criw cyfan y *Pendeen* i'r angladd i dalu'r deyrnged olaf i'w Capten (John Owen Jones).

I, the undersigned, received orders from Messrs. Chellew Nav. Co. Ltd., to take over command. I have received all ship's papers – (J. A. Jones, Master). C. Saunders, 2nd Mate promoted to 1st Mate; D. Robertson, 3rd Mate, is this day promoted to 2nd Mate.

Roedd yn gyfnod o deimladau cymysg iawn i Jac Alun. Ei gyfaill, ei gefnder, ei gapten yn colli ei fywyd a chladdedigaeth ei weddillion ym mhridd tramor yr Ariannin, a chyfrifoldeb dyrchafiad yn disgyn ar ei ysgwyddau yn sydyn ac yn annisgwyl.

Ond nid dyna'r cwbl. Bu'r Prif Beiriannydd yn sâl ac aeth i weld y meddyg. Roedd y Pumed Peiriannydd, a oedd ar ei fordaith gyntaf, heb ddod dros ei salwch môr ac yn dal yn anhwylus. A dioddefodd yr Ail Swyddog o gwlwm ar y perfedd gan ochneidio fel mochyn yn cael ei ladd.

Graf Spee
Roedd yn gorwedd yn ei bedd lleidiog ar wely Afon Plate.

Aelodau o griw'r *Pendeen* yn Buenos Aires, Rhagfyr 1939. Ar y chwith yn y cefn y mae Edgar Thompson, Llandudoch; Jim Davies, Llandysul, yw'r pedwerydd o'r chwith; y trydydd o'r chwith yn y blaen yw Lynn Phillips, Glandŵr Ucha'. Buont yn angladd eu capten, J. O. Jones, ac yn angladd Capten Hans Langsdorf.

Darn o long yn arnofio yn Ne'r Iwerydd. Aeth rhai o griw'r *Pendeen* arni a dychwelyd â chadair i'r Capten Jac Alun. Llun un o'r brodyr Squibbs.

Y *Graf Spee* wedi ei chlwyfo ac yn llithro i mewn i harbwr Montevideo. Credai Edgar Thompson, Llandudoch, mai'r *Pendeen* yw'r llong ar ben y llun. 'Roedd y derrics lan yn barod.' Hwyliodd y *Graf Spee* o fewn hanner canllath i'r *Pendeen*.

Y *Graf Spee* yn llosgi y tu allan i harbwr Montevideo.

Mawrth 19 Rhagfyr 1939
S.S. Pendeen
Y llong ynghlwm wrth rodfa Buenos Aires ac yn cofrestru aelodau newydd fel criw.

Graf Spee
Mewn ystafell breifat yn y *Naval Barracks* yn Buenos Aires gwisgodd y Capten Hans Langsdorff hen faner *ensign* y Kaiser dros ei ysgwyddau. Roedd y lluman yn cynrychioli'r lliwiau yr ymladdodd danynt ym Mrwydr Jutland ym 1917. Yna saethodd ei hun yn ei ben gyda'r ail fwled â phistol Mauser gan daenu ei waed dros y Faner Imperialaidd a baner ryfel y *Graf Spee*. (Yn ôl yr adroddiadau ni wnâi'r Capten Langsdorff fyth ddefnyddio saliwt 'Heil Hitler' y Natsïaid, ond yn hytrach yr hen saliwt Imperialaidd).

Ei weithred olaf oedd ysgrifennu tri llythyr: un at ei wraig, un at ei rieni ac un at y Baron von Therman. Yn ei ieuenctid ei fwriad oedd mynd i'r offeiriadaeth, ac mae hyn, ynglŷn ag arwyddair y Llynges Imperialaidd Almaenig – anrhydedd, dewrder, disgyblaeth a sifalri, yn taflu llawer o oleuni ar ei weithred olaf. Dywedodd Langsdorff wrth y Capten Harry o'r *S.S. Clement,* 'Nid wyf am ymladd, beth yw pwrpas yr holl ymladd?'
    Yr unig fywyd a gymerodd oedd ei fywyd ei hun!

Iau 21 Rhagfyr 1939
S.S. Pendeen
Yn parhau yn Buenos Aires.

Graf Spee
Angladd y Capten Hans Langsdorff ym mynwent Chacarita yn Buenos Aires.

Roedd cannoedd ar gannoedd wedi ymgynnull ar strydoedd y ddinas. Aeth Edgar Davies-Thompson (Llandudoch) a charfan o forwyr y *Pendeen* i'r angladd. Roedd ganddynt barch at y bonheddwr-elyn – oherwydd ni chollwyd yr un bywyd Prydeinig pan suddwyd yr holl longau masnach gan Langsdorff a'r *Graf Spee*. Dywedodd Edgar Davies-Thompson, Maes Hyfryd, Llandudoch, wrthyf: 'Gosodais dorch o flodau ar ei fedd, ond gwrthodwyd yr arwydd o gydymdeimlad gan warchodwyr milwrol'. Ac yn ei destament olaf gyda'r llysgennad dywedodd Capten Hans Langsdorff, 'I am fully content to pay with my life for any possible discredit on the honour of the flag'.

Capten Hans Langsdorf – llun gan Jane Evans, Blaencelyn, Llandysul.

357

Ar 30 Rhagfyr, 1939, hwyliodd y *Pendeen* o Buenos Aires i fyny'r afon i Santa Fe – gyda'r capten yn ei fedd, y Prif Beiriannydd yn yr ysbyty, a'r Ail Swyddog hefyd wedi cael triniaeth yn yr ysbyty. Roedd llawer o gapteiniaid yn Buenos Aires wedi anfon dymuniadau da i'r capten newydd. Dywedodd un hen law wrth Jac Alun:

'Y peth pwysicaf i ti ei wneud yw cadw'r llong i fflotian – fe ddaw popeth arall i'w le wedyn.' Gwirionedd pwysig!

Llwythwyd 'Indian Corn' yn Santa Fe a chafwyd Prif Swyddog arall o un o longau Chellew yn Rosario. Ailymunodd y Prif Beiriannydd â'r *Pendeen* yn Montevideo.

Meddai Jac Alun:

'Cefais innau wŷs i fod yn Gapten a daeth yr holl gyfrifoldebau ar fy ysgwyddau fel tunnell o gerrig o ryw losgfynydd anweledig.'

Ond roedd y Mêt newydd yn genfigennus. Ac nid oedd y Capten newydd am symud i'w ystafell newydd yn rhy gyflym am resymau lawer. Meddai'r Mêt yn drahaus:

'You might as well move into the Captain's cabin now. I don't think you will be there for long.'

A'r ateb a gafodd:

'I'll be there long enough to see you out.'

Wrth hwylio i mewn i Montevideo o Santa Fe ar eu ffordd adref gwelsant sgerbwd du y *Graf Spee* yn gorwedd ar wely'r afon a'i mastiau uwch y dŵr. Cawsant gyfarwyddyd i hwylio i San Vincent (Cape Verde Islands) i ymuno â chonfoi. Yr oedd sôn fod rhagor o *surface raiders* Almaenig yn disgwyl amdanynt. Ac yna, ddiwrnod allan o Montevideo, am hanner awr wedi chwech y bore, dihunwyd y capten newydd gan y Prif Swyddog i ddweud fod llong-ryfel fawr yn dod *astern* a llawer o faneri yn chwifio. Daeth y *cruiser* (y *Cumberland*) yn agos, agos, ac wedi darllen ei henw a chyfnewid negeseuon dymunodd *Bon Voyage*. Ond hen drampen oedd y *Pendeen* a chyflymder oddeutu wyth *knot* – felly collodd y confoi o Dakar a hwyliodd (ei hunan bach) i Belfast. Gwnaeth Churchill araith enwog gan gysuro'r morwyr nad oeddynt mewn confoi fod adenydd yr R.A.F. yn eu gwylio. Cyrhaeddodd y *Pendeen* a'r Capten Jac Alun Belfast heb weld un o awyrennau Churchill ond clywsant sŵn y llong *Beaverbank* yn cael ei suddo gan dorpido.

Ar y fordaith aeth glo'r *bunkers* ar dân a bu raid symud tunelli o lo cyn dod at ffynhonnell y tân. Wrth ddadlwytho yn Belfast gwnaed paratoadau i gael dryll mawr Oerlikon ar y pŵp ond roedd y dec yn rhy wan. Felly bu raid gosod trawstiau dyfnion o dan y dec. Ar ôl dadlwytho yn Belfast hwyliodd y *Pendeen* yn wag i'r Barri.

Mordaith drafferthus a bythgofiadwy oedd hon a phob peth a ddigwyddodd wedi rhoddi cyfrifoldeb newydd ar y capten. Dywedodd un aelod: 'I'm getting off this old crate now she's doomed. You'll all be in Davy Jones' locker on the next voyage'. Newidiodd long, ond yn anffodus iddo ef aeth ei long newydd i'r gwaelod tra hwyliodd yr hen *Pendeen* ymlaen ling-di-long trwy'r Rhyfel.

'Roedd yn llong lwcus!' meddai Jac Alun. A phan ofynnodd i'r saer ifanc John D. Jones o Bontgarreg a oedd am wneud mordaith arall, cafodd yr ateb:

'O! rwy' wedi mwynhau pob munud. Rwy' am ddod 'nôl am fordaith arall!'

Efallai, wedi'r cyfan, fod cyd-ddigwyddiadau rhaglunaieth wedi bod yn drugarog wrth y Capten Jac Alun. Yn sicr, ni chafodd yr un capten y fath fedydd i'w swydd newydd ag a gafodd ef. (Nid rhyfedd i mi, a'r diweddar Eddie Thompson, wylio'r ffilm

The Battle of the River Plate ddwsinau o weithiau gan wybod am is-thema'r *Pendeen* a oedd yn cydredeg â'r ddrama enwog.)

Mewn llythyr at Sioronwy (ei frawd) a Thydfor (ei nai) ysgrifennodd John Tydu o Montreal (31 Ionawr, 1940).

'Newydd diflas iawn oedd clywed am farwolaeth Capten J. O. Jones, Carnowen, yn Buenos Aires, drwy'r *Western Mail*. Yr oedd John efo'i long yn y porthladd yma ddwy flynedd yn ôl, ac ymwelais ag ef yn ei gartref trawsforwrol, y *Pendeen*. Nid oeddwn wedi ei weld ef erioed cyn hynny, ond canfyddwn ef wrth Dan y Foel – ei ewythr – yr un drem, yr un osgo a'r un wên. Gwelais John yn fachgen addfwyn a hawddgar. Daeth â llwyth o *maize* (Indian Corn) i Montreal ac roedd ei griw oll yn Gymry glân, gloyw a chefais de a theisen gyda hwy ar fwrdd y llong. Yr oedd ei farwolaeth yn yr Ariannin bell yn fy atgoffa o linellau anfarwol R. Williams Parry ar farwolaeth ddisyfyd Hedd Wyn:

> Garw fu rhoi'i bridd i'r briddell,
> Mwyaf garw oedd marw ymhell.

(Eironig yw mai'r llinellau uchod a welir uwchben bedd gwag John Tydu yng Nghapel-y-Wig), ac meddai Tydu, trwy eiriau Hedd Wyn:

Y Capten J. Cyril Lewis, Arnant, Penbont-rhydarfothe, yr olaf o forwyr y fro, yn dal y rhwyfbin o'r cwch achub wedi i'w long gael ei tharo gan dorpido. Bu yn garcharor rhyfel yn Milag Milard Nord yng ngogledd Yr Almaen am bedair blynedd a hanner.

> Hwyrach y daw cliriach dydd
> Tros fannau hoff Trawsfynydd.)

Â Tydu ymlaen: 'Y mae angau yn ei fŵd creulonaf pan fydd yn cipio bechgyn ieuanc ymhell oddi cartref. Nid oes drugaredd gan angau, na 'sentimentality' efo'r bedd.

> There is no armour against fate,
> Death lays its icy hand on Kings,
> Sceptre and crown must tumble down
> And in the earth be equal made
> With the poor crooked scythe and spade.

Anfonais air i'r *Tivy-side* ac at ei weddw aflawen.'

Yn ei gell ddieithr o hiraeth, o unigrwydd a thlodi, mae ansawdd cefndir diwylliannol Tydu yn fy rhyfeddu yn aml.

Pan glywodd Tydu fod arsyllfan (*observation post*) wedi ei sefydlu ar ben Foel Gilie ar ddechrau'r Rhyfel ysgrifennodd lithiau i'r papurau lleol.

'Pwy feddyliai! Hen fan mwyaf heddychol creadigaeth yr Iôr yn dod yn rhan o ryfel barbaraidd! Hil ddwl yw'r hil ddynol yn wir! . . . Y curyll, yr wylan, a hen fwch gafr Tomos y Lochtyn oedd yr unig rai i beri braw i galonnau dynion yr ardal pan oeddwn yn bugeilio'r bencydd . . . Nerth gweriniaeth a ddaw â rhyfel i ben; mae heddwch yn teyrnasu bob amser lle mae gweriniaeth bur yn blodeuo. Mor fuan ag y cwtogir taleithiau Ewrop fe ddaw heddwch i fewn fel llanw sy'n dod i fewn ar draeth Cwmtydu ar hwyrddydd tesog o Awst a chyn wired â haul yn codi dros Fanc Siôn Cwilt . . . Nid oes neb yn sôn am ryfel yn yr Unol Daleithiau; mae gweriniaeth wedi gwareiddio meddylfryd. Y ffordd i ddiwreiddio Rhyfel yw troi yn ôl at Dduw. Darllenwn am Pharo a foddwyd yn y Môr Coch . . . 'Duw fwriodd dristwch y dyfroedd drosto' (llais y proffwyd – ac adleisiad o linell hir-a-thoddaid a luniodd yn ei arddegau cynnar).

Cyflymder a chyfrwystra oedd nodweddion yr ysgyfarnog a'r llwynog wrth iddynt ddianc am ddiogelwch gynt ar lechweddau Foel Gilie a chreigleoedd Cwmbwrddwch. Ond arafwch a fu'n gyfrifol am ddihangfa yr *S.S. Pendeen* oherwydd hen dramp o long ydoedd, a chyflymder o 8 i 9 *knot* yn ymdrech arbennig iddi. Gadawyd hi ar ôl yn aml gan y confoi ac unwaith anfonodd y Capten Jac Alun (fel y'i gelwid wedi iddo ei ddyrchafu ei hun yn feistr) – frysneges at gomodôr y *flotilla* gan fygwth (a hanner tynnu coes) y byddai yn tuchan wrth Churchill yn bersonol. Ni wrandawai'r swyddog, dim ond gorchymyn y Capten i '. . . make less smoke or take a more northerly route'. Felly teithiodd y *Pendeen* ar gwrs igam-ogam tua'r gogledd allan o lwybrau – 'hen satanes y tonnau'. Yn y *latitudes* uchel roeddent yng nghanol mynyddoedd iâ ac ni welsant yr un 'sambarîn' (chwedl un o gymeriadau Cwmtydu). Os rhywbeth cafwyd hwyl fawr wrth ymarfer ar y drylliau a saethu salfo ar ôl salfo at y palasau gwynion gan eu chwythu yn chwilfriw.

Fel y bu capteiniaid lleol yn gymorth i Jac Alun ar ddechrau'i yrfa, talodd y pwyth yn ôl trwy gefnogi ceisiadau bechgyn lleol am swyddi yn ystod y Rhyfel. Ymunodd sawl gŵr lleol â'r *Pendeen* yn hytrach na'r Awyrlu, y Llynges, neu'r Fyddin, a braf fu eu cwmnïaeth ac arabedd eu Cymreictod yn ystod diwrnodau a nosweithiau hirion y Rhyfel. Un o'r rheiny oedd Sam Morgan, saer gwlad o Benbontrhydarfothe, ac un o'i orchwylion oedd bod yn gyfrifol am y *soundings* – i lawr ym mherfeddion y llong – gwaith tipyn yn wahanol i'r hyn a wnâi yng ngweithdy ei dad. Tystiai Sam iddo weld tair llong ar ddeg yn suddo mewn un noson o'u taro â'r torpidos. Wrth iddynt gario mwyn haearn o Ganada i'r Alban ac wrth iddynt nesáu at Ewrop dôi heidiau o awyrennau Fokker Wolff ysglyfaethus fel gwenyn o'u hamgylch. Anfonent negeseuon radio yn ôl i'r tir mawr a chyn pen dim ymosodai awyrennau Stukas fel hebogiaid ar y confoi. Ond parhaodd lwc gyda'r *Pendeen*.

Meddai 'Nhad wrthym mewn llythyr:

'Teimlad ofnadwy oedd gweld llong yn cael ei tharo gan dorpedo a'r *bows* yn mynd i fyny i'r awyr cyn iddi suddo mewn munudau. Druan â'r capten a'r morwyr! Roeddwn yn adnabod llawer o'r capteiniaid a gollwyd.'

Ac i duchan am ansawdd y glo a diffyg amddiffynfa i'r llongau araf mewn confoi, ysgrifennodd y Capten Jac Alun at yr *Admiralty*. Gan gynnwys syniadau a dyfeisgarwch na fyddai'n anghymarol i 'batents' Isfoel yn y Cilie gynt cafodd ei lythyr gryn sylw. Derbyniodd y llythyr isod oddi wrth neb llai na'r (Gwir Anrhydeddus) Herbert Morrison (tad-cu Peter Mandelson):

Admiralty S.W.1

By Registered Post – Confidential and Personal

Sir,

I am commanded by my Lords Commissioners of the Admiralty to thank you for your letter of 15th March 1943 concerning the organisation of low powered vessels sailing in convoy, and to state that consideration has been given to the points you have raised. Trade convoys do not adhere to a timetable as suppressed, the speed set by the Commodore being the fastest at which all ships can maintain station. Also, there is no question of a convoy being made to wait for time.

2. It is difficult to comment upon the particular incident to which you refer without knowing the name of the home port at which the poor quality bunkers were supplied . . .

3. Your proposal to protect a convoy's flank by towed nets has been examined . . . The following objections render the proposal impracticable:

(a) The strain of towing an adequate length of suitable net and floats is so great that it would require special high powered vessels to do the job. As these vessels, would not, at the same time, be able to use the standard Admiralty net, they would be particularly liable to be sunk.

(b) The towed net could not be used in rough water but would have to be slipped. It would then, apart from being a dead loss, be a danger to navigation. (It cannot be recovered over the stern when once streamed).

(c) Manoeuverability at sea would be most seriously affected, e.g the nets make no leeway but the ship does, thus the latter would be under constant helm in a beam wind.

(d) After a few days at sea, particularly in bad weather, ships in convoy often become strung out, thus losing the protection of the net.

(e) At night or in foggy weather inside ships might drift over the nets and foul them . . .

4. The Standard Admiralty net is the result of exhaustive trials . . . In order to stop a modern torpedo a net must be made of special heavy wire . . . the 'slip' strain at the mesh must be carefully adjusted and special otters must be fitted to keep it properly adjusted.

5. The interest you have shown in bringing your various proposals to notice is greatly appreciated. In view of your experience of the sea a more detailed reply has been sent to you than is usual and I am to request that the information in paragraphs 1, 2 and 4, which is of a secret nature, may be observed as such.

I am, Sir,
Your obedient Servant
H. N. Morrison.

Ceisiodd yr *Admiralty* ddefnyddio glo Cymreig ar bob achlysur i longau dŵr dwfn gyda'r canlyniad fel y dywed 'memo' y *Ministry of War Transport*: 'Since the introduction of Welsh coal . . . smoke complaints from Commodores of convoys have been particularly eliminated'.

Wedi ei driniaeth feddygol oherwydd clefyd y galon yn Montreal rhybuddiwyd John Tydu i beidio â chymryd arno ei hunan waith corfforol iawn. Nid oedd yn teimlo'n dda ac efallai iddo golli ffydd yn 'ei hen dicer'. Ac felly, ar ddechrau'r Rhyfel, penderfynodd anfon llyfrau (duon i gyd) yn cynnwys casgliadau o'i gynnyrch barddonol at ei frodyr a'i neiaint yng Nghymru.

Dywed mewn llythyr o 709, Craig St. West, Montreal:

'Dwedais wrth Jac Alun fy mod yn mynd i ddanfon cyfrol o farddoniaeth i'w fam 'i Esther fy chwaer ystwyth'. Fe'i postiais ar Ragfyr 4 1940 yn (*registered*), er ni ddaeth i'w llaw erioed. Mi es i'r 'Post Office' yma i holi yn ei gylch, ac yn wir roedd y Swyddog yn gwybod ei dynged cyn i mi orffen fy stori. 'I know where your manuscript is right now, and without looking it up, it is at the bottom of the sea. It went down with the *S.S. Western Prince*'.'

Clywodd y Capten Jac Alun y newyddion am y suddiad ond ni wyddai fod ei gopi ef a chopi ei fam o farddoniaeth Tydu hefyd wedi mynd i'r gwaelod. Anfonwyd copïau arall atynt gan Tydu.

Trawyd y *Western Prince* gan dorpido o'r *U–56*. Achubwyd goroeswyr y criw gan y llong *Baron Kinnaird* ond boddwyd chwech pan ddymchwelodd y cwch achub wrth i'r *B.K.* ddod *alongside*. Gwrthododd Capten Reed adael ei long. Yn wir, cofnododd ei wraig Effie iddo ddweud wrthi cyn ymuno â'r *Western Prince*: 'Good bye, Effie; if I lose my ship I shall never come back. I could never meet anyone if I lost my ship'.

Yr oedd ei long yn golygu mwy iddo na'i wraig a'i fab! Dyna enghraifft o hudoliaeth Freudaidd y môr!

Ysgrifennodd Tydu mewn llythyr diweddarach:

'Derbyniais gopi o'r *Tivy-side*, Hydref 18, 1940 ond ni ddaeth i law tan echdoe – Tachwedd 29. Roedd streipiau glas drosto, fel streips ar gefn neidr a laddwyd ym Mharc Gwair, a'i ymylon wedi ei fwyta gan lygod dan stâr neu rywbeth. Ond dywedodd 'expert' wrthyf mai pysgod y dyfnder du a fu'n gwledda arno. Roedd cargo llong a suddwyd wedi dod i'r wyneb a'i achub . . . Jawch mae'n rhaid fod beirdd ymhlith y pysgod, canys yn ddiau yr oeddynt wedi niblo'r papur ond wedi cymryd gofal anghyffredin i beidio â dinistrio y ddau englyn!'

Ac mewn llythyr arall at Sioronwy ar 1 Rhagfyr, 1940, dywed Tydu:

'. . . Y mae'r Nadolig yn nesu, dydd 1940 o flynyddoedd pan anwyd bachgen bychan mewn preseb yn Nazareth am nad oedd lle yn y lletŷ (nid Lletŷ Cymro). Neges yr Ŵyl yw 'Gogoniant yn y goruchaf i Dduw, ac ar y ddaear tangnefedd, i ddynion ewyllys da' (gweler Luc 2, 14) . . . Mi ysgrifennais erthygl i'r 'Teify Side' ddwy wythnos yn ôl ar – Rhyddid – ac ysgrif i'r Golygydd, yn sôn am Genhadwr a ddaeth i wared i'r ddinas hon wythnos yn ôl o Iglovik, sef esgobaeth yn y Gogledd lle mae'r Eskimos yn byw. Dwedodd Stephen Barzin wrthyf nad yw'r 'Eskimos' yn gallu dirnad pam mae pobl wareiddiedig yn ymladd a lladd ei gilydd – fel haid o gŵn neu'n waeth. Bûm yn byw yn yr Yukon am dymor a gwelais ugeiniau o 'Eskimos'. Dynion a menywod byr a blewog iawn ydynt fel rheol, byw yn ôl deddf anian, sef deddf Duw ei hun. Nid ydynt yn darllen na gweddïo na dim arall, ond byw drwy hela a physgota am eu bywoliaeth ac yn byw mewn 'igloos'. Rhoddais gyllell boced i Eskimo unwaith a neidiodd lan i'r awyr fel gwreichionyn o bentan efail Cilie gan wichial a chwerthin. Rhedodd i ffwrdd fel sgwarnog ar ben Foel Gilie.

Eskimo'r Alaska 'mhell
Yw dewin ei wlad dywell.

Eiddo'r rhain yw teyrnas nefoedd yn ddiau.'

Ac ar waelod y llythyr, pwt o bennill am ei hen fro, a phob sill ynddo yn dynodi ei hiraeth am hen aelwyd y Cilie; hiraeth a oedd yn ei lethu'n llwyr ac yn ei gynnal hefyd:

Ym mwlch Banc Llywelyn y sefais,
Hen fwlch fydd yn uchel ei fri,
A gwelais holl lwybrau'r cwningod,
Yn rhwydwaith dros barc Pant-y-ci.
Rhyferthwy'r Iwerydd o'r cefen
A'r gwyntoedd yn rhuo'n groch,
Ond obry mae aelwyd y Cilie
A'r llwybr tuag ato'n goch.

O dan donnau yr Atlantig roedd y llongau-tanfor Natsïaidd yn creu hafoc, hyd yn oed i longau masnach mewn confois. Oherwydd y pellter rhwng llongau, daethant i'r wyneb dan orchudd y gwyll gan greu cynnwrf, difrod a distryw trwy ymosod ar linell o longau yng nghanol y confoi. Sut ddynion oedd y Natsïaid yma? Beth oedd eu cymhelliad? Beth oedd y gwahaniaeth rhwng yr Almaenwyr a'r Cymry a'r morwyr eraill o wledydd Prydain?

Un o 'arwyr' mawr y llongau-tanfor oedd y Capten Gunther Prien. Cadwai'r Gunther ieuanc lun o'r llongwr Portiwgeaidd enwog – Vasco da Gama – uwchben ei wely. Collodd ei dad yn ieuanc iawn ac aeth ei fam yn dlawd dan effeithiau'r Dirwasgiad. Bu raid iddi weithio les ac arlunio i gadw'r ddau ben llinyn ynghyd. Dringodd Gunther yn swyddog gyda'r Llynges Fasnach cyn iddo ef hefyd golli ei swydd yn y tridegau. Teimlai'n chwerw iawn o'i roi ar y clwt ac ymunodd â'r Natsïaid. Dringodd yn gyflym eto fel capten yr *U–47* ac roedd allan yn yr Atlantig pan dorrodd y Rhyfel – a suddodd dair llong Brydeinig ar ei ffordd 'nôl i'r Almaen. Yn ei hunangofiant, *Mein Weg nach Scapa Flow* (Fy Ffordd i Scapa Flow), disgrifia Gunther Prien sut y suddodd yr *U–47* y llong fasnach gyntaf yn ystod yr Ail Ryfel Byd – y *Bosnia* – wedi iddi wrthod arafu a cheisio anfon neges radio am gymorth. Mae ei ddisgrifiad wrth iddo chwilio ymhlith y cychod achub yn llenyddiaeth rymus:

'Ble mae'r Capten?' gwaeddais dros y dyfroedd. Safai swyddog ar ei draed yn y cwch achub a chyfeiriodd at y *Bosnia*.

'Ar ei bwrdd,' atebodd. Yno roedd y llong wedi ei hamgylchu gan fwg a fflamau – fel llosgfynydd yn arnofio, yn llithro drwy'r tonnau.

'Beth mae e'n ei wneud?'

'Llosgi papurau.'

Am eiliad myfyriais ar y sefyllfa. Yno ar ei long yn llosgi'n ulw, cannoedd o filltiroedd o dir, heb gwch achub, roedd y dyn unig yn llosgi'i bapurau i sicrhau nad aent i ddwylo'r gelyn. Dim ond edmygedd.

Wedyn codwyd corff anymwybodol o'r môr.

'Mae'n edrych fel dyn marw. Mor fychan, mor denau, mor ifanc, wedi ei erydu fel hen geffyl. Olion llwch glo ar ei ddillad a'i wyneb – *stoker* o'r *Bosnia*. Ei asennau yn amlwg fel caets aderyn. Dettmer yn rhoi cusan bywyd iddo. 'Trueni na fuasech wedi rhoi rhagor o fywyd iddo.'

Trosglwyddwyd y goroeswyr i long o Norwy cyn anfon y *Bosnia* i'w bedd â thorpido arall.

Fe'i gwahoddwyd gan Grossadmiral Karl Doenitz i hwylio i mewn i ganol y Llynges Brydeinig yn Scapa Flow (ger Ynysoedd Erch) ac yno fe suddodd y llong-ryfel y *Royal Oak* (29,150 tunnell) a bu bron â suddo'r *Nelson*, *Rodney* a *Hood* (330,000 tunnell) a dihangodd drwy ddiffyg y taflegrau dinistr.

Dywed Prien: 'Mewn sefyllfa o'r fath rhaid anwybyddu teimladau . . . Rhaid meddwl mewn haearn a dur neu fynd dano. Mae'r *Royal Oak* yn gorwedd fel cawr cysglyd. Taniwch! Cododd llen o ddŵr. Synau, cyfres o drawiadau yn uno yn un ffrwydrad anferth, digon i hollti'r pen yn ddau. Fflamau glas, melyn, coch fel tân gwyllt o uffern. Ehedai cysgodion duon fel adar anferth drwy'r fflamau. Disgynnai darnau o'r llong i'r môr. Wedi rhwygo'i chorff ei hunan yn yfflon. Gwaeddais i lawr, 'Mae wedi . . . gorffen!' Eiliadau o dawelwch. Yna bloedd o orfoledd anifeilaidd wedi tensiwn rhwystredig, fel petai'r llong-danfor yn llefain. 'Tawelwch!' gwaeddais'.

Aeth 786 o forwyr i'r gwaelod a hyd heddiw cedwir ei gweddillion fel mynwent ryfel. Mae olew yn parhau i ollwng o'i thanciau.

Dengys y disgrifiadau gymeriad oer a phenderfynol y Natsi-gapten. Roedd rhyw fath o urddas a sifalri yn perthyn iddo ac eto rhoddai bob gewyn o'i allu dros ei *Führer* a'i weledigaeth. Rhedai chwerwder y tridegau yn ddwfn yn ei wythiennau, a thrwy ddewis cyfrwys roedd yn un o arweinwyr peiriant milwrol y Drydedd Reich. Roedd hyd yn oed yr hen farchog Rhyfel ei hun, Winston Churchill, wedi ysgrifennu am ei ymosodiad yn Scapa Flow fel 'a magnificent feat of arms'. Dyna baradocs yw Rhyfel! Damnio a llongyfarch y gelyn ar yr un pryd! Suddodd Prien yr *Arandora Star* a boddwyd 821 o garcharorion Rhyfel Eidalaidd ar y ffordd i Ganada.

Arwr arall gyda'r Kriegsmarine oedd y Capten Otto Kretschmer, brodor o Silesia. Cariai bedol aur fel swynbeth – talisman – ar dŵr ei long-danfor – yr *U–99*. Suddodd 238,000 tunnell o longau.

Lluniodd Fred Williams (cefnder Jac Alun) englyn i'r llong-danfor:

> Helgast sianelau'r weilgi – a deunydd
> Dinistr anferth ynddi;
> Tan don myn hon â'i hynni
> Daro llong a'i dryllio hi.

Ond cyfarfu'r Capten Jac Alun ag un o'r Natsïaid yma. O gof Eirwen Davies (actores a chyflwynydd newyddion ar radio a theledu) daw hanesyn am y Capten o'r Cilie yn ymweld â stiwdio deledu yng Nghaerdydd a rhwng rihyrsal a pharatoi bu'n disgrifio'r carcharor Rhyfel dros baned o goffi i nifer o bobl teledu.

'Roeddwn yn cludo carcharorion Rhyfel Almaenig a milwyr Ffrengig o Ogledd yr Affrig i San Tropez yn ne Ffrainc dan 'Operation Dragoon' pan ddes ar draws y cymeriad hwn yn ei gell ym mherfedd y llong. Gŵr tal, gosgeiddig o bryd golau oedd e, wedi ei gerfio fel petai allan o graig gan mor galed oedd ei wynepryd. Dan aeliau gwynion treiddiai'r llygaid llonydd i mewn i berfeddion eich bod. Roedd ei ganhwyllau cyn lased ac oered â phibonwy ar ddrws stabal y Cilie gynt. Rhoddai'r argraff na fyddai unrhyw newid yn eu sylliad mewn sefyllfa o lawenydd, cariad, lladd neu farwolaeth. Wrth i awgrym o hanner gwên ymddangos dros gornel ei geg, agorodd ei wefusau'n araf gan ddatgelu un dant aur ymysg rhes o ddannedd fel ifori gwyn – ac amlinelliad o'r 'Swastika' wedi ei ysguthro'n gelfydd arno.'

'Roedd disgrifiad y Capten Jac Alun yn frawychus hyd yn oed mewn stiwdio deledu flynyddoedd wedi diwedd y Rhyfel,' dywedodd Eirwen wrthyf. 'Mae'r stori yn fyw iawn yn fy nghof o hyd – ac yn gyrru ias i lawr fy nghefn.'

Wedi i'r Almaenwyr ddechrau canu 'Deutschland Uber Alles' fe'u chwystrellwyd trwy bibell â llif o ddŵr oer. Daeth y canu i ben yn sydyn!

Crewyd cynlluniau ffug i guddio bwriad lluoedd arfog y Gorllewin i ymosod ar Sisilia a throed Yr Eidal. Cofier y ffilmiau *I Was Monty's Double* a *The Man Who Never Was*.

Un o'r llyfrau mwyaf darllenadwy a phoblogaidd am 'Frwydr Gogledd yr Atlantig' oedd *The Cruel Sea* o waith Nicholas Montserrat. Gwnaethpwyd ffilm ddu a gwyn lwyddiannus iawn yn seiliedig ar y llyfr.

Mae teitl y llyfr yn awgrymu creulondeb y môr. Dywed Nicholas Montserrat mai'r morwyr oedd yr arwyr yn ystod blynyddoedd yr Ail Ryfel Byd. Y llongau oedd yr arwresau, a'r môr dieflig a 'hen satanes y tonnau' oedd y gelynion. Eto mewn tywydd garw, dan ei fantell lwyd, cefnfor yr Atlantig oedd y ffrind gorau i longau a'r lle gorau yn y byd i guddio rhag y gelyn. Dywedodd un cymeriad o'r llyfr, wedi i'r gelyn goncro Brest, yn Llydaw, a sefydlu canolfannau llongau-tanfor: 'Daethant â staen dros y môr; roedd y gelyn yn gryfach ac roedd yn rhaid ei wylio ddydd a nos; rhaid oedd i'r morwyr ddysgu marw heb wastraffu amser neb arall'.

Roedd Rhyfel yn diwareiddio person. A thrwy flinder parhaol roedd llwyddiant neu golled yn gymharol ac yn un rhan o hunllef fawr. Ac roedd colli llong fel colli rhan ohonoch eich hunan.

Ar 12 Medi, 1942, am 22.07, trawyd y llong deithio Brydeinig *Laconia* gan dorpido a daniwyd o'r llong-danfor Almaenig *U–156*. Safle'r llong oedd 05.05 S, 11.38 W, ac oddi ar arfordir Liberia yng ngorllewin Affrica. Cariai griw o 136 o sifilwyr, deunydd militaraidd a 268 o staff, 1,800 o garcharorion Rhyfel Eidalaidd, a 160 o warchodwyr milwrol o wlad Pwyl.

Suddodd y llong am 23.23 ond ychydig wedyn daeth rhyfeddod a syndod i ran Kptlt. Werner Hartensein a'i griw pan glywsant floeddiadau Eidaleg oddi wrth yr anffodusion yn ymbalfalu yn y tonnau. Rhoddodd gyfarwyddiadau ar fyrder i'w hachub a thorrodd reolau llym negeseuon radio y Natsïaid.

Anfonwyd y neges ganlynol ar 13 Medi am 06.00 ar donfedd 25 metr: 'If any ship will assist the ship-wrecked *Laconia* crew, I will not attack providing I am not being attacked by ship or air forces. I picked up 193 men, 4.33 S, 11.26 W – German submarine.'

Yn ystod y diwrnodau dilynol achubwyd 400 gan yr *U–156*, daeth yr *U–507* a'r llong-danfor Eidalaidd *Capellini* i'r fan gan achub cannoedd. Ac er i awyren *Liberator B24* Americanaidd ymosod ar y llongau-tanfor gan golli rhai bywydau, derbyniwyd neges ganddynt i atal rhagor o ymladd. Daeth llong-ryfel Ffrengig o Dakar i'r fan ac achubwyd 1,500 rhyngddynt.

Ond cafodd digwyddiad y *Laconia* ddylanwad hir-gyrhaeddol ar bolisïau Admiral Doenitz i'w gapteiniaid ar yr *U-Boats*. Cyn hynny, cawsent yr hawl i estyn cymorth i ddioddefwyr a goroeswyr llongau yr ymosodwyd arnynt. Daeth hyn i ben.

Daeth cyfarwyddiadau newydd i rym, ac os oedd y fath beth â dangos sifalri, anrhydedd a thosturi wrth ladd a chlwyfo cyd-ddyn, yna fe ddiflannodd hwnnw hefyd. Os oedd elfen o frawdgarwch yn bod ar ddechrau'r Rhyfel, erbyn diwedd y gyflafan, dim ond lladd y gelyn oedd yn bwysig. Roedd enaid ac ysbryd wedi eu diwareiddio a blinder wedi lladd cydymdeimlad. Bu'r cyfarwyddiadau newydd yn ganolog yn nhystiolaeth yr erlyniad yn erbyn Grossadmiral Karl Doenitz yn Nuremberg ym 1946. Dedfrydwyd pennaeth y Kriegsmarine i un mlynedd ar ddeg a chwe mis o garchar.

Dyma ei gyfarwyddiadau newydd yn dilyn suddiad y *Laconia*:

1. Bydd pob ymdrech i achub criwiau llongau a suddwyd yn peidio â bod yn syth. Mae hyn yn cynnwys achub dynion o'r môr a'u gosod mewn cwch achub, ac unioni cwch sydd wedi dymchwel a rhoi cyflenwad o ddŵr a bwyd iddynt. Mae gweithgareddau felly yn groes i amcan cyntaf rhyfel – sef distrywio llongau a'u criwiau.
2. Mae'r gorchymyn i gymryd capteiniaid a phrif beirianyddion yn garcharorion yn parhau.
3. Dim ond pan mae gan y goroeswyr wybodaeth o bwysigrwydd i'r llong-danfor y maent i'w hachub.
4. Byddwch yn ddigyfaddawd. Cofiwch nad yw ein gelynion yn dangos dim tosturi wrth wragedd a phlant na phryder amdanynt yn ystod eu hymgyrchoedd bomio yn erbyn dinasoedd Yr Almaen.

(Gweler yr uchod yng nghyfrol y Capten David Cledlyn Jones, *The Enemy We Killed, My Friend*, Gomer).

Ym Mehefin 1944 wrth baratoi i gludo arfau a milwyr i Anzio yn Yr Eidal, ymosodwyd ar long y Capten Jac Alun, y *Fort Maisonneuve* gan awyrennau'r gelyn tra oedd yn llwytho yn Algiers. Disgynnai'r bomiau *incendiaries* yn ddidrugaredd. Trawyd llong olew gyfagos ac roedd wyneb y môr yn dân uffern. Codai mwg trwchus o'r amryw danau gan fygu pawb oedd yn ei ganol. Nid oedd yn lle i'r gwamal ac amharod iawn fu un garfan o'r criw i gymryd at y gynnau a saethu'n ôl at y Stukas. Aethant i guddio gan wrthod ymladd. Roedd y prentis, Clark, dan ganfas un o'r cychod achub.

'Gwelais y Capten (J.A.) yn dod allan o'i gaban â dau *revolver* yn ei law yn saethu i'r awyr fel rhyw Wyatt Earp. Ni fuont yn hir cyn dod i fwcwl. Fe'u cyhuddwyd o 'ymddygiad gwrthryfelgar' a chawsant eu cludo i garchar Hannibal cyn i griw newydd o Gibraltar gymryd eu lle.'

Gosodwyd yr *Atlantic Front Line* i lawr ar ddiwrnod cyntaf y Rhyfel a pharhaodd am bum mlynedd ac wyth mis. Roedd pob morwr yn ei chanol. Ac yng nghanol y cyfnod ffyrnicaf arhosodd yr hyder a'r morâl yn uchel.

'Po leiaf y llong, agosaf y cyfeillgarwch.' Rhoddwyd teimladau personol, cenfigen, ofn ac amheuon o'r neilltu.

'It was the spirit that mattered most during those anxious months, when we had to rely on the officers and men of our merchant ships to pull us through by taking more risks and more than a 'chance' at sea. We in the Navy had guns and things with which to fight back. They had nothing, yet they never hesitated and we took our hats off to them,' meddai un datganiad am forwyr y Llynges Fasnach yn ystod y Rhyfel.

Bu bron i'm brawd ieuengaf, Joshua Tudor, gael ei fedyddio yn 'Jervis' ar ôl y llong enwog *Jervis Bay* (chwedl 'Nhad). Dangosodd ei chriw ddewrder y tu hwnt i'r disgwyl gan dynnu pŵer drylliau'r gelyn arnynt eu hunain a sicrhau dihangfa i weddill y confoi.

Ni chofnodid manylion am longau, cyrchfannau, porthladdoedd, na gwybodaeth am nwyddau, ar lyfrau cofrestru'r capteiniaid yn ystod blynyddoedd yr Ail Ryfel Byd. Pe buasai'r wybodaeth yn llithro i ddwylo'r gelyn rhoddai hynny fantais fawr iddo. Ond roedd rhai morwyr yn cadw dyddiadur personol. Saer oedd Samuel Austin Morgan, Ffynnonlefrith-fach, a hwyliodd ar y *Pendeen* gyda'i ffrind y Capten Jac Alun rhwng 8 Gorffennaf, 1940, a 5 Mai, 1943, ond am un fordaith fer o dri mis ar y *British Harmony*.

Dyma rai manylion am ei fordeithiau cyfrinachol – mewn confoi ym 1942:

4.12.41	Hwylio o'r Barri i Aberdaugleddau.
7.12.41	Cyrraedd Belfast.
Dydd Calan '42	Cyrraedd New Orleans. Hwylio.
2.1.42	Cyrraedd Baton Rouge.
4.1.42	Hwylio eto am New Orleans.
12.1.42	Angori yn Providence (10 y nos).
22.1.42	Hwylio am Halifax.
24.1.42	Cyrraedd Bae Halifax.
26.1.42	Hwylio mewn confoi dros yr 'Herring Pond'.
7.2.42	Cyrraedd Belfast, 3 y prynhawn.
9.2.42	Hwylio am Fae Walton.
11.2.42	Docio yn Avonmouth.
12.2.42	Talu bant. Deng niwrnod o wyliau – gartref!
22.2.42	Dal y trên yn Aberystwyth (6.20 p.m.) am South Shields.
23.2.42	Cael £2 15 swllt (arian y 'Pool') cyn ymuno â'r *Pendeen*.

Yn ystod y misoedd canlynol roedd mordeithiau i Gibraltar, Aquila, Huelve, Wabana, St. John's (Newfoundland), Halifax, Efrog Newydd, Melita ac Algiers. Llwythwyd y *Pendeen* ym mhorthladdoedd gogleddol Lloegr – Middlesborough, South Shields, Manceinion a Lerpwl. Ac yn nyddiadur Sam Morgan mae amryw o gyfeiriadau at

Darlun olew o'r *Fort Maisonneuve* yn croesi'r Atlantig gan Wynmor Owen.

367

angori a llochesu yn Loch Ewe, ger Ullapool – ar ddiwedd neu ar ddechrau mordaith – rhag ymosodiadau oddi wrth fwynau môr a'r llongau-tanfor. Dyma'r arfordir olaf a'r olwg olaf ar y tir mawr i'r *Pendeen* cyn croesi'r Atlantig peryglus. Daethant i'w adnabod yn dda, gan ei groesawu a'i barchu yn ddirfawr. Roedd gan Loch Ewe wddf cymharol gul hawdd i'w gau gan rwydi a bae llydan cysgodol ac angorfa i lawer o longau.

Cofnodir anturiaethau'r Capten ar yr *S.S. Fort Maisonneuve* yn dilyn brwydr waedlyd Anzio, Yr Eidal, mewn erthygl o'i waith yn un o bapurau Sul enwocaf Lloegr:

D-Day Memories
Sunday Express
26-29 Poppins Court
London EC4X 1BB

I was married on 6th June 1933. On D-Day I was Master of the *S.S. Fort Maisonneuve* and arrived at dawn on Anzio beach head with 5,000 tons of ammunition. According to our sealed orders we could expect spasmodic bombing and shelling of the harbour and we were accordingly prepared, with all guns manned. Much to our surprise, we never heard or saw any shells or bombers. Unloading went along without delay, but when the news came over the radio that a landing had been made on the Normandy Beaches there was terrific excitement throughout the ship, especially amongst the troops who were unloading the 'ammunition'. In order not to dislocate the work, extended radio speakers were rigged on deck and in the holds. By mid-day the morale of all on board was sky-high. The crew requested shore leave so as to go and collect German steel helmets and other 'souvenirs' that were plentiful on the

Corpws y *Fort Maisonneuve* yn cael ei godi o laid aber afon Schelde wedi gorwedd yno am hanner can mlynedd. Anfonwyd darnau ohoni at deulu Capten Jac Alun.

beaches and shores, but this request had to be declined. The cargo was unloaded under blue skies in record time and we returned without incident to base (Napoli, Naples) and prepare for our next special mission, which was a landing at St. Tropez, France.

Certified correct, J. Alun Jones (ex-master of the *S.S. Fort Maisonneuve*)

Ar 15 Rhagfyr, 1944, roedd un ar bymtheg o longau'r Llynges Fasnach yn hwylio mewn confoi un llinell tua phorthladd Antwerpen (Gwlad Belg). Roedd y tywydd yn garedig a thawel gyda milltir dda yn weladwy o'u blaenau. Symudai'r confoi ar gyflymder o 4 *knot* wrth agosáu at aber afon Sheld ac roedd yr *H.M.S. Mendip* yn dilyn ac yn llygadu'r môr a'r gorwel am unrhyw arwydd o fygythiad oddi wrth y gelyn.

Yn ddegfed yn nhrefn y confoi roedd llong y Capten Jac Alun – y *Fort Maisonneuve* (un o longau'r 'forts' a adeiladwyd gan United Shipyards, Montreal, Canada, a thebyg iawn i'r llongau 'Liberty' o'r Unol Daleithiau). Yn yr *aft holds* roedd cargo o 4585 tunnell o flawd, 31 tunnell o offer meddygol, 69 tunnell o offer môr; ar y deciau roedd 955 tunnell o gerbydau, lorïau ac offer yn yr howldiau blaen, 602 tunnell o T.N.T. (ffrwydron). Am 12.34 o'r gloch, ychydig wedi hanner dydd, wrth hwylio tua cheg yr afon a phopeth yn dawel ar yr R/T (*radio transmitter*) a'r 'Asdics' (*anti-submarine detection*), trawodd ffrwydryn môr magnetig y llong yn ei chanol (*starboard*) gan wneud twll mawr fel talcen sgubor ynddi. Lladdwyd pedwar o'r criw yn syth a dechreuodd y *stern* suddo.

Ar y pryd roedd prentis ifanc o'r enw Clark, 17 oed, yn bwyta ei ginio yn y *galley-mess* pan hyrddiwyd ef o un pen o'r ystafell i'r llall yn bendramwnwgl yng nghanol y bordydd a'r cadeiriau. Erbyn heddiw mae'n gapten wedi ymddeol ac yn byw yn Lymington, swydd Hampshire.

'Pe buasai'r ffrwydryn wedi taro'r T.N.T. yn y *bows* byddai pawb wedi eu chwythu'n yfflon i ebargofiant. Ymbalfalais allan i'r dec fel petawn yn hanner meddw gan golli fy esgidiau, ac oherwydd bod y llong ar oledd fe'm sugnwyd i lawr gan y llif i un o'r howldiau. Ond yna fe'm taflwyd allan yn grwn i'r môr gan don fawr ymysg y bocsys pren *ammunition*. Bues yn lwcus iawn, a heblaw'r cleisiadau, yr unig niwed a gefais oedd torri bys bawd yn fy nhroed. Taflodd rhywun felt-achub imi a chefais fy llusgo i un o'r cychod achub. Gwelwn y Capten ar y bont o hyd.'

Roedd amryw o gyrff anymwybodol yn gorwedd ar hyd y deciau a cheisiodd y swyddogion eu trosglwyddo'n ofalus i'r cychod gerllaw. Yng nghanol yr anhrefn roedd pryder ar y Capten na fyddai'n medru achub pawb gan fod y llong yn suddo'n gyflym. Yn sydyn daeth un o'r tanwyr croenddu i fyny i'r bont o rywle a chyda'i freichiau cryfion dechreuodd gario'r cyrff swpa tuag at ochr y llong ac yntau lan at ei ganol mewn dŵr. Gwrthododd adael y capten ac achubodd amryw o'r criw.

Collodd y capten ei holl eiddo – lluniau'r teulu, ei ddillad, 'swfenîrs' o wahanol wledydd, a'r pwysicaf oll efallai epistolau Isfoel a'i lyfrgell o lyfrau Cymraeg a Chyfansoddiadau'r 'Steddfod Genedlaethol. Ond eto llwyddodd i hyrddio dau beth i'r môr. Yn lwcus, disgynnodd un peth i'r cwch achub ac achubwyd y llall o'r dŵr mewn eiliadau (gweler y llun).

Mewn munudau roedd deciau'r *Fort Maisonneuve* o dan ddŵr a llwyddodd y Capten Jac Alun i ddianc â'i draed yn sych. Mewn bwrlwm o ewyn gwyn ac ochneidiau terfynol o'i chorpws clwyfedig llithrodd y *Fort, stern* yn gyntaf, i'w bedd tragwyddol.

Ac ar ôl deng munud yn unig gorweddai ar y gwaelod. Achubwyd y capten a'r criw – 58 i gyd – a bu raid iddynt gysgu ar welyau rhebel ar lawr dosbarth mewn ysgol gyfagos. Y bore canlynol, wrth deithio mewn lorïau milwrol tua'r arfordir, gwelsant resi pydredig o filwyr y Natsïaid yn hongian ar wifrau oddi ar byst telegraff wrth ochr y ffordd. Roedd yr olygfa echrydus yn eu hatgoffa am y Via Appia ar gyrion Rhufain wrth i'r Rhufeiniaid groeshoelio dilynwyr Spartacus. Ni chafodd y 'Gestapo' a'r Wehrmacht (milwyr Yr Almaen) lawer o gydymdeimlad – a dant am ddant fu'r unig gymhelliad i'r brodorion yn eu cwest am ryddid eto.

Cyrhaeddwyd diogelwch dwyrain Lloegr mewn *landing craft* ac wedi seibiant byr roedd y Capten a'i griw yn barod eto i gludo bwyd ac angenrheidiau i'r Ynysoedd Prydeinig. Ond yn dilyn y suddiad, awgrymodd penaethiaid y 'Chellew Navigation Co Ltd' y dylai'r Capten Jac Alun dderbyn 'tair llythyren' ar ôl ei enw fel arwydd o'i safiad a'i benderfyniad i achub ei griw. Gwrthododd yr awgrym gan ddweud, 'Mi dderbyniaf yr anrhydedd os bydd pob aelod o'r criw yn cael un hefyd!'

Byddai 'Nhad yng anghysurus yn gwisgo'r fath bethau ac nid oedd ei weithred yn annisgwyl i'w deulu. Yn hytrach ysgrifennodd at yr awdurdodau gan argymell y dylai'r dyn bychan croenddu a ddaeth i'w helpu ar y bont dderbyn anrhydedd, os oedd cydnabyddiaeth felly i fod.

Ac yn yr Atodiad i'r *London Gazette* ar 10 Awst, 1945, gwelwyd y paragraff canlynol:

'Awarded the British Empire Medal – Hassan Ishmail, Donkeyman, *S.S. Fort Maissonneuve* _ (Chellew Navigation Company Ltd). The *S.S. Maisonneuve* was in convoy where she was severely damaged by a mine. The ship settled rapidly by the stern and touched bottom about 10 minutes later. The crew were ordered into the boats but the Master and Donkeyman remained on the damaged ship with two injured men. In the response to a call for volunteers, four of the crew returned on board and a careful search was then made for further survivors. The injured was helped to a launch which came alongside. The ship was then abandoned. Donkeyman Ishmail displayed great gallantry and courage and was outstanding throughout. He refused to leave the ship with the remainder of the crew and stayed on board to assist the Master and the injured.'

Ac ar waelod y dudalen: 'Commendation: Captain John Alun Jones, *Master S.S. Maisonneuve*'.

Daeth i law dystysgrif wedi ei llofnodi gan y Prif Weinidog, Mr Clement Attlee, ar ddiwedd y Rhyfel.

O.N. 1: A ble fyddai'r Capten yn cadw tystysgrifau felly? 'We ni'n eu hongian nhw yn y tŷ bach, i bawb gael eu gweld'.

O.N. 2: Ym 1962, chwythwyd y T.N.T. a oedd ym mola'r llong gan adael ei chorpws yn y llaid. Ond yn Nhachwedd 1995 codwyd gweddillion y llong. Bu fy mrawd, Joshua Tudor mewn cysylltiad â Chapten Leo de Graff, arweinydd y gwaith *salvage*, o gwmni Van der Akker, ar y *Maisonneuve*. Anfonodd yntau ddarnau o'r *bulkhead starboard mid-ships* a rhan o'r offer cawod. Roedd ei gwmni yn glanhau gwely'r afon yr holl ffordd i fyny i Antwerpen. A'r rhyfeddod i ni (fel teulu) oedd fod y darnau cawod yn lân heb rwd wedi gorwedd ar waelod y môr am hanner can mlynedd (gweler y llun) – a'i gymalau yn ystwyth iawn.

Starn y *Portadoc*, llong y Capten Jenkin Evan Jones, Pantyronnen, Llangrannog, yn diflannu i ddyfnder yr Atlantig ar ôl cael ei tharo gan dorpido. Tynnid lluniau o longau a suddwyd er mwyn cofnodion a phropaganda. (Llun: Archifdy U.Boot, Cuxhaven).

Rafftiau achub y llong *Portadoc*.

Ni dderbyniodd morwyr o'r Llynges Fasnach gydnabyddiaeth deilwng fel aelodau o'r Lluoedd Arfog ac ni chyfrifid hwy fel rhai a gyfrannodd at amddiffyn Ynysoedd Prydain yn ystod yr Ail Ryfel Byd. Pwy a gludodd fwyd, peiriannau a hyd yn oed arfau, i'r gwledydd, heb unrhyw warchodaeth nac amddiffynfa gan y Llynges wrth iddynt groesi'r Atlantig yn agored i ymosodiadau'r gelyn fel ŵyn i'r lladdfa?

Hyd yn oed ym Mhontgarreg a phlwyf Llangrannog cynhaliwyd cwrdd croeso i aelodau'r Fyddin, yr Awyrlu a'r Llynges yn ysgol y pentre a chyflwynwyd gini (un swllt ar hugain) i bob un aelod o goffrau'r cyllid lleol. Ni wahoddwyd 'Nhad na morwyr eraill o'r Llynges Fasnach (efallai oherwydd nad oeddent gartref ar y pryd) a dywedwyd wrtho na cheisiai yr un 'gini' am fod digon o arian ganddo yn barod!

Atebodd y datganiad pryfoclyd yn ei ffordd arferol trwy anfon tri englyn at 'Bwyllgor Croesawu'r Lluoedd Arfog':

> Am y gini mi ganaf, – am y siec
> Y mae siom, pryderaf;
> I forio'n hy 'fory wnaf
> Heb y gini – begiannaf.
>
> A ddarfu'r lluoedd arfog? – Ai teilwng
> Yw talaith ariannog?
> Ac o'r lli ai gwag yw'r llog
> A gronnwyd yn Llangrannog?
>
> Ar frys y deuais i'r fro – ar ollwng
> O'r trallod a'r brwydro;
> Dan awch cur rwy'n dwyn i'ch co'
> Cur iasol – heb gwrdd croeso.

Cyhoeddwyd yr englynion yn y papurau lleol ar y pryd ond ni newidiwyd barn haearnaidd y pwyllgor.

Collodd cwmni Chellew bump o longau yn ystod blynyddoedd yr Ail Ryfel Byd a thair o'r wyth o longau a oedd dan ei reolaeth oddi wrth Weinyddiaeth y Drafnidiaeth Ryfel. Wyth o longau a aeth i'r gwaelod gan golli bywydau. Nid rhyfedd i'r Capten Jac Alun ei gyfri ei hun yn lwcus ar yr hen drampen, y *Pendeen*. Wele'r rhestr o'r colledion:

19.11.1939
Pensilvia: Suddwyd â thorpido ym Mae Biscay. Cargo o *maize* o Durban i Rouen a Dunkirk.
2.8.1940
Statira: Bomiwyd a suddodd 38 milltir i'r gogledd o Stornoway. Cargo o *manganese ore, oil cake* a *groundnuts*; o Masulipatnum i Lundain.
22.11.1940
Justitia: Suddwyd â thorpido oddi ar ogledd-orllewin Iwerddon. Cargo o goed a dur o Savannah (U.D.A.) a Sydney (Cape Breton) i Lundain. Boddwyd 13.
3.9.1942
Penrose: Suddwyd â thorpido dair milltir o Cape Sines. *Ballast* o Lisbon i Dde Sbaen. Boddwyd 2.
19.10.1943
Penolver: Suddwyd wedi taro mwn môr ger St. John's (Newfoundland). *Iron ore* o Wabana i Sydney (Cape Breton). Boddwyd 27.

Suddwyd y *Justitia* (dan Gapten D. Laurie Davies, Ceinewydd) mewn confoi (SC11) gan Lt. Shepke (*U–100*). Roedd yn un o wyth llong a aeth i'r gwaelod oherwydd Shepke mewn cyfnod o wyth awr.

Daw hanesyn diddorol iawn am y *Justitia* drwy gof Hywel Heulyn Roberts, Synod Parc:

'Roedd fy mrawd Glyn, naw mlynedd yn hŷn na mi, yn Is-Gonswl Prydeinig yn Savannah, Georgia, U.D.A. Aeth i lawr i'r *Justitia* â'r papurau swyddogol a oedd yn angenrheidiol cyn iddi hwylio. Arhosodd ar fwrdd y llong tan oriau mân y bore mewn cwmnïaeth gyfoethog a bu llawer o ganu emynau. Glyn Roberts oedd yr olaf i weld y Capten a'i griw cyn iddi suddo wedi ymosodiad y llong-danfor Almaenig.'

Cafodd y *Pengreep* ei dwyn gan y Vichy Ffrengig yn Casablanca ym Mehefin 1941 a'i hailenwi yn *Sainte Jacqueline*. Ond fe'i hailenillwyd a'i henwi yn *Empire Fal*. A hithau yn cario bomiau nwy o'r Eidal, barnwyd fod y cargo yn rhy beryglus i'w ddadlwytho – ac fe'i sgytlwyd oddi ar arfordir gogledd Yr Alban yng Ngorffennaf 1945. Tybed beth sydd wedi ei gladdu yn nyfnder y môr mewn cafnau cuddiedig, nid nepell o Gymru ac Iwerddon?

Ac yng nghanol terfysg y Rhyfel ganed dau blentyn arall i'm rhieni – chwaer a brawd i Wynne a minnau: Anwylyd a Joshua Tudor. Bu dyfodiad dau gyw arall i'r nyth yn gyfrwng pwysig i leddfu ar ofidiau mam yn ei hunigrwydd yn ystod dyddiau tywyll y Rhyfel.

Heddwch a Barddoni

Wrth i gymylau duon y Rhyfel hwylio ymaith gan adael cyflafan y storm yn eu wêc ymddangosodd awyr las a heulwen heddwch uwch y byd. Ond roedd oerni'r dwyreinwynt comiwnyddol yn ymledu dros wastadedd Rwsia ac i'n cyfeiriad ni – ond Rhyfel ideolegol fu hwnnw – diolch byth!

Adeiladwyd llongau masnach newydd, glân ac ymarferol, mwy o faint a redai ar olew er nad efallai o'r un cymeriad. Oedd, roedd gan longau bersonoliaeth a natur a phenderfyniad hunanol. Nid rhyfedd i long gael ei chenhedlu yn fenywaidd!

Yn ystod diwedd y pedwardegau a'r pumdegau bu Jac Alun yn feistr ar yr *Empire Goodwin*, *Pentire* (un o longau 'Liberty'), *Eskglen* a'r *Scorton*. Anfonodd Isfoel englyn ato ar y *Silverstone*:

> Ei gwrwgl ydyw'r 'Graig arian' – a'i lawnt
> Yw'r Atlantic Ocean;
> Ei linell yw'r pell Siapan
> A'i lwythog Lefiathan.

Ymlaciodd y morwyr. Medrai Jac Alun a chapteiniaid eraill hedfan 'nôl i Brydain a Chymru o bellafoedd byd mewn diwrnod i weld eu hanwyliaid a phrofi tyfiant eu teuluoedd. Ni fu magwraeth bellach yn ddieithrwch. Dychwelodd yr Awen, cynyddodd y gwyliau, a medrai 'Nhad fynychu ambell 'steddfod a chwmni ei gyd-feirdd. Hogai hyn ei awydd i gyfansoddi ac i gystadlu. Ond aeth i drwbwl dychrynllyd yn sgîl hynny.

Yr *S.S. Pentire*.

Ym mhorthladd Taranto yn Yr Eidal, daeth sgwad o heddlu'r llynges i'w long a'i osod ar *open arrest*. Fe'i cyhuddwyd dan ymbarél y Ddeddf Cyfrinachau Swyddogol ar y sail ei fod wedi anfon gwybodaeth trwy lythyr a oedd yn cynnwys negeseuon cudd, a allai fod yn fendithiol i'r 'gelyn'. Fe'i dygwyd o flaen 'Sanhedrin morwrol' gyda rhes o swyddogion rhwysgfawr y tu ôl i ddesg fawr.

'Roedd medalau un ohonynt yn cyrraedd ei fogel,' oedd sylw'r Capten. A phan welodd y ddalen gyhuddiad chwarddodd yn uchel cyn cael ei gystuddio. Gofynnodd am gymorth Cymro a fedrai siarad Cymraeg, fel tyst, a daethpwyd o hyd i un mewn swyddfa gyfagos yn yr harbwr (Capten Ernest Heaton, Llety-rhew, Llangrannog – swyddog yn swyddfa'r sensor, a *routing officer*). Cyfieithiwyd y cynnwys i'r llys. Derbyniodd 'Nhad ymddiheuriadau didwyll oddi wrth y 'cadeirydd'. A beth oedd yn y llythyr? Dim mwy na chyfres o englynion ar gyfer Eisteddfod Rhydlewis – a'r 'Admirality' wedi meddwl mai negeseuon cyfrin oeddynt! Anfonwyd yr englynion ymlaen at Mam i'w hailysgrifennu mewn llawysgrifen ddieithr i dwyllo rhywun arall y tro hwn – y beirniad!

Oni bai fod fy nhad yn storïwr greddfol ac yn barod i sôn am ei brofiadau ni fedrwn baratoi'r gyfrol hon. Bûm yn gwrando ac yn casglu ac yn gwiwera (chwedl Dewi Jones) ers blynyddoedd. Parhaodd ei anturiaethau ac fe glywais amdanynt mewn cwmni morwrol, a minnau fel pry ar y wal neu ddarllen amdanynt oddi ar gofnod teipiedig yng nghornel y *bureau*. Un digwyddiad a gofiaf sydd yn arddangos ei ddyfeisgarwch a'i benderfyniad yw'r canlynol. Yn sicr roedd ei fagwraeth, yn enwedig dan ddylanwad Isfoel, yn gaffaeliad iddo ym mhob sefyllfa.

Wrth fordeithio allan o Melbourne a'r llong ddeng milltir o'r harbwr torrodd y *drive shaft*. Roedd y llong ar drugaredd y cerrynt a dinistr ac nid oedd yn bosibl symud. Anfonwyd neges gan y 'sparks' at yr awdurdodau – *Incapacitated*.

374

Yn y cyfamser roedd Capten Jac Alun â'i feddwl am ddiogelwch y llong a'i griw a'r perygl iddi fynd *aground* – a'r posibilrwydd i griwiau'r *tugs* oedd yn agosáu daflu rhaffau amdani a hawlio *salvage*. Ar orchymyn y capten, tynnwyd *tarpaulin* oddi ar un o'r hatsys a'i osod fel hwyl ar y *foremast*. Gyda'r 'strocen' yma, llithrodd y llong yn araf ar hanner *knot* tua Williamstown ar afon Yarrow. Cyn bo hir daeth un *tug alongside* a gwaeddodd y llywiwr 'Take a line'. Ond heb unrhyw amheuaeth gwaeddodd y capten yn ôl, 'There's a green light on your starboard but there's no green light here for you on this ship.' Ni thaflwyd rhaff, ni hawliwyd *salvage* a llwyddwyd i gyrraedd Williamstown yn ddiogel gan achub y llong.

Ac er i heddwch cymharol ddychwelyd i fyd cyfan yn ystod y degawdau ar ôl yr Ail Ryfel Byd, bu Rhyfeloedd Corea, crochan terfysglyd y Dwyrain Canol, Castro a Chiwba a Tseina yn cadw'r cawl i ferwi. Drwy'r amser roedd y C.I.A. (gwasanaeth ysbïo yr U.D.A.) yn gweithredu drwy'r byd. Siarsiwyd y Capten ar amryw droeon i gasglu gwybodaeth gyfrin iddynt. Roedd ganddynt aelodau ym mhob porthladd.

Unwaith, roedd yr *S.S. Eskglen* ar hwylio i Shanghai a daeth dieithryn dan glogyn *stores officer* ar fwrdd y llong. Gofynnwyd mewn dull cwrtais i'r capten sylwi ar bob enghraifft o adeiladu llongau a llongau-tanfor, safle drylliau, gwersylloedd milwyr ac ati, a thynnu lluniau, efallai, y tu ôl i'r Llên Bambŵ.

Ond roedd gan J.A. un rheol euraid: 'Byth i gofnodi unrhyw wybodaeth felly, ond ei gadw yng nghelloedd y cof'. Ymhen pum mis ymwelodd gŵr arall o'r un asiantaeth â'r llong yn Freemantle, Awstralia, i gasglu'r wybodaeth. Digwyddodd y drefn uchod ar sawl achlysur.

Roedd gofyniadau swydd capten yn niferus iawn. Rhaid oedd i'r 'Hen Ddyn' fod yn forwr, yn llywiwr, yn fathemategwr, disgyblwr, cyfreithiwr, peiriannydd, barnwr, meddyg, cofrestrydd, gweinidog a gŵr â digon o synnwyr cyffredin.

'Un o brofiadau rhyfedd bywyd morwr yw claddu ar y môr,' meddai'r Capten Jac Alun. 'Fe gladdes i lawer ar y môr. Rhaid oedd claddu'r meirw yr un diwrnod; gyda machlud haul. Un o'r morwyr croengaled a fyddai'n gwnïo'r canfas a rhoddid y corff ar y canfas ar fwrdd gwastad. Plygid y canfas a'i wnïo i fyny'r ochr gan roi barrau haearn o'r ffwrneisi yn sownd wrth ei goesau. Bu farw peiriannydd o'r enw Kampfe, 39 oed, yn ei gwsg, ar y llong *Silverstone* ger Ynys Minicoi oddi ar arfordir India ym 1965. Yno yr anfonai India ei gwahanglwyfion i farw ar un cyfnod. Clymwyd rhaff rownd y canfas a thorrwyd tyllau ynddo fel y gallai'r dŵr fynd i mewn. Wedi gwasanaeth byr, yng ngofal y capten, dymchwelwyd y corff o'r starn i'r môr oddi ar styllen gadarn wedi ei gorchuddio gan liain du.

CARL HEINZ KAMPFE

Lawr ym mharlwr y morloi – mae heno
Almaenwr yn ddidroi;
Mewn canfas namyn confoi
Mae mewn cwsg ger Minicoi.

Roedd hen ddywediad morwrol fod y corff yn dod lan dair gwaith a throi mewn cylch cyn mynd i lawr am byth. Byddem yn tynnu coes ambell waith trwy ddweud fod y corff yn sefyll ar y gwaelod – a'r pysgod yn dod i bilo'r esgyrn – a bod y sgerbydau yn dal i sefyll lan ar waelod y môr. Rwy'n cofio ar un fordaith i ni gladdu dau forwr – a phan fu farw'r trydydd roedd y Pacistaniaid yn dathlu oherwydd eu bod nhw'n credu, fel ninnau, nad oes dim dau heb dri!'

'Ac un digwyddiad arall a ddaw i'r cof yw pan oeddwn yn Ail Swyddog ar y *Penmorvah*, yn Nicholaiev, Rwsia, ym 1931. Bu farw aelod o'r criw yn yr ysbyty. Paratowyd angladd parchus i'r ymadawedig a chludwyd y criw i gyd mewn lori fawr o'r llong i'r fynwent a oedd allan ar gyrion y dref. Eira mawr ym mhobman a'r hen long wedi rhewi'n gorn yn yr harbwr. Nid oedd offeiriad ar lan y bedd, neb ond Capten I. G. Hughes yn darllen ac yn gweddïo. Roedd yr arch wedi ei gwisgo â'r *Red Ensign* a phan oeddem yn barod i'w ollwng i'r bedd, daeth un o'r brodorion Rwsiaidd a oedd yn y dorf ymlaen a thynnu'r lluman Prydeinig oedd ar yr arch a cheisio rhoi un goch Rwsia yn ei lle. Bu bron â mynd yn ffrwgwd rhwng morwyr y llong a'r Rwsiaid. Ar ôl tawelwch gollyngwyd yr arch i lawr ac yna taflodd y Rwsiaid eu baner hwy i lawr i'r bedd a gwnaeth y morwyr yr un peth. Claddwyd y ddwy faner yn y bedd. Cododd rhyw Gomisâr i ben bocs a thraddodi araith fawr nad oedd neb yn deall fawr ohoni. Cafwyd gwybod wedyn mai propaganda oedd ganddo: dywedai fod yr ymadawedig wedi marw oherwydd gofidiau am gyflwr pethau gartref ym Mhrydain. Rhyfedd o fyd.'

Ambell dro gwisgai'r capten het Sherlock Holmes a throi'n dditectif yn enwedig pan ddiflannodd nifer fawr o boteli chwisgi un tro. Roedd llongwr ifanc yn eu dwyn o'r *stores* ac yn eu gollwng i lawr ar ben bwndel o sachau ar waelod y siafftiau awyr. Bob dydd ymddangosai potel o wisgi am iddo beidio â datgelu'r twyll. Ond bu raid i'r llongwr ifanc a rhai aelodau o'r criw dalu yn ddrud am eu camweddau pan dynnodd y Capten yr arian dyledus allan o'u cyflog.

Rwy'n siŵr fod y rhan fwyaf o deuluoedd morwyr wedi derbyn llythyron gyda'r cyfeiriad yn glir, wedi ei osod ar letraws i fod yn ddealladwy i'r swyddogion dosbarthu a'r postmyn. Anaml, hyd heddiw, yw derbyn llythyr o wlad dramor â chyfeiriad hollol Gymraeg, heb sôn am gyfeiriad ar ffurf englyn, yn cyrraedd o bellafoedd byd. Ond dull felly oedd dull postio fy nhad! Anfonwyd un o Singapôr (tua 1955), wedi i'r Capten Jac Alun glywed ei ewythr, Alun y Cilie (o bawb), yn siarad yr iaith fain ar donfeddi Gwasanaeth Byd y B.B.C. Erbyn hyn roedd enwogrwydd teulu'r Cilie wedi cyrraedd clustiau annisgwyl.

PAR AVION

At ALUN dos yn union – yn CILIE
BLAENCELYN mae'r gwron;
Cer i deg GEREDIGION
I BRYDAIN FAWR yr awr hon!

Dichon yw dweud i'r llythyr gyrraedd yn ddiogel mewn tri diwrnod heb unrhyw ebychiadau ychwanegol o bensil glas ar ei wyneb fel y ceir heddiw. A thu fewn yn lle'r llythyr arferol:

O'r INDIES bûm yn gwrando – dy eiriau
Yn dirwyn o'r radio;
Wyt ben Sais ac yn lleisio
Yr iaith fain yn gain o'th go'.

Meddyliwch am y peth – galw Alun Cilie yn Sais!

Ymddangosodd y canlynol yn *Y Cymro*, ac fe'i postiwyd yn Melbourne, Awstralia, ym 1955. Maent yn ymateb i awgrym Meuryn ynghylch amryfusedd cynganeddol yn un o englynion y capten. Anfonwyd y llythyr cyntaf dan y cyfeiriad isod:

> One bee-line from down-below – PAR AVION
> Private to the CYMRO,
> SNOWDONIA, WALES, and you know
> To MEURYN by tomorrow.

Nid oedd llythyr traddodiadol y tu fewn iddo chwaith ond yn hytrach englyn arall:

> Y gwant a'r rhagwant regaf; – egluro
> Yn glir iawn a geisiaf;
> Wele'r gwant, i lawr gyntaf,
> O rifo pump, cwymp nis caf.

A'r ail lythyr:

> CAM-LEOLI'R RHAGWANT
>
> I'r GERDD DAFOD un nodyn – yn nerfus
> I GAERNARFON englyn;
> Dros y môr ar draws MEURYN,
> Y Cymro llosg ym mro LLŶN.

Anfonwyd llythyr arall o Detroit, U.D.A. ar lannau Llyn Superior at y Parchedig W. J. Gruffydd i'w longyfarch ar ennill ar gystadleuaeth y delyneg (allan o 57) yn Eisteddfod Genedlaethol Y Barri 1968, ac ar ddod yn gydradd fuddugol ar 'y Gân Rydd Ddisgrifiadol'. Ei ffugenw am y delyneg oedd *Llygad y Gors* a chyfeiria at un yn rasio pram fel Jac Brabham (y gyrrwr Fformiwla 1). Testun ei gân rydd oedd 'Cwm Cedni', sef cartref ei da'cu a'i fam-gu. Yno y bu W.J. yn 'bugila'r' da fel y canodd:

> Fe steddes i orie i fugila'r da godro,
> A hyso'r ast os bydde ise sodlo.

Dyma'r cyfeiriad ar yr amlen:

> I'r hoff DEBLIW JE GRUFFYDD, – PAR AVION,
> I'r Prifardd dihysbydd;
> Mae yno 'GLOG' a mynydd
> Ym mro SIR BENFRO y bydd.

A thu fewn i'r amlen (sydd ar glawr yng nghartre W.J. yn Nhregaron) roedd yr englyn canlynol:

377

Os gwlyb oerias Gŵyl Y Barri – roedd haul
Ar ddelwedd 'CWM CEDNI';
Ac am i Brabham gael bri
Rhwysg FFAIR RHOS gaiff hir oesi!

Heblaw darllen y Cyfansoddiadau a llyfrau barddoniaeth, un o'r pleserau mwyaf a gâi'r Capten Jac Alun yn ei gaban oedd gwrando ar lais John Darran yn darlledu yn Gymraeg, am hanner awr, unwaith yr wythnos ar Wasanaeth Byd y B.B.C. Bygythiodd y B.B.C. oherwydd diffyg cyllid (ac ewyllys efallai) gwtogi'r amser i chwarter awr yr wythnos. Protestiodd y Capten yn ei ffordd arferol trwy anfon englyn i John Darran o Napoli, yn Yr Eidal:

I SIÔN DARRAN

Swyn dy eiriau, Siôn Darran, – a'r heniaith
A rannaf mewn caban;
Yr hanner awr yw ein rhan – yn ddi-dor,
O! am ragor i hen Gymro egwan.

Derbyniwn gardiau, llythyron a recordiau plastig â llais 'Nhad wedi ei recordio arnynt. Ac oherwydd eu traul nid oes un ohonynt ar ôl! Un ffordd i arbed ysgrifennu pedair carden inni'r plant – Wynne, Anwylyd, Tudur a minnau, oedd anfon cerdyn fel yr un canlynol o San Francisco ym 1954:

I ANWYLYD, ferch John Alun, – lluniau
Lle enwog ar gerdyn;
Rho i weld i TUDOR a WYNNE
Newidiwch â JON wedyn.

Nid oedd unrhyw destun dan wyneb haul y tu allan i ofynion y gynghanedd. Derbyniodd ei wyrion, Dylan a Cathrin, grwban yn anrheg ac fe'i mabwysiadwyd yn aelod anrhydeddus o'r teulu yn fuan iawn. Arferent ei fwydo ar y lawnt gefn yn eu cartref yn Llangollen cyn mynd i'r ysgol bob bore ond yna diflannai i'r gwrych i wneud ei fusnes gan wrthod dod allan er mawr siom i'r plant. Ond er syndod i bawb, yr unig beth a'i symudai o'i guddfan oedd llais Dafydd Iwan yn canu ar dâp! Ond un bore peidiodd y peiriant casét ac arhosodd y crwban – er eu tristwch – mewn dryswch drain. Penderfynodd y tad-cu-gapten ddod i'r adwy ac anfonodd gais ar ffurf englyn at Hywel Gwynfryn i chwarae llais Dafydd ar ei raglen radio fore trannoeth oddeutu chwarter i naw. Wrth glywed melodïau'r hen drwbadŵr daeth y crwban allan er mawr lawenydd i'r plant. Dyma'r englyn:

AT HYWEL GWYNFRYN

Allan o'i gwb daw'r crwban – a'i weithred
Medd Cathrin a Dylan
Ydyw ffoi, ond o'i hoff fan
Fe ddaw at Dafydd Iwan.

Beth nesa'! Crwban yn hoffi gwrando ar Dafydd!

Anfonai 'Nhad amryw o englynion am y môr a'i bethau yn rheolaidd:

Y DON
(Buddugol yn Eisteddfod 'Cofion Cymru', 1945)

Ar alwad yr awelon – hi rwyga
Yn frigwyn ac eon;
O ferw a thwrf oeriaith hon
Daw nwyfiant a hud Neifion.

Y CYHYDEDD

Dychmygol heol huan – a sero
Yw'r mesurau dwyran;
Nos a dydd yn eirias dân
A gorwel fel og arian.

(Buenos Aires, 1950)

ANGOR (PORTLAND, OREGON)

Llaw haearn â rhwd arni – a chadwyn
I'w chodi o'r weilgi;
Her i forwr a'i firi
A nawdd llong yn nannedd lli.

(Collodd ei gefnder, y Capten Dafydd Jeremiah Williams, angor ei long pan dorrodd y gadwyn mewn dŵr dwfn iawn ym mhorthladd Astoria, Oregon.)

FERNANDO DE NORONHA

Gerddi oraens, gwyrdd erwau, – a charchar
Uwch erchwyn y tonnau;
Y môr yw ffin a mur ffau
Torf unig y trofannau.

Ynys y Penyd ydyw'r uchod, oddi ar arfordir gogledd-ddwyrain Brasil.

CARDEN O COLOMBO (CEYLON)

Come along to TRINCOMALEE – CEYLON
And so load with plenty;
Tons and tons of LIPTON'S TEA
For your coffer or caffe.

Ac yna dri englyn o borthladd Valparaiso (Chile) wedi iddo hwylio rownd yr Horn yn yr *Eskglen* ar 10 Ionawr 1959 (gweler y llun) . . . a chael cwmni Gwas y Weilgi, aderyn y cefnforoedd unig.

Y Capten Wedros Jones, cefnder cyntaf John Alun (ar ochr ei dad).

YR 'ALBATROS'

Angyles i long hwyliau – a fu hon
Wrth 'fynwent y Dehau',
Un edn gwyn o hyd yn gwau
Anferth daen ar frith donnau.

Teg aeres gwyntog oror, – ac eilun
Argoelus y cefnfor;
Dihafal edn Deheufor
Fel ysbryd mud uwch y môr.

Athwart and south of thirty – a glider
That gladdens our journey;
Angel of the swell is he
Remote with aura mighty.

Capo Des Hornos (Cape Horn):
'The evening was calm and bright, and we enjoyed a fine view of the surrounding isles. Cape Horn, however, demanded his tribute, and before night sent us a gale of wind directly in our teeth. We stood out to sea, and on the second day again made the land, when we saw on our weather-bow this notorious promontory in its proper form – veiled in a mist, and its dim outline surrounded by a storm of wind and water. Great black clouds were rolling across the

380

Yr *S.S. Eskglen* yn Hong Kong, 1956.

Cape Horn o bont yr *S.S. Eskglen*, 8.30 y bore, 10 Ionawr, 1959.

heavens and squalls of rain, with hail, swept by us with such extreme violence that the Captain determined to run into Wigwam Cove.
(21 Rhagfyr, 1832: Charles Darwin, 'Journal of Researches into the Natural History and Geology of the countries visited during the voyage of *H.M.S. Beagle* round the world' (1888) – blwyddyn y tair sbectol.)

Enwyd y lle ar ôl Hoorn (tref yn yr Iseldiroedd) a chartref William Shouten ac Isaac Le Maine, y ddau orllewinwr cyntaf i osod troed ar y penrhyn ym 1616. Ynys fechan yw Capo des Hornos (Cape Horn) y tu hwnt i begwn eithaf arfordir 15,000 milltir cyfandir De America. I'r gogledd mae clwstwr o ynysoedd bychain a thiroedd enwog Tierra del Fuego â dŵr cysgodol Sianel y *Beagle* (y llong yr hwyliodd Darwin arni) rhwng yr ynys fawr a'r tir mawr.

Ar benrhyn 'Cape Horn' mae goleudy, eglwys bren fechan a dwy sied sinc. Mae tri pherson yn gweithio yn y goleudy ac maent yn newid trefn gwaith bob tro y cynhelir gwasanaeth yn yr eglwys, dan arweiniad offeiriad ar ymweliad.

Mae safle anghysbell a rhamant y lle wedi bod yn atyniad nerthol i fforwyr, naturiaethwyr, y gwyddonwyr, y morwr, y milwr a'r bardd. Daw gwyntoedd cryfion cefnforoedd y de i gwrdd yma, gan greu tonnau mawrion a elwir yn *greybeards*:

> Pan chwytho'r cread mawr ei gorn
> I alw'i nerthoedd rownd yr Horn,
> Fe gipir bywyd dyn i gyd
> I mewn i'r rhiddm sy'n siglo'r byd.

S. B. Jones

Hyd yn oed wedi diwedd y Rhyfel mordeithiai'r Capten i Buenos Aires a phorthladdoedd Afon Plata i fyny hyd at Santa Fe, Fray Bentos a Rosario. Daeth yn gyfeillgar â Sbaenwr a oedd yn gweithio ym mhorthladd Buenos Aires a chymerodd hwnnw ddiddordeb mawr yn nawn y Capten i gynganeddu a gofynnodd am ychydig wersi i feistroli'r rheolau. Ac un diwrnod daeth yr englyn isod ar ffurf brysneges i'r *sparks* ar fwrdd y llong:

> PARA OTROS INFORMES RECURRIR À:
> The Western Telegraph Company Ltd.
> Buenos Aires
> Calle San Martin 335 – Buenos Aires.
>
> Una vez al mes voi a misa – voi
>   A ver de mi alma;
>   El buen John de su don da,
>   Si tu quieres te cura.
>
> (CHILE. ALLTUD YR ANDES.)
> SELLO Y FIRMA
> DEL REMITENTE
> MUY IMPORTANTE.

(Yn Chile seinir 'z' fel 's' ac yn Sbaen seinir y 'z' fel 'th'.)

Onid yw'r groes o gyswllt Sbaeneg yn y llinell ola' yn soniarus!

Cyfieithwyd y geiriau Sbaeneg imi gan Philip Ainsworth, athro ieithoedd tramor yn Ysgol Ddwyieithog Dyffryn Teifi, Llandysul (ar y pryd):

> Unwaith y mis rwy'n mynd i'r Offeren,
>> I weld am fy enaid;
> Yr hybarch John, o'i fawrhydi mae'n rhoi
> Os dymuni, fe wnaiff Ef dy wella.

Ond cadwodd y Capten ei 'strôcs mowr' ar gyfer yr Eisteddfod Genedlaethol. Testun yr englyn yn Eisteddfod Caernarfon (1959) oedd 'Y Ffon Wen' a W. D. Williams (Y Bermo) yn beirniadu. Daeth 285 i law'r ysgrifennydd. Dywed 'W.D.' yn ei feirniadaeth: 'Gellid meddwl, wrth weld y fath doreth, y byddai lliaws yn ymgiprys am y wobr, ac y câi'r beirniad druan anhawster dybryd i dorri'r ddadl rhyngddynt. Eithr, ysywaeth, nid felly y bu. Mae'n amheus gennyf a oes mwy na dau neu dri y gellid eu gwobrwyo – a theimlo'n esmwyth wedyn'.

Ac aeth ymlaen wedyn i sôn am englyn Jac Alun, *Tap-Tap-Tap*:
'Dyma englyn sydd ar ganol y testun o'r dechrau i'r diwedd. Ceir ymadroddion cryfion ym mhob llinell . . . Diau y bydd llawer o drafod ar y drydedd linell. Po fwyaf y meddyliaf amdani gorau oll yw gennyf i . . . Credaf . . . mai ef yw'r gorau yn y gystadleuaeth a'i fod yn deilwng o'r wobr'.

Y FFON WEN

> Rhag damwain, claer gydymaith, – arwydd wen
>> Ar ffordd ddu ei noswaith;
> Dyma radar ei rwydwaith
> Lywia'r dall wrth deimlo'r daith.

Roedd fy Nhad yn morwra ar y pryd a chesglais y wobr o ddwy bunt a thystysgrif ar ei ran. Cyfarfûm â W.D. ar y cae a dywedodd, 'Ces wybod gan yr ysgrifennydd wedyn fod un ymgais ddiweddar wedi cyrraedd o wlad bell. Diolch byth amdano'.

Ni dderbyniodd y bardd buddugol gyfrol y *Cyfansoddiadau* tan 16 Hydref, 1959, yn Colombo, Sri Lanka. Ond cafodd wybod am ei orchest mewn brysneges oddi wrth fy mam. Roedd ei long wedi'i chlymu lan yn Yokohama, Siapan, pan ddaeth ffôn iddo oddi wrth Swyddog Siapanaeg:
'You prease come to office. Vely impoltant message fol you!'
'Please convey the message to me now over the phone. It will save an unnecessary journey,' atebodd J.A.
'Not possibre, message in vely stlange ranguage!'
Bu raid i 'Nhad fynd ar daith hanner awr mewn trên trydan i gyrraedd swyddfa yn y dref. Yno gwelodd y brysneges isod:

Llangrannog, Awst 1959.
Llongyfarchiadau. Buddugol ar yr englyn yng Nghaernarfon. Cariad. Lena.

Wedi cysylltu ag Iwan Bryn Williams ynglŷn â chyfeillgarwch ei dad (W. D. Williams) a'm tad derbyniais y gân ganlynol o'i law. Roedd W.D. a'r Capten Tom Davies (Y Bermo) 'yn dipyn o ffrindiau'. Ac ar un o'i fordeithiau ganwyd – 'merch newydd iddo ac yntau heb obaith ei gweld am rai misoedd'. Felly oedd ein profiad ni fel teulu. Fe'm ganwyd i, Wynne, Anwylyd a Tudur – a 'Nhad yn crwydro'r byd – pell o Gwmtydu. Ond dyma gerdd y Capten Tom Davies:

I NERYS
(Môr yr India 1937)

Mae mam yn dweud dy fod yn dlos
    (A gwn fod mam yn iawn).
Fod gennyt wên, fel toriad gwawr
    A llygaid gleision llawn;
Mai ceriwb fechan hawdd ei thrin
    Yw'r Nerys fach sydd ar ei glin.

Ar fôr yr India mae dy dad,
    Ni'th welodd hyd yn hyn,
Ond os wyt debyg i dy fam
    Fe fyddi'n angel gwyn.
A chyn bo hir daw'th dad yn ôl
    I'th wasgu di a'th fam i'w gôl.

(Allan o *Cerddi Hen Forwr*, Llyfrau'r Faner (Gwasg y Sir, Y Bala, 1978)

Dywed Iwan Bryn ymhellach: 'Mae yr hanesyn am y 'Ffon Wen' yn ddiddorol. Mae Colombo dipyn nes heddiw na 1959. Bûm yno yn gweithio am fis ym 1972 ac yr oedd o'n bell iawn bryd hynny – a hiraeth mawr arnaf am y teulu. Sut roedd morwyr yn ymdopi a hiraeth?'

Aeth Jac Alun ymlaen i ennill cystadleuaeth yr englyn yn Eisteddfod Genedlaethol y Fflint ym 1969. Roedd 162 yn cystadlu ac O. M. Lloyd yn beirniadu. Yn ei feirniadaeth dywedodd:

'At hwn y cymerais ar y darlleniad cyntaf. Diolch i'r gwyddonydd am droi'n fardd yn yr ail linell . . . maentumiaf fod y mynegiant yn glir a diwastraff. Ni bu'n gystadleuaeth uchel ei safon ac ofnwn,

    chwilio'r celloedd oedd iddi
    A chwilio heb ei chael hi.

. . . daliaf i gredu mai cynnig *Doctor* yw'r gorau, a'i fod yn deilwng o'r wobr'.

Credaf i'r englyn gael ei lunio ar fwrdd y *Silverstone* – rywle rhwng Kobe, Siapan ac Awstralia neu Vancouver ar ehangder y Pasiffig:

CELL

Daw ein hiechyd a'n hachau – o graidd hon,
    Gardd hynaf ein greddfau;
Rhyw uned o fymrynnau
A'i mil o hyd yn amlhau.

Eisteddfod Genedlaethol Caerfyrddin, 1974. O'r chwith i'r dde: Tydfor (beirniad yr englyn digri), Dafydd Jeremiah, John Etna, Jac Alun, Elfan a Jeremy.

Derbyniodd y capten lythyr oddi wrth John Lloyd Jones, Penparce, Llwyndafydd, yn ei longyfarch ar ennill yr eilwaith yn y Brifwyl – gan gynnwys englyn – wrth gwrs!

> Dihafal yw Jac Alun – ar y don,
> Gŵr dawnus am englyn;
> Hola'r awel a'r ewyn
> Ai ef yw'n hail Eifion Wyn?

Ond efallai mai'r strocen fwyaf oedd yn Eisteddfod Genedlaethol Aberteifi ym 1976. Y testun oedd 'Gwaed' a D. Gwyn Evans yn beirniadu. Roedd 95 wedi cystadlu ar yr englyn ym Mro Dwyfor y flwyddyn flaenorol a rhif cymharol yn Aberteifi. Cyhoeddwyd mai *Rhipyn Llwyd* oedd yn gyd-fuddugol ac wedi llongyfarch y Capten pan safodd ar ei draed gofynnwyd i *Grŵp O II* i sefyll wedyn. 'Fi yw hwnnw hefyd!' ebychodd 'Nhad. Ac roedd ganddo englyn arall yn agos iawn hefyd. Roedd wedi ymddeol erbyn hyn a gellir dweud mai 'Made in Cilfor, Llangrannog' oedd y cynnyrch buddugol.

GWAED

> Mae gwrid hwn am gariad dau, – o'i gelloedd
> Daw'n gallu a'n gwreiddiau;
> Ond gwae'n hil, daw ei gwanhau
> Drwy ei dywallt i'r duwiau.

(Rhipyn Llwyd)

385

GWAED

Stôr eilaw, o'i gostrelu, – yn esmwyth
Mae'r plasma'n goferu,
A'i rin coch i rywun cu
Yn wyrth i'w atgyfnerthu.

(*Grŵp O II*)

Yn Eisteddfod Genedlaethol Llandudno ym 1963, Alun y Cilie oedd yn beirniadu cystadleuaeth yr englyn. Ac un o'i orchwylion pennaf i ddangos doethineb rhag ffafriaeth oedd gostwng unrhyw englyn o waith perthnasau o fewn y 'Tyl' neu gymdogion anadnabyddus i lawr i ganol y sach os nad i'w gwaelod. Dyna beth a ddigwyddodd i englyn Jac Alun.

LLUSERN

Seren y ddunos arwaf, – uwch y graig
Ei fflach gref a welaf;
A'i theg wawl eilwaith a gaf
Wrth hwylio i'r porth olaf.

Englyn arall y mae'r teulu yn hoff iawn ohono yw:

GOLEUNI'R HARBWR
(Buddugol yn Eisteddfod Llandysul)

Ar y gorwel fe'i gwelaf – a'r ingoedd
Rhyngom a anghofiaf;
Am ei lewych mi lywiaf;
O fewn ei gylch hafan gaf.

Dyma a ddywedodd R. E. Griffith mewn rhan o erthygl am fwndel o englynion a gyrhaeddodd Aberystwyth o Hong Kong:

'Peth digon cyffredin yw taro ar fardd-bregethwr. Yn wir, onid pregethwyr a enillodd Goron a Chadair yr Eisteddfod Genedlaethol amlaf o bawb? Nid peth anghyffredin chwaith yw dod ar draws cyfreithwyr sy'n feirdd adnabyddus, megis Eifion Wyn, I. D. Hooson, Brinli Richards, Rolant o Fôn a'u tebyg. Fe gydiodd yr Awen hefyd mewn newyddiadurwyr, llyfrgellwyr, darlithwyr coleg, amaethwyr, athrawon ysgol a ffermwyr. Nid anniddorol fyddai rhestru'r beirdd o dan eu galwedigaethau. A phe gwneid hynny, tybed pa sawl morwr a geid yn y rhestr?' (*Blodau'r Ffair*, Nadolig 1961)

'Mae llawer un wedi codi helem barhaol yn ydlan y Cilie. Fe ddaw pobl yno i'w gweld a rhyfeddu arnynt'. (F.M.J.) Lluniai 'Nhad englynion ar amrywiaeth o ddigwyddiadau – y tu allan i ofynion eisteddfodol. Er enghraifft, roedd ei gefnder, y Parchedig F. M. Jones, Abertawe, wedi ysgrifennu erthygl drawiadol o saernïaeth arbennig yn *Y Tyst*. Roedd wedi sylwi ar Golda Meir yn trosglwyddo parsel bychan, bron o olwg lens y camera, i law Anwar Sadat, Arlywydd yr Aifft. Danfonodd Nhad englyn i'r 'Tyst' yr wythnos ganlynol:

Os cildwrn a roes Golda – i Sadát
   Rhoes daw ar ryfela;
   Llaesu dwrn am 'wyllys da
   Wnaeth ein doethion diwetha'.

Ac wedyn, dihunid bro Pontgarreg
gyfan yn foreol gan frefiadau aflafar
asyn oedd yn nadu yn groes y cwm
o'i gartref ger Ivy House:

ASYN IVY HOUSE

O'r 'Ivy House' bref asyn – sy' heno
   Yn deffro ein dyffryn;
   I'r Ŵyl mae'n disgwyl y dyn
   A'i lantarn, Mair a'i phlentyn.

                    (Nadolig, 1974)

Llun o Jac Alun mewn stiwdio yn Madras,
yr India, Awst 1960. Ymddangosodd yn y
cylchgrawn *Blodau'r Ffair*. Dyma'r llun
a welodd J. R. Jones, Hong Kong.

Y Capten Jac Alun fel Noa ar fwrdd ei long.

387

Jac Alun ac Ellena ar fore'r Nadolig, gyda chopi o *Barddas*.

Ar Nadolig arall, galwodd 'Nhad, Jeremy (ei frawd) ac Alun Cilie ar 'S.B.' yn ei gartref – ym Mrynsiriol, Peniel, ger Caerfyrddin. Nid oedd sôn am neb, felly lluniwyd englyn ar y pryd a'i hoelio gyda'r anrheg wrth ddrws y cefn.

I 'S.B.' AC ANNIE

('Ac wedi geni yr Iesu ym Methlehem Judea, yn nyddiau Herod frenin, wele, doethion a ddaethant o'r gorllewin . . .)

Yma dri daethom o draw – eto i gyd
Tŷ gwag oedd er gwrandaw;
Ac yn ôl troesom cyn naw,
Yn dyst mae'r ffowlyn distaw.

J.A.J., A.J., J.J.

Hwyliodd ei long newydd sbon (16,492 tunnell) o waith cwmni Mitsubishi, *Maratha Envoy*, o Siapan i Norfolk, Virginia, ac anfonodd englyn at ei gyfaill mewn swyddfa yn Llundain. Roedd y llong yn llawn o ddyfeisiadau technolegol newydd ar y pryd.

Maratha Envoy on voyage – maiden,
A model for tonnage;
Not a 'mini' to manage,
But tame her – a job at my age!

388

Derbyn y *Maratha Envoy* oddi wrth y cwmni Mitsubishi. Gofynnodd y Capten i bawb ddweud 'caws' yn Gymraeg wrth dynnu'r llun!

Siom fawr iddo oedd gweld diwedd colofn Meuryn yn *Y Cymro*. Ond wedi i fardd arall, T. Llew Jones, ymgymryd â'r gwaith, anfonodd 'Nhad englyn ato yn Rhagfyr 1967:

> Llwm, oer ydyw lle Meuryn – y 'Dolig,
> Ond wele daeth sgwlyn,
> Gyda'i brint o Goed-y-bryn
> Â mawr afiaith i'm rhifyn.

A phan oeddwn i yn dysgu gyrru'r Morris Mawr (ie, yr un a ddymchwelodd 'Nhad wrth iddo ef ac Isfoel fynd i'r prawf gyrru) – yn aml anghofiwn droi i ffwrdd y fraich felen a estynnai allan o bostyn drws y car i ddynodi pa ffordd roeddwn yn troi. Drws cul oedd i'r garej a thorrais amryw ohonynt am £4.10s y tro. Wedi'r cyfan roeddwn wedi bod yn caru! Prynodd 'Nhad ben cadno mawr ac ysgrifennodd englyn oddi tano ar fur y garej. Bob tro gwelwn ei ddannedd noeth yng ngoleuadau'r car, cofiwn droi'r fraich i ffwrdd – ac achub ffortiwn i 'Nhad!

> Wele'r gwalch, un balch ei ben – o eithin
> Cwmcathen ar hoelen;
> Edrych draw at Gwmhawen,
> Yn awr gaiff a'i hanner gwên.

Clywsom am ymddeoliad 'Nhad drwy englyn ar garden yr Ŵyl a ddaeth o Marmagoa, Siapan, ym 1971:

> Wele'r Nadolig ola' – ar y môr,
> Mae arwydd rhyfela;
> Paco ym Marmagoa,
> Bennu'r wyf erbyn yr ha'.

Manna (*par avion*) oedd y llythyron a dderbyniai 'Nhad oddi wrth ei deulu agos a'i berthnasau (yn enwedig Isfoel a Gerallt). Roeddent yn gyfrwng i gadw cysylltiad, i drosglwyddo newyddion am droeon yr yrfa, i fwynhau cynnyrch barddol eisteddfodau, ac, yn sicr, i godi calon ar fordeithiau hirion. Derbyniai'r *Faner* tu fewn i'r *Teifi-side* wedi eu clymu'n dynn a chymen.

'Dywedai Mam (Esther) iddi gofio gweld *Y Faner* ar fwrdd y Cilie er pan oedd hi yn groten fach. Derbyniais inne'r *Faner* yn ddi-dor drwy'r holl flynyddoedd y bues i ar y môr. Roeddwn i'n derbyn papurau Cymraeg yn rheolaidd. Dim byd am fisoedd ac yna y bwndel rhyfedda' gyda'i gilydd.'

Ar bont y *Maratha Envoy* yng Nghasnewydd, 1971.

'Roeddwn yn ddarllenwr brwd o golofn Saunders Lewis – 'Cwrs y Byd'. Os bu proffwyd erioed Saunders oedd hwnnw. Câi'r *Faner* a cholofn Saunders Lewis eu cydnabod fel *subversive* gan y Llywodraeth ac ymwelai swyddog â siopau llyfrwerth-wyr i gasglu enwau unigolion a dderbyniai'r papur. Ond prynwyd ef yn enw fy ngwraig! Ac yn y cyfnod hwnnw ni restrid benywod yn *subversive* – ond fel bodau diniwed!'

Daeth swyddog ato unwaith yn Buenos Aires gan ofyn o ba dras y deuai wedi ei glywed yn siarad iaith ddieithr.

'Dialecto Englaise?'

'Galles, 'run genedl â phobl Patagonia.'

Taerai nad oedd y fath beth â Chymraeg yn bod.

'Es i 'nôl *Y Faner* a'r *Cymro* a *Cyfansoddiadau*'r Eisteddfod Genedlaethol a'u rhoi o'i flaen gan ofyn iddo chwilio am y 'dialecto'. Fuodd e wrthi am awr yn gofyn ystyr pethau. Cafodd ei synnu gymaint nes iddo ofyn am gopi o un o'r papurau i fynd adre gydag e.'

Gofynnwyd iddo yn Vancouver gan swyddog y tollau, 'What nationality are you?'

'I'm Welsh. A 'Cymro'.

'Oh! you're a 'iechyd da' man.'

A thro arall cyfarfu ag un capten o Lerpwl yn Port Kembla, Awstralia. Roedd hen wraig, 85 oed, uniaith Gymraeg yn byw yn agos iddo yn Wollongong.

'Rhoddais yr holl bapurau a oedd gennyf iddi. A phob tro y deuthum i'r porthladd rhoddwn fwndel o bapurau Cymraeg i'r hen wraig.

Ond y dalent fwyaf, wrth gwrs, oedd epistolau difyr Isfoel. Cyfeirid y llythyron – *Par avion* i'r prifardd – ac ar gefn yr *air letter*: Sender's name and address: 'Dafydd Jones, Cilygorwel, Cymru – gwlad y gân.'

Dyma enghreifftiau:

Annwyl Nai

Diolch yn fawr iti am y ddau lythyr. Feddylies i erioed fod Affrica fawr mor agos i Landysul! Diddorol iawn yw dy englynion i gyd. Ynglŷn â'r gair 'rhyw'. Rwy'n sylwi fod pawb yn ei ysgrifennu ymhob siâp. Mi wnes list allan o lyfr Syr Thomas P.-W. ac rwy'n canfod ei fod yntau yn gwneud unrhyw ffordd. Gofynnais i S.B. a dywed ef:

'Byddaf i yn ei dreiglo i 'r' yng nghanol brawddeg fel hyn – Rhyw ddydd mi ddof; Mi ddof ryw ddydd. Mae Rhys Nicholas yn ei ystyried ei hun yn awdurdod ac efallai y gwna roi ryw eglurhad yn y Teifi Seid.

Mae gennyf innau englyn â 'rhyw' ynddo:

SHAH PERSIA (A'I 'FFYS' AM FAB)

Ni roes ryw trwy Soroya – rhyw undeb
'Random' wnaeth â Farah;
A yw'n siŵr fod gan y Shah
Yn ei bwrs aer i Bersia!

Mae Ianto Nantypopty wedi hala ataf eisiau englynion . . . Ces englyn yn Abergorlech yr wythnos ddiwetha i 'Ffon' (nid 'Ffon Wen'!):

Parod ganllaw nawn einioes – i'r gwachul
Ar gychwyn ei eiloes;
Yn ei law esmwythâ loes
Ei hwyr-ddegau ar ddwygoes.

(W.J.G., Y Glog, yn beirniadu)
Aeth englyn arall â hi yn Steddfod Llanarth i'r 'Nyrs':

Llawysgafn stafell esgor, – iach, hoffus
Ei chyffur a'i chyngor,
A distaw y daw i'n dôr
Yn awr alaeth yr elor.

Ond y rhai eraill, doniol, mae pawb yn gofio!
. . . Rwy'n beirniadu parodi o gân gan Syr Thomas yn y steddfod ryng-golegol. Heddiw halais y feirniadaeth. Yr oedd talent yn y gwaith!
. . . Glywais ti'r englynion wnes i i'r 'Cadno'?

Mileingeg a sgamp melyngot, – andras
Meindrwyn, cyfrwys idiot,
Bellach i 'hell' yr elot
Est myn diawst am 'Wyandotte'.

Pwy â'i wits faeddai'r potsiar – o dalent
A gwaedolaeth byrglar;
Y satan gwyllt, – est a'n giâr
Twll dy dîn, dewin daear!

. . . 'Run man i ti gael hwn i'r 'Pwdl' hefyd:

Ci ladi swanc oludog, – huna'i chyw
Yn ei chôl yn wresog;
Ar lun llew, tamed blewog,
Ei châr gwiw a'i duw yw'r 'dog'!

. . . Ces lythyr oddi wrth Wil Ifan pa ddydd yn canmol penillion oedd gennyf yn y *Genhinen* i 'Lle o lai' . . .

. . . Os gweli di deipwriter tshep rhywle dwg e adre i mi. Cofion gorau oddi wrthym yng Nghilygorwel.

Catherine a Dafydd, dy ewythr

Câi Isfoel, brodyr Jac Alun, perthnasau eraill a ffrindiau gyflenwad rheolaidd o dybaco – naill o'r baco fflat (a elwid yn 'faco plwg' ac a dorrid gan gyllell) neu dun anferth o faco 'Prince Albert'. Wele ddiolch Isfoel mewn tribannau:

Cadeirio'r Capten Jac Alun yn Eisteddfod Gadeiriol Tregaron. O'r chwith i'r dde: Dai Williams (arweinydd), ac aelodau'r pwyllgor, Geraint Lloyd Owen, Vernon Jones, Alun Cilie, Ewyndon, Dic Jones a John Roderick Rees ac aelodau eraill o'r pwyllgor.

Pan fydd y storm a'r daran
A'r bomyrs yn bwhwman,
Rwyf innau'n joio'r baco fflat
Yng ngwres y grat a'r pentan.

Ni welir hen gilionach
Na'r gwyfyn yma mwyach;
Maent fel y brain yn cadw 'mhell
A'r bibell ydyw'r bwbach.

Os yw'r 'geranium' mwyngu
Gan bryfed yn dihoeni,
Bydd Kitty'n galw Dai i'r tŷ
I'w mogi wrth ysmygu.

Rho ddiolch i'r gŵr cyn morio
Pan wnei 'sgrifennu ato,
A dywed wrtho am lanw'r dec
Yng ngwlad Quebec â baco.

Ac ar ddechrau'r pumdegau – Mehefin 1951 – cyflwynodd y Capten Jac Alun bibell gam a chyflenwad o faco fflat i'w ewythr Isfoel. Cyn bo hir anfonwyd cyfres o englynion talentog i ddiolch am y gymwynas:

At y bib gam rwy'n llamu – a'i llenwi
    Â'r lluniaeth melynddu,
    A chreu tân, dechrau tynnu
    O ffwrnes y dduwies ddu.

Pan fo'r bib gam yn fflamio – y gweli
    Golofn fwg yn cwrlo
    Hyd y nef, adweini o,
    Nifwl can y 'volcano'.

Am nwydd du fwg a phlwg fflat – rhoi diolch
    O'r diwedd yn breifat
    Wnaf yn grwm ar fin y grât,
    Yn poeri megis peirat!

Anfonai Jac Alun englynion ar gyfer cystadlaethau'r Genedlaethol yn syth at yr ysgrifennydd a byddai yntau yn ei dro yn cael gwared â'r amlen dramor cyn trosglwyddo'r cynnyrch teipiedig i'r beirniad. Ond ar gyfer eisteddfodau bychain pentrefol a lleol yn ne Ceredigion rhaid oedd newid y drefn. Deuai'r cyfarwyddiadau drwy'r post yn rheolaidd gyda'r englynion yn bennaf, ar gyfer eisteddfodau, er enghraifft, Rhydlewis, Llanarth, Bryngwyn, Talgarreg neu Benrhiw-llan.

Wele'r memrwn neu'r Siarter eisteddfodol:

1. Peidiwch â defnyddio'r hen deipiadur; mae coesau'r 'y' a'r 'g' wedi treulio a bydd y beirniaid yn eu hadnabod.
2. Gofynnwch i Jon, Wynne, Anwylyd neu Tudor i'w hail ysgrifennu, a 'mam' i'w hysgrifennu i 'steddfod bell!

3. Dylai Jon eu hysgrifennu â'i law chwith.
4. Defnyddier inc du, coch neu wyrdd yn eu tro.
5. Peidied â defnyddio papur 'par avion'.
6. Postiwch ymhell o Bontgarreg a Blaencelyn. Os yw'r plant yn mynd i Aberystwyth, Caerfyrddin, neu Abertawe i weld gêm bêl-droed, gofynnwch iddynt eu postio yno.
7. Postiwch yr englynion yn agos at ddyddiad yr eisteddfod i wneud yr argraff fwyaf trawiadol.
8. Peidiwch â dangos yr englynion i NEB.

Wrth gwrs, byddai beirniad lleol, neu o fewn o 'Tyl' neu'r gymdeithas farddol, yn adnabod yr arddull . . . ond er hyn rhaid oedd gweithredu'r amodau. Ac os deuai llwyddiant dywedai, ''Na fe, ddwedais i wrthoch chi. Doedd y beirniad yn 'nabod na gwybod dim amdana' i'.

Dyfynnai englyn Isfoel i'r 'Beirniad' ambell waith:

Cawr bro'n gallu cario brest – coler wen
　　Er cloriannu'n orchest;
　　Gwna hwn yn ddigon onest,
　　Ddal ar un – i ddiawl â'r rest!

. . . (pe byddai yn colli!)
　　Roedd 'Nhad yn llythyrwr toreithog. Ysgrifennai at y cyfryngau, papurau newydd, cylchgronau, papurau lleol, cynghorau sir a phlwyf, ac at gwmnïau masnach – i enwi dim ond rhai. Pe buasai fyw heddiw byddai yn sicr wedi gadael ei farc ar y we! Teipiai bob llythyr a chadw copi destlus o bob gohebiaeth. Lluniais englyn iddo unwaith ar y testun 'llythyr':

Yn ei dwf cynnwys difyr – a'i eiriau
　　Yn glaerwyn eu hystyr;
　　Gwneud llith yw gwendid llythyr
　　A'i hanfod, ei fod yn fyr.

Y Capten Jac Alun wedi ennill cadair Eisteddfod Bro Myrddin.

Dyma lythyr agored a ysgrifennodd at 'Awdurdodau'r Eisteddfod Genedlaethol':

Annwyl Mr Emyr Jenkins (Y Cyfarwyddwr),
    Pan gyraeddasom faes yr Eisteddfod ym Mangor y llynedd, siomedig iawn oedd sylwi nad oedd ein baner yn cwhwfan uwch yr anghenfil drudfawr o bafiliwn, er bod llu o faneri bychain yn chwifio ar babelli'r maes. Mor wahanol oedd y Sioe Frenhinol yn Llanelwedd.
    Pwy bynnag sy'n gyfrifol am wneud trefniadau a phenderfyniadau ynghylch y pethau bychain yma, nid ydynt, yn ôl fy marn i, yn deall meddylfryd y werin gyffredin. Mae Pafiliwn heb y Faner Genedlaethol arno, fel llong sy'n gorwedd – i fyny a heb gomisiwn.
    Wedi ymgynghori â llawer o gyfeillion selog i'r Eisteddfod, ac fel un a gyfrannodd (yn sylweddol cyn y chwyddiant) at gronfa'r 'Mil o Filoedd', penderfynais anfon y llythyr hwn, gan ymbil arnoch i brynu baner fawr (chwe llathen) a'i gosod ar ben y pafiliwn, ond cynghorwn chwi i wneud trefniadau i'w thynnu i lawr bob nos, am resymau amlwg. Gweler Salm 20, adnod 5: 'A Moses a adeiladodd allor, ac a alwod ei enw hi, Jehofah-Nissi.' . . . hefyd Salm 60, adnod 4: 'Rhoddaist *faner* i'r rhai a'th ofnant, i'w dyrchafu oherwydd y gwirionedd' ac o Salm 20, adnod 5: 'Gorfoleddwn yn dy iachawdwriaeth di, a dyrchafwn *faner* yn enw ein Duw; cyflawned yr Arglwydd dy holl ddymuniadau'.

Ofalwyr y Pafiliwn! – 'nawr rhag gwawd,
    Am Ddraig Goch gofynnwn;
Lluman yn hofran ar hwn,
Yn yr Ŵyl, fry a hoeliwn!

Yn ddiffuant
Capten Jac Alun (Llangrannog)

Copi i'r *Cymro*, J. Idris Evans (Trefnydd)

Anfonai gyfraniadau i'r *Readers Digest* o dro i dro:

Excerpts, *Readers Digest*
25 Berkely Square
London W1X 6AB

Humour in Uniform or Life's Like That
    Apart from the war years, I traded to Japan for about 45 years and could not but notice and appreciate their somewhat sarcastic quibs, especially in post-war years. My last ship was registered in London but none of the officers and crew was English. After inspecting the personnel the Immigration Officer came to me and said,
    'I don't think you are English either, Captain,' when I replied.
    'No, you are correct, to call me an Englishman would be an insult.'
    His reply was, 'But why not, they are behaving themselves very well just now!'
True.

Captain J. Alun Jones,
Cilfor, Llangrannog

Perthynai cyfaredd y storïwr i ddawn dweud fy nhad. Roedd ganddo ei *repertoire* o hanner dwsin neu ragor o'r straeon gorau – hynny yw, y rhai a fyddai'n cael y derbyniad gorau mewn cwmni. Ac er i'w gyfeillion eu clywed amryw o weithiau – yn 'aroma beirdd y rŵm bach' yn nhafarn y Pentre Arms yn Llangrannog, â chynulleidfa niferus o *greenhorns* o'i flaen, roedd yn ei elfen. Byddai gwydriad neu ddau yn oelio'r gylet (chwedl Tydfor), yn cynyddu'r hyder ac wrth i'r gwrandawiad roddi min i'r llys roedd y llwyfan yn berffaith i ymestyn ambell gymal wrth i'r gwrandawyr ddod dan ei gyfaredd.

Un o'r 'top ten' oedd y stori am y digwyddiadau rhyfedd yn Everglades ger Tampa, Florida. Roedd yn noson falmaidd drofannol a'r haul (15° o'r gorwel) yn disgyn i grud y machlud fel pelen o dân. Dros ganfas y ffurfafen roedd brws y Creawdwr wedi creu caleidosgob o liwiau. Safai'r Capten Jac Alun ar y bont yn gwylio'r adar yn pysgota. Yn eu plith roedd math o grychydd a ddaliodd lysywen môr bron lathen a hanner o hyd. Cododd yr aderyn i'r awyr i lyncu y 'lefiathan' (amrywiai hyd y llysywen yn ôl ymateb y gwrandawyr). Diflannai'r ysglyfaeth fodfedd wrth fodfedd i lawr gorn gwddf y crychydd ac erbyn hyn câi gryn drafferth i hedfan a chadw ei uchder. Mae'n debyg nad oedd cylla (stumog) droellog ganddo ac ymhen ychydig ymddangosodd y llysywen fyw allan drwy ben ôl yr aderyn. Golygfa ryfedd oedd hi gyda rhan o'r llysywen yn diflannu drwy un pen ac yn ailymddangos a gwingo drwy'r pen arall, a'r aderyn yn parhau i ymdrechu i aros yn yr awyr. (Gwrandawai'r *greenhorns* yn astud gyda'u llygaid fel soseri a'u cegau ar agor yn ddisgwylgar). O'r diwedd cwympodd y llysywen o'r entrychion tua'r dŵr ond llwyddodd y crychydd i'w dal a'i lyncu yr eilwaith cyn iddi fwrw'r dŵr.

'Rhagor! Rhagor!' gwaeddai'r dorf, ac roedd y Capten yn brysur yn paratoi'r chwedl nesaf wrth lanw'i wydr.

Bu'r Capten yn trafod y stori uchod gyda'r naturiaethwr Ted Breeze Jones gyda'r bwriad o'i rhoi o flaen y panel radio.

'A oes merched yma heno? Stori i chi yw hon: Fues i'n mynd â llwythi o siwgr gwyn o Giwba i Odessa yn Rwsia pan oedd Fidel Castro yn dod i rym. Roedd yr howldiau yn llawn o sachau (50 kg) gwyn gyda seren goch wedi ei farcio ar bob un. Dôi pum sgwad o fenywod i'r llong yn ddyddiol i ddadlwytho. Roedd llawer ohonynt o dras uchel ac yn parhau i wisgo cotiau ffwr drudfawr, ond o dan y comiwnyddion yn gorfod gwneud gwaith trwm. Ond un diwrnod daeth yr Ail Fêt ataf i ddweud fod llawer o sachau yn diflannu. Gwelais y menywod yn rhwygo'r sachau ac yn torri'r defnydd yn sgwariau bychain. Rhoddent siwgr yn eu sanau, eu *sea-boots* ac yn eu *bloomers*. Rwy'n credu fod mwy o siwgr yn eu *bloomers* nag oedd yn y whilberi. Wedd torch-incil rownd eu penliniau i ddal y siwgr i mewn a cherddent fel hwyaid. Diflannodd 6,000 o sachau o un llwyth; 60 o fenywod yn dwyn un sach yr un bob dydd. Ond ni chlywid gair o Moscow. Roeddent gyda'r gorau yn talu bob tro, o bwrs y wlad, a gan mai o Giwba y dôi'r siwgr; taw piau hi!'

Dram bach arall! 'Roedd Arab o'r enw Ali yn aelod o'r criw gennyf unwaith pan oeddwn yn Freetown, Sierra Leone, ac roedd yn argyhoeddedig ei fod yn mynd i farw. Gwrthodai fwyta bwyd. Es mewn i'w weld rhyw fore gyda *log-book* y llong yn fy llaw. Dywedodd wrthyf fod ganddo bedwar can punt yn y banc ac mai ei frawd a fyddai'n etifeddu'r cwbwl. Cymerais arnaf ysgrifennu'r cwbl i lawr – gan ddweud ei bod yn bechod i farw a chymaint o eiddo. Bore trannoeth, roedd 'nôl yn ei waith yn holliach!'

Yr 'Hen Ddyn' oedd y gyfraith ar bob llong.

'Wedd dyn du yn sâl iawn ar y llong, ac roedd ei ffrind gorau, dyn du arall, yn pryderu amdano. Rhoddais archwiliad manwl iddo a throais at ei gyfaill, gan roi wyneb mor sifil ag y medrwn. Gofynnodd hwnnw i mi beth oedd yn bod. 'He's got *P-neumonia*.' (gan ynganu'r 'P').

A phan aeth yn ôl i'r *fo'csle head* dywedodd wrth ei gyd-forwyr, 'The Captain says he's got *P-neumonia*.'

'Go on, you mean he's got *pneumonia*.'

Ond '*P-neumonia*' fu ar ei gyfaill drwy ei salwch. Onid dyna a ddywedodd yr 'Hen Ddyn'!

Adroddai stori am gyd-gapten a chyfaill iddo wedi drylliad ei long yng Ngwlff Aden. Nofiodd y criw i draeth cyfagos lle'u gwelwyd gan bysgotwyr Arabaidd. Roedd y rhan fwyaf o'r morwyr yn noeth oni bai am ddillad isaf, y capten yn ei byjamas a'r unig un gyda chôt â botymau pres oedd yr Ail Fêt. Nid oedd yr Arabiaid yn fodlon trafod gyda neb ond yr un â'r botymau pres. Y botymau oedd y ddelwedd o awdurdod ac fe anwybyddwyd y capten yn ei byjamas (siwt garchar streipiog i'r Arabiaid) – nes iddo newid ei byjamas am gôt y Mêt!'

'Rwy wrth fy modd yn cael basned o gawl, a digon o sêrs ar ei wyneb! Roedd y Mwslemiaid yn dathlu diwedd Ramadan trwy aberthu dafad. Gwnaent gawl brown fel dŵr golch, mor wahanol i gawl Mam. Roedd llygaid, perfedd, dannedd, esgyrn a phenglog yn nofio ynddo. Prynent greadur ar ôl gwneud yn siŵr mai'r *sarang* a'i lladdodd. Roedd y cig fel lledr, a rhaid oedd bod yn ofalus rhag torri dannedd a'u hychwanegu at y cawl! A chyn i neb ddrachtio ohono rhaid oedd i'r Capten gymryd y llwnc a bwyta un o'r llygaid cyntaf, o flaen pawb, fel parch i'r cogydd ac Allah.'

'Dro arall, daeth *fireman* Somali i fyny i'm swyddfa gan duchan fod y bwyd yn ddrewllyd a sur, ac yn rhy wael i'w fwyta. Rhaid oedd i minnau ei fwyta o flaen y dynion du i gyd i brofi fod bwyd y llong yn ddiogel ac yn iachus. Fe fwyteais e gydag arddeliad gan droi fy nhafod a gwneud stumiau fel petai'r bwyd yn ardderchog. Cofiwch, dwy ddim yn siŵr beth oedd yn y *shepherd's pie* dieflig – a oedd yna lygoden ffrengig neu ddwy o'r *bilge* yn gymysg â'r cig! Iechyd da!'

'We ni'n gorfod bod yn feddyg ambell waith. A gyda'r beibl meddygol wrth law, y *Ship's Master Medical Guide* a chyfarwyddiadau dros y *wireless* ddes i ben â hi yn go lew! Roedd hen ddywediad gennym yn y Cilie slawer dy' – 'rhowch ddôs o 'kill or cure' iddo a fydd e'n iawn'. Byddem yn rhoi llond llwy bowtir o *Black Draft* iddynt i gysgu'r drwy'r nos. M.&B. tablets neu benisilin hefyd, ac os torrai rhywun asgwrn, rhoi *splints* am fraich neu goes, cyn troi hi mewn i'r porthladd agosaf. Pe buasai rhywun yn cael *rupture*, ei hwpo fe'n ôl â bys a digon o iâ arno! Fe gwympodd rhywun lawr i'r howld – fel S.B. – a chafodd ddwy shot o morffin. Pan ddihunodd e wedd e'n well! Fues i'n stitsho sawl un lan. Troi ei wyneb e draw a gwnïo'r croen gyda gyt da, cwlwm arbennig, a bach o ddisinffectant. Jawch, we nhw fel newy'.'

Ond dywed Dic Jones, 'Os oedd hanner yr hanesion hynny yn wir, mae'n rhyfedd fod ganddo gymaint ag un aelod o'r cwmni ar ôl i ollwng angor pan gyrhaeddai borthladd'.

Un tro, mewn Eisteddfod Is-genedlaethol yng Nghastellnewydd Emlyn roedd y Capten Jac Alun wedi ymgynnull wrth ochr y llwyfan yn barod i gyfarch Emrys y bardd cadeiriol buddugol. Roedd yn brynhawn poeth iawn a gwisgai ei swit *gaberdine*

Americanaidd gyda'r het wellt Panama enwog ar ei ben, a sigâr fawr. Tynnai ei het i lawr fel arfer, a'i chario yn ei law y tu fewn i'r 'pafiliwn'. Ac oherwydd y gwres gosodai ei fynegfys drwy ochrau'r het i wneud dau dwll gweddol o faint – a fyddai'n rhoi iddo ragor o awyr iach. Cyn dringo i'r llwyfan gosododd ei het ar gadair gerllaw, a gwelodd un o'r stiwardiaid busneslyd hi – a'r tyllau anarferol. Gofynnodd gwestiwn mewn dull braidd yn ansicr, 'Rwy'n gweld fod gennych chi dyllau yn eich het, Capten?'

'Bullets,' oedd yr ateb a gafodd.

Safodd yn syfrdan am amser, gan grafu'i ben a syllu ar y Capten a'r het y naill un ar ôl y llall, wrth i 'Nhad ddringo i'r llwyfan gyda'r osgordd.

Roedd atodiad i'r stori yma i'w wyrion chwilfrydig. Tarddai'r antur mewn jyngl ynys bellennig gyda'r capten a rhai o'i griw yn dianc rhag môr-ladron – gan frasgamu drwy'r corsydd dros ben crocodilod a thrwy nadredd gwenwynig yn hongian o'r canopi trwchus. Taniwyd arnynt ac aeth un ergyd strae drwy het y capten. Pe buasech ond yn gweld wynebau ei gynulleidfa ieuanc!

A chofiaf am ohebydd papur newydd yn chwilio am fy Nhad, y tro hwn yn Eisteddfod Pontrhydfendigaid.

'Esgusodwch fi, a wyddoch chi ble mae'r Capten Jac Alun?' gofynnodd i un o'r stiwardiaid.

'Welwch chi'r cymylau mwg acw sy'n codi. Fe ffeindiwch chi'r Capten mewn yn y wigwam yn smoco'i sigâr.'

Y Capteiniaid Jac Alun a Dafydd Jeremiah Williams ar ben y gambo yn diddori'r gynulleidfa ar Fanc Elusendy ar ddiwrnod dathlu canmlwyddiant geni Isfoel.

'Yn y mwg rwy'n edmygu
Swydd a dawn y bysedd du.'

Er iddo ysmygu sigarennau a phib yn ei ieuenctid, roedd yn hoff iawn o'i sigâr. Ac amser Nadolig, wedi iddo ymddeol, ceisiwn o fewn gorau fy ngallu i ddod o hyd i sigâr arbennig.

Agorai'r diwben ar fore'r Ŵyl gan dynnu'r glorwth o sigâr allan o'i phapur, ei dal yn ei fysedd a'i chodi uwch ei ben i oleuni'r ffenestr. Yna dywedodd unwaith, 'Dyw hon ddim yn iawn!' a minnau wedi gwario ffortiwn i'w phrynu!

'Wyt ti'n gweld . . . i wneud sigâr iawn, mae'n rhaid gwneud dau beth, fel geiriau yr hen ddywediad, 'Made from the best Brazilian leaf and rolled on a maiden's thigh'. 'Sdim ôl bysedd ar hon.' – a fflach o ddireidi yn ei lygaid.

Cyn hir daeth englyn i'r golwg:

> Sigâr fu ar goes gwyry' – a gefais
>   Gan gyfaill i'w smygu;
> Yn y mwg rwy'n edmygu
> Swydd a dawn y bysedd du.

'A'r clasuron hynny o hanesion (medde Dic Jones eto) – ac y mae'n rhaid fod gwir ynddynt – o'r hyn a ddigwyddodd iddo mewn gwahanol rannau o'r byd. Ac fel pe bai i bwysleisio gwirionedd ei storïau mynnai bwysleisio'r union fan y digwyddasai'r peth a'r peth, a'r union gargo a oedd yn yr howld ar y pryd.'

Ond roeddem ni, blant Cilfor, yn eu credu i gyd. Ni fentrwn wneud dim arall. Ac oherwydd hynny roeddem am eu clywed dro ar ôl tro!

Llifai epistolau Isfoel dros gefnfor a chyfandir, rhai ohonynt yn ddeuddeg tudalen o 'dalent' a ffraethineb y mwyaf ffraeth ohonom, 'We nhw bron cystal â phe buaswn yn dod gartref'. Wele un o Gilygorwel (cartref Isfoel) yng Ngorffennaf 1957:

Annwyl Nai,

Bwriedais ysgrifennu i ti ar y Sabath ond meddyliais y deuai'r cartŵn unrhyw ddydd, ac yn wir – dyma'r anfarwol banorama i'm llaw y bore 'ma. Y mae rhywbeth ffansïol iawn mewn sgwennu ar y Sabath fel yr oedd nos Sadwrn yn gyfareddol i fynd i garu slawer dy'!

Wel, mae'r cartŵn yn bert ofnatsen. Yr hen Galfin yn edrych yn ddiflas iawn yn cael ei adael tu fa's i ddrws y nefoedd – a'r diawl Stalin yn gweddïo am fynediad i mewn, druan bach, heb gael eu henwau ar y Llyfr Mawr, fel y dywedodd Goronwy Owen yn ei gywydd 'Y Farn':

> Cyflym y cyrchir coflyfr,
> A daw i'w ddwy law ddau lyfr,
> Llyfr bywyd gwynfyd y gwaith,
> Llyfr angau, llefair ingwaith.

Anfarwol. Bydd rhaid fframo hwn. Pwy fu'n dy helpu gyda'r brws – 'Haid o brentisiaid yn brwsio gered.' Rhaid i R.E. gael hwn ar gyfer 'Blodau'r Ffair'.

Galwasom yn siop J. D. Lewis, Gomerian Press, wrth ddod 'nôl o angladd gŵr Rosie yn Seilo, Llangeler. Prynais gopi o 'Cerddi Gwlad ac Ysgol'. Cafodd Elena gopi i ti am fod gwaith anfarwol o'th eiddo ynddo.

Cefais lythyr oddi wrth Llwyd o'r Bryn wythnos yn ôl yn fy llongyfarch am yr englyn a enillodd yn Llanuwchllyn i 'Llwch'. Roedd ganddo yntau un i mewn, medde fe, fel hyn:

Ym mhopty cwic Llandican – ei gorpws
A'i garpiau roed weithian;
A siwtiog ffwrnes Satan,
Llond blwch geir o'r llwch i'r llan.

Dywedodd hefyd am y llythyr gafodd o Murmuroa, Siapan a siec yn ei gesail at gofeb Tai'r Felin ac englyn da i'r gofeb a dim ond J.A.J. oddi tano. Wedyn gwelodd Gerallt, a hwnnw dd'wedodd wrtho 'mai capten llong yw J.A.J. yn fab i ferch y Cilie', a dyna'r dryswch wedi ei liniaru.

Cefaist ddifyrrwch mawr yn dy freuddwyd ofnadwy a hunllefus am fy nhranc. A minnau wedi gwneud yr englyn i 'Llwch' yr un pryd, mae cyd-ddigwyddiadau fel hyn yn sobri dyn weithiau . . .

. . . Y peth sy'n rhyfedd yw eich bod chwi forwyr (yn enwedig y meistri) yn safio cystal, a chwithau yn llwytho eich cypyrddau (cylla) mor drwm, a chael mor ychydig o ymarfer i'w dreulio. Mi es i Abertawe gyda Tomi Glyncoch rhyw b'nawn Sadwrn ers dros fis yn ôl – i weld y Capten Dai, ei frawd ar long fawr oedd yno dan ei ofal (Blue Funnel rwy'n credu). Yr oedd yn weledigaeth i mi ac fe fwynheais fy hun yn gampus. Digon o gwrw, pe bae gennyf gylla i'w dderbyn. Whisgi, gin, a phob rhyw gerdd. Panaid o goffi pan gyrhaeddasom a 'Chinese' am bump. Tri 'Chinese' yn gweini arnom a thywelion ar ein breichiau rhag ofn y byddem yn retsho. A'r cwrs cyntaf a gawsom oedd 'tripes', myn diawch, a rheiny mor tyff â 'tyres James' y moto-beic slawer dy'. Roedd carden o'n blaen ar y ford ('menu' rwy'n gredu); dwy ddim yn cofio'r enwau rhyfedd oedd arni ond rwy'n cofio na chysgais ddim cyn pedwar o'r gloch bore trannoeth. A phe bawn wedi cysgu buaswn siŵr o fod wedi trengi yn fy nghwsg wrth freuddwydio am y 'Chinese' melynion.

Daeth llythyr oddi wrth Gerallt ddoe, a'i awdl i 'Angor' a enillodd yn Eisteddfod Llanarth yn y gwanwyn. Dywedai ei fod wedi clywed oddi wrthynt gyda thipyn o ffrwyth awen Banc Llywelyn . . .

O ie! ynglŷn â'r ddwy 'r', y soniet amdanynt. Nid yw'r beirniaid byth yn condemnio hyn. Y maent yn mynd i golli rywle yn y sŵn a rhaid bod yn fanwl i'w canfod. Nid wyf fi yn rhoi fawr o bwys ar bethau felly!

. . . Mae gennyf ddigon o stwff ar gyfer 'steddfod Llangefni!

Rwy'n gweld fod englyn gennyt yn llyfr T. Llew i 'Golau'r Harbwr' – onid oeddwn yn gyd-fuddugol gyda thi rywbryd? Rhyw hen englynion sydd ynddo o'm heiddo i, wedi rhydu ar dafodau'r werin.

Gobeithio y byddi yn cwrdd â'r llythyr hwn yr ochr arall i'r byd. Diolch iti eto am y cartŵn a'r bryddest orchestawl! Fe fu ymryson y beirdd ieuanc ym Mhenrhiw-llan yn mis Mai rwy'n deall, y Llew yn tafoli a chafwyd hwyl rwy'n deall. Tydfor a'i griw.

Cofion gorau
dy ewythr Dafydd a thros y teulu.

O.N. Wele'r ddau englyn a anfonodd fy nhad at Lwyd o'r Bryn dan yr enw 'J.A.J.':

COFADAIL BOB TAI'R FELIN

Tai'r Felin: torf a welant – gofadail
Gan gyfoedion rhamant;
Wrth adwy'r buarth oedant,
O ddôr y tŷ ni ddaw'r tant.

I olynu'r adloniant – dim ond maen,
Wedi mynd mae'r tenant;
Bydd atgo yn taro tant
Ar y mynor – amenant!

Murmuroa, Siapan. J.A.J.

Cymry ar Wasgar

Cyfeiriadau ac enwau nifer o Gymry dros y byd – a'r rhai yr ymwelai Jac Alun â hwy yn rheolaidd pan oedd patrymau mordeithio yn caniatáu.

Evan Jones, Tacuari 471, Piso 3, Buenos Aires
G. Ritchie Harries
Helen Williams, Efrog Newydd
Capel Cymreig, 505 West 155 St., Efrog Newydd
T. Lloyd Roberts, Bayview, U.D.A.
J. Clayton Jenkins, Los Angeles
W. T. Davies, Vancouver
Annie Rees, Vancouver
Geo. Ford, Port of Spain, Trinidad
W. R. Lewis, Long Beach
Yr Athro John Hughes, Purnell, Canada
Dr Gwilym Lloyd, Kyoto, Siapan
John Davies, Long Beach, California
Mrs Isaac, Cape Town
Ifor Williams-Watson, Cape Town
J. Merlin Morgan, Durban (roedd ei wraig yn chwaer i Nantlais Williams)
Ifor Owen, Durban
John Basil Lewis, Durban
Annie Jones, Vancouver
D. R. Daniel, Rivadiva, Ariannin
John Humphreys, Rosario, Ariannin
Dilys Jones a Greta Long, Sydney, Awstralia
Capten R. H. Morris, Ismailia, Yr Aifft
W. R. Lewis, Long Beach, Callifornia
Anwylyd Williams, Blaine, U.S.A.
Rhys Brongwyn Williams, Ilwaco WA, U.D.A.
J. Stephenson, Cairns, Awstralia
Dafydd Morris, North Bend, Oregon, U.D.A.

Clos Bryndewi. O'r chwith i'r dde: Caterina Redamanti, Wil Morgan, Aldo Redamanti, Maria Ferlito, Mario Ferlito, Jac Alun, Luigi Ferrarinni, Ben H. Jones a Davide Briguori. Cyngarcharorion rhyfel Eidalaidd, eu ffrindiau a'u teuluoedd.

Eisteddfod Genedlaethol Aberteifi, 1976. O'r chwith i'r dde: y Capten Jac Alun, ei wyres Anwen Tydu a'i ŵyr Gareth Wyn, Aures, ei ferch-yng-nghyfraith, Alys a'r Capten D. J. Williams.

Dyma rai o'i englynion trawiadol:

Y DDRAIG
(Englyn cywaith yn Ymryson Bwlch-y-groes,
Y Capten Jac Alun, T. Llew Jones ac Alun Jones, y Cilie)

Hen arwydd ar faneri – a lliw gwaed
Didwyll gedyrn arni;
Mae'i dant llym a'i hystum hi
Yn dal i'n hysbrydoli.

CYFARCHION CANMLWYDDIANT GENEDIGAETH SARNICOL
(Cywaith rhwng Jac Alun a'i ewythr Alun y Cilie)

Gwerinwr y grug a'r anial, – grymus
Epigramwr dyfal;
Mwyna' teyrn, y gŵr main tal
A Chardi o'i wych ardal.

Sarnicol, siŵr iawn ei acen – a chynnil
Ddychanwr wrth elfen;
Trwy oes hir tŵr a seren
Talgarreg a'r 'Garreg Wen'.

CEINIOG
(Buddugol yn 'Steddfod Pontrhydfendigaid 1972)

Hi gofiaf fel lloer gyfan, – ar rod hon
Deil Britannia'i lluman;
Fel rhodd ciliodd o'm Calan,
Nid yw mwy ond newid mân.

DANT-Y-LLEW
(Buddugol yn 'Steddfod Caerwedros 1975)

Treisiwr y lawnt â'i rysedd, – o'i dorri
Cwyd arall i'w orsedd;
Daw iach wirod o'i chwerwedd,
Efryn bwth – sofren y bedd.

RHWYLLEN FFORDD (*CATTLE GRID*)
(Buddugol yn Eisteddfod Llanuwchllyn 1965)

Yn lle'r gât ceir grât yn groes – a'i barrau
Yn berygl i einioes;
Rhwyllog her i haerllug goes
A brad y ddafad ddifoes.

403

Jac Alun gyda T. Arfon Williams. Mae Anwylyd, merch y Capten, yn briod ag Ieuan Wynn Jones, brawd Einir, a oedd yn briod â'r diweddar T. Arfon Williams.

PIODEN
(Buddugol Eisteddfod Penrhiw-llan 1964)

Hed yn isel am gelain, – argoela
    Ddrwg, alaeth a damwain;
    Model cwm a'i deuliw cain
A garw awch yw ei sgrechain.

Englynwr oedd fy nhad yn bennaf. Cyfansoddai ambell gywydd a chwpled, soned a thelyneg. Mae'r teulu yn hoff iawn o'r gerdd hon:

YNYS ENLLI

A mi'n hogyn syllais arnat
    O hen Fanc Llywelyn draw,
Gan dy gymryd di'r pryd hwnnw'n
    Un o'r gwir arwyddion glaw.

Rhifais dy fflachiadau cyson
    Ganwaith dros hen glawdd y môr,
Gan ddychwelyd i freuddwydio
    Am y rhamant oedd yn stôr.

Ar ôl hwylio 'mhell dros foroedd
Dyma'r alltud yntau'n awr
Wrth oleudy Ynys Enlli
Sy'n coroni'r creigiau mawr.

Dyfal chwiliaf innau'r gorwel
Am hen Fanc Llywelyn draw,
Ond daw cawod yn ddisymwth –
Cawod heb arwyddion glaw.

Ynys Enlli.

Ar un cyfnod roedd fy nhad yn ddeunaw stôn a rhagor! Ond roedd ei bersonoliaeth fel petai'n fwy. Dyn oedd a hoffai fod yn wahanol – yn ei stumiau, ei wisg ac yn ei ffraethineb! Dôi nodweddion y 'Tyl' i'r amlwg yn gyson – ymwybyddiaeth o'r traddodiad, penderfyniad di-sigl, storïwr â hiwmor byrlymus a chellweirus, hynodrwydd a barn annibynnol ar bob peth. Ynddo roedd awydd i wneud 'strôcs' ar dir a môr. Ac wrth gwrs roedd yn englynwr crefftus.

Nid yw pob propelor llong yn troi o'r chwith i'r dde, ond gwir yw fod y rhan fwyaf o'r rhai unigol (*single screw*) yn troi felly. Ond yr oedd y Ffrancwr (ac mae ef yn enwog am fod yn wahanol i bawb arall) yn adeiladu llongau â'r 'props' yn troi go chwith, hynny yw, o'r dde i'r chwith. Pan fydd llong â dau bropelor ganddi bydd un yn troi i'r chwith a'r llall i'r dde, ond pan fydd gan long bedwar *prop* fel y *Queen Mary* a'r *Queen Elizabeth* – byddai dau yn troi i'r chwith a dau i'r dde. Ac roedd rhai rhaffau ar gyfer gwaith arbennig wedi eu plethu o'r dde i'r chwith. 'Tebyg iawn i ddynion,' medde

Y Capten Jac Alun a'r Seneddwr Edwin E. Mason – gweriniaethwr o Albany, talaith Efrog Newydd – tu allan i Amgueddfa Diwydiant a Môr, Caerdydd. Roedd ei dad-cu, Cranogfab Evans, yn brifathro ar Ysgol Pontgarreg. Bu'r capten yn ei dywys o amgylch Cymru wrth iddo chwilio am ei wreiddiau.

'Nhad. Ac roedd yntau wedi dysgu i droi ei gyneddfau i'r cyfeiriad iawn – ond yn meddu ar benderfyniad a hyder yn ôl yr angen – ac yn aml iawn yn erbyn y llif. Byddai llong bywyd yn symud yn esmwythach wedyn.

Ar dudalennau cyntaf *passport* gofynnir am fanylion enw, galwedigaeth, dyddiad geni, taldra, lliw llygaid, lliw gwallt a nodweddion arbennig. Yn ei ffordd gellweirus arferol o dan 'man geni' nodai – 'Cilie, Llandysiliogogo'. Hen enw ar blwyf Llangrannog yw Gogof, ond wedi rhannu'r ardal yn ddau, rhoddwyd yr enw gwreiddiol wrth gynffon y rhan newydd, i wahaniaethu rhwng Llandysul a Llandysilio ym Mhenfro. Cafodd 'Nhad lawer o hwyl a sbri am ben cwestiynau dwl swyddogion awdurdodol y tollau ynglŷn â'r man geni ar ei basport. Roedd gan y Siapaneaid ddiddordeb mawr yn yr enw a chafwyd y ddrama ganlynol yn Yokohama. Cynhaliwyd yr holi mewn Saesneg bratiog.

'A! Captain you come flom vely intelesting prace. How you say?'

'Cilie. Llandysiliogogo.'

'A, you Captain come flom Gogo. Whele Gogo?'

'Gogo is in Wales, Cymru.'

'Whele Wares?'

'Wales is in the British Isles. Britain.'

'Gogo not on Japanese atras.'

'But Gogo is on Gogo atlas.'

'No Gogo atras in Japan. You take passpolt and now go to Gogo. Sayonara,' gan ymgrymu'n ddefodol, gwrtais, fel arfer.

Ac nid dyna'r unig dalent a fu wrth y tollau!

Roedd yr aelwyd yn hollol uniaith Gymreig. Ni siaradem Saesneg byth â'n gilydd, roedd llyfrgell fy Nhad yn gwegian dan bwysau llyfrau Cymraeg, roedd dau eiriadur Bodfan ar ei ddesg, derbyniai'r *Faner, Barn, Y Cymro, Barddas, Taliesin, Porfeydd, Y Genhinen, Y Cardi* a phob cylchgrawn Cymraeg arall dan haul. Wedi ymddeol, ymddiswyddodd o rengoedd y Seiri Rhyddion, âi i'r capel yn gyson ac roedd yn Gynghorwr Bro. Ni chanfasiodd yn ei fywyd. Dywedai. 'Ma' nhw'n lwcus 'mod i'n sefyll o gwbwl!' Dôi yn olaf ond un mewn etholiad.

Ar ôl suddiad y *Fort Maisonneuve,* gan ffrwydryn môr ym 1944, llwyddodd y Capten Jac Alun i achub ychydig o'i eiddo, ond collodd bopeth arall gan gynnwys ei lyfrgell werthfawr. Tu fewn i glawr y cas llaw, gwelid yr englynion canlynol:

LLEFYDD PELL

Mont Blanc to Casablanca – New Orleans
Sierra Leone, Tampa,
Fiji, Moji, Panama,
Tin Sin, Darwin, Madeira.

Ilo Ilos, Honolulu – Beirut
Bahrein, Wooloomooloo,
Durban, Oran, Timaru,
Adis Abab and Cebu.

Roedd yn ŵr gwahanol hyd yn oed i ni'r plant ar brydiau. Dan bwysau clefyd yr Awen ni ddywedai ond ychydig am ddiwrnodau; cofiaf amdano yn paradan yn y tŷ ganol nos yn chwilio am linell gofiadwy ac yn saethu sguthanod o'i wely yn oriau mân y bore wedi gorchymyn i Mam roi ei phen dan y dillad. Gwisgai yn wahanol i bawb, a phan gynlluniodd ei dŷ newydd, Cilfor, cododd ystafell arbennig i ddal dillad, hetiau a thrugareddau'r môr. Ymhen draw'r ystafell roedd drych o faint uchder dyn tal i weld pa mor drwsiadus ydoedd. Gorweddai brws dillad bob amser ger y ffôn ac ar y silffoedd y casgliad mwyaf o hetiau amrywiol – yng Nghymru siŵr o fod: hetiau Panama, Churchill, Anthony Eden, *beret,* Stetson, het dal ffesant, het gyrcs o Awstralia, het drofannol yr hen Raj, capan capten, sawl *trilby*, het Khrushchev, het gantel morwyr Ceredigion, ac yn y blaen, ac, wrth gwrs, hetiau gwellt. Oddi tanynt englynion wedi eu hysgrifennu ar y mur:

HET WELLT

Ar ei hoelen y treulia – her a gwawd
    Trwy gydol y gaea';
    Ond ar gae y cynhaea'
    Daeth â'r hud i waith yr ha'.

Het ysgafn at frwd dasgau – a lloches
    Rhag llachar belydrau;
    Ar dymor hud rhaid mawrhau
    Help hon i'r moel eu pennau.

Mor ysgawn â'r gwawn a gwe – a dyfais
    Rhag deifiol ddiodde;
    Hwylus nawdd tan las y ne'
    Ond hydraul yng ngwynt hydre'!

*   *   *

Mam: Sarah Ellena Owen (Jones)

Un a wêl o wae'r heli
Longwr i harbwr yw hi.

(J.M.)

Cerddai Hettie Briggs gyda'r clais fel petai'n disgwyl storom bob tro ac ar gyflymder a rhithm uwch na'r cyffredin. Dynodai ei chorff ystwyth, ei hwyneb rhychiog a'i bochau cochion oes o lafur caled, bywyd yr awyr agored, diwydrwydd a nerth bôn braich. Gwisgai bâr o glocs cryfion wedi eu hiro'n dda, capan bach fflat ar ei phen a hyd yn oed frat lliwgar pan oedd ar frys mewn tywydd braf, ond *sou-wester oil-skin* melyn a du a phâr o *wellingtons* mewn glaw trwm a gwynt cryf. Hi a gariai'r post ar droed oddeutu pentref Llangrannog. Ac am swllt a chwech, neu goron i ardal Llwyndafydd, hi a ddeuai â'r telegramau yn eu hamlenni lliw mwstard i wragedd y morwyr. Ni fyddai'n gwybod cynnwys y brysneges ond roedd ei chnoc a'i hamddangosiad ar drothwy'n tŷ ni yn creu cynnwrf ac ofn.

    Cofiaf y byddai mam yn oedi i'w thawelu ei hunan, yn cymryd anadl ddofn cyn wynebu'r negesydd ac yn ceisio arddangos mor naturiol ag oedd bosibl. Ni ddywedwyd llawer a gwrthodai Mrs Briggs fynd ymhellach na'r cyntedd. Âi mam i ystafell arall i ddarllen y neges. Ac fel roedd yr hen sgwlyn Huw Dafis yn ddarllenwr pennau roedd Hettie Briggs yn ddarllenwraig wynebau. Arhosai yn amyneddgar wrth y fynedfa heb ddiosg yr un dilledyn gwlyb, a rhoddai amser i ddeigryn o ryddhad neu sioc dreiglo i lawr ar hyd gruddiau Mam. Yna medrai gamu 'mlaen, ac anghofio'i swydd amhersonol

Llun o Mam, a gariai'r Capten gydag ef yn ei waled
ar ei fordeithiau.

i roi cysur a chlust ac ysgwydd. Roedd y tegell ar y tân yn barhaol a thros baned paratowyd yr ateb i'w anfon 'nôl at 'Nhad. Mynd o frysneges i frysneges, o lythyr i lythyr, o ddydd i ddydd yr oeddem fel teulu yn y dyddiau tywyll hynny, ac yn wir pob teulu tebyg.

Rhoddai mam gildwrn iddi bob amser a dywedai hithau yn ei thro, 'Rwy'n falch fod popeth yn iawn. Pryd welsoch chi Capten dd'wetha'?'

'O, mae siŵr o fod yn mynd am ddwy flyne',' ac ar wyneb mam nawr, y wên ddisgleiriaf.

'Ambell waith pan fydd newyddion trist, bydd Mayrine Thomas, y bostfeistres, yn hala'r rheithor neu'r gweinidog yn fy lle i, chi'n gweld.'

Yn nyddiau cynnar bywyd priodasol fy rhieni a thrwy ddyddiau tywyll yr Ail Ryfel Byd, ni allaf ddychmygu pa deimladau cuddiedig a fyddai'n corddi mam. Roedd wedi colli ei thad pan foddodd oddi ar arfordir Algeria ym 1917 wedi i'w long, *Llongwen*, gael ei tharo gan long-danfor y gelyn; boddwyd brawd ei mam wrth hwylio yn y *Jura* o Baltimore i Rotterdam; ewythr arall, Daniel, ger India; a boddwyd cymydog iddi oddi ar Hartland Point.

A phan ddywedaf na chofiaf weld fy nhad ond rhyw bedair o weithiau nes yr oeddwn yn ddeg oed, a hynny ond am bythefnos i dair wythnos ar y tro, efallai y medrwch roi mwy o bersbectif ar deimladau mam – a phob mam arall a oedd yn briod â morwr.

Erbyn heddiw, medrwch hedfan o Sydney, Valparaiso, Vancouver, Tokyo neu Shanghai mewn diwrnod. Cyn ac yn ystod Rhyfel 1939-45 chwiliai'r perchnogion llongau am farsandïaeth ac elw lle bynnag y codai ei ben, a moriai'r hen 'dramps' o wlad i wlad am flynyddoedd heb feddwl dim am fywyd cymdeithasol y capten a'r criw. Nid oedd mordaith tair blynedd yn anghyffredin.

Collodd llawer o fechgyn lleol eu bywydau ar faes y gad ac ym merw'r don. Darllenai Mam am drychinebau'r môr mewn papurau newydd, gwrandawai ar newyddion y di-wifr, bu mewn gwasan-aethau coffa yng Nghapel-y-Wig ac roedd ei gŵr hithau yng nghanol y gyflafan. Sut y gallai gadw'r teimladau hiraethus iddi hi ei hunan heb ddangos dim byd ond urddas a llonyddwch meddwl i'w phlant? Yn sicr, roedd agosatrwydd y teulu a phedwar o blant yn gysur amhrisiadwy iddi. Ac roedd

Fy nhad-cu, John Owen, tad fy mam, prif-beiriannydd y *Llongwen* pan suddwyd hi oddi ar arfordir Algeria ym 1917.

rhannu profiadau â gwragedd eraill o'r un cefndir yn falm a therapi anuniongyrchol. Roedd bod yn rhan o draddodiad yn estyn cryfder hefyd.

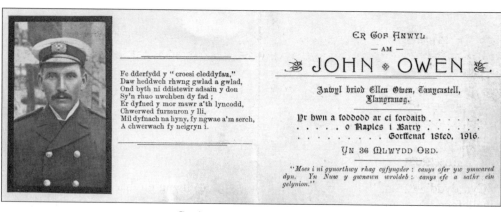

Cerdyn angladd John Owen.

Priodas Dan Lloyd ac Owina Jones, Frondeg, ychydig cyn i Dan foddi yn Bilbao ar ei fordaith gyntaf. Mae Mam yn sefyll yn ymyl y priodfab, pumed o'r chwith, ac Alun Cilie y tu ôl iddi.

Unwaith, cyn dyfodiad fy mrodyr a'm chwaer, derbyniodd Mam lythyr di-raen, brwnt ei olwg, gyda stamp â'r geiriau canlynol wedi eu hargraffu'n goch arno: 'Salvaged from the sea'.

Ofni'r gwaethaf a wnaeth i ddechrau gan ei osod ar y *sideboard* yn erbyn y *biscuit barrel* a syllu arno o bell. Plediwyd arni i'w agor ond mewn llais llonydd dan gryn deimlad, dywedodd, 'Mi agora' i e pan fydda i'n barod'.

Aeth pawb i'r gwely gan ddyfalu beth oedd cynnwys y llythyr dieithr. Erbyn y bore, roedd tair archeb bost gwerth pum punt yn cydorwedd gyda'r amlen ar y dodrefnyn. A'r stori . . . wel! Dyma eglurhad 'Nhad i ni:

'Tua'r flwyddyn 1937 yr oeddwn yn Suva (Ynysoedd Fiji) a phrynais dair archeb bost yn y swyddfa bost a'u hanfon at dy fam yn anrheg Nadolig. Yr oedd *Air Mail* yn dechrau dod i amlygrwydd a nodais hynny ar yr amlen. Cludwyd y post gan *Flying Boat* yr *Imperial Airways* ar daith drwy Philippines, Singapôr, Hong Kong, Sri Lanka, yr India, Aden a'r Aifft. Ac yno wrth godi o harbwr Alexandria, dechreuodd peiriannau'r awyren ochneidio a pheswch gan fethu â chyrraedd yr uchder angenrheidiol dros y Môr Canoldir – dan y pwysau. Gorchmynnodd y Capten i rai o'r sachau llythyron (deunaw ohonynt) gael eu bwrw allan i'r môr a rhoddodd wybodaeth i'r Llynges ac amcangyfrif o'i sefyllfa ac achubwyd y sachau post. Buont yn sychu ar begiau lein ddillad yn Suez am fisoedd ac roedd bron yn naw mis cyn i'r llythyr gyrraedd Ceredigion . . . a'r *postal orders* yn ddiogel er mai mis Medi oedd hi. Nid rhyfedd i dy fam lawenhau ar ôl gweld y stamp a meddwl y gwaethaf.'

Cyn dyddiau ffôn, llythyr oedd yr unig gysylltiad rhwng ein haelwyd ni a'n tad ym mhellafoedd byd. Ac os oedd toriad yn eu llif creai hynny ofid mawr i Mam a'i theulu. Unwaith, ni dderbyniwyd yr un llythyr am hanner blwyddyn a rhagor . . . a'r rheswm?

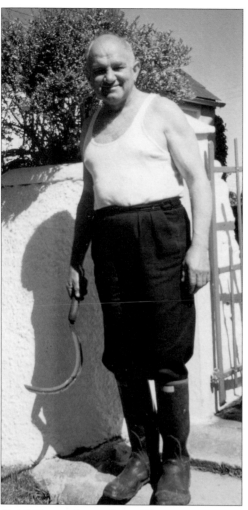

Dewi Emrys Owen, brawd fy mam, a morwr trwy'i oes, ond methodd ddringo'n swyddog oherwydd ei fod yn lliwddall.

Hwyliodd 'Nhad ar yr *S.S. Eskglen* â llwyth o lo o Durban (De'r Affrig) i Chittagong, Dwyrain Pacistan (ond Bangladesh heddiw) ond bu raid angori yn y bae am ddau fis am fod yr harbwr yn llawn. Cafodd y capten a'r criw ddigon o amser i ysgrifennu cannoedd ar gannoedd o lythyron at eu teuluoedd a dôi clerc o swyddfa'r asiant i'r llong ddwywaith yr wythnos i gasglu'r post. Rhoddai 'Nhad arian (*rupees*) iddo am ei drafferthion ac i dalu am y stampiau. Ond wedi cyrraedd Dungun, yn Malaya, cafwyd achwyn croch oddi wrth deuluoedd y criw na dderbyniwyd un llythyr ers misoedd. Wedi peth ymchwil daeth yn amlwg fod y clerc wedi pocedu'r arian i gyd a thaflu'r llythyron fel us i'r pedwar gwynt neu i dân uffern. (Gwers arall i'r capten a oedd yn cael y bai am bopeth – chwedl 'Nhad).

Ac arhosodd un digwyddiad arall yn y cof – wedi mordaith annisgwyl a chyfrinachol iawn. Parhaodd Mam a 'Nhad i ysgrifennu llythyron at yr asiantau a oedd i'w dosbarthu ond ni welwyd yr un llythyr am fisoedd – fel dywed 'Nhad: 'Fe hwylion ni drwy'r Môr Canoldir a'r Suez, ac i lawr heibio Aden, Beira a Durban a llwytho llwyth gwerthfawr iawn o aur, ffrwydron a cherbydau yn y porthladdoedd hynny. Wedyn 'nôl eto yr un ffordd, sef drwy gamlas y Suez, ac i ddadlwytho ym Mhenbedw (Birkenhead). Doedd neb wedi cael llythyr! Ar ôl talu'r criw bant daeth tua 1,200 o lythyron o rywle a dyna waith wedyn oedd ailgyfeirio'r cyfan. Yr oedd yr 'awdurdodau' wedi cadw symudiadau'r llong yn hollol ddirgel'.

Treiglo'n ysbeidiol a wnâi llythyron 'Nhad oherwydd y Rhyfel a threfn fewnol lac amryw o wledydd. Yn ddiau, aeth llawer ohonynt i waelod y môr – fel llyfr barddoniaeth John Tydu. Ond parhau i fod yn naturiol, yn llawen ac yn urddasol a wnâi Mam. Magwyd y pedwar ohonom yn ddidrafferth a phan aem dros ben llestri, a hynny trwy ddireidi yn fwy na dim, disgyblai Mam ni â geiriau tawel, 'Os nad wyt yn bihafio, mi fydda' i'n dweud wrth dy dad!'

Un o'm camweddau pennaf wrth fwyta wrth y bwrdd oedd lapo (neu lyfu) plât, yn enwedig y finegr a'r halen ar y gwaelod wedi pryd o sglodion. Yna dôi cerydd tawel Mam. Roedd yn llawer mwy effeithiol na phe bai yn gweiddi.

A thawelwch ac ymddygiad da a ddilynai. Yn wir, roedd holl weithgareddau a dyheadau'r teulu yn troi o gwmpas presenoldeb anweledig 'Nhad. Nid oeddwn yn ei adnabod (ond trwy lun ohono mewn iwnifform capten), ac nid oeddwn yn gyfarwydd â'i lais; yr oedd yn ddieithryn. Eto siaradai Mam amdano fel petai yn eistedd wrth y bwrdd o flaen y tân yn ystod y nos. Nid oedd gennym lun o'r llong ond trwy eiriau Mam roedd yn bresennol ac yn rheoli popeth. Ac wedi i'r 'telegram' gyrraedd gyda'r newyddion ei fod yn dyfod adre mewn pythefnos o Lerpwl, er enghraifft, codai'r disgwyliadau yn sydyn. Rhedai cyffro drwy'r tŷ a dywedwn wrth bawb:

'Mae Dadi yn dod gartre wythnos nesa'!'

Nid oedd gwahaniaeth gennyf pe buasai Cymru a'r byd yn gwybod!

Cyrhaeddai'r cistiau a'r bocsys (yn llawn o drugareddau) bythefnos neu ragor cyn dyfodiad 'Nhad. Deuai Bert Thomas â hwy yn ei lori frown a melyn (G.W.R.) o orsaf Llandysul, ac yntau o gorffolaeth gyhyrog dan siwt o frethyn ddu a brat lledr, ni fyddai'n hir cyn eu cludo i mewn i'r parlwr ar ei droli fechan gyfleus. Caewyd y drws yn dynn, ond wedi i ni'r plant ddod i ben a thorri i mewn, roedd y clymau rhaffau ar y bocsys yn dynnach ac yn amhosib i'w datod. Rhaid oedd aros i 'Nhad gyrraedd cyn y caem weld yr anrhegion!

Cofiaf yn dda am 'Nhad yn cyrraedd Tanycastell, Blaencelyn (ein cartref ar y pryd) ym modur Tom Jones, Pentre Arms. Mewn ofn cuddiwn y tu ôl i ddiogelwch Mam yn y pasej a gwelwn ŵr mawr cydnerth mewn côt las dywyll dan het gantel yn dringo allan o'r modur Ford V-8. Cydiwn yn dynn wrth ffrog mam a'm brawd Wynne yr ochr arall. Ac yna, cyn i Mam fynd ymlaen i gofleidio 'Nhad, rhuthrodd fy mrawd bach ato a gwaeddodd allan nes bod y pentref i gyd yn clywed, 'Mae Jon yn lapo plât!'

Os oeddwn wedi cuddio o'r blaen, gweddïais yn awr am i'r ddaear fy llyncu. Onid oedd Mam wedi fy rhybuddio y byddai'n dweud wrth fy nhad am fy nrygioni? Yn eu dagrau, cofleidiodd fy rhieni, ac fe'm codwyd i fyny gan fy nhad yn ei freichiau cryfion. Gwrthwynebais hynny a chredaf imi wylo mewn ofn yn fwy na dim. Ond ymhen ychydig roeddwn yn ffrindiau mawr wrth iddo roi corcyn coch i mi, fy nhroi dîn dros fy mhen i wneud dyn newydd ohonof, dal fy mys mewn trap a wnâi â'i ddwrn a fy nhaflu i fyny i fwrw'r nenfwd â'm pen cyn disgyn yn bendramwnwgl ar y gwely pluf. Wrth iddo dynnu llun wynebau ar ei benleiniau caem sioe bypedau ddifyr iawn. Roeddem yn deulu cyffredin hapus eto – am bythefnos!

Yn nyfnder tawelwch anheddau cysglyd cefn gwlad Ceredigion roedd dogni, newyn ac eisiau ymhell o gyrraedd pantri a gerddi cymharol lawn y bröydd. Ymfalchïai pob tŷ, am wn i, yn ei gardd lawn o lysiau a ffrwythau, ac er nad oedd rhewgelloedd ar gael, tyfid bresych, maip a thatws ar gyfer y gaeaf. Storid afalau a helltid sgadan mewn casgenni ac roedd wyau wedi eu piclo yn rhan o gynnwys y cwtsh dan stâr. Ac wrth law roedd y ffermwyr caredig yn barod iawn â'u cymwynas i gyflenwi anghenion arbennig.

Wrth gwrs, roedd pawb wedi derbyn mwgwd nwy, hyd yn oed fy chwaer fach Anwylyd – yn globen o faban ar y pryd – a'r llyfrau dogni bondigrybwyll. Roedd pob teulu yn derbyn *coupons* ar gyfer dillad *utility* eu hansawdd, a'r rhai a oedd yn berchen modur, *coupons petrol*. Cafodd datganiad yr Arglwydd Wootton gryn gyhoeddusrwydd ar Ionawr 1, 1940, am ei gynllun i ddogni, ac ymhellach ym 1942 pan ddechreuwyd dogni sebon, petrol, dillad a glo. Gorchmynnwyd gwraig y tŷ i ddefnyddio un cylch yn unig ar y *cooker* wrth baratoi bwyd ac i baratoi bath i'r teulu mewn dim mwy na phum modfedd o ddŵr. Wrth gwrs, yng nghefn gwlad Ceredigion nid oedd cyflenwadau trydan na dŵr wedi cyrraedd (yn wir, nid cyn y pumdegau!) ac o'r pistyll neu'r ffynnon gyfagos y dôi'n dŵr wedi ei gario mewn stên. Daeth prinder ar gaws, wyau, braster, llaeth, siwgr a chig (wel, i deuluoedd y dre).

'Dig for Victory' a welid ar y poster enwog, a daeth gwersyll y *Land Girls* yn rhan o fywyd beunyddiol amryw o bentrefi.

Cofiaf fy mam a'm mam-gu yn defnyddio tun mawr o selsig a'i hanner a mwy yn fraster, powdwr ŵy, marjarîn yn lle menyn, *saccharin* yn lle siwgr a swêts (rwdins) gyda phopeth. Ond caem fenyn o'r ffermydd cyfagos. Dôi taflenni'r Weinyddiaeth Fwyd i gynghori gwraig y tŷ i baratoi 'fatless pastry, eggless cakes', ac 'Oxo flavoured with water with vegetables to be known as soup'. Mor ffodus oeddwn, diolch i Mam a Mam-gu, i gael cawl yn llawn o fraster, cig o'r bwtshwr, sgadan a mecryll a chynnyrch o'r ardd. A digon o ddŵr glân gloyw o'r 'plwmp'.

Wrth daflu trem yn ôl, pell oedd realiti'r Rhyfel, ac roedd mam trwy ein bwydo a'n dilladu mor naturiol â phosib (er y *bodice* bondigrybwyll) wedi pellhau digwyddiadau erchyll y drin. Ni fuom mewn eisiau trwy flynyddoedd y Rhyfel. Ac os bu llong fy nhad mewn trybini – fel suddiad y *Maisonneuve* – ni ddywedodd Mam ddim. Cadwodd yr holl gyfrinachau rhag peri gofid i'w phlant. Eto ni chofiaf grych o ofid ar ei hwyneb.

Âi diwrnod golch y Llun ymlaen er gwaethaf y Rhyfel. Cynheuai Mam-gu y tân coed i ferwi'r dŵr a bu raid i minnau, yn groes-graen, chwyrlïo'r doli yn y twba. Pan ddôi Anti Gwen am dro fe gwrlai ei gwallt â thongs tân gan losgi ei chlustiau weithiau. Ac fe'i gwelais yn rhoi *gravy browning* dros ei choesau. Hefyd rhwygodd sawl pâr o sanau *lyle* (anrheg oddi wrth fy Nhad) wrth eu tynnu'n wyllt oddi ar wifren uwchben y lle tân. Ond defod hollol ddieithr oedd gweld carcharor Rhyfel Eidalaidd yn gwisgo *hair-net* i gadw'r *waves* yn ei wallt a rhoi majarîn ac ymenyn ar ei wallt wedi ei grafu o'r bara.

Cyn dyfodiad Neuadd Goffa i bentref Pontgarreg cynhelid cyngherddau lleol yn yr ysgol i dynnu'r gymdeithas at ei gilydd ac i groesawu aelodau o'r Lluoedd Arfog ar egwyl. Cofiaf am noswaith ymgynnull yr ifaciwîs ar lwyfan yn yr ysgol, a'r rheini'n cael eu dosbarthu fesul un, ac ambell bâr, i gartrefi'r fro. Daeth crwtyn o ifaciwî o'r enw Joseff, a oedd efallai dair blynedd yn hŷn na mi – i aros. Ac roedd un diflas ac eiddil yr olwg ar gwr y llwyfan ar ôl yn dal y mwgwd nwy, a label yn cynnwys ei enw yn hongian wrth ei wddf. Dangosodd Catherine Jones, Cilygorwel, gwraig Isfoel, drueni drosto a chymerodd ef i mewn i'w gofal. Dihunodd Pwyll ap Dafydd yn y bore a 'brawd bach newydd' yn cysgu ar ei bwys. Ymhen ychydig amser roedd Richard Frew (Dici) o Holloway, gogledd Llundain, yn siarad Cymraeg yn naturiol ac yn adrodd darnau o waith Isfoel mewn cyngherddau lleol. Cyn cysgu bob nos penliniai wrth y gwely ac adroddai Dici bader o waith Isfoel:

> Rhof fy mhen i lawr i gysgu,
> Rhof fy enaid bach i'r Iesu,
> Os byddaf farw cyn y bore,
> Beth a ddaw o'r holl geffyle?

Ar ddiwedd y Rhyfel, dychwelodd Dici i'w gynefin ac at ei rieni yn Llundain – yn Gymro uniaith (dyna ddameg). Roedd wedi anghofio ei Saesneg ar aelwyd Cilygorwel, ond ymhen blwyddyn 'nôl yn y ddinas diflannodd y Gymraeg yn llwyr.

Cofiaf weld y ffilm (ddu a gwyn) *The Silent Village* (gwaith Hubert Jennings, 1943) yn Ysgol Pontgarreg pan oeddwn yn naw oed. Adroddodd Mam y stori am ddialedd y Natsïaid wrth iddynt ddinistrio pentref glofaol Lidice, Tsiecoslofacia oddi ar wyneb y ddaear. Lladdwyd bron bob oedolyn a gyrrwyd plant o linach Ariaidd i fyw gyda theuluoedd yn Yr Almaen. Gwnaeth argraff ddofn iawn arnaf, ac erys y syfrdandod a'r arswyd ynof hyd heddiw.

Pa ddigwyddiadau ac atgofion eraill o'r Ail Ryfel Byd a adawodd argraff ar fachgen rhwng saith a deg oed yn nyfnder ardal wledig yn Sir Aberteifi a'i dad ar y môr yng nghanol y gyflafan? Cofiaf glywed bwletinau radio, gweld lluniau yn y papurau dyddiol, y mygydau nwy, *Land Girls* yn gweithio ar ffermydd cyfagos, llythyron oddi wrth fy nhad ac Anti Gwen o Gwm-twrch yn disgrifio'r llanast yn Abertawe wedi'r ymgyrch fomio. Ond y ddau beth a'm trawodd fwyaf oedd y darn o fom *incendiary* Natsïaidd a yrrodd 'Nhad adref i ni wedi ymosodiad awyrennau Stuka ar ei long yn Bone, Algeria. Taflodd y criw fwcedi o ddŵr drostynt gan greu mwy o lanast.

'Pâr o glocs da sy' eisiau, ciciwch y diawled dros yr ochor.' Ac wedi iddo ddangos y dechneg gyda chymorth ei ffrind, a saer y llong, Sami Morgan, tyfodd hyder y criw a chiciwyd bomiau bychain tanllyd i'r môr. Cedwais y swfenîr a'i ddangos i bawb. Ond lladdwyd un o fechgyn y fro mewn brwydr danllyd yn yr un porthladd – sef Granville Davies, Eryl, Penbontrhydarfothe. Roedd yn un o griw y *St Meriel*. Roeddwn yn ei adnabod, a daeth y Rhyfel yn nes.

Yna cofiaf am ŵr ieuanc a chymydog o'r enw Leonard Reynolds, Glyngarw, a ddeuai i'n cartref, 'Glendale', i atgyweirio'r set ddi-wifr. Ymunodd â'r Fyddin ond fe'i lladdwyd yn fuan iawn wedyn ar faes y gad. Cofiaf am fy mam yn cyfleu'r newyddion imi a minnau'n rhyw saith oed diniwed ar y pryd. Ni allwn amgyffred – cymydog ieuanc wedi ei ladd – ni welwn mohono fyth eto. Druan â'i rieni. Roedd yn ddigwyddiad hollol annealladwy.

Hefyd cyfeiriaf at y berthynas agos a ddatblygodd rhyngof a charcharor rhyfel o'r Eidal ar fferm Garnwythog, ger Blaencelyn. Anfonwyd 'Gino' allan i'r fferm o wersyll y carcharorion yn Henllan ac oherwydd ei ymddygiad da cafodd fyw gyda'r teulu. Diwrnod lladd mochyn oedd hi pan welais ef gyntaf. Roedd dieithryn ymysg y dorf ar y clos. Un a wisgai siwt borffor a phatsyn melyn siâp cylch ar ei frest a'i gefn. Roedd o bryd lliw'r olewydd, gyda gwallt du sgleiniog fel y frân. Siaradai iaith ddieithr a chysgai mewn ystafell a adeiladwyd yn arbennig iddo uwchben y gwartheg yn y beudy. Rhybuddiodd mam-gu yn enwedig mai'r gelyn ydoedd ac nad oeddwn i dderbyn unrhyw anrheg ganddo rhag ofn y byddai yn fy ngwenwyno. Druan o Mam-gu! Roedd yn meddwl y gorau! Mentrais wthio fy mhen dros y rhastal fwy nag unwaith wedi dringo'r ysgol tuag at ei ystafell. Nid oedd yn fwy na dwy lath sgwâr gyda gwely isel, *dressing table* bychan, cwpwrdd bychan i ddal ei ddillad, a stôf 'Primus' yn y gornel. Roedd leino sgleiniog ar y llawr ac roedd yn gynnes braf uwch y gwres canolog parhaol. Wedi petruso llawer mentrais i mewn i'w ystafell o'r diwedd ac ymhen amser ynganai ambell air yn Gymraeg. Rhoddodd whît o bren sycamor imi o'i waith ei hun, un a fedrai delori fel eos ac fe'i cedwais, yn ôl y gorchymyn, mewn cwpaned o ddŵr ger fy ngwely. Bob rhyw bythefnos berwai ddail dynad mewn sosban ar y 'Primus' ac wedi i'r cynhwysion oeri a setio roedd ganddo jel iachus a llesol i'w roi ar ei wallt. Roedd yn gan gwaith iachach a mwy effeithiol na 'Brylcreem'. Cefais innau driniaeth i'm gwallt ac oherwydd natur gyrliog a chras fy ngwallt euthum adref yn edrych fel draenog pync! Nid oedd Mam-gu na Mam yn hapus iawn. Câi Gino fynd â Wyn (mab y fferm) yn y pram am wâc, âi i'r cwrdd yng Nghapel-y-Wig ac i draeth Cwmtydu i lwytho graean a thywod ar gyfer adeiladu. Daethom yn ffrindiau agos. Nid oedd y Rhyfel mor beryglus wedi'r cyfan os oedd pob gelyn-filwr fel Gino! Ond diflannodd Gino yn sydyn wedi i rywun gysylltu â'r awdurdodau ynglŷn â'i gyfathrach â merch leol. Fe'i hanfonwyd ymhell o Henllan, ac er imi geisio lawer o weithiau i ddod o hyd iddo, dim ond atgofion melys yn unig sydd gennyf fi a theulu Garnwythog am Gino.

Er gwaethaf anwadalwch y gwasanaeth post yn ystod y Rhyfel, dôi llythyron 'Par Avion' i'n cartref yn rheolaidd. Trwy dderbyn gair (diweddar a hefyd o bellter) bu'n gyfrwng pwysig i dawelu ofnau cudd fy mam. Ar ddechrau'r Rhyfel dôi llythyron, a oedd wedi bod trwy ddwylo a siswrn y sensor – yn dyllau i gyd. Cytunodd fy rhieni ar gynllun cyfrin i dwyllo'r awdurdodau, fel pob teulu arall yn y bröydd, am wn i. Gosodwyd rhestr o enwau pentrefwyr ar fur y gegin – gyferbyn ag enwau porthladdoedd a fynychid gan fy Nhad a'i long. Er enghraifft:

E. R. Jones	Efrog Newydd
John Williams	Vancouver
Tom Thomas	Buenos Aires
Isfoel	Yr Alban
Frank Taylor	Montreal
Alun Jones	Dakar neu Sierra Leone
John Owen	Gibraltar

Roedd pob llythyr yn Gymraeg, heb gynnwys yr un brif lythyren, rhag tynnu sylw'r darllenydd. Lluniwyd brawddegau fel: 'Ydy e r jones denver (y sgwlyn) yn bwriadu ymddeol?' Gwyddai mam ar amrant wrth daflu golwg ar ei rhestr fod llong fy nhad naill yn agosáu at Efrog Newydd neu'n hwylio oddi yno. Bu'r cynllwyn cyfrin yn llwyddiannus iawn drwy gydol y Rhyfel, ac ni dderbyniwyd yr un llythyr yn dangos ymyrraeth y 'sensor'.

A byddai gair neu englyn neu gywydd ar garden Nadolig oddi wrth 'Nhad yn codi calon pawb.

I dyrch ein wêc edrych wnaf
Ar Walia – ein tir olaf;
Fel haidd haf drwy'r ffurfafen
I'w siwrne hwyr daw sêr nen.
Hyd orwel gwyll y dwyrain
Orion gwyd o'r môr yn gain.

Oer ddur yw mur y morwr
A swyn ei dŷ yw sŵn dŵr;
O'r rhithiau gant hiraeth gwyd
Am gelyn a mwg aelwyd –

Y goeden braff gwydn i'w brig
Yn dal gemau'r Nadolig,
Lle mae'r plant a'r hen Santa
A'i gar llusg ar wysg yr iâ.

Mor ddedwydd fy mreuddwydion
Am aelwyd deg hwnt mâl ton.

(Nadolig 1955)

*   *   *

Ac ar yr aelwyd ddedwydd yn y blynyddoedd wedi'r Rhyfel, tyfodd y pedwar ohonom yn gyflym ond gosododd 'Nhad y ddeddf i lawr yn gadarn a heb flewyn ar ei dafod ynglŷn â magu rhagor o forwyr.

Wrthyf fi, dywedodd: 'Dwyt ti ddim yn ca'l mynd i'r môr.'

Wrth Wynne: 'Dwyt tithe ddim yn ca'l mynd i'r môr!'

Wrth fy chwaer Anwylyd: 'Dwyt ti ddim yn cael priodi morwr.'

Ac wrth y cyw – Joshua Tudor: 'Chwilia am swydd arall. Chei di ddim dod i'r llong rhag ofn i ti gael syniadau.'

Ac felly y bu. Ond wrth i'r pedwar ohonom ddangos tueddiadau fel athrawon cawsom ymweld â'r llongau. Roedd y rhyddhad ar wyneb Mam yn werth ei weld. Wedi'r cyfan, fe gafodd hi oes gyfan o fod yn briod â morwr.

Plant Jac Alun ac Ellena. O'r chwith i'r dde: Jon Meirion, Alun Wynne, Anwylyd, Joshua Tudor.

417

Oherwydd gwasanaeth milwrol, coleg a swyddi yn Llundain ac Amwythig, ni welais lawer ar fy nhad eto, nes imi ddychwelyd i degwch Ceredigion yn niwedd y chwedegau.

A dychwelodd glesni a normalrwydd i'n teulu ni wrth i gymylau Rhyfel ymbellhau. Ehedai 'Nhad gartref o bellafoedd byd ac ymwelai Mam â'i longau yn Rotterdam a phorthladdoedd eraill. Cafodd wyliau o wythnosau a misoedd yn enwedig wrth newid llong a chwmni newydd. Bu'n dyst i fagwraeth a thyfiant ei wyrion a'i wyresau, rhywbeth na phrofodd mohono gyda'i blant ei hunan. Cafodd Mam ei gwmni'n barhaol – am y tro cyntaf ers 1933, cyfnod o ddeugain mlynedd. Ni sylwasom ar y ffaith ryfedd honno ar y pryd, ond wrth edrych yn ôl drwy sbectol profiad gwrthrychol, does gennym ond edmygedd i'r ddau. Gobeithio i ni'n pedwar roi cysur i'r ddau; yn gwmni a chymorth i Mam, a hyder a phleser i 'Nhad iddo wybod fod Mam yn ddiogel ac yn rhannu hanner profiad teulu normal – o leiaf.

Ailglymwyd cwlwm â'r nythaid beirdd, T. Llew, Dic Jones, Donald Evans, ac eraill o'r gwmnïaeth a'i ymwneud â'r 'Pethe' llifodd y gynghanedd. Llyncodd yr angor ym 1973 a chymerodd at gerdded a byw ar dir yn rhyfeddol o dda. Cadwai ardd lawn, paentiai bopeth yn ddiddiwedd, cododd ddau fyngalo arall a'u gwerthu (i Gymry), ac roedd ei fywyd yn hindda ac yn heulwen i gyd – ac 'yn llenwi'i le fel capten tir sych' (chwedl Dic Jones). Dioddefodd yn ddiweddarach o broblemau'r *prostate* a bu'n ymweld ag arbenigwr. Ond roedd cwmwl arall wedi croesi darn o'r haul – sef Mam yn dioddef yn gynyddol gan arthritis. Yn ei phoenau ciliodd y wên naturiol, peidiodd gwrid y gruddiau a gwelwodd. Ysgrifennodd at lawer o bobl enwog a oedd yn dioddef o'r un clefyd. Ac yna ymddangosodd cyffur newydd ar y farchnad – 'Opren' – ac wedi ei gymryd diflannodd y poenau ac roedd Mam 'nôl yn ei llawn hwyliau. Ond yn ddiarwybod iddi hi, y teulu a'r meddygon, roedd gan y cyffur effeithiau ochrog – megis gwenwyno'r afu. Fe'i rhuthrwyd i mewn i ysbyty Bronglais. Trodd ei lliw yn felyn ac aeth i gyflwr cymysglyd yn ei gwendid. Roeddem yn bresennol gyda 'Nhad a Dewi Emrys Owen (brawd Mam) pan fu farw. Nid anghofiaf y profiad byth!

Â'i llaw yn nwylo 'Nhad, parablai yn aneglur ac ymbiliai ef arni i beidio â'i adael. Roedd ganddo gymaint i'w drafod ac i'w gyflawni wedi'r holl flynyddoedd y bu'n morio ac ymhell o'r aelwyd yng ngwyrddlesni eu priodas. Cyfaddefodd y teimlai euogrwydd mawr. Euogrwydd a dyfodd yn ystod y flwyddyn ddilynol yn afiechyd meddwl. Roedd y môr yn hawlio'i doll wedi'r cyfan.

Dyma'r englyn a luniodd 'Nhad i'w dorri ar ei charreg fedd:

Aeth eilun ar daith elor – a'n heulwen
O aelwyd y Cilfor;
Hyd angau buost angor
A'r gem hardd ar graig y môr.

Wedi colli mam 'troes hafan ddelfrydol y Capten yn oergell drist' yn ôl Gerallt Jones. Honnodd 'Nhad iddo glywed llais yn ei alw, o'r ochr draw, fel y gwnaeth Thomas Hardy:

Woman much missed, how you call to me, call to me,
Saying that now you are not as you were . . .

Can it be you that I hear? Let me view you, then,
Standing as when I drew near to the town . . .

418

Or is it only a breeze, in its listlessness
Travelling across the wet mead to me here . . .

Thus I; faltering forward,
Leaves around me falling,
Wind oozing thin through the thorn from norward,
And the woman calling.

Roedd fy nhad eisoes wedi llunio englyn ar gyfer cystadleuaeth ar y testun 'Wrn':

O'r iasau, mâl arhosol – y ffin drist
A phen draw'r materol;
Y deunydd nwyd ni ddaw'n ôl,
Trwy faen y llosg terfynol.

Dywed Dic Jones yn ei bennod 'Llithro'r Maglau' yn ei lyfr *Os Hoffech Wybod*: 'Bu am amser yn ceisio llunio englyn coffa teilwng i'w wraig, ac adroddai ei gynigion i ni. Ond nid oedd yr un ohonynt yn ei lwyr fodloni. Hyd nes iddo daro ar y llinell – 'Fod i lwch hefyd ei lais'. Gwelem y dagrau yn cronni yn ei lygaid . . . a'i lais yn torri. Yr oedd yn hawdd gweld ei fod wedi ei anesmwytho i waelod ei enaid'.

Bu tipyn o ddyfalu a disgwyl am englyn cyflawn yn cynnwys y llinell anfarwol. Bûm yn chwilio'n drylwyr am yr englyn ond ni ddeuthum o hyd iddo. Felly aeth T. Llew Jones ati (yn ddiweddarach) i greu englyn a oedd yn cynnwys y linell drawiadol:

Bro'r fynwent werdd a gerddais, – o'i mewn hi
Am un hoff y chwiliais,
A deall, pan wrandewais,
'Fod i lwch hefyd ei lais'.

Ysgrifennodd Gerallt ymhellach: 'Tywyllodd y ffurfafen, ac nid oedd gysur mwyach nac yng nghynghanedd geiriau nac yng nghwmnïaeth anwyliaid a ffrindiau. Cododd ei angor a chroesodd y dŵr at yr hon a'i rhagflaenodd, gan adael ei ddymuniad olaf yn ei englyn olaf'.

A dywed Dic: 'Felly y bu y nos Sadwrn olaf honno, a ninnau wedi gweld y pyliau o iselder yn dod a chilio wedyn ers rhai wythnosau. Ond credem ei fod ar wellhad o'r diwedd. Clep ar ddrws y car, 'Hwyl', a diflannodd i'r tywyllwch. Tra bu gofal llong ar ei ysgwyddau a di-rif ddyletswyddau meistr yn hawlio'i sylw, yr oedd yn iawn. Tra bu gofal Lena arno, a'i chysur hi yn bennaf amcan ei fywyd, ni syflai ddim. Pan gollodd y ddau, datododd y maglau. Yr oedd Eisteddfod Abertawe yn agor trannoeth'.

Cytunodd i fynd i Abertawe a threfnais sedd iddo ar fws T. S. Lewis, Penrhiwpal. Cododd calonnau pawb (nes i Capten Jenkin Evan Jones, wedi iddo dderbyn gwybodaeth oddi wrth gymydog, fy ngalw allan o oedfa gymun yng Nghapel-y-Wig gyda'r newyddion).

Euthum draw i Gilfor yng nghwmni'r Capten J. Cyril Lewis i ddarganfod yr heddlu yno . . . a'r maglau wedi datod. Wrth fynd trwy ddrôr y *sideboard* deuthum o hyd i'r englyn hwn:

Dim blodau, dagrau na dig – ofynnaf
A hunell losgedig;
Eto i oed mynwent y Wig,
I chwennych ei llwch unig.

Iasol!
A dyma englyn a luniais i'r bore rhyfedd hwnnw:

Y BORE BACH

Yr awr flin a'r awr aflêr, – awr o wae
Ac awr wan a phryder;
Awr â min yn gwanu'r mêr,
Awr o hud yn eu breuder.

Er cof am y Capten Jac Alun:

Rhag llid y storom ddidor, – yn anterth
Corwyntoedd y culfor,
Y llong a gyll ei hangor, –
Mae ar drugaredd y môr.

Dic Jones

A chludo arch a chloi dôr – arno fu,
Yr hen feistr o'r Cilfor;
A'r storïau rhamantau'r môr
Aeth i'r Wig am byth rhagor.

T. Llew Jones

Glaniodd er llid gelynion, – a heriodd
Waetha'r corwynt droeon.
Arwr dewr ar war y don
Draw ciliodd o dorcalon.

J. Lloyd Jones

Lle torrwyd dealltwriaeth – eu dyddiau,
Onid oedd marwolaeth
Yn rhoi'n ôl yr hyn a aeth,
Yn tynhau'r hen bartneriaeth?

Alan Llwyd

Yr eigion ni thramwy rhagor, – nid oes
Codi hwyl o'r Cilfor;
Ni all llong gyll ei hangor
Yn y tir mawr fentro'r môr.

T. Arfon Williams

420

LLINACH JOHN ALUN

John Alun
Sarah Ellena

Jon Meirion Owen	Alun Wynne Owen	Anwylyd Owen	Joshua Tudor Owen
Aures	Myfanwy	Ieuan Wynn Jones	Judith

Jon Meirion Owen
Aures

1. Anwen Tydu
   Afan ab Alun

2. Gareth Wyn

Alun Wynne Owen
Myfanwy

1. Siân Louise
   (Martin Fryer)
   |
Harry Llewelyn
Rhiannon Medi

2. Jon Simon
   (Caron) (Ysg.)

3. Thomas Alun

Anwylyd Owen
Ieuan Wynn Jones

1. Dylan

2. Cathrin
   (Dylan Williams)
   |
Gwenllian
Rhianwen

Joshua Tudor Owen
Judith

Oliver John
Hilary Emma Jane

Llun un o'r
cychod hwylio
o fwrdd
hofrennydd.
Mae'r hwyl
flaen – y
spinnaker –
yn llawn.

422

Y MORWR IEUANC
Gwyn Tudur Williams
(12-3-1964 –)

Tudur gyda'i ewythr Joshua Tudor (mab y Capten Jac Alun), yn dathlu pen-blwydd ei dad-cu, John Etna Williams, yn 90 oed.

Yn y dwfn dan grych y don
Roedd heidiau o freuddwydion,
A'r heulwen dry'r hualau
Yn fodd i hwyl ufuddhau.

Fel enaid yr aflonydd
Ar y don mae'r galon gudd;
Yno flas solas ei sêl
A chawg aur cylch y gorwel.

Hwylio o hafan aelwyd
I ferw y llanw llwyd,
A'i ddoeau rhydd ar ei ôl
Yn eiddo'r lli tragwyddol.

Jon Meirion

Teimlwn fod Tudur, ŵyr i'r Capten John Etna Williams, yn haeddu lle yn y llyfr. Wedi'r cyfan, fel un o griw o bedwar ar ddeg dan *skipper* proffesiynol, fe hwyliodd o amgylch y byd ar gwch hwylio cymharol fychan o fewn blwyddyn gron. Mae'n cynrychioli'r ieuenctid cyfoes mewn asbri, antur a dychymyg. Eto yn ei gymeriad mae yn tarddu o'r un cyff, o'r un dyhead ac o'r un aflonyddwch ag a berthynai i forwyr y Cilie.

Yn gynnar iawn, er mai ar fferm ddefaid, Blaencletwr ger Talgarreg, y'i magwyd, roedd sawr y môr, y gorwel a rhamant yr anweledig pell yn apelgar iawn iddo. Roedd ganddo weledigaeth, annibyniaeth barn ac awydd i'w brofi ei hun mewn antur yn erbyn yr elfennau. Y môr oedd yr unig beth a estynnai'r sialens i Tudur.

'Anghofiwch bethau fel dringo Eferest, beicio dros gyfandir neu drec drwy jyngl neu anialwch. Rhywbeth fel hwylio o amgylch y byd oedd yr unig sialens a oedd yn fy nghynhyrfu. Roeddem wedi clywed hanesion fy nhad-cu ond roedd yr hyn y chwiliwn i amdano yn fwy!'

'Meddyliais am fynd i'r Llynges Fasnach ond nid oedd mordeithiau hirion a chyfnodau hiraethus oddi wrth fy nheulu yn apelio ataf. Ymunais â'r Llynges Frenhinol o'r ysgol yn 16 oed fel prentis. Ond cwrs cyffredinol ar dir sych yn Torquay a Plymouth a fynychais, ac er imi lwyddo yn yr arholiadau ymhen tri mis, roeddwn 'nôl ar fferm fy rhieni yn bugeilio defaid ar gyrion Banc Siôn Cwilt. Wedi cyfnod byr bues yn berchen rownd laeth yn ardal Drefach-Felindre, ynghyd â ffermio rhan-amser am bymtheng mlynedd cyn prynu cartre'r henoed yn Henllan ym 1992. Gwerthodd fy rhieni eu fferm a gollyngais angor fy mreuddwydion am gyfnod nes troad y ganrif.'

Yn barod i hwylio o amgylch y byd.

424

Er ei gyfrifoldebau newydd fel perchennog Cartref Henllan roedd galwad y môr yn parhau i'w gynhyrfu, yn parhau i gorddi ei ddychymyg ac yn parhau â'i sialens. Mor apelgar oedd y dyfroedd aflonydd, fel ei ddychymyg yntau. Ac yn wir, fel petai'r duwiau wedi paratoi'r cyfan dros drothwy dau fileniwm, gwelodd hysbyseb yn y *Sunday Times Magazine* dan nawdd y 'Millennium Yachting International Ltd'. Roedd brawddegau fel 'voyage of a lifetime' a 'circum-navigate the world's oceans in the final throes of one millennium to the dawn of a new', yn cynhyrfu'r awydd. Eisoes roedd yn derbyn cylchgronau morwrol fel *Clipper Race* ac roedd Syr Ffransis Chichester a hwylwyr eraill yn arwyr iddo. A chyn hir berwodd ei waed dan wres yr adrenalin.

Sialens i wŷr a merched ieuainc, iach, anturus, ond amaturiaid o ran profiad morwrol, oedd cynnwys yr abwyd. Fe'u gwahoddwyd i gymryd rhan mewn ras hwylio rhwng pedair iot o amgylch y byd – i gychwyn o Portsmouth ar 10 Hydref, 1999, ac i orffen yn yr un harbwr ym mis Medi 2000. Nid oedd eisiau llawer o berswâd ar Tudur a derbyniodd y sialens yn hyderus a phendant iawn. Aeth ar gwrs tair wythnos o hyfforddiant fel un o griw o bymtheg dan *skipper* proffesiynol, gŵr o'r enw Ben Johnson o Awstralia, ar yr iot *Spirit of Juno*. Gŵr dewr, gwydn oedd Johnson, wedi hwylio ar foroedd ffyrnicaf y byd a dur yr Antipodes yn ei waed. Ni fu'n hir cyn dewis ei griw. Roedd Tudur yn eu plith. Dewiswyd criwiau tebyg, sef pedwar ar ddeg, ar gyfer y *Spirit of Diana*, *Spirit of Minerva* a'r *Spirit of Isis* a'r *skippers* yn unig oedd yn hwylwyr proffesiynol.

Cychod 65 troedfedd oeddynt o wneuthuriad gwydr ffeibr, gyda mastiau alwminiwm 125 troedfedd ac fe'u hadeiladwyd am bris o 1.3 miliwn o bunnoedd yr un.

Fe'u siartrwyd hwy allan ar gyfer y ras gyda'r bwriad o'u gwerthu ar y farchnad agored ar ddiwedd yr antur fawr. Ac yna gofynnwyd i bob un o'r bobl ieuanc ar y pedwar cwch dalu deng mil ar hugain o bunnoedd yr un (heb arian poced!) am gael cymryd rhan yn y ras o amgylch y byd. Roedd yn antur befriog i'r dychymyg a'r mêr, ac aeth Tudur amdani yn hollol hunan-feddiannol. Roedd rhan o'r tâl am y fordaith yn noddi'r ymgyrch 'Atal Ffrwydron Tir' a sefydlwyd gan y Dywysoges Diana.

Roedd y pedair iot yn cystadlu yn erbyn ei gilydd o borthladd i borthladd. Rhoddid pwyntiau am eu safleoedd wrth orffen pob rhan ac ar ddiwedd y ras penderfynwyd pwy a enillai yn ôl cyfanswm y pwyntiau. Wele isod restr o enwau'r porthladdoedd ar hyd y fordaith. Treuliwyd ychydig ddyddiau ynddynt yn eu tro i baratoi, i atgyweirio, ac i brynu bwyd a nwyddau angenrheidiol.

Portsmouth	Tonga	Galapagos
Lanzarote	Auckland	Marquasos
Antigua	Sydney	Tahiti
Guadaloupe	Cairns	Guernsey
St. Lucia	Darwin	Portsmouth
St. Vincent	Ynys y Nadolig	
Benua	Maldives	
Granada	Mauritius	
Trinidad	Durban	
Tobago	Cape Town	
Aruba	Recife	
Panama	Azores	

10 Hydref 1999
Dechrau'r ras allan o Portsmouth. Allan i'r *marker buoy* ar y peiriant *diesel*. Y taniad olaf o'r canon heb weithio. Gorffen yn drydydd yn y ras gyfyng gyntaf.

11 Hydref 1999
Hwylio ddydd a nos mewn shifftiau. Yn ail wrth hwylio heibio i Ffrainc.

12 Hydref 1999
Gwthio'n galed trwy'r nos. Rhaff yr hwyl *spinmaker* (*halyard*) yn torri yn fy nwylo. Y tywydd yn twymo. Dolffiniaid yn nofio gyda'r cwch.

13 Hydref 1999
Y gwynt yn gostwng. Cyflymder dan 1 *knot* am oriau. Heibio i ogledd Sbaen.

14 Hydref 1999
Shifft 3-7 y bore. Dim gwynt. Cynnydd da yn y dydd. 23 milltir y tu ôl i'r *Minerva*.

15 Hydref 1999
Tywydd garw. Ennill môr – dim ond 5 milltir y tu ôl i'r *Minerva*. Cael y profiad cyntaf o lywio mewn storm arw. Noson arw iawn o'n blaenau. Hwylio i'r de tuag Ynysoedd Canaria.

Yr iot raso, y *Juno*, yn hwylio oddi ar arfordir de-ddwyrain De Affrica tuag at Cape Town.

17 Hydref 1999
Ar y blaen. Y *Diana* 69 milltir y tu ôl. Edrych 'mlaen at gawod a siafo. Yr *Isis* 52 milltir y tu ôl. Haul braf, awel fwynaidd i oeri'r gwaed. Pawb ar bigau'r drain i weld y *Minerva* – a hwyliodd i'r gorllewin. Y *Skipper* yn cysgu yn ei ystafell er mwyn gwneud un ymdrech fawr yn y bore.

18 Hydref 1999
Gwneud 8 milltir ar y *Minerva*. Dechreuad arbennig o dda. Dim sôn am y tri chwch arall wrth groesi'r llinell. 5 *knot* cyfartaledd cyflymder yn y nos. *Skipper* y *Minerva* yn anhapus iawn ar berfformiad ei griw a'i gwch. 10 diwrnod yn Lanzarote.

Roedd ei dad-cu, y Capten John Etna Williams, wedi ei fedyddio'n gofiadwy ar ei fordaith gyntaf ym 1927 a hynny fel *deck-hand* ar y *Llangorse*, sef llong ddur gymharol gadarn a diysgog, wrth groesi berw'r storm ar draws Bae Biscay. Eto yn ei gwch bychan ar ei fordaith gyntaf, ac ar drugaredd y gwynt a'r tonnau, ni ddioddefodd Tudur o salwch môr. Roedd cyffro a sialens ei antur wedi meddalu peth ar hiraeth ffarwél ei rieni a'u gweld yn chwifio eu breichiau ymhlith y myrdd ar y cei pell. Mor gyffrous oedd y teimlad o rithm y cwch dros ymchwydd y don, sŵn y llif wrth i'r *bows* hollti'r tonnau, y rhaffau yn griddfan dan straen, yr awel yn mwytho ei wyneb, a'r hwyliau yn llanw'n braf gan anadliadau'r gwynt anweledig. Gorfoledd a gwireddu breuddwyd: breuddwyd go iawn! Nid un oedd yn mynd i dorri'n deilchion wrth ddihuno.

'Roedden yn 'taco' tipyn yn erbyn y *sou-westers*. Roedd yn waith caled, er mai cyhyrau ffermio defaid ar Fanc Siôn Cwilt oedd gennyf ar y pryd. Cofiwch chi, erbyn diwedd y fordaith roedd gennyf gyhyrau newydd sbon! Roeddwn dipyn yn fwy sgwâr yn fy ysgwyddau. Roedd llywio'r llong yn ymarfer arbennig o dda i fagu ysgwyddau. Rhaid oedd cydweithio a chyd-symud gyda'r tonnau, dod i 'nabod rhithm y môr a sut roedd y cwch yn ymateb i'r gwynt a'r tonnau. Roedd dau wrth y llyw bob amser. Rhag ofn cael ein sgubo i ferw'r môr gwisgem harnais diogelwch drwy'r amser a rhuban cryf, yn ymestyn o'r *bows* i'r starn ar hyd rael arbennig. Cerddwn fel hwyaden i ddechrau ond buan iawn y datblygais goesau môr. Rhaid oedd newid hwyliau yn aml a throi'r *bencher drum* i dynhau neu slacio'r rhaffau. Wedi cyrraedd Lanzarote clywsom fod pedwar Ffrancwr wedi boddi ym Mae Biscay yn ystod ras hwylio'r ddau ddiwrnod blaenorol. Dim ond hanner y 55 o gychod hwylio a orffennodd y ras. Roedd clywed newyddion fel'na yn sobri dyn.'

28 Hydref 1999
Yr holl gystadleuwyr yn ysu am fynd ar draws yr Atlantig i Antigua. Dros nos, 00 *knot*, dim gwynt am oriau. Ar y blaen.

29 Hydref 1999
Hwylio heibio i holl ynysoedd y Canaria erbyn 3 y prynhawn. Y *spinnaker* (hwyl flaen) allan ers y bore. 5 *knot* o gyflymder.

30 Hydref 1999
Cynnydd da. Oddeutu 6 y bore y *spinnaker* yn cafflo yn y rigin. Awr i'w ddatgymalu – colli'r blaen am 5 milltir. Darganfod dau dwll yn y *spinnaker*. Diwrnod caled o waith. Tywydd trymaidd, cymylog ond gwyntog. Mynd i'r de. Gorffen y shifft am 3 y bore.

Llun o ddec un o'r cychod hwylio. Gwelir un arall o'r pedair yn y pellter.

2 Tachwedd 1999

Y *Diana*, y *Minerva* a'r *Isis* yn hwylio i'r de. Glaw trwy'r dydd ddoe. Y *spinnaker* trwm wedi bod lan. Newid rhaffau a blociau. Digon o wynt a thonnau. Wrth y llyw a thorri'r record am gyflymder – 18.4 *knot*. Dau helmwr wrth y llyw drwy'r nos. Ennill 10 milltir ar y lleill.

3 Tachwedd 1999

Cael fy nihuno am 3 y bore. Pawb yn cael gwybod fod cwdyn yn cynnwys y *spinnaker* ysgafn wedi ei golli dros yr ochr. Heb ei glymu'n dynn! Trychineb i bawb ar y *Juno*.

5 Tachwedd 1999

Cosb am golli'r hwyl! Ennill môr ar y *Minerva*. 1,000 milltir i fynd. Clywed sgôr y gêm rygbi – Cymru yn erbyn Ffrainc. O! am wynt. Llawer o bysgod hedfan yn tasgu allan o'r môr ac yn taro'r criw ar y dec. Anfoddhaol i'w bwyta. Caled ofnadwy!

7 Tachwedd 1999

Y gwynt wedi gostwng yn ddramatig. Colli 10 milltir i'r *Isis* ond ennill un ar y *Minerva*. Twym iawn. Derbyn e-bost oddi wrth fy rhieni. Llawer o bysgod hedfan ar y deciau. Gwneud 9 *knot*. 800 milltir i Antigua.

10 Tachwedd 1999

Dau ddiwrnod o Antigua. Cyfnod hir heb weld tir. Wedi blino a'r amynedd yn pallu. Y *Minerva* ar y blaen. Yr *Isis* 6 milltir o'n blaenau. Ond ymladd ymlaen â'r *spinnaker* trwm yn gweithio'n dda, er iddo gafflo unwaith eto rownd y *fore-stay*. 2 awr i'w atgyweirio – am ddau y bore. Cyflymder 10 *knot*. 260° tua Antigua.

Trydydd oedd y *Juno*, ond roedd digon o amser ar ôl!

Bu'n rhaid llochesu yn Antigua am bythefnos, yn hytrach na phum diwrnod, oherwydd 'Hurricane Lenny'. Ac yna cynhaliwyd cyfres o rasys rhwng Antigua a Guadaloupe (75 milltir a'r *Juno* yn gyntaf); Guadaloupe i St. Martinique (103 milltir a'r *Juno* yn bedwerydd); St. Martinique i St. Lucia (38 milltir a'r *Juno* yn ail); St. Lucia i St. Vincent (y *Juno* yn ail); St. Vincent i Granada (80 milltir a'r *Juno* yn drydydd); ac yn olaf Grenada i Trinidad (80 milltir a'r *Juno* yn gyntaf).

Dathlwyd y Nadolig a'r Mileniwm newydd yn Tobago. Ac ar 4 Ionawr dechreuwyd y cymal nesaf o 500 milltir i Aruba. Cynnydd arbennig nes i chwa sydyn rwygo'r *spinnaker* yn ddau hanner. Treuliwyd oriau di-ri i adfer y sefyllfa a llithrodd y *Juno* 'nôl yn olaf, ond yna trwy benderfyniad a gwaith caled llwyddodd y *Juno* i orffen yn ail.

16 Ionawr 2000

Ymlaen o Aruba i Banama a gorffen yn ail. Teithio 40 milltir drwy'r Gamlas enwog am naw awr a thrwy dri *lock* anferth.

Mae lefel y dŵr ar ochr cefnfor y Pasiffig a'r Atlantig yn gyfartal. Lefel dŵr camlas Panama sy'n newid uchder. Roedd y cymal nesaf yn 890 milltir i Ynysoedd Galapagos. Daeth y *Juno* yn bedwerydd wedi iddynt gael eu dal yn y *doldrums* a gwynt ysgafn am gyfnodau hirion.

Ymwelodd Charles Darwin â'r Galapagos a bu ei astudiaeth o'r bywyd gwyllt yno yn sail i'w lyfr enwog, *The Origin of Species*.

Bu Tudur yn llygad-dyst i'r cyfoeth o adar, anifeiliaid, ymlusgiaid a physgod a oedd yno. Mae'n nofiwr cryf ac yn ddeifiwr profiadol ac ymhlith ei gyd-berfformwyr roedd siarcod pen-morthwyl, morloi, pengwinod a'r igwanod. Ac ar y tir daeth wyneb yn wyneb â'r crwbanod anferth sy'n goroesi bywyd dyn hyd at 400 mlynedd. Gardd Eden bell o ruthr byd! Pe bai yn cael dewis i ail-ymweld ag un lle, Galapagos fyddai hwnnw.

Yno, ar y trai collodd y *Diana* ddwy droedfedd o'i llyw a chollodd y *Juno* ei hangor. Bu Tudur ac aelod arall yn ymbalfalu amdani mewn dŵr tywyll ond heb lwyddiant. Ar 30 Ionawr hwyliodd am Marquasos, mordaith o dair mil o filltiroedd, gan gyrraedd ymhen 17 diwrnod ar drugaredd y gwyntoedd a chwrs syth o 240°. Am rai diwrnodau, roedd y *Juno* bron yn ddigyffro, a'r hwyliau yn llac ac yn llonydd. Yn wir, tri diwrnod allan o'r Galapagos, a phum diwrnod ar ei hôl hi, bu bron i'r awdurdodau ddirwyn y ras i ben oherwydd diffyg gwynt. Dyna elfen o lwc sydd mewn hwylio, ynghyd â sgil y capteiniaid efallai wrth chwilio am wynt. Erbyn 4 Chwefror roedd y *Diana* 200 milltir ar y blaen a'r *Isis* 100 milltir y tu ôl. Hwyliodd y *Juno* i'r de i chwilio am wynt ac wedi ei ddarganfod gwnaeth 20 milltir y dydd o gynnydd ar y *Diana* a'r *Isis*. Erbyn 12 Chwefror roedd y *Juno* wedi goddiweddyd yr *Isis* ac o fewn 120 milltir i'r *Diana*. Collwyd yr hwyl barcud ond yn y chwaon sydyn roedd yn amser cyffrous ac ofnus ar yr un pryd. Cyrhaeddodd y *Juno* yn drydydd gan golli o drwch blewyn i'r *Isis*. Roedd yr elfen gystadleuol yn cadw pawb ar flaenau'u traed. Cyrhaeddwyd y Marquasos yn

Tudur, Billy (Gwyddel) ac Olivier (Ffrancwr) ar ddec y starn wrth hwylio o Lanzarote i Antigua drwy'r Atlantig.

ddiogel cyn hwylio ymlaen i Tahiti, ynysoedd paradwys a chynefin yr arlunydd Gauguin – 'Lle i enaid gael llonydd' – a lle i ddychwelyd iddo.

Penderfynodd Tudur gofnodi'r rhelyw o'r fordaith ar gamera fideo yn hytrach na chadw dyddiadur.

Roedd arwyddion o dywydd garw yn cynhyrfu'r gwaed, naill ai o weld cymylau duon, *water sprouts* a thonnau brigwyn anferth eu maint, neu o smotiau ar sgrin fechan ar offer technolegol y *Skipper*. Hwylient i mewn i dywydd 'diddorol' a garwach er mwyn cael gwynt, ond bu raid diystyru a diddymu Fiji o'r cynllun yn gyfan gwbl oherwydd y *typhoons* a dylanwadau El Nino.

'Roedd yn waith caled iawn. Yn enwedig gyda chriw newydd. Ambell waith dim ond pump gwreiddiol o'r pedwar ar ddeg a fyddai ar ôl oherwydd y cytundebau ac roedd yn cymryd mwy o gyfrifoldeb ac ymdrech i ddangos y drefn i'r criw newydd. Ond roeddwn yn cysgu'n rhwydd! Ni chysylltais â'm rhieni pan oeddwn ar y môr. Dim ond o dir. Fi oedd yr unig Gymro Cymraeg ar y pedair iot, a phan ddôi ambell e-bost trwy gyfrifiadur y *Juno*, er enghraifft, oddi wrth fy ffrind yn Aberystwyth, galwai'r *Skipper*, 'There's another alien e-mail in a strange language. It's yours, probably, Tudur!' – a gwên fawr ar ei wyneb. Roedd y pedwar *Skipper* mewn cysylltiad â'i gilydd dros y ffôn-radio. Roedd pob un yn gwybod safle pawb. Yna, roedd yr hwylio a'r tactegau fel gêm wyddbwyll. Pob un yn ceisio cael y gorau ar y lleill. Cystadleuol iawn!'

Bu'r fordaith flwyddyn hir yn rhamant pur – ar brydiau! Tancyrs olew anferth, llongau fferi, a llongau *containers* yn llithro heibio yn y nos ac yn diflannu i'r gwyll fel geiriau Henry Wadsworth Longfellow:

'SHIPS THAT PASS IN THE NIGHT'

> Heb orwel, dan ffarwelio – ar hin hwyr,
> Llongau'r nos â heibio;
> Ein ffawd yw'r rhithiau ar ffo
> I dawelwch y dwylo.

Jon Meirion

Wrth i drwyn y cwch hollti'r dyfroedd yn ystod yr hwyrnos, goleuai'r plancton yn ffosfforws gwyrdd a saethai'r dolffiniaid fel taflegrau i lyncu'r cynhaeaf mewn cynnwrf mawr.

Bryd arall rhaid oedd golchi dillad a choginio. Prynwyd bwyd ffres ymhob porthladd – digon i lenwi'r stumogau gwancus am rai diwrnodau i mewn i'r fordaith nesaf. Roedd cyflenwad pythefnos yn y cypyrddau iâ a digon o gig eidion, cig oen, ffowlyn, tatws a llysiau ar gael fel bwydydd sych. Wedi i'r lemonêd a'r Coca-Cola ddod i ben yfid Fitamin C fel powdwr mewn dŵr. Ac ar fordaith hir, dŵr y môr wedi'i buro fyddai'r cyfrwng. Roedd blas gwahanol arno oherwydd y tabledi cemegol ac effaith yr hidlyddion. Nid oedd alcohol i'w yfed ar fwrdd y cychod – er i botel o siampên gael ei hagor wedi croesi'r cyhydedd a phawb i gael llwnc – llond gwniadur!

Ac os nad oedd coginio Tudur yn *cordon bleu* ac iddo losgi reis un noson, cwblhaodd ei antur yn iach ei gyfansoddiad, lliw'r heli ar ei ruddiau a boddhad yn ei lygaid.

Tudur ar fachlud haul yn trimo'r *spinnaker* wrth groesi'r Pasiffig.

Roedd cynllun y cwch gwydr ffeibr yn ymarferol a threfnus a phob milimetr yn cyfiawnhau'i le. Er mwyn cyfleuster i'r criw roedd cegin, bynciau cysgu, cypyrddau lu a lleoedd storio peiriannau i dynhau rhaffau, ystafell gyfathrebu'r *Skipper*, toiledau (a phympiau llaw), cypyrddau iâ, pymtheg *dinghy*, a thair rafft achub (gyda *rip chords*) ar gyfer argyfwng.

Aeth y ras yn ei blaen yn ddiddigwydd o Tahiti a Thonga gan gyrraedd 'Gwlad y Cwmwl Gwyn' ac Auckland ar 27 Mawrth 2001. Roedd Tudur yn hoff iawn o Seland Newydd a'r tywydd, y tirwedd, a chroeso'r bobl yn debyg iawn i groesogarwch y Cymry. Profiad arbennig oedd hwylio i mewn i borthladd Sydney ar y cymal nesaf o dan y bont enwog a heibio i hwyliau'r Tŷ Opera. Disgwylir i bob Gymro ganu, ac un o brif atyniadau adloniant ar y cwch oedd Tudur yn dynwared Tom Jones. Tipyn o wefr a sioe, mae'n debyg, oedd ei weld yn siglo'i lwynau i rithm y cwch a'r môr. A chorws o fôr-forwynion efallai?

O am hoe a cherdded ar dir eto! Cymerodd Tudur wyliau yn Sydney ac wedi taith bws, ailymunodd â'r cwch yn Cairns (Queensland). Mae Tudur yn nofiwr ac yn ddeifiwr tanddwr profiadol iawn ac ymhlith ei goncwestau y mae Eilat (Israel), Sharon el Sheik (Yr Aifft), Tahiti, Mauritius a'r 'Great Barrier Reef'. Yno bu'n nofio ym mharadwys ymhlith y gerddi cwrel a chymylau o bysgod amryliw mewn tawelwch a dŵr glân gloyw.

Hwyliodd y cwch ymlaen i Darwin, ac i Ynys y Nadolig, ynys fechan a fu'n lleoliad i arbrofion â ffrwydron niwclear ac yn asgwrn cynnen oherwydd ffoaduriaid cychod o

Asia. 'Twll o le,' medde Tudur. Ac oherwydd amserlen a thywydd hwyliodd y pedwar cwch ymlaen heibio i'r Maldives i Ynysoedd Mauritius cyn anelu am Durban a Cape Town.

'Roedd môr mawr oddi ar Durban. Ac yn lle'r un diwrnod arferol i hwylio i mewn i Cape Town, buom yn ymladd â'r gwyntoedd twyllodrus, y cerrynt a'r tonnau am bedwar diwrnod. Croesffordd y byd – a phob elfen yn cyfarfod â'i gilydd yno (nid rhyfedd i forwyr ei alw'n 'Benrhyn y Gobaith Da'). Taco; milltir ymlaen, milltir 'nôl; taerwn inni sefyll yn yr unfan am ddiwrnodau. Roedd yr elfennau fel petaent yn gweithio yn erbyn ei gilydd. Rhaid oedd cydio yn dynn yn y raels; roedd y cwch yn crynu i gyd dan y straen, a'r gwynt yn chwibanu. Dim ond hwyliau bychain oedd lan. Dyna'r lle i ddysgu i fod yn forwr. Mi fwynheais y profiad, neu efallai y dylwn ddweud – fe'i cofiaf tra bwyf byw. Golygfa drawiadol oedd Table Mountain, a'r niwl boreol fel lliain bwrdd yn cwympo dros wefus y mynydd rhyfedd.'

'Fe aethom ymlaen i'r gogledd-orllewin tua Recife ym Mrasil i ddal y gwynt. Tywydd ffafriol iawn, cynnes a braf. Yno roedd dwsinau o ferched fel duwiesau siapus lliw'r mêl ar y traethau – a digon o win a mwg a merched drwg yn y cysgodion – pe buasech am chwilio amdanyn nhw! Wedi dal y gwyntoedd fe hwyliodd y pedwar cwch i Ynysoedd yr Azores – ynysoedd folcanig, unig, yn eiddo i Bortiwgal yng nghanol yr Atlantig.

Yn y lleithder parhaol gorchuddid y llethrau, bron i'r copaon gan dyfiant trwchus fel carped lliw mwsog a darnau o goedwigoedd. 'Roedd y clogwyni uchel a serth gyda'r mwyaf a welais erioed. Codai arswyd arnaf wrth syllu arnynt yn codi o'r môr i fyny i'r cymylau. Ni phrofais yr un rhyferthwy, hyd yn oed mewn tymestl. Ac i ennill ail wynt ac ymarfer traed hir, ymgymersom â thaith ar gefn beiciau modur. Teimlwn fel aderyn drycin wedi glanio ar ôl ehediad hirfaith o waelodion y byd. Eto, anodd oedd amgyffred fod terfyn y fordaith gerllaw. Roedd gennyf bryder am fy musnes, er y gwyddwn ei fod mewn dwylo da, ond dychwelai rhai aelodau o'r criw yn waglaw, heb waith, a heb geiniog yn y banc. Mor ffortunus oeddwn.'

'Cyraeddasom ynys Guernsey yn ddiogel ac erbyn hyn roedd pawb yn awchu am gystadlu ar y cymal olaf i borthladd Portsmouth. Llifai'r adrenalin, a symudai'r criw i'w gorsafoedd mewn cynnwrf mawr. Roedd 'ennill' wedi ei argraffu ar wynebau pawb. Yn y rhuthr i groesi'r llinell gyntaf trawodd yr *Isis* i mewn i'n cwch ni (y *Juno*) gan greu cryn ddifrod. Ond roeddwn wedi cwblhau'r antur fawr, gan deimlo'n flinedig ond yn llon a buddugoliaethus (er mai trydydd oeddem yn y drefn). Eto, wedi gorffen roedd gennyf fwy o barch o lawer i'r môr – na chynt! Ar y cei i'm croesawu (mewn rhyddhad ac yn falch iawn ohonof) roedd fy rhieni.'

Pa effaith a gafodd y fordaith ryfedd ar bersonoliaeth Tudur? Dyma ei sylwadau:

'Roeddwn yn yr oedran iawn i wneud hynny ac wedi'r sialens a llwyddo, roeddwn yn teimlo fy mod wedi ei gael ma's o fy system. Teimlwn yn fwy cyfrifol, yn fwy hyderus i redeg busnes ac yn arbennig cartre'r henoed a'i holl gyfrifoldeb. Tîm oeddem ar y môr, a phob un yn pwyso ar ei gilydd. Tîm ydym yng Nghartref Henllan. Roedd y lle ar y cwch yn gyfyng iawn ac roedd hynny'n tynnu'r gorau allan o bob person. Rwyf innau'n fwy amyneddgar ac yn fwy ymwybodol o eraill! Ac os cyfyd problem medraf ei datrys lawer yn haws. Mae pob problem fel petai yn llai!'

Cyn ymgymryd â'r sialens, fe'i cynghorwyd gan ei rieni: 'Gofala fod y busnes yn iawn gyntaf.'

Tudur (yn y canol yn y rhes flaen), gyda chriw'r *Juno* yn y Caribî.

Tudur gyda'i fam a'i dad wedi dychwelyd yn ddiogel ar ôl hwylio o amgylch y byd.

Yn wir, oni bai fod gan Tudur feddwl uchel iawn a llwyr ymddiriedaeth yn y Matron, Margaret Harvard, a'i staff, ni fyddai'r fordaith yn bosibl.

'Mae fel ail fam i mi. Roeddwn mewn cysylltiad â hi a'r staff drwy'r amser. Gwisgwn anrheg a gefais ganddynt – tlws o San Cristoffer, sant y teithiwr – yn barhaol, o gylch y byd. Ac wrth gwrs, cefais gefnogaeth lwyr gan fy rhieni, a 'mrawd.'

Tybed a fydd Tudur yn teimlo fel y fôr-wraig enwog Clare Francis: 'Rwy'n dal i brofi cymysgaeth gyffrous o ofn a hudoliaeth, ac er y demtasiwn i aros ar dir, mae wastad yn fy hudo'n ôl am un fordaith arall'.

> Canmoliaeth lawn it, Tudur,
> Ar gwblhau y clasur;
> Edmygwn lif dy sêl i'r her
> A'th ddewrder dros yr antur.
>
> Wrth iti rodio'r wendon,
> Dy deulu a'u pryderon
> Fu'r seren wen uwch cefnfor maith
> Ar fordaith dy freuddwydion.

Rhestr o longau y bu aelodau o deulu'r Cilie yn morio arnynt

Enw'r llong/ rhif cofrestru	*Tunelli gros*	*Cyfnod*	*Safle.*

Llong Simon Bartholomew Jones

| *SS Tripoli* (128039) Cwmni: E. C. Thin Co. Ltd, Lerpwl. | 4186 | 5-4-1911–26-6-1911 | *Deck-hand* |

Llongau yr Uwch-Gapten Dafydd Jeremiah Williams

1. *Zurichmoor* (129068)
Cwmni: Walter Runciman & Co. Ltd, Newcastle. — 3778 — 25-7-1919–12-8-1920 — *Cabin-boy*

2. *Brynmead* (106641)
Cwmni: Western Counties Shipping Co. Ltd, Caerdydd. — 3060 — 26-11-1920–9-6-1921 — *Ordinary seaman*

3. *Kenmare* (106505)
Cwmni: Merlin Shipping Co. Ltd, Caerdydd. — 3028 — 29-7-1921–12-3-1923 — Morwr

4. *Penthaw* (133404)
Cwmni: D. P. Barnett, Caerdydd. — 4303 — 27-4-1923–31-10-1923 — Morwr

5. *Bedefell* (145404)
Cwmni: Bede Steam Shipping Co. Ltd, Newcastle. — 3718 — 19-11-1923–17-3-1924 — Morwr

6. *Porthia* (144618)
Cwmni: R. H. Read & Co., St. Ives, Cernyw. — 3919 — 29-3-1924–1-2-1925 — Morwr

7. *Trevaylor* (133214)
Cwmni: Hain Steamship Co. Ltd, St. Ives, Cernyw. — 4249 — 28-3-1925–9-11-1925 — *Able-bodied Seaman*

8. *Llanberis* (105187)
Cwmni: Evan Thomas, Radcliffe & Co., Caerdydd. — 4050 — 10-3-1926–15-8-1926 — Ail Fêt

9. *Yorkminster* (105187)
Cwmni: Minster Steam Navigation Co. Ltd, Llundain. — 4050 — 29-8-1926–19-6-1927 — Ail Fêt

Enw'r llong/ *rhif cofrestru*	*Tunelli gros*	*Cyfnod*	*Safle*
10. *Vera Radcliffe* (148529) Cwmni: Evan Thomas, Radcliffe & Co., Caerdydd.	5587	30-8-1927–20-2-1929	Ail Fêt
11. *British Councillor* (146562) Cwmni: British Tanker Co. Ltd, Llundain (B.P.).	7045	23-10-1929–18-8-1930	Ail Fêt
12. *Llanishen* (161246) Cwmni: Evan Thomas, Radcliffe & Co., Caerdydd.	5052	3-5-1932–23-4-1934	Ail Fêt
13. *Flimston* (148584) Cwmni: Evan Thomas, Radcliffe & Co., Caerdydd.	4674	1-5-1934–26-2-1937	Mêt a Chapten
14. *Llandaff* (165463) Cwmni: Evan Thomas, Radcliffe & Co., Caerdydd. Y Capten oedd John Rees Jenkins, Aberporth, hen ewythr y Dr David Jenkins, Uwch-guradur Adran Diwydiant yr Amgueddfa Genedlaethol.	4826	14-5-1937–11-7-1938	Mêt
15. *Llanberis* (149971) Cwmni: Evan Thomas, Radcliffe & Co., Caerdydd.	5055	12-7-1938–15-7-1947 (9 mlynedd, tri diwrnod)	Capten
16. *Llanishen* (181822) Cwmni: Evan Thomas, Radcliffe & Co., Caerdydd.	10,735	19-11-1947–9-8-1952	Capten
17. *Llandaff* (185358) Cwmni: Evan Thomas, Radcliffe & Co., Caerdydd.	12,501	15-1-1953–18-11-1953	Capten
18. *Lodestone* (166585) Cwmni: Alva Steamship Co. Ltd, Llundain.	4953	29-3-1954–17-12-1955	Capten
19. *Coralstone* (1435L) Cwmni: Alvion Steamship Co. Ltd, Panama.	7261	18-12-1955–16-3-1957	Capten

Enw'r llong/ *rhif cofrestru*	*Tunelli gros*	*Cyfnod*	*Safle*
20. *Starstone* (166528) Cwmni: Alvion Steamship Co. Ltd, Panama.	5702	23-6-1957–23-7-1957	Capten
21. *Silverstone* (187704) Cwmni: Alvion Steamship Co. Ltd, Panama.	8615	9-8-1957–12-3-1958	Capten

Enw'r llong/ rhif cofrestru	Tunelli gros	Cyfnod	Safle
22. *Goldstone* (32412) Cwmni: Alvion Steamship Co. Ltd, Panama.	8660	13-3-1958–10-4-1960	Capten
23. *Alva Cape* (185954) Cwmni: Alvion Steamship Co. Ltd, Panama.	11,252	6-7-1960–9-10-1963	Capten
24. *Altanin* (2080) Cwmni: Alvion Steamship Co. Ltd, Panama.	44,935	10-12-1963–10-6-1965 (dwy fordaith)	Capten
25. *Alnair* (1979) Cwmni: Alvion Steamship Co. Ltd, Panama.	31,330	1965–1967	Capten
26. *Almizar* (2166) Cwmni: Alvion Steamship Co. Ltd, Panama.	44,900	1967–1969	Capten
27. *Alva Star* (338896) Cwmni: Alva Steamship Co. Ltd, Llundain.	113,932	15-6-1970–21-11-1970	Capten

Llongau Frederick James Williams

	Tunelli gros	Cyfnod	Safle
1. *Llangorse* (119960) Cwmni: Evan Thomas, Radcliffe & Co., Caerdydd.	4703	19-1-1923–17-1-1924	*Galley-boy*
2. *County of Cardigan* (118779) Cwmni: County Shipping Co. Ltd, Caerdydd (David Owen, Y Foel, Blaencelyn.)	2286	27-5-1924–9-8-1924	*Deck-boy*
3. *Maid of Syra* (143157) Cwmni: Byron Steamship Co. Ltd, Llundain.	3451	28-8-1924-11-11-1924	*Ordinary Seaman*
4. *Rochdale* (148274) Cwmni: Charles Radcliffe & Co, Caerdydd.	4745	5-11-1924–(neidio'r llong)	Morwr
5. *Antinous* (148530) Cwmni: T. Bowen Rees & Co. Ltd, Llundain.	4563	10-2-1930–20-12-1930	Morwr

Enw'r llong/ rhif cofrestru	Tunelli gros	Cyfnod	Safle

Llongau'r Capten John Etna Williams

1. *Llangorse* — 4703 — 1927–1930 — *Deck-hand i Forwr*
   (119960)
   Cwmni: Evan Radcliffe & Co., Caerdydd.

2. *Igtham* — 1337 — 1930–32 — Morwr
   (pentre yng Nghaint)
   (128884)
   Cwmni: Constants (South Wales) Ltd., Caerdydd.
   (Bu gartref yn Nhroed-y-rhiw yn ystod y dirwasgiad).

3. *Eskdale Gate* — 4250 — 1934–36 — Trydydd Fêt ac Ail Fêt
   (161403)
   Cwmni: Turnbull Scott & Co. Ltd., Llundain.

4. *Southgate* — 4862 — 1936–38 — Ail Fêt
   Cwmni: Turnbull Scott & Co. Ltd., Llundain.

5. *E Sang* — 3370 — 1938–40 — Mêt
   (164036)
   Cwmni: Indo-China Steam Navigation Co. Ltd.
   Adeiladwyd gan Barclay, Curle & Co., Glasgow, fel yr *Hai Heng*.
   (Bu'r Capten J. E. Williams yn tramwyo ar longau Jardine Matheson rhwng Hong Kong a Tin-Sin yn ystod blynyddoedd olaf y 1930au.)

6. *M/V Fuh Wo* — 955 — 1941–42 — *1st Lieutenant R.N.R.*
   (151712)
   Adeiladwyd gan gwmni Yarrow & Co., Glasgow, ym 1922 i gwmni Indo-China.

7. *Eastern Glory* — 6500 — 1950–52 — Capten
   (158522)
   Adeiladwyd gan J. J. Thompson & Sons, Sunderland, i gwmni Indo-China ym 1949.

8. *Eastern Star* — 6523 — 1952–54 — Capten
   (191466)
   Adeiladwyd ym 1951 gan Harland & Wolff, Belfast, i gwmni Indo-China.

9. *Tak Shing* — 2637 — 1954–1982 — Capten
   (153563)
   Adeiladwyd gan y Taikoo Dockyard & Engineering Co. Ltd ym 1924 i Tai Yip Co. Ltd., Hong Kong.

10. *Fat Shan* — 2633 — — Capten
    (249889)
    Adeiladwyd gan y Taikoo Dockyard & Engineering Co. Ltd ym 1933 ac yn eiddo i Yu On Shipping Co. Ltd., Hong Kong.

11. *Wah Shan* — 2149 — — Capten
    (343823)
    Adeiladwyd gan Mitsubishi ym 1934, yn eiddo i Ravenser Enterprises Ltd., Hong Kong.

Enw'r llong/ rhif cofrestru	Tunelli gros	Cyfnod	Safle
12. *Nam Shan* (343844)	2142		Capten

Adeiladwyd gan Niigata Engineering Co. Ltd., Tokyo, ym 1972, i Ravenser Enterprises Ltd., Hong Kong.

(Bu'r Capten yn gweithio ar longau fferi rhwng Hong Kong a Macao 1954–1982).
(O.N. Pan suddodd un o'r llongau fferi tra oedd y Capten J. E. Williams gartref – collodd ei holl dystysgrifau a dogfennau morwrol.)

Llongau Lloyd George Jones

1. *Eastern City* (135963)	5992	1918–20	*Deck-hand*

Cwmni: Sir William Reardon Smith & Son, Caerdydd.

2. *St. Quentin* (136971)	3528	1920–21	*Ordinary* *seaman*

Cwmni: B & S Shipping Co. Ltd., Caerdydd.

3. *Trelevan* (144396)	4770	1921–22	Morwr

Cwmni: Hain Steamship Co. Ltd., St. Ives, Cernyw.

4. *Dalcroy* (161650)	4558	1922–25	Bos'n

Cwmni: United Steam Navigation Co., Newcastle-on-Tyne.

5. *Mountpark* (145583)	2699	1925–28	Bos'n

Cwmni: J. M. Campbell & Co., Glasgow.

6. *Greldon* (142382)	5286	1928–31	Bos'n

Cwmni: Derwen Shipping Co. Ltd., Caerdydd.

7. *Llanwern* (160575)	4996	1930–34	Bos'n

Cwmni: Evan Thomas, Radcliffe & Co., Caerdydd.

Llongau Thomas Ellis Jones

1. *Drumlough* (146263)	311	14-4-1936–4-9-1938	Peiriannydd

Cwmni: British Isles Coasters Ltd., Aberteifi.

2. *King Edgar* (149947)	4536	28-11-1938–16-2-1940	Pumed Peiriannydd

Cwmni: King Line, Llundain.

Enw'r llong/ rhif cofrestru	Tunelli gros	Cyfnod	Safle
3. *West Coaster* (166332) Cwmni: British Isles Coasters Ltd., Aberteifi.	361	3-5-1940–15-1-1951	Prif Beiriannydd
4. *Mallard* (enw arall ar y *West Coaster*) Cwmni: General Steam Navigation Co. Ltd., Llundain.	361	16-1-1951–8-9-1956 Beiriannydd	Prif

Llong Elfan James Jones

1. *Southborough* (148276) Cwmni: Humphries (Cardiff) Ltd.	4542	1929–30	*Galley-boy*

Llongau Berian Vaughan

1. *British Mallard* (301137) Adeiladwyd gan Harland & Wolff, Belfast, 1960, i'r Clyde Charter Co. Ltd (is-gwmni i B.P.).	11174	1966–67	Morwr
2. *Ravensworth* (186911) Adeiladwyd gan Austin & Pickersgill, Sunderland ym 1960 i R. S. Dalgliesh, Newcastle-on-Tyne.	6805	1967	Morwr
3. *Gleddoch* (185765) Adeiladwyd gan Lithgow's Ltd., Port Glasgow, ym 1953, i Scottish Ore Carriers Ltd. (cwmni a reolwyd gan J. & J. Denholm, Glasgow).	6859	1967	Morwr
4. *Lottinge* (187420) Adeiladwyd gan Wm. Gray & Co. Ltd., West Hartlepool, ym 1956, i Constants Ltd., Llundain. (Roedd y cwmni wedi symud o Gaerdydd erbyn hyn).	4829	1967–69	Morwr

Llongau Gerallt Jones

1. *M/V King Edgar* (149947) Cwmni: King Line, Llundain.	4536	29-11-1927–18-9-1929	*Cabin-boy* i Forwr
2. *M/V Algerian* (147256) Cwmni: Ellerman Lines, Lerpwl.	2305	22-10-1929–1-9-1930	Morwr
3. *King Edward* (141921) Cwmni: King Line, Llundain.	5217	20-9-1930–25-7-1931	Morwr

Enw'r llong/ rhif cofrestru	Tunelli gros	Cyfnod	Safle
4. *Raisdale* (132811) Cwmni: Turnbull Coal & Shipping Co. Ltd., Caerdydd.	4346	4-9-1931–27-8-1932	A.B.
5. *Dalhanna* (161930) Cwmni: J. M. Campbell & Son, Glasgow.	5771	24-6-1932–8-11-1932	A.B.

Llongau y Capten John Alun Jones

1. *Ravenshoe* (139223) Cwmni: John Cory & Sons, Caerdydd.	4129	24-11-1924–25-5-1926	*Deck-boy* Morwr
2. *Porthia* (144618) Cwmni: R. H. Read & Co., St. Ives, Cernyw.	3919	9-7-1926–8-2-1927	Morwr
3. *Tudor King* (145719) Cwmni: Tudor Steam Navigation Co. Ltd., Caerdydd.	1426	23-2-1927–16-7-1927	Morwr
4. *Highgate* (113993) Cwmni: Watts, Watts & Co., Llundain.	3281	15-8-1927–19-12-1928	Morwr
5. *Westmoor* (48494) Cwmni: Walter Runciman & Co. Ltd., Newcastle.	4359	9-1-1929–4-6-1929	Morwr
6. *Llanberis* (149971) Cwmni: Evan Thomas, Radcliffe & Co., Caerdydd.	5055	25-9-1929–14-1-1930	Trydydd Fêt
7. *Pencarrow* (137213) Cwmni: Chellew Steam Navigation Co. Ltd., Llundain.	4810	21-1-1930–8-12-1930	Trydydd Fêt
8. *Penmorvah* (133347) Cwmni: Chellew Steam Navigation Co. Ltd., Llundain.	4323	20-4-1931–24-12-1932	Ail Fêt
9. *Pengreep* (133849) Cwmni: Chellew Steam Navigation Co. Ltd., Llundain.	4770	31-10-1934–25-8-1935	Ail Fêt
10. *Auretta* (153734) Cwmni: Chellew Steamship Management Co. Ltd., Llundain.	4564	2-9-1935–2-5-1936	Ail Fêt

Enw'r llong/ rhif cofrestru	Tunelli gros	Cyfnod	Safle
11. *Justitia* (153736) Cwmni: Chellew Steamship Management Co. Ltd., Llundain.	4562	27-8-1936–29-10-1938	Mêt Cyntaf i Gapten
12. *Pendeen* (146381) Cwmni: Chellew Steamship Management Co. Ltd., Llundain.	4174	18-3-1939–1943	Mêt Cyntaf
13. *Fort Maisonneuve* (168459) (Adeiladwyd yng Nghanada. Suddwyd gan ffrwydrad môr). Cwmni: Ministry of War Transport (rheolwyd gan Gwmni Chellew).	7128	1943–1944	Capten
14. *Pencarrow* (137213) Cwmni: Chellew Steam Management Co. Ltd., Llundain.	4810	1944–1945	Capten
15. *Penhale* (146388) Cwmni: Chellew Steam Management Co. Ltd., Llundain.	4071	1945–1946	Capten
16. *Empire Goodwin* (169528) Cwmni: Ministry of War Transport (rheolwyd gan Gwmni Chellew).	7192	1946–1947	Capten
17. *Pentire* (169655) Cwmni: Chellew Steam Management Co. Ltd., Llundain.	7219	1947–1954	Capten
Eskglen (148816) Cwmni: Esk Shipping Co. Ltd., Llundain.	7333	1954–1957	Capten
19. *Scorton* (165775) Cwmni: Chapman & Willan, Newcastle.	4795	1957–	Capten
20. *Silverstone* (187704) Cwmni: Alvion Steamship Co. Ltd., Panama.	8615	1959–1963	Capten
21. *Welsh Herald* (303643) Cwmni: Welsh Ore Carriers Ltd., Casnewydd.	19,543	1963–1966	Capten
22. *Amber Pacific* (338014) Cwmni: Pacific Bulk Carriers Ltd., Llundain.	31,409	1966–1968	Capten
23. *Maratha Envoy* (332511) Cwmni: Chowgule Steamships (Bahamas) Ltd.	16,492	1968–1973	Capten

Pedair o longau'r Capten Jac Alun

S.S. Pentire.

S.S. Penhale.

Y *Welsh Herald.*

Amber Pacific, y llong fwyaf y bu'r Capten Jac Alun yn morio arni.

Cyfieithiadau o eirfa a thermau morwrol a ddefnyddir yn y gyfrol

aft – 'nôl tua'r starn.

aground – llong neu gwch sydd ynghlwm ar graig neu dywod trwy ddamwain.

athwart – o ochr i ochr.

back-spring – rhaff ddur denau a ddaliai'r llong wrth y cei.

bilge – y darn lle mae ochrau'r llong a gwaelod y llong yn cwrdd.

bollards – darnau o haearn ar y cei i glymu'r llong.

Bosun – fforman ar y morwyr.

bows – trwyn y llong.

bridge – platfform uchel lle ceir y llyw.

bum-boats – marsiandiwyr cychod bychain a ddaw allan i'r llongau i werthu nwyddau.

bunkers – tanwydd (glo neu olew).

bulkhead – rhaniadau dur y tu fewn i long.

bulwarks – rhaniadau pren neu fetal sy'n ymestyn ochrau'r llong uwchben y dec uchaf.

convoy – casgliad trefnus o longau yn hwylio gyda'i gilydd.

destroyer – llong ryfel, cymharol fechan.

fathom – chwe throedfedd o ddyfnder mewn dŵr.

flush-decks – dec fflat.

foc'sl head, forecastle – dec blaen uchaf sy'n ymestyn i'r *bows*.

fore – darn o'r llong rhwng y *bows* a'r darnau canol.

freeboard – uchder ochr llong o'r dŵr i'r dec tywydd.

greaser – morwyr sy'n gweithio yn yr *engine room*.

greenhorn – morwr dibrofiad.

hatch – caeadau dros yr *holds*.

heavy cruiser – math ar long ryfel fawr.

helm – olwyn neu offer sy'n llywio'r llong trwy droi'r *rudders*.

holds – rhannau sy'n cario'r cargo – yng nghrombil y llong.

hull – prif gorff y llong heb yr ychwanegiadau.

incendiaries – bomiau tân.

knot – uned o gyflymder i fesur sawl milltir môr yr awr a wnâi'r llong. Mae 6080 troedfedd mewn milltir môr; 5280 mewn milltir tir.

land-ho – cyfarchiad wrth weled tir o long.

landing craft – llestr i drosglwyddo milwyr o long i draeth.

lazaretti – lle i gadw rhaffau, paent ar y *poop*.

lee – ochr gysgodol.

list – pwys llong i un ochr.

locyr Davy Jones – rhith o hen forwr gyda'i gist wedi boddi ar waelod y môr.

the old manilla – rhaff a oedd yn clymu'r llong wrth y cei.

main – y prif fast.

master – yr enw cywir morwrol ar gapten y llong.

mate – prif swyddog ac yn ail i'r capten.

mid-ships – rhan ganol y llong.

mizzen – hwyl ôl, hwyl y llyw.

nipper – morwr ieuanc dibrofiad.

The Old Man – enw morwrol ar y capten neu'r Mishtir.

Pampero – gwynt poeth.

Plimsoll Line – dyfais Samuel Plimsoll wedi ei baentio ar ochr y llong i ddynodi sut mae'n gorwedd mewn gwahanol fathau o ddyfroedd, ffres neu hallt. Ac i atal gor-lwytho.

pocket battleship – llong ryfel, gyda llawer o offer, ond yn llai na'r rhai mwyaf.

poop-deck – rhan ôl y dec.

port – ochr chwith y llong (wrth edrych tua'r *bows*).

prop – sgriw'r llong.

Ramadhan – gŵyl grefyddol y Mwslemiaid.

rigging – enw cyfansawdd am raffau a chadwyni.

Roaring Forties – gwyntoedd cryfion cefnforoedd deheuol y byd.

rookie – morwr ieuanc dibrofiad.

rum – gwirod traddodiadol y llynges.

salvage – yr act o achub llong.

sarang – *bosun* neu arweinydd crefyddol y Mwslemiaid.

sextant – offeryn gwyddonol i astudio lleoliad yr haul a'r sêr er mwyn llywio cwrs cywir.

spa boots – esgidiau morwr i gadw'n sych.

spanker – math ar hwyl.

spinnaker – hwyl flaen.

starboard – ochr dde'r llong (wrth edrych tua'r *bows*).

stern – rhan ôl y llong, lle mae'r *prop*.

taff-rails – terfyn ar ochr y deciau.

top sails – yr hwyliau uchaf.

tramps – llongau stêm, o 1860 ymlaen, a oedd yn crwydro'r byd yn chwilio am fasnach i'w perchnogion.

tug – tynfad.

weather-deck – unrhyw ddec sy'n agored i'r tywydd.

windjammers – math ar long hwyliau.

windlass – port a starboard – peiriant codi angor oddeutu 4–5 tunnell.

yard arm – y mast croes i'r mast talfrig.

445

Trosiad Morwrol o'r Drydedd Salm ar Hugain

Yr Arglwydd yw fy mheilot, ni wyraf gyda'r llif.
Efe a rydd oleuni imi dros y dyfroedd tywyll:
Efe a'm llywia mewn culforoedd dyfnion.
Efe a geidw fy nghofnodion.
Efe a'm harwain drwy seren y Sancteiddrwydd er mwyn Ei enw.
Ie, pe hwyliwn drwy dymhestloedd bywyd nid ofnwn y peryglon,
    canys yr wyt Ti gyda mi; dy ofal a'th gariad sy'n lloches i mi.
Ti a baratoaist y tonnau ag ennaint,
Fy llong a hwylia yn ddigyffro.
Heulwen a llewych sêr yn ddiau a'm harweinia ar y fordaith a gymeraf.
A phreswyliaf ym mhorthladd fy Nuw yn dragywydd.

Cyfieithiad Jon Meirion o eiriau'r Capten John Roberts (1874)
(Trwy law'r Capten J. Cyril Lewis)

LLUSERN

Seren y ddunos arwaf, – uwch y graig
    Ei fflach gref a welaf;
    A'i theg wawl eilwaith a gaf
    Wrth hwylio i'r porth olaf.

Jac Alun Jones

446